Collection dirigée par
Henriette Joël et Isabelle Laffont

DU MÊME AUTEUR

dans la même collection

SPY CHANNEL, 1989

ROLAND MAN

LE PIVERT

roman

ROBERT LAFFONT

Les *haïku* cités dans le livre ont été traduits en français
par Roger Munier pour son ouvrage *Haïku*, éditions Fayard, 1978.

*A Michèle, Anne et Nicolas,
pionniers d'Occidorient...*

PREMIÈRE PARTIE

HEN
(Début)

Viens jouer avec moi
moineau
    orphelin

                  Issa

1

« Ce n'est pas le rire qui est le propre de l'homme, c'est le double je(u) avec le *u* entre parenthèses. » Depuis cinq minutes, il essayait en vain de se rappeler dans quelles circonstances Lisbeth Delmont lui avait sorti ça un jour. A l'instant précis où, enfin, il s'en souvint, il « entendit » le *haïku*.

Le pivert
au même endroit s'obstine
déclin du jour

Un corbeau quitta le vieil érable en battant furieusement des ailes pour passer juste au-dessus de deux hommes en survêtement qui couraient à vive allure vers l'extrémité est de Central Park. De la grande baie vitrée où il se tenait, Calvin Ferris pouvait voir distinctement les empreintes que leurs chaussures de sport laissaient sur la neige fraîche.

Ferris savait parfaitement que le poème qui venait de s'« imprimer » dans son esprit n'était pas dû à une banale association d'idées provoquée par l'oiseau ou par le bruit du marteau-piqueur qu'on entendait plus loin sur l'avenue...

— Plus rapide le tempo, Ken...! dit-il en tâchant de garder son calme. C'est *vivace* qu'il faut interpréter ce morceau... A la reprise, attaque ton *sol* plus sèchement.

Il ferma les yeux et la « vision » devint plus nette : un petit jardin avec des pelouses vertes aux formes irrégulières où percent des crocus, une bande de moineaux rivalisant d'adresse pour picorer les miettes de pain lancées par un vieil homme aux cheveux blancs... Le *haïku* l'avait précédée d'une infime fraction de seconde...

C'était la troisième fois que le vieillard du jardin revenait avec insistance dans ses « visions »... Pourquoi ne pouvait-il s'empêcher d'éprouver une impression sinistre devant cette scène pourtant anodine ? Quel rôle y jouait-il ?

Il essaya de se concentrer sur le visage du vieil homme aux cheveux blancs, dont il n'avait jusqu'à présent qu'une image assez floue... Mais comme d'habitude, dès qu'il s'efforçait d'exercer un certain contrôle sur elle, la « vision » s'estompa aussitôt... Seul lui resta le souvenir très précis des trois vers...

« Sûrement Bashô ou Issa... Ou peut-être Buson... », pensa-t-il en rouvrant les yeux. Ça n'avait pas d'importance. Tout à l'heure, une fois rentré chez lui, il les retrouverait facilement dans l'anthologie en quatre volumes de Blyth.

— C'était mieux cette fois, Cal ? demanda d'une voix impatiente le jeune Kenneth Shelley, en levant ses grands yeux bleus vers Ferris.

— Beaucoup mieux, Ken..., mentit Ferris en cachant son agacement.

La « vision » ne l'avait pas empêché d'entendre toute l'exécution. Cela faisait au moins la dixième fois que le gamin travaillait cette œuvre de Jean-Baptiste Loeillet mais il butait toujours sur les mêmes difficultés. Il faudrait un miracle pour que le fils unique de Bob Shelley, le milliardaire excentrique, devînt un jour le « nouveau Casals » que son fichu père espérait...!

Ferris consulta sa montre. Encore dix minutes avant la fin de la leçon... Tant pis! Il valait mieux qu'il rentre rapidement. Si, comme il le redoutait, sa « vision » était bien le présage d'un retour en force des mystérieux phénomènes qui l'avaient contraint à renoncer à sa carrière, il valait mieux qu'il s'y prépare mentalement et psychiquement.

— C'était très bien, Ken..., reprit Ferris en s'efforçant cette fois de lui sourire gentiment. Tu peux si tu veux passer à un autre morceau... Par exemple ce *larghetto* de Haendel que tu aimes tant... Tu pourras ainsi travailler tes doigtés de la quatrième position...

— Tu pars déjà ? s'étonna Kenneth en le voyant enfiler son manteau. Ce n'est pas encore l'heure...

Puis il ajouta aussitôt sur un ton de reproche :

— Tu m'avais promis que tu m'aiderais à monter la nouvelle maquette!

— C'est vrai. Mais aujourd'hui je ne me sens pas très bien. Je crois que j'ai attrapé froid...

— Attends! Je vais sonner William. Il fera venir le docteur de Papa, d'accord ?

Sans attendre la réponse, l'enfant lâcha son instrument pour se lever et courir vers l'interphone. Ferris bondit pour rattraper le violoncelle avant qu'il ne tombe.

— Je t'ai déjà dit cent fois d'en prendre soin! Faut-il encore te répéter que ce n'est pas un jouet ? lança-t-il furieux en couchant le violoncelle dans l'étui rigide.

Décidément il n'y avait rien à tirer de cet enfant gâté, incapable de faire la différence entre une merveille réalisée par un luthier du XIXᵉ siècle et un des innombrables gadgets qui encombraient sa salle de jeux!

Surpris par la véhémence de la réprimande, Kenneth laissa retomber le combiné et, la tête baissée, retourna s'asseoir.

– Excuse-moi, Cal... J'ai pas fait exprès..., finit-il par dire, au bord des larmes.

Ferris faillit se laisser attendrir par les grands yeux implorants de l'enfant, mais il n'en avait plus le temps.

– Il faut que je m'en aille maintenant. Je viendrai plus tôt la semaine prochaine et on verra pour la maquette... N'oublie pas de faire tes devoirs si tu veux que Miss Slater te fiche la paix...!

« Heureusement que j'ai refusé d'habiter dans le même immeuble... Je passerais ma vie à lui servir de nounou! » pensa Ferris en débouchant sur le trottoir.

La neige tombant plus dru, il releva le col de son manteau en pressant le pas.

Les premiers temps, donner des leçons de violoncelle à la progéniture de Robert Shelley – le magnat de presse le plus important des États-Unis – n'avait été pour lui qu'un moyen de continuer à vivre de son instrument... Puis, peu à peu, les rapports entre l'élève et le professeur s'étaient transformés en une relation amicale, à la grande satisfaction de Shelley...

Divorcé depuis des années, Shelley était souvent en voyage pour ses affaires et on ne pouvait pas dire que William, le majordome, ou Connie Slater, la gouvernante, constituaient pour Ken la famille idéale... C'est pourquoi le vieux avait été ravi d'avoir enfin trouvé l'oncle ou le grand frère qui apporterait un peu d'affection à son fils en son absence...

Malgré son côté fils à papa, Kenneth était un enfant plutôt attachant; il vivait dans une solitude un peu semblable à celle que Ferris avait connue avec ses parents adoptifs... A bien des égards Ken et lui avaient pas mal de points communs... Ferris était persuadé qu'au fond Shelley n'était pas dupe : il savait que son fils ne serait jamais un grand violoncelliste, mais cette fiction permettait de garder un compagnon à Kenneth.

Il devait reconnaître que Shelley savait se montrer convaincant... Après lui avoir proposé en vain d'habiter avec Kenneth dans le triplex, il avait tout simplement mis gracieusement à sa disposition un magnifique appartement, à trois blocs à peine de son « condominium » et donnant également sur Central Park! « Vous serez ainsi plus facilement disponible au cas où Ken se sentirait trop seul... Vous savez, il vous aime comme un grand frère. Il serait vraiment chagriné si vous deviez le quitter. »

Pour le moment Shelley pouvait être rassuré. Ferris resterait à New York tant que *Senseï* Taki y demeurerait...

Dès qu'il fut chez lui, Ferris se précipita sur son téléphone pour appeler le dojo. Mais il faillit s'effondrer quand Aikiko lui assena la nouvelle :

Taki s'était envolé avant-hier pour le Japon, afin de se rendre au chevet de son frère gravement malade!

Il n'y avait qu'un seul message sur son répondeur : « Hi Cal! Je voulais te dire un petit bonjour... Rappelle-moi. Bises... » Ce n'était malheureusement pas Maureen qui allait pouvoir l'aider dans ce qui l'attendait.

« C'est l'occasion ou jamais de passer à la pratique... », pensa alors Ferris, en se souvenant des tout premiers conseils que *Senseï* Taki lui avait donnés dans son anglais hésitant : « *Bushido or Zen? Same spirit! Hai! Way of the warrior! Danger? You must struggle alone! Danger reveals you have courage or no... Zen useless without courage... Hai* [1]*!* »

L'endroit où Ferris pratiquait *Zazen* n'était pas grand. Il n'avait pas hésité à sacrifier près de la moitié de la superficie du living pour se réserver un carré d'environ trois mètres sur trois, délimité par les murs d'angle situés à l'ouest et par deux grands paravents chinois qu'il avait achetés. En dehors du *zafu* [2] et du tapis de méditation, il ne s'y trouvait qu'une petite planchette de bois où il pouvait poser le petit magnétophone à déclenchement vocal lorsqu'il pensait utile de l'avoir à sa portée. Une fois assis dans la posture il était face à face avec le mur blanc.

En joignant les mains pour faire *gassho*, Ferris se souvint des mots du Maître chinois Sekito : « Même si le lieu de méditation est exigu, il renferme l'univers. Même si notre esprit est petit, il contient l'illimité... »

---

1. « Le *Zen* et le *Bushido*, le code d'honneur des samouraïs, procèdent du même esprit : en présence d'un danger, il faut lutter seul. Le danger montre si vous êtes courageux ou pas. Le *Zen* sans courage c'est inutile... »
2. Coussin de méditation rond, rembourré de kapok, utilisé pour la posture *Zazen*.

2

Freddie Pearson poussa un juron en découvrant le contenu du sac que Suzy lui avait préparé. Une seule Thermos de café! Pourtant il lui avait bien dit qu'il risquait de poireauter toute la nuit dans la voiture... Peinturlurée comme un clown, plus moche et flétrie qu'un haricot vert fané, elle n'était même pas foutue d'allumer de temps en temps une petite étincelle dans son cerveau!

Tout en mâchonnant son insipide sandwich à la dinde, il sortit son calepin et nota : *Me suis pointé à 22 heures sur la Cinquième, à l'adresse indiquée par le client...!*

« Ça doit vraiment être un dingue! Je me demande si je ferais pas mieux de laisser tomber, même au prix où cet idiot me paie... Il y a sûrement une emmerde quelque part! » marmonna-t-il en repensant au jour où il avait accepté de prendre le fric de Ferris.

Spécialisé dans les filatures, il travaillait surtout pour les maris ou femmes jaloux. Ce n'était pas le Pérou, mais il arrivait à s'en sortir à peu près... Depuis peu, son chiffre d'affaires avait même grimpé. Raison : le sida! Avant de coucher avec un type ou une fille, on voulait être sûr qu'il n'y aurait aucun risque de choper cette merde. Faire suivre le mec ou la bonne femme pendant quelque temps était moins embarrassant que d'exiger un certificat de séronégativité avant de s'envoyer en l'air...

En voyant débarquer ce beau gars brun d'environ trente-cinq ans, grand et plutôt bien bâti, Pearson s'était dit : « Encore un de ces types BCBG éduqués à Harvard ou Yale qui veulent mettre toutes les chances de leur côté avant de consommer... » Depuis quelques mois ils défilaient chez lui à raison de trois ou quatre par semaine. Mais il s'était complètement gouré! Et quand l'autre lui avait expliqué ce qu'il attendait de lui, il avait bien failli en avaler son cigarillo!

En quinze ans de boulot Pearson en avait vu de belles, mais jamais il n'aurait pensé qu'il aurait un jour à prendre en filature son propre client!

– Vous voulez que je vous file! C'est bien ça?

15

– Exactement. Et que vous me fassiez ensuite un rapport détaillé sur tous mes faits et gestes...

– Ah, je vois... Vous voulez que je vous serve de garde du corps en quelque sorte! Vous vous trompez, mon vieux! Mon domaine à moi, c'est les filatures; la protection rapprochée, c'est pas mon genre. Mais si vous voulez une bonne adresse, je peux vous en dégoter une...

En secouant la tête le type lui avait rétorqué:

– Vous m'avez mal compris. Écoutez... ce serait trop long à vous expliquer en détail: disons en gros que ça a un rapport avec ma santé... De temps en temps j'ai des absences de mémoire, je deviens amnésique, si vous voulez. Je suis comme un somnambule qui fait des choses sans s'en rendre compte et qui ne s'en souvient plus au réveil. Votre job consistera à me suivre pour ensuite me raconter tout ce que j'aurai fait...

Quand il l'avait mieux regardé, il avait été frappé par ses yeux légèrement bridés. Ce n'était pas très marqué mais c'était certainement un Eurasien. On en voyait de plus en plus aux États-Unis. Ses pupilles n'étaient pas particulièrement dilatées: ce n'était donc pas un camé. Il ne sentait pas non plus l'alcool. D'ailleurs, à ses nippes décontractées – un caban bleu marine, un pantalon de velours beige, un pull rouge à col roulé –, on reconnaissait plutôt un sportif. En dehors de ses grandes mains aux doigts longs et musclés, il n'avait rien de particulier, sauf peut-être sa manière curieuse de parler, un peu comme un ventriloque, sans pratiquement remuer les lèvres... A part ça, il n'y avait aucune raison valable de refuser son argent, surtout que le type n'avait pas bronché à l'annonce de ses tarifs, alors même qu'il lui avait annoncé le prix fort...

– Chez moi, le client a toujours raison du moment qu'il peut payer! Je facture mille dollars par jour plus les frais. Si vous êtes d'accord, je peux commencer tout de suite...

– J'accepte vos conditions. Mais j'ai aussi les miennes. Voici deux mille dollars d'avance. Vous en aurez deux mille autres si vous me garantissez que vous serez toujours disponible quand j'aurai besoin de vous et si vous me laissez un numéro où je peux vous appeler en permanence!

Les yeux sur la liasse de billets, Pearson avait senti qu'il tenait une affaire.

– Hé là! Je n'ai pas que vous comme client! Il faut aussi que je travaille. J'ai besoin d'au moins quarante-huit heures pour me trouver un remplaçant pour les affaires courantes...

– OK! Ça me coûtera combien en plus si vous vous réservez quelqu'un?

– Mille cinq cents dollars par jour... Et je vous rappelle que je ne suis pas garde du corps! Si jamais vous vous retrouvez dans une bagarre ou un coup dur, moi, je ne bouge pas!

– J'avais bien compris, monsieur Pearson! Dernier point: c'est toujours moi qui vous contacterai. Pour les filatures comme pour vos rapports. A aucun moment vous ne devrez chercher à me joindre, c'est clair?

Sans faire attention au ton légèrement menaçant de son nouveau « client », Pearson avait prestement empoché les quarante billets de cent dollars avant qu'il ne change d'avis...

Pendant plus d'une semaine, il était resté sans aucune nouvelle. Jusqu'à ce fameux soir de janvier... Il n'était pas près d'oublier le « spectacle » auquel l'autre l'avait convié...!

– Pearson? Ici Calvin Ferris. Vous vous souvenez de nos arrangements? J'ai besoin de vous ce soir, c'est possible?

– Euh, vous me prévenez un peu tard, mais si vous êtes prêt à payer le supplément prévu, je peux m'arranger...

– C'est d'accord. Faites le nécessaire pour vous libérer à partir de minuit. Voici l'adresse où vous devrez attendre... Je compte sur vous!

Conformément aux instructions, il s'était pointé un peu avant minuit à la même adresse que ce soir, devant un immeuble cossu de la Cinquième Avenue, à hauteur de la 72e.

La neige était tombée toute la journée et il faisait un froid de canard. Heureusement, il n'avait pas attendu longtemps. Vers minuit et demi il avait vu Ferris déboucher sur le trottoir en trottinant. Il avait failli ne pas le reconnaître avec son bonnet de laine sur la tête! Avant qu'il ait pu deviner ses intentions Ferris remontait l'avenue en courant vers le nord. Heureusement qu'il avait son manteau en peau de mouton retournée sur lui! Le temps qu'il sorte de la voiture, l'autre avait dépassé le musée Guggenheim.

Instinctivement, il avait saisi son colt et repoussé le cran d'arrêt avant de se mettre à lui courir après.

Le verglas avait rendu le trottoir glissant comme une patinoire et il avait failli s'étaler à deux reprises. « Le salaud, c'est ce que je craignais! Il va vers Central Park... J'ai l'impression que je vais perdre un client... En tout cas, je l'aurai prévenu! Je vais pas risquer ma peau pour le défendre contre les négros qui grouillent là-bas...! »

Ses craintes n'avaient pas tardé à se confirmer. Ferris avait à peine atteint la petite place en arc de cercle située à l'extrémité sud-est du Réservoir que trois Noirs baraqués armés de couteaux lui fermaient le passage! Pearson s'était prudemment arrêté. Pour le moment ils semblaient surtout vouloir s'amuser un peu. Ils tournaient autour de Ferris en jouant avec leurs crans d'arrêt. Aux éclairs rapides que lançaient les lames sous la lumière des réverbères, Pearson vit tout de suite que c'étaient des « pros »!

– Alors, petit enculé de Blanc... Tu nous le donnes gentiment ton fric ou on va le chercher nous-mêmes?

– T'as vu? Il est souple comme un chat! On va lui faire lever la patte encore plus haut, hein les copains?

– Dis donc! Vise un peu ces Nike à deux cents dollars...! Ouah!

Pearson avait pointé son arme vers le ciel et se préparait à tirer en l'air un coup de semonce, quand une chose incroyable s'était passée... Au moment où il allait appuyer sur la détente, un ordre impérieux de Ferris lui avait interdit d'intervenir ! Un mois après, Pearson se demandait encore par quel phénomène mystérieux il avait distinctement entendu un « Non ! » alors qu'à aucun moment, il était prêt à en mettre sa main au feu, Ferris n'avait ouvert la bouche ! Parfois un regard suffit à signifier une interdiction avec une telle force qu'on croit l'avoir entendue... Mais Ferris lui tournait le dos. Alors, avait-il eu une hallucination ? Ou bien s'agissait-il d'une réelle transmission de pensée entre lui et Ferris ? C'était la suite des événements qui avait incité Pearson à envisager cette hypothèse, alors que par nature il était plutôt méfiant sur ce sujet.

Rien n'était sûrement impossible à un type capable de neutraliser un trio de négros de Central Park !

Pearson, qui adorait les films de Bruce Lee, savait qu'au montage certaines séquences étaient accélérées pour rendre plus spectaculaires les scènes de combat. Ils n'étaient pas au cinéma et pourtant Ferris exécutait des mouvements de kung-fu aussi rapides que ceux qu'il avait vus sur l'écran. Malgré les couteaux à cran d'arrêt, le combat s'était révélé tout à fait inégal ! Une seule manchette et deux coups de pied avaient suffi à Ferris pour faire voler les lames. Puis un saut prodigieux, un mouvement tournant... de la même jambe, Ferris avait percuté le cou des deux Noirs qui l'encadraient ! Une fraction de seconde avant de toucher le sol il avait pivoté et violemment détendu son coude. Atteint à la rate celui qui lui faisait face s'était aussi effondré avec un bruit sourd... L'affrontement n'avait pas duré plus d'une minute... !

Ensuite Ferris avait fait quelques pas sautillants avant de se figer dans une posture que les films de karaté avaient rendue familière à Pearson... La main gauche écartée au bout du bras, le genou gauche avancé, le poing droit à hauteur de la hanche, la tête imperceptiblement penchée en avant : un « tigre » humain, prêt à bondir et tuer de nouveau !

Il avait sursauté malgré lui quand Ferris était sorti de son immobilité de statue. Avant de se retourner, il avait craché quelque chose dans la neige et Pearson avait cru apercevoir une tache rouge : du sang ? Il n'avait pas remarqué à quel moment il avait été blessé. Quand Ferris était parvenu à sa hauteur, il avait reculé instinctivement en s'écartant. Mais les yeux hagards et vides de toute expression, son client était passé en trottinant devant lui comme s'il ne le voyait pas !

Pearson fit marcher l'essuie-glace pour enlever la neige du pare-brise et tourna la clef de contact pour pouvoir enclencher le chauffage. Presque deux heures déjà qu'il était là... Personne n'était entré dans l'immeuble ni sorti depuis au moins une plombe ! Soit le « fauve » était fatigué ce soir... Soit il ne sortirait comme l'autre fois qu'après minuit. « L'heure du crime... Enfin plutôt l'heure où l'incroyable Ferris se paye des dealers noirs ou portoricains... ! » fit Pearson en tapant du poing sur le volant pour se réchauffer.

18

Car, après Central Park, Ferris n'avait pas terminé sa nuit! Pearson, encore sous le choc, lui avait machinalement emboîté le pas et, le temps qu'il réalise où l'autre l'entraînait, il s'était retrouvé en plein cœur de Spanish Harlem!

Là, dans une petite ruelle transversale coincée entre la 116e et Park Avenue, Ferris s'était débarrassé en un clin d'œil de deux adolescents portoricains qui l'avaient pourtant agressé avec des chaînes de moto et des barres de fer...

Rentré chez lui, Pearson avait failli mettre les quatre mille dollars dans une enveloppe et les renvoyer à Ferris. Il ne tenait pas du tout à lui servir de témoin à décharge! Car ce dingue l'avait évidemment engagé pour plaider la légitime défense au cas où il serait poursuivi devant les tribunaux pour homicide. Les combats contre les tueurs des rues devaient sans doute lui fournir les émotions fortes qu'il ne parvenait pas à trouver sur les tatamis!

Mais en menant une petite enquête rapide, il avait découvert que Ferris occupait un appartement appartenant au milliardaire Shelley. Et ce détail l'avait incité à réfléchir. Son intuition lui disait que d'une façon ou d'une autre il pouvait y avoir là beaucoup d'argent à gagner... Il devait avant tout établir avec certitude quel type de relations il y avait entre Shelley et Ferris...

« De toute façon, il a prouvé qu'il était assez grand pour se défendre tout seul... Je ne risque pas grand-chose en le suivant dans ses expéditions nocturnes. En cas de coup dur, j'ai toujours la ressource de me servir de mon joujou... », pensa Pearson en tripotant machinalement à travers sa veste la crosse de son colt.

3

Shu jo muhen seigan do
Bonno mujin seigandan
Homon muryo seigangaku
Butsu do mujo seiganjo [1]

En dernier ressort, Ferris récita les quatre vœux du *Shiguseigan*, avant d'entamer en *gassho* la litanie *Ji. Hô. Shan. Shi. I. Shi. Fu...*

Une première fois il était parvenu à faire disparaître sa nouvelle vision en s'appuyant, comme *Senseï* Taki le lui avait appris, sur les sensations physiques qu'il ressentait et en particulier les violentes crampes qui commençaient à gagner ses genoux et ses chevilles...

« ... J'accepte cette souffrance physique car elle est la seule réalité... L'éternel présent se situe là et nulle part ailleurs... Les pensées ne feront que passer tels des nuages... »

Mais il avait suffi d'une infime fraction de seconde pendant laquelle il avait laissé le mental reprendre le dessus pour que l'image s'engouffrât de nouveau avec plus de force... Un homme était en train de se noyer... Non! Il était déjà mort! L'onde bouillonnante et la fumée qui s'en élevait ne laissaient aucun doute... Le corps était secoué de soubresauts grotesques mais c'était sous l'effet d'une électrocution.

Le *Shiguseigan* ne fut plus d'aucune utilité à Ferris, car son esprit avait associé immédiatement la scène à un souvenir d'enfance qui l'avait complètement traumatisé.

Pour ses six ans, ses parents adoptifs l'avaient emmené à la piscine pour sa première leçon de natation avec un maître-nageur. Tout excité à cette joyeuse perspective, il s'était déshabillé rapidement et s'était précipité

---

1. Traduction du *Shiguseigan* : « Si nombreux que soient les êtres, je fais le vœu de les sauver tous / Si nombreuses que soient les passions, je fais vœu de les vaincre toutes / Si nombreux que soient les Dharmas, je fais vœu de les acquérir tous / Si parfait que soit un Bouddha, je fais vœu de le devenir. »

hors de la cabine sans attendre ses parents. Quatre enfants à peine plus âgés que lui jouaient gaiement dans le petit bain en plongeant dans une grosse bouée avec des cris excités. Il les regardait avec envie s'éclabousser et sauter dans l'eau, en pensant que bientôt il aurait enfin la permission de se joindre à eux... quand l'accident était arrivé ! Dans un vacarme épouvantable, il avait vu soudain un objet volumineux tomber dans la piscine en même temps que des milliers de débris de verre. L'eau s'était mise à bouillonner en dégageant une épaisse vapeur... Les nageurs avaient commencé à gesticuler dans tous les sens en hurlant...

Sa mère s'était jetée sur lui pour l'entraîner dans une cabine. Au milieu des cris, elle l'avait forcé à se rhabiller avant de l'emmener rapidement vers la sortie.

Ce ne fut que plusieurs années plus tard que son père lui raconta ce qui s'était passé ce jour-là : pour une raison inconnue, une voiture de pompiers roulant à vive allure avait heurté violemment un pylône électrique qui était tombé à travers la verrière de la piscine. En touchant l'eau les câbles électriques avaient provoqué l'électrocution instantanée d'une dizaine de baigneurs !

Dans sa « vision » tout se passait également en une fraction de seconde : l'homme en maillot allongé sur le petit matelas flottant était apparemment seul sur l'eau. Les bras tombant de chaque côté, il lâchait soudain son cigare avant de faire un bond en l'air. Son corps, en retombant dans l'eau bouillonnante, était secoué de spasmes violents...

Ferris eut une envie violente de vomir, et il fut obligé d'interrompre la sensation du *hara* pour modifier le rythme de sa respiration en procédant à de plus longues inspirations...

Au moment précis où il se souvint des mots de *Sensei* Taki : « Les pensées viennent presque toujours au moment de l'inspir... c'est pourquoi il est plus facile de les laisser repartir avec l'expir... », Ferris « entendit » distinctement le *haïku* :

> *Un éclair !*
> *Hier à l'est*
> *aujourd'hui à l'ouest*

Sortant de la posture sans *gassho* ni *ki hin*, Ferris se leva et courut vers la salle de bains.

En voyant la voiture s'arrêter devant l'entrée de l'immeuble, Pearson décida d'attendre encore quelques instants. Il était 3 heures passées et il venait de mettre son moteur en route pour rentrer quand le taxi jaune était passé à côté de son véhicule.

– Merde ! Le voilà !

C'était bien Ferris, en haut des marches. Il avait posé le gros étui par terre pour boutonner son manteau. Pearson le vit faire un signe de la main au chauffeur avant de descendre l'escalier, son violoncelle au bout du bras droit.

Pearson secoua ses yeux ensommeillés pour vérifier les chiffres sur la montre de sa Datsun. 3 :18. « Qu'est-ce qu'il fabrique avec son instrument ? marmonna Pearson en mordillant son cigarillo. Il ne va quand même pas leur jouer une sérénade avant de s'occuper d'eux ! » fit-il en repensant aux cinq crapules que Ferris avait corrigées l'autre nuit.

Puis il accéléra pour rattraper le taxi qui avait tourné à droite dans la 86ᵉ Rue.

« Au moins à cette heure-ci, je n'aurai aucun mal à te suivre mon coco... ! »

— Merde ! Je me suis fait avoir comme un bleu ! jura Pearson en tapant violemment du poing le volant de sa voiture.

Il n'avait plus qu'à rentrer chez lui... L'autre avait réussi à le semer !

Après s'être fait déposer au coin de la 42ᵉ et de Times Square, Ferris, toujours flanqué de son gros étui noir, avait marché une dizaine de mètres sur Broadway en direction du sud. Pearson l'avait vu aborder deux ou trois putes avant de porter son choix sur une grande Noire dont la jupe en cuir rouge cachait à peine les fesses.

Lorsqu'il avait vu Ferris s'engouffrer avec la gazelle dans un hôtel miteux, tout près de la nouvelle boîte de nuit Raffaelli's, il avait garé sa Datsun en double file devant une boutique de grossiste en matériel photo.

Puis, en se disant : « Pendant que ce salaud s'offre une partie de jambes en l'air, je peux bien aller me réchauffer un peu... », il s'était précipité dans le fast-food chinois tout proche – à Times Square seuls les chinetoques étaient assez fous pour rester ouverts à 4 h 30 du matin dans ce quartier de drogués – pour y avaler un *egg roll* arrosé d'un café brûlant mais insipide.

Quand la grande bringue était ressortie, une demi-heure plus tard, sans Ferris, Pearson avait commencé à soupçonner une entourloupe. La salope s'était même payé sa tête quand il l'avait abordée pour la questionner :

— Toi, j'ai l'impression que c'est pas la baise qui t'intéresse... Ça m'étonnerait pas que tu sois un détective privé... Si c'est le musicien que tu cherches, il t'a drôlement eu ! Il ne m'a même pas sautée ! Il m'a payé mes cent dollars et m'a simplement demandé de rester trente minutes dans la chambre avant de me repointer dehors...

Pearson n'avait réussi à garder son calme qu'au prix d'un immense effort de volonté. Une brève seconde, il avait hésité à lui balancer une baffe ou à lui tripoter méchamment les seins. Mais il valait mieux garder la tête froide ! La situation n'était pas banale : un type qui engage un détective à mille cinq cents dollars par jour, et qui s'efforce ensuite de le semer, ça ne court pas les rues ! Et s'il avait des choses pas très belles à cacher ?

« L'autre soir, se dit Pearson en mettant le contact, il avait besoin d'un témoin à décharge; cette nuit il veut régler ses petites affaires tout seul... j'ai l'impression que j'ai trouvé le bon filon. Patience, mon vieux Freddie... La prochaine fois ce sera à toi de jouer! Au moment où il pensera t'avoir largué, tu seras là dans l'ombre pour l'espionner à son insu. Le vieux Shelley n'aura plus qu'à aligner les gros billets, sans discuter... »

Guido Fava travaillait comme videur chez Raffaelli's depuis bientôt six mois. En voyant le type au manteau de mouton retourné s'éloigner dans la voiture japonaise, il étouffa un juron de déception. Un moment il avait espéré que l'homme se pointerait devant l'entrée de la boîte, ce qui lui fournirait une occasion de montrer sa force à Maurizio Campione... Juste une demi-heure auparavant, il avait jeté dehors le dernier client, un Irlandais complètement saoul mais fort comme un taureau, et il avait déjà senti le regard de Campione se poser sur lui. Fava savait que Campione cherchait des gars grands et forts pour assurer la protection rapprochée de Don Preatoni... Mais il savait aussi pertinemment qu'avec le bras droit du « Don », il était inutile de se porter candidat : il préférait juger sur pièces...

En observant la façon dont Campione se tenait dans l'ombre, sa longue silhouette décharnée appuyée contre le mur et figée dans une immobilité parfaite, ses petits yeux vifs et brillants guettant le moindre mouvement suspect, Fava fut frappé par la justesse du surnom que lui avaient donné ses proches collaborateurs : le « Reptile »! Un serpent invisible et silencieux capable de tuer mortellement en une infime fraction de seconde...

Campione était resté dans la même position depuis près de trente minutes. Même quand le type à la Datsun était arrivé et avait commencé à fureter dans le coin, il n'avait pas bronché.

« Dans le fond, pensa Fava, je ne sais pas si ce serait une si bonne idée de travailler sous ses ordres... Ce mec me donne la chair de poule! »

Comme s'il avait lu dans ses pensées, le Reptile se retourna et lui adressa un regard glacial. Puis Fava le vit parler brièvement dans un petit téléphone sans fil avant de s'avancer avec un petit sourire satisfait dans la rue. Les limousines de Don Preatoni n'allaient pas tarder à se pointer au bout de la rue... Preatoni n'avait aucun souci à se faire : il allait pouvoir passer plusieurs heures agréables avec ses invitées au Raffaelli's. Son bras droit avait fait le nécessaire pour écarter tout danger éventuel...

Campione était arrivé à la boîte un peu avant 4 heures pour leur annoncer la venue de Preatoni... Tout le monde savait ce que ça voulait dire : les clients devaient déguerpir au plus vite, tout devait être prêt, cocktails et amuse-gueule, autour de la piscine, pour le Don et ses sirènes dénudées... C'était normal : il était le patron de la boîte!

— Hé, le musicien! Approche par ici que je te voie de plus près... Il me semble que je t'ai jamais vu encore...!

Il avait posé le gros étui par terre avant de s'avancer jusqu'à Fava. Il avait gardé la tête baissée car il était absolument indispensable que celui-ci ne le reconnût qu'au tout dernier moment. L'élément de surprise était essentiel. D'abord la méfiance, puis ensuite la reconnaissance... et la confiance... Une tactique directement inspirée de Sun Tzu et de son *Art de la guerre*...

Lentement, sans lever les yeux, il avait demandé d'un ton hésitant et peu assuré : « Ce n'est pas ici la veillée funèbre ? » Puis au moment même où l'inconscient de Fava avait dû reconnaître sa voix, il avait redressé brusquement la tête.

— C'est toi, Éric ? Qu'est-ce que tu fous là ?

— Ça alors... Guido ! s'était-il exclamé en riant franchement pour rassurer pleinement l'autre. Je crois que je me suis complètement gourré d'adresse... Ou alors on m'a fait une blague ! Je trouvais un peu bizarre qu'on m'appelle en pleine nuit pour venir jouer du Schubert à une veillée funèbre, mais je me disais qu'à notre époque c'était peut-être pas une chose si dingue que ça !

Fava avait commencé à rire aussi en se tenant les côtes... En quelques phrases, il avait réussi à le détendre complètement. Deux mois de fréquentation assidue de la salle de musculation préférée de l'Italien lui avaient suffi pour dominer « psychiquement » cet imbécile à son insu...

— A propos, ça me fait penser : j'ai vu hier un dessin animé extra... A hurler de rire... un vieux Woody Woodpecker...

Comme les fois précédentes, Fava était entré en transe hypnotique dès qu'il avait prononcé le mot « Woodpecker »...

— Détends-toi... Je suis ton meilleur ami. Tu vas aller ouvrir la porte d'accès au toit et me laisser passer. Une fois que je serai de l'autre côté, tu refermeras derrière moi. Et dès que tu auras remis les clefs dans ta poche, tu auras tout oublié... Tout oublié... Je ne suis jamais venu chez Raffaelli's...

Fava lui avait obéi comme un automate docile... D'abord en lui ouvrant la lourde porte, avant de s'effacer pour le laisser passer avec son gros étui. Dans l'escalier il s'était arrêté en bas des marches pour entendre le bruit de la clef que Fava avait tournée en refermant derrière lui. Tout s'était passé comme sur des roulettes. La neige s'était chargée d'effacer rapidement les traces de ses pas jusqu'au renfoncement. Il avait soigneusement monté le Husqvarna avec la lunette avant de le remettre dans l'étui du violoncelle.

Comme il s'y était attendu, vers 4 h 30, Campione avait débouché en haut des marches pour jeter un coup d'œil sur le toit. Il n'y était resté que quelques secondes, le temps d'allumer une cigarette... L'épaisse couche de neige l'avait tout de suite rassuré. Si quelqu'un s'était récemment aventuré par là, il aurait laissé des empreintes...

D'ailleurs Campione n'était monté sur la terrasse que par pur réflexe professionnel. Aussitôt après avoir racheté la boîte, le Don avait fait remplacer les portes-fenêtres latérales de la piscine par des panneaux vitrés blindés capables de résister aux balles dum-dum... Quant aux petites ouvertures de la taille d'un ballon de football qui servaient pour l'aération, elles étaient inutilisables par un tireur embusqué puisqu'elles se situaient à la hauteur du plafond. Et comme personne n'avait encore inventé un fusil avec trajectoire et visée périscopiques...

Par précaution, Campione avait tout de même fait sceller un grillage devant chaque ouverture : pour décourager tout recours éventuel à des grenades...

Sa montre indiquait 4 : 56. Le Don n'allait sûrement pas tarder. Il se leva pour dégourdir ses jambes. Dans quelques minutes il allait pouvoir exécuter sans aucun problème son « contrat », là où plusieurs tueurs professionnels avaient lamentablement échoué... Pour lui aucun système de protection n'était infaillible. A condition de savoir se montrer aussi patient et rusé que le guerrier idéal glorifié par Sun Tzu...

Bientôt 5 heures... En tournant la tête vers l'ouest, il se demanda si à des milliers de kilomètres de là il neigeait aussi... Cette blancheur omniprésente lui rappelait les jardins du temple Eiheji où il avait passé tant de journées mémorables... Il n'était pas près d'oublier le *haïku* que son *shuso* avait récité en réponse à sa première question. Plus tard il avait appris que le poème avait été écrit par Hashin...

> *Il n'y plus ni ciel ni terre*
> *rien que la neige*
> *qui tombe sans fin*

4

– Viens te joindre à nous, Maurizio! Ces dames ont besoin que quelqu'un s'occupe d'elles pendant que je nage un peu...

– J'arrive, répondit Campione en regardant pensivement le bout d'écorce qu'il avait trouvé dans l'eau.

Pendant que Preatoni et ses trois jolies filles étaient en train de se changer, il avait enfilé le masque de plongée pour faire une dernière inspection de la piscine. Au cas où un vicieux y aurait immergé une bombe miniature... Après avoir fait allumer les deux projecteurs installés sous l'eau derrière les hublots ronds, il avait traversé en apnée le bassin dans toute sa longueur. Il avait trouvé et dégagé un morceau de bois coincé dans un des filtres. En remontant, il avait posé machinalement ce truc – un rectangle d'environ quinze centimètres sur dix percé d'un petit trou – sur la table sans y prêter une attention particulière.

Plus tard, en tendant sa main pour prendre une cigarette, il l'avait fait tomber par terre. C'est en se penchant pour le ramasser qu'il avait remarqué les phrases gravées sur la face intérieure. Quelqu'un y avait gravé un poème avec la pointe d'un canif. Les lettres minuscules étaient maladroitement formées, mais facilement lisibles :

> *A flash of lightning!*
> *yesterday eastward*
> *today in the west* [1]

Ce n'était pas les trois vers qui le turlupinaient – ils semblaient n'avoir aucun sens – mais le trou pratiqué dans l'écorce. Il n'avait rien de naturel : il avait été bel et bien provoqué par un impact de balle! Pour Campione, qui avait une longue habitude de ces choses, il n'y avait aucun doute possible : c'était un message codé. Il ferma les yeux et essaya de se

---

1. « Un éclair / Hier à l'est / aujourd'hui à l'ouest... »

concentrer. Il sentait intuitivement que cet objet avait une signification importante. Ça éveillait en lui un vague souvenir, quelque chose qu'il avait lu un jour...

— Alors, tu viens, Maurizio, ou il faut que j'aille te chercher ?

Sans se retourner, Campione savait que c'était Patricia qui venait de l'appeler. Elle avait un corps longiligne d'une souplesse féline et une des bouches les plus sensuelles qu'il eût jamais vues... Mais il était trop préoccupé pour y penser. Il avait l'intuition d'un lien entre ce bout de bois et deux autres objets reçus par Preatoni un mois plus tôt à Palerme, lorsque le Don était revenu en Sicile passer les fêtes de fin d'année : une pomme et un filament de tungstène. Le fruit était parvenu par le courrier le deuxième lundi de décembre, une granny-smith bien verte, inoffensive, qui ne contenait ni poison ni explosif. Le bout de fil le lendemain. Deux envois anonymes postés tous deux de Milan. La pièce de bois, maintenant qu'il y pensait, était attachée dans la grille du filtre avec un bout de corde passée à travers le trou : c'était donc qu'elle avait été laissée sciemment sous l'eau, par quelqu'un qui savait qu'il inspectait le bassin avec un masque !

— Alors, Maurizio ?

— J'arrive, fit-il en se levant de sa chaise.

Il lui était impossible de réfléchir au milieu des rires qui s'élevaient de la piscine ! Il se pencherait de nouveau sur ce problème dès qu'il serait plus tranquille... Don Preatoni avait sûrement un nouvel ennemi qui voulait l'éliminer. Dans les dix derniers mois, il avait déjà déjoué trois tentatives d'assassinat. A cinq semaines d'intervalle deux tueurs professionnels américains, puis un commando de quatre Sud-Américains, mal informés, avaient en vain essayé de mitrailler la limousine blindée du « Capo »... La troisième fois, un type d'origine arabe avait lancé une grenade au moment où Preatoni sortait d'un restaurant à Rome. En prévision de ce genre de choses, Campione avait exigé qu'au moins deux gardes du corps fussent affectés en permanence à la voiture du Parrain. Lorsque celui-ci sortait dans la rue, l'un se tenait déjà au volant, le moteur chaud, prêt à démarrer sur les chapeaux de roue, pendant que l'autre ouvrait la portière. Ainsi avant même que la grenade eût rebondi sur le sol, Campione avait pu pousser le Don dans la voiture et crier au chauffeur de démarrer.

L'espèce de rébus que formaient les trois objets faisait penser à un tueur un peu spécial : un professionnel beaucoup plus subtil et intelligent que ses prédécesseurs, agissant probablement seul, et qui prenait son temps... Ce qui le rendait d'autant plus dangereux !

Mais pour le moment Preatoni était en sécurité. Un rapide coup d'œil confirma à Campione que ses cinq adjoints étaient tous à leur poste, prêts à utiliser leur AK 47. Montant une garde vigilante en haut de l'escalier menant au bar et devant l'entrée du couloir vers les douches et les vestiaires.

Quant à Fava, il n'avait pas hésité à le renvoyer au rez-de-chaussée surveiller l'entrée de la boîte. Ça lui apprendrait à lancer des œillades appuyées à Patricia! Il se faisait des illusions, en tout cas, s'il espérait un jour travailler sous ses ordres...

« Je vais te montrer, moi, la différence entre une poupée gonflette et un homme! » pensa Campione en plongeant.

Il n'avait pas du tout apprécié le regard coquin que Patricia avait jeté à Fava.

Il se souviendrait toute sa vie du jour où on avait enterré sa mère. Il neigeait abondamment et au retour du cimetière Masashi lui avait parlé de la beauté des *haïku*.

C'était l'unique fois où il avait vu Masashi pleurer. C'est alors qu'il avait vraiment réalisé combien il aimait sa mère...

« Elle était ma force, ma joie... J'ai composé plusieurs *haïku* pour elle, mais je n'ai jamais osé les lui montrer, car je savais qu'il me serait impossible d'égaler ceux de Buson, Issa ou Bashô, ses préférés... Aujourd'hui j'aurais voulu lui en offrir un, mais je suis seulement capable de lui réciter une composition d'Arô » :

> *Un oiseau chanta*
> *et se tut*
> *neige dans le crépuscule*

Plus tard Masashi l'avait fait venir dans son bureau et lui avait tendu un long paquet enveloppé dans de la soie.

— C'est un cadeau... Un jour je te raconterai l'histoire de cette lame illustre. Ce *katana* est désormais à toi. Un jour de tristesse comme aujourd'hui est aussi riche en symboles d'espoir et il est temps que je t'apprenne à les lire... Ta mère nous a quittés. Elle était pour toi le dernier lien qui te rattachait à l'Ouest... En acceptant ce présent, tu vas naître à une nouvelle vie et tu apprendras à devenir un guerrier. Tu devras t'appuyer sur *L'Art de la guerre* de Sun Tzu mais également sur le *Bushido*, le code d'honneur des anciens samouraïs.

Bien des années après, lorsqu'il avait exprimé à Masashi son étonnement devant l'esprit diamétralement opposé de ces deux textes, l'honneur et la loyauté d'un côté, la ruse et la tromperie de l'autre, Masashi lui avait répondu :

— *L'Art de la guerre* est resté formidablement actuel en cette fin du XXᵉ siècle : en appliquant les principes de Sun Tzu, on peut vaincre seul n'importe quel adversaire, même si celui-ci dispose d'une armée... Le *Bushido*, lui, appartient au passé, sa « lettre » est morte depuis longtemps et un samouraï qui se bat avec son sabre, son *katana*, contre une arme à feu est un homme mort, seul son « esprit » subsiste comme une pierre précieuse dont seuls quelques-uns peuvent soupçonner l'existence... Mais ils sont indissociables et notre nation va rencontrer des difficultés énormes parce ses leaders n'appliquent que Sun Tzu pour gagner la guerre économique, en oubliant totalement qu'un marchand est un adversaire que le code de l'honneur exige également de respecter. Nos dirigeants piétinent des valeurs qui ont fait notre force depuis toujours en méprisant les Européens ou les Américains. Ils sont obsédés par la victoire à tout prix. Sun Tzu sans le *Bushido*, c'est le germe de la défaite... C'est quand trop de victoires faciles vous rendent arrogant et méprisant que vous devenez vulnérable...

La musique tonitruante et les lumières brillantes qui scintillaient au-dessus de la piscine le firent revenir au présent. Il éprouva un profond sentiment de tristesse en notant combien le mot même de « guerrier » appartenait à un passé révolu !

Le seul adversaire auquel ce soir il aurait pu se mesurer à la loyale, comme dans les combats d'autrefois, était peut-être ce Maurizio Campione chargé d'organiser la protection de Preatoni... Seul il avait sans doute assez de finesse pour déchiffrer les trois messages qu'il avait envoyés... Un physique de samouraï. Sec comme un ascète mais vif et rapide comme l'éclair. Il aurait aimé défier le Reptile dans une autre vie... sur une lande balayée par le vent, *katana* contre *katana*, *tanto* contre *tanto*... Le temps de l'affrontement d'homme à homme, rythmé par la voix du vent dans les rizières ou le martèlement des sabots sur le sol était révolu depuis une éternité. Aujourd'hui il ne verrait même pas ses adversaires, qui ne mourraient même pas de sa main...

A travers la lunette télescopique à infrarouge montée sur son Husqvarna 561 il voyait parfaitement les trois rivets dessinant un triangle équilatéral sur le mur. Ils délimitaient les contours d'une sorte de *mandala*... Le magasin modifié ne comportait que six balles – des Magnum 358 – mais elles lui suffiraient... Un mouvement de trente degrés vers la droite et les trois sommets du triangle de droite disparaîtraient... Cinq secondes à peine lui seraient nécessaires. En faisant poser le grillage devant les lucarnes d'aération pour éviter les grenades, un professionnel comme Campione n'avait pas dû manquer de constater que des balles pouvaient parfaitement passer au travers des losanges... Mais il s'était sûrement dit, après avoir vérifié la trajectoire dont diposerait un tueur : « Je ne vois pas quel intérêt il aurait à faire un carton sur le mur d'en face. » Ce en quoi il avait eu tort !

Ça faisait plusieurs fois que Preatoni l'invitait à participer activement aux ébats dans la piscine, notamment en s'occupant de la belle Patricia – par chance le Don, qui aimait les filles bien plantureuses, devait la trouver trop maigre à son goût...

Campione fit un signe à Luigi afin qu'il monte au maximum la sonorisation et coupe l'éclairage principal en ne laissant que les deux stroboscopes. C'était lui qui avait eu récemment l'idée de faire installer au niveau du plafond les spots cinématiques qui donnaient un aspect un peu irréel aux choses quand elles devenaient, comme en ce moment, un peu trop « hard » sous l'influence des filles. Si on voulait éviter que la vigilance des gardes ne se relâche, surtout si on les transformait en voyeurs envieux et jaloux, il valait mieux s'arranger pour qu'ils ne voient pas de façon trop nette la façon dont Patti s'occupait superbement de lui ! En ce moment, avec des coups de langue qu'elle alternait habilement avec le mouvement de ses lèvres, elle était en train de l'amener au paroxysme du plaisir...

Le Don était en train de faire glousser Lou et Rhonda... Campione pencha la tête en arrière pour observer l'enchevêtrement des corps. Malgré l'illusion d'un mouvement fortement ralenti dû à la persistance rétinienne, les éclairs réguliers de lumière déformaient complètement sa vision. Il lui fallut plusieurs secondes avant de restituer à chacun ses membres. Une fois de plus il constata que le Don, à l'inverse de lui, avait une nette préférence pour les préliminaires actifs... Il était descendu du matelas pneumatique pour pouvoir satisfaire les deux filles à la fois ! Le dos appuyé sur le bord de la piscine, il avait enfoui sa tête entre les jambes de Lou qui, assise au-dessus de lui, lui offrait sa croupe. A la façon dont elle tortillait ses grosses fesses, on se doutait aisément ce que Preatoni était en train de lui faire, tout en pénétrant par-derrière Rhonda qui secouait violemment la tête de gauche à droite.

Bien entendu, cette vision ne fit qu'augmenter son excitation et Campione renversa la tête en arrière pour contempler le plafond. Les caresses de Patricia étaient vraiment exquises. La seule façon de retarder la jouissance était de penser à autre chose. Par exemple en réfléchissant sur le bout de bois qu'il avait remonté du bassin.

> *Dark skins fall on*
> *Black earth and ivory*
> *Far from your sun*
> *Clouds now close over me...*

– Merde !

Patricia se méprit et crut qu'elle lui avait fait mal avec ses dents. Elle creusa sa bouche et accentua la pression de ses lèvres.

Le trou dans le rectangle devait effectivement être dû à une balle... Mais ce n'était pas là le détail important ! C'était plutôt que le rond avait été fait dans un morceau de tronc d'arbre ! Maintenant Campione savait ce que ça voulait dire... C'était la signature du « Pivert » ! Un redoutable tueur professionnel dont personne ne connaissait l'identité exacte...

C'était le Pivert qui avait dû également envoyer la pomme et le bout de fil... La pomme devait avoir un rapport avec New York, « the Big Apple »... Une légende courait selon laquelle le Pivert annonçait toujours à l'avance à ses victimes le lieu où il agirait, ainsi que l'arme qu'il utiliserait... Il restait le poème « A flash of lightning » à déchiffrer...

C'est en regardant distraitement vers le plafond que Campione trouvala solution. Quand ses yeux se posèrent sur les stroboscopes, il devina en une fraction de seconde le plan diabolique du Pivert! Il se redressa vivement en empoignant la chevelure de Patricia pour qu'elle lâchât son sexe. Mais celle-ci, sentant le dénouement proche, ne voulut pas ouvrir la bouche.

Grâce à son ouïe exercée, Campione reconnut immédiatement le bruit assourdi que firent les balles dans le mur. Mais il était trop tard! Les deux stroboscopes tombèrent dans la piscine.

Campione ne fut même pas conscient qu'il avait joui dans la bouche de Patricia au moment où l'eau s'était mise à bouillir. Unis dans une attitude grotesque presque identique, le Don et lui moururent instantanément.

5

— C'est bien fait pour toi, pauvre idiote! lança Lisbeth Delmont, d'un ton furieux, à son reflet dans la glace de la salle de bains.

Elle attrapa le peignoir et l'enfila vite pour ne pas avoir à passer nue devant le grand miroir. D'habitude, après la douche, elle aimait bien rester devant un long moment pour surveiller les courbes de sa silhouette, et faire une chasse impitoyable au moindre début d'affaissement ou de bourrelet disgracieux. Ce soir, malgré la bonne demi-heure passée à se savonner vigoureusement, elle était persuadée qu'il lui suffirait de regarder un peu attentivement son corps pour y apercevoir immédiatement, sous une forme ou une autre, les stigmates du vice...

« Ça t'apprendra à être plus prudente la prochaine fois... », fit-elle en serrant rageusement la ceinture autour de sa taille.

« Peut-être un amant amusant le jour où j'aurai envie de donner libre cours à mon côté vierge folle... Je me demande de quel signe il est... », s'était-elle dit à propos de Darol quand elle lui avait été présentée au cours d'une séance de ventes à Drouot. L'homme avait éveillé sa curiosité car c'était la première fois qu'elle voyait un mélange aussi étonnant : un visage fin, presque efféminé, plutôt latin, avec des yeux sombres et des cheveux noirs, mais un corps et une stature de bûcheron canadien...

Darol lui avait fait une cour assidue pendant plus d'un mois, et ce soir, après le dîner aux chandelles chez Clovis, le champagne aidant, elle avait accepté d'aller chez lui prendre un dernier verre... Quel fiasco!

Dans l'entrée, sans aucun préambule, il s'était sauvagement jeté sur elle et l'avait plaquée par terre. Il l'avait prise brutalement après lui avoir arraché son slip! Elle s'était débattue en criant ce qui n'avait fait qu'exciter Darol davantage. Il avait éclaté de rire :

— C'est bon, hein? Attends, tu vas voir...

En ahanant comme une bête, il avait repris ses violents coups de boutoir, tandis que, le nez et la bouche écrasés contre son cou de taureau, elle cherchait vainement à se dégager.

32

En amour un peu de fantaisie, peut-être même un brin de folie, est sans doute nécessaire de temps en temps... A un être doté d'un instinct primitif, une femme expérimentée a toujours l'impression qu'elle peut apprendre les rudiments de l'amour. C'est pourquoi elle ne détestait pas trouver chez un amant une certaine rusticité fruste. Au moins ça changeait des zèbres faussement érudits d'aujourd'hui!

« Mais tout le monde peut se tromper! » se dit-elle en repensant à Darol.

Elle avait vraiment eu l'impression de faire l'amour avec un mammifère suidé ne sachant que pousser stupidement son sexe en avant...

« Il faut que je me calme... », fit-elle en pénétrant dans la cuisine pour se verser un verre de lait.

Elle savait pertinemment que si elle se mettait au lit tout de suite, elle ne parviendrait jamais à s'endormir. Le meilleur moyen de ne plus penser à cette ordure était peut-être de se replonger dans ses dossiers...

Lisbeth Delmont abandonna avec agacement la contemplation de *L'Ame du lotus* qu'elle avait accroché récemment sur le mur devant elle à la place d'une lithographie de Dali (un expert lui avait récemment dit que c'était probablement un faux) pour regarder le chèque de deux mille dollars qu'elle avait failli déchirer en ouvrant l'enveloppe.

C'était bien la première fois que Calvin Ferris joignait un paiement aux cassettes qu'il lui envoyait régulièrement... Le tableau de Kupka lui avait coûté une petite fortune et avec le premier tiers provisionnel qui allait tomber, cette rentrée inattendue tombait plutôt à pic. Mais en acceptant cet argent, elle se sentirait moralement obligée de poursuivre avec Ferris ces pseudo-analyses qu'elle aurait déjà dû interrompre.

Ferris était depuis longtemps son client. Lorsqu'il avait dû quitter Paris pour aller vivre à New York, c'était elle qui lui avait spontanément proposé de poursuivre son analyse par magnétophones interposés... C'était une façon de garder un contact régulier avec un patient qu'elle considérait comme attachant. Hallucinations, psychoses dépressives, hantises morbides, visions délirantes, dédoublement de la personnalité, Ferris était pour elle un catalogue vivant des dégâts que l'« orientalisme de bazar », autrement dit les sectes faussement orientales, pouvait provoquer chez les êtres fragiles, crédules et influençables!

C'est ainsi qu'elle avait continué à collationner pour elle-même les *visions* de Ferris, sans se sentir en vérité obligée de faire dessus un travail d'analyse très poussé. La plupart du temps, elle se contentait dans ses réponses, toujours très succinctes, de faire ressortir la qualité d'écoute qu'elle pouvait lui offrir. En dehors des manifestations causées par les projections directement liées aux affects très forts dus au complexe du *père*, elle avait préféré renoncer à toute interprétation des autres expériences décrites par Ferris, à la fois désorientée et fascinée par l'infime complexité ainsi que par la sophistication baroque des scénarios que sa psyché avait imaginés pour permettre à ses pulsions de s'exprimer librement!

Un oubli que je voulais depuis longtemps réparer... Avec ma sincère reconnaissance pour le temps que vous me consacrez...

Il n'avait jamais été question, dans son esprit, de lui faire payer les analyses de ses enregistrements. Le chèque de Ferris, qui avait griffonné au verso ces quelques mots au crayon, lui posait aujourd'hui clairement un problème. En acceptant l'argent elle serait moralement obligée de rétablir une authentique relation analyste-analysé, au moment même où elle envisageait d'y mettre fin : d'une part les schémas de violence décrits par lui devenaient presque banals, à force de se répéter, d'autre part ils survenaient de moins en moins fréquemment... Ainsi Ferris ne semblait pas avoir connu de crise vraiment sérieuse depuis près de cinq mois... En l'incitant à lui parler abondamment de ses fantasmes morbides, elle lui avait sans doute permis d'une certaine manière de les exorciser.

« J'aviserai après avoir écouté cet enregistrement... Peut-être est-il inutile de poursuivre plus longtemps... », pensa Lisbeth Delmont en introduisant la cassette dans l'appareil.

« ... C'est peut-être vous qui avez raison en définitive, Lisbeth. Quand il est revenu régulièrement, j'ai compris que j'avais réussi en quelque sorte à l'intégrer dans un exercice d'imagination active, comme vous dites dans votre jargon jungien... Ce jour-là j'étais assis sur un banc dans un Central Park désert, ne pensant à rien de spécial. Soudain il était là devant moi à environ trente mètres me tournant le dos. Il lançait du pain aux oiseaux et ne semblait guère avoir noté ma présence. Je me disais : " Il me remarquera quand il se retournera... " Sur le moment je ne me doutais pas que ce vieil homme aux cheveux blancs n'était que la projection de mon père. Ce qui m'a trompé, c'est le fait qu'il était âgé, comme s'il avait vieilli en même temps que moi et vivait encore, alors que dans tous mes rêves précédents il m'était toujours apparu comme un homme d'une trentaine d'années...

« La fois suivante, quelques jours plus tard, je " le " retrouvai précédé par un poème mélancolique de Rimbaud... Là, je n'étais plus dans le tableau. Du moins à proximité immédiate du vieil homme, car je le voyais très en dessous de moi, en train de nourrir les pigeons. Comme si j'étais plutôt un oiseau posé sur une branche élevée et l'observant d'en haut. Sans doute étais-je alors vraiment un volatile car les miettes de mie de pain m'attiraient irrésistiblement... Cependant, j'étais comme paralysé dès que je voulais quitter l'arbre pour participer moi aussi à la fête! Une force incroyable me retenait prisonnier... J'étais le moineau orphelin délaissé et oublié par son père... Comme dans ce *haïku* d'Issa :

Viens jouer avec moi
moineau
orphelin

« Le surlendemain pendant la leçon avec Ken, je l'ai revu dans une scène similaire... En même temps un autre poème du même auteur s'est imprimé dans ma tête :

Le pivert
au même endroit s'obstine
déclin du jour

« J'ai ressenti une telle tristesse et éprouvé une telle détresse que j'ai paniqué. J'étais certain d'avoir reconnu le signe avant-coureur de mes visions. Ce jour-là, j'ai écourté la leçon pour vite rentrer chez moi, où je pourrais me réfugier dans le *Zazen*.

« Pendant près de deux semaines je me suis terré dans l'appartement, passant mes journées assis sur mon *zafu* en méditation. Je savais que c'était le seul rempart derrière lequel je pouvais avec quelque chance de succès me réfugier lorsque mon être était assailli de toutes parts.

« Je crois que jamais je n'ai passé tant d'heures en *Zazen*... En tout cas, à mon grand soulagement, ça a marché, je n'ai connu aucun de ces maudits pressentiments qui par le passé m'ont complètement détruit...

« Il s'est même produit une chose extraordinaire : j'ai vécu une sorte de petit *satori*! L'instant d'une seconde, à l'occasion d'une nouvelle vision, tout m'est apparu clairement et j'ai compris la raison de ces rêves éveillés... Pour cela mon inconscient s'était servi d'un épisode traumatisant de ma petite enfance. Je veux parler du jour où j'ai assisté à la mort horrible de plusieurs personnes dont des enfants, électrocutées dans l'eau parce qu'un pylône électrique était tombé dans le bassin... Dans mon exercice d'imagination active, la scène se passait également dans une piscine. Un homme était assis sur un matelas pneumatique en train de fumer un gros cigare. Et soudain je le voyais se tordre de douleur parce que lui aussi avait été électrocuté !

« J'ai compris tout de suite le sens de cet épisode quand curieusement une sorte de plaisir a remplacé ma révulsion des premiers instants devant ce spectacle! J'osais enfin tuer symboliquement l'image du père... J'assouvissais de cette manière une rancune de plus de trente années... »

Lisbeth Delmont se frotta les yeux et arrêta l'appareil. Elle n'avait pas écouté l'intégralité de la deuxième face. Il devait rester environ cinq minutes d'enregistrement, mais il était sans doute inutile de poursuivre. Son opinion était faite. Il était effectivement inutile de poursuivre avec Ferris. Non content d'avoir, semble-t-il, réussi à exorciser ses vieux démons, il s'était même lancé dans une sorte d'auto-analyse...! Et elle était d'ailleurs plutôt d'accord avec son interprétation! Sa transformation semblait remonter à peu près à la période où il avait connu un dénommé Taki. La méditation *Zazen* pratiquée avec le Japonais avait-elle eu une influence vraiment favorable sur lui? Elle n'en était pas vraiment persuadée. Quoi qu'il en soit, le dossier paraissait clos...

6

La joie de Ken faisait plaisir à voir et Ferris rit de bon cœur en le voyant enfourner le riz dans sa bouche avec la dextérité d'un Asiatique, en s'aidant des baguettes comme il le lui avait montré au début du repas.

— Hé, doucement! Tu vas t'étouffer... Et rapproche le bol de toi, sinon tu vas en perdre la moitié! lança-t-il en reposant sa tasse de thé.

Après avoir visité le Chinese Museum et le temple bouddhiste de Mott Street, ils s'étaient réfugiés dans un petit restaurant de Baxter Street, le seul où il restait encore de la place, pour échapper quelques instants à la foule dense et bigarrée venue admirer les défilés et spectacles dans les rues de Chinatown.

Cette année, le 12 février, qui était un jour de congé pour Ken — son école était l'une des rares à fêter encore l'anniversaire de Lincoln —, coïncidait avec le nouvel an chinois. C'est pourquoi, après la matinée dans Central Park, il lui avait proposé d'aller faire un tour dans le quartier chinois, notamment pour voir de près le spectaculaire dragon de six mètres de long et pesant près d'une tonne et demie qu'on promenait traditionnellement dans les rues.

— Est-ce qu'on pourra revenir l'année prochaine, Cal?

— Pourquoi pas, Ken? Tu sais, les Chinois appliquent le calendrier lunaire, et chez eux le nouvel an correspond à la première lune suivant le 21 janvier. Aussi ça m'étonnerait que ça tombe de nouveau un 12 février... Enfin, on verra... Tu peux finir le poulet, je n'en veux plus...

Avec habileté Ken attrapa un morceau de viande avec ses baguettes et plongea de nouveau son nez dans le bol de riz parfumé. Pour lui c'était visiblement la fête et ce n'était pas nécessaire de lui demander deux fois de finir les plats. Ravi de le voir manger avec tant d'appétit, Ferris se reversa un peu de thé avant de se masser machinalement la nuque avec la main droite. Après la parade du dragon, les spectateurs avaient eu droit à des démonstrations d'arts martiaux qui avaient attiré évidemment beaucoup de monde et Ferris avait dû jouer des coudes pour s'approcher. Afin que Ken puisse mieux voir, il l'avait hissé sur ses épaules. Bien entendu le gosse l'avait supplié de rester jusqu'à la fin. Ce qui leur avait permis, après les inévitables combats avec les sabres et les sauts des champions de kung-fu, d'assister à une magnifique série d'enchaînements de boxe *hsing-i*.

« Eux, au moins, à la différence de la plupart des autres, semblent avoir saisi à la perfection l'esprit au-delà du *hsing* (la forme)... », se dit Ferris en repensant aux deux maîtres exécutant la série fondée sur les mouvements des douze animaux : le cheval, le singe, le tigre, l'ours...

— Tu m'apprendras un jour le karaté? lui demanda à brûle-pourpoint Ken, comme s'il avait lu dans ses pensées. Moi aussi, j'aimerais savoir sauter comme eux ou pouvoir casser des briques.

Ferris poussa un soupir. Tous les enfants étaient pareils! Dès qu'ils voyaient un ou deux karatékas montrer ce qu'ils savaient faire, ils voulaient immédiatement les imiter...

— Et à quoi ça te servira, hein? répondit-il agacé. Tu as des doigts d'une grande souplesse et au lieu de t'en servir pour tirer le maximum de ton violoncelle, tu ne penses qu'à les abîmer en les utilisant stupidement! De toute façon, je serais un très mauvais professeur, je n'y connais pas grand-chose les arts martiaux... Et je te rappelle que c'est un nouveau Yo Yo Ma que je dois faire de toi, pas un Bruce Lee...!

La réaction de l'enfant fut aussi surprenante qu'inattendue. Après lui avoir lancé un regard à la fois étonné et indigné, il éclata en sanglots.

— Qu'est-ce qui t'arrive, Ken? demanda Ferris pris au dépourvu.

Il tendit la main pour lui toucher l'épaule, mais le gosse se détourna.

— Excuse-moi si je t'ai fait de la peine... J'avais oublié que c'était un jour de fête aujourd'hui... Allez, calme-toi... Je te promets qu'on ne parlera plus travail...

— Vous les adultes... vous êtes tous des menteurs! cria Ken en repoussant le mouchoir que Ferris avait sorti pour lui de sa poche.

— Qu'est-ce que tu veux dire? protesta Ferris.

— Je t'ai vu l'autre matin dans Central Park, tu t'entraînais seul à faire des enchaînements de karaté...

Ferris eut du mal à cacher sa surprise. Mais il préféra ne pas intervenir.

— J'étais avec les autres élèves. Notre professeur de gym nous avait promis qu'après le jogging nous pourrions faire une bataille de boules de neige... Malgré le froid tu étais sous les arbres torse nu en train de donner des coups de poing et des coups de pied devant toi... J'ai voulu courir vers toi avec mes copains pour leur dire : « Venez, c'est Cal...! » Mais tu m'as fait signe de rester avec mon groupe et de faire comme si je ne te connaissais pas...

— Et que s'est-il passé après? fit Ferris de plus en plus perplexe.

— Oh... pas grand-chose. On s'est éparpillés dans le jardin pour jouer à cache-cache et je n'y ai plus pensé après. C'est tout à l'heure en voyant les types dans la rue que ça m'est revenu... Tu sais, Cal... je te promets que je ne trahirai pas ton secret...

Freddie Pearson était content de lui. Il avait pris un gros risque en suivant Ferris et le gosse jusqu'à l'intérieur du restaurant, mais ça lui avait permis d'apprendre des choses bougrement intéressantes.

Le surlendemain du jour où Ferris l'avait semé dans Times Square, deux choses l'avaient définitivement convaincu de ne pas lâcher les baskets du mystérieux professeur de violoncelle...

D'abord en lisant les journaux au petit déjeuner il avait appris que Don Preatoni, l'un des parrains de la drogue les plus puissants de New York, avait été électrocuté dans des circonstances un peu spéciales, alors qu'il était en train de se baigner dans la piscine de la boîte de nuit Raffaelli's... La police recherchait activement le tueur professionnel qui, en tirant avec un fusil à lunette, avait provoqué la chute des projecteurs électriques dans l'eau... L'incident s'était déroulé vers 5 heures du matin soit assez peu de temps après qu'il eut perdu la trace de Ferris... Un étui de violoncelle, c'était très pratique pour transporter un fusil...

Ensuite, comme pour confirmer ses soupçons sur son véritable métier, Ferris lui avait fait parvenir par la poste une enveloppe contenant deux mille dollars en coupures de cent, avec le mot suivant : *Voilà qui devrait couvrir vos frais... Je n'ai plus besoin de vos services.*

Tout en disant : « Je me fous qu'il ait liquidé Preatoni... Tous les salauds qui s'enrichissent avec cette saloperie de drogue devraient subir le même sort... C'est aussi son problème s'il corrige quelques vauriens la nuit... Mais qu'en pensera le vieux Shelley s'il apprend que son fils prend des cours de violoncelle avec un tueur professionnel ? », il avait décidé de continuer à suivre Ferris, persuadé que le magnat serait prêt à payer une fortune pour que ce genre de petit secret ne fût pas refilé à un journaliste d'un groupe de presse concurrent...

Il s'était trouvé un remplaçant pour faire marcher la boutique en son absence puis, affublé d'une perruque et d'une fausse barbe, il s'était posté devant le domicile de Ferris. Pendant près de deux semaines celui-ci s'était terré dans son appartement et Pearson avait failli à plusieurs reprises abandonner sa surveillance, tellement Mister Hyde semblait redevenu sage... Même pas une petite virée nocturne pour se payer la tronche de quelques nègres ou Portoricains...

Ce matin, Docteur Jekyll l'avait de nouveau entraîné dans Central Park, mais pour un programme désespérément paisible : après avoir joué au frisbee avec le jeune Shelley pendant de longs moments, il avait loué une barque à Loeb Boat House... Ensuite les deux compères, qui semblaient bien s'entendre, avaient pris le métro vers Chinatown.

Quand il les avait vus pénétrer dans le restaurant chinois, il avait hésité : « Il n'y a que des Jaunes là-dedans, je vais me faire repérer immédiatement... » Puis les canards laqués suspendus en devanture lui avaient rappelé qu'il n'avait pas pris un repas digne de ce nom depuis une éternité et il s'était finalement décidé à entrer. S'il s'asseyait à l'une des tables du fond, Ferris lui tournerait le dos.

« S'il me reconnaît, je peux toujours inventer un truc quelconque... Que je file un Chinetoque soupçonné de détourner des fonds... », s'était-il dit en attaquant voracement le plat de canard aux cinq parfums.

Il n'avait jamais pensé que son stage de *lip-reading* lui servirait un jour. Son copain Chance n'avait réussi à l'y entraîner qu'après lui avoir décrit le physique de leur instructeur : « Tu verras, c'est une fille superbe. Avec la paire de lolos qu'elle a, je crois qu'elle peut se doucher sans se mouiller les pieds... Il paraît qu'elle sait aussi bien se servir de sa bouche qu'elle sait lire sur les lèvres des gens! » Finalement la fille s'était révélée être une gouine de première! Mais elle leur avait appris des choses étonnantes pour ne rien rater des conversations de clients dont on ne pouvait pas trop s'approcher.

Au moins six mètres le séparaient de leur table. Dans le brouhaha général régnant dans le restaurant, il ne pouvait entendre ce que les deux se racontaient. Mais le gamin était assis à peu près en face de lui et il se concentra sur ses lèvres.

« Tu m'apprendras un jour le karaté? Je t'ai vu l'autre jour dans Central Park... Tu étais sous les arbres, torse nu, en train de donner des coups de poing et de pied devant toi... Je ne trahirai pas ton secret... »

Ainsi donc le jeune Shelley avait surpris Ferris, torse nu par une température avoisinant sans doute zéro, en train d'effectuer sa série de *kata*... Était-ce parce qu'il avait l'intention d'initier l'enfant qu'ils étaient restés si longtemps dans Canal Street à admirer la démonstration d'arts martiaux?

« Je serais curieux de connaître la réaction de Shelley quand il saura que son fils, sous l'influence de Mister Hyde, veut aussi devenir un tueur à mains nues... », se dit Pearson en mâchant un morceau de canard. Mais il faillit avaler de travers quand il « lut » la question suivante du gamin :

« Combien de temps resteras-tu à Paris? »

« Voilà pourquoi il est entré dans l'agence de la Pan Am... », pensa soudain Pearson, tout excité. Deux jours auparavant, au lieu de rentrer à pied chez lui, comme il le faisait toujours après son cours de violoncelle, Ferris avait fait un détour jusqu'à Amsterdam Avenue et était entré dans une agence de la compagnie aérienne. Il n'y était pas resté longtemps, trois minutes maximum, et en était ressorti le teint blême.

« Je me demande si je ne dois pas prendre moi aussi quelques jours de vacances à Paris... Mon petit doigt me dit que c'est là que le tueur au violoncelle va exécuter son prochain contrat! » marmonna-t-il dans sa fausse barbe.

Ken avait les yeux rivés sur l'écran. Il avait l'air fasciné par les acrobaties des acteurs. Le fait que ce film chinois intitulé *La Revanche du lion* passât en version originale non sous-titrée n'avait pas du tout l'air de le gêner. Comme les scènes de kung-fu se succédaient, on pouvait sans peine se passer des dialogues pour comprendre le déroulement de l'action...

Après le restaurant chinois, Ferris avait suggéré d'aller voir un film de karaté dans une des salles de Chinatown, ce que Ken avait accepté immédiatement avec enthousiasme. Il avait besoin de réfléchir sérieusement : c'est pour ça qu'il avait volontairement choisi un de ces *eastern kung fu* nuls et insipides qu'il détestait cordialement. Une fois assis dans le noir, il pourrait fermer les yeux et faire le point dans sa tête.

Plusieurs choses le troublaient profondément.

Il y avait d'abord cette vision qui avait tout déclenché. Elle s'était produite juste le lendemain du jour où il avait enregistré une cassette pour Lisbeth Delmont. C'était la première fois qu'il avait eu un pressentiment aussi fort. La scène s'était imposée à son mental dès le moment où il avait relâché sa vigilance dans la marche *Kin hin*, après la posture *Zazen*... En allongeant imperceptiblement ses deux derniers pas, il avait rompu l'harmonie jusqu'alors parfaite entre sa respiration et le déplacement de ses pieds.

C'était le même homme aux cheveux blancs, celui du jardin... Marchant la nuit le long d'un trottoir, la tête entre les épaules, les mains dans les poches de son manteau... S'arrêtant soudain et levant la tête pour regarder le numéro au-dessus de la porte cochère de l'immeuble : *72*. Puis s'approchant pour mieux lire l'inscription sur la plaque de cuivre...

« *Lisbeth DELMONT psychanalyste...* », avait-il lu à la place de l'homme. Les mots lui étaient apparus aussi nettement que s'il les avait déchiffrés sur le journal.

Presque simultanément, sans qu'il pût en donner la raison, lui était revenu en mémoire un passage d'*Aurélia* de Gérard de Nerval, un auteur qu'il avait relu quelques semaines auparavant :

Un soir, vers minuit, je remontais un faubourg où se trouvait ma demeure, lorsque, levant les yeux par hasard, je remarquai le numéro d'une maison éclairée par un réverbère. Ce nombre était celui de mon âge. Aussitôt, en baissant les yeux, je vis devant moi une femme au teint blême, aux yeux caves, qui me semblait avoir les traits d'Aurélia. Je me dis : c'est sa mort ou la mienne qui m'est annoncée! Mais je ne sais pourquoi j'en restai à la dernière supposition, et je me frappai de cette idée, que ce devait être le lendemain à la même heure.

Curieusement il avait su immédiatement avec certitude le lien entre ces lignes et sa vision : c'était la mort du vieil homme qui lui était annoncée! Même si la façon extrêmement précise dont il avait lu le nom de Lisbeth Delmont sur la plaque l'avait laissé un peu perplexe...

Ce jour-là il était retourné s'asseoir sur son *zafu* pour tenter de revivre dans sa mémoire la scène qu'il avait « vue »... Était-ce bien l'entrée de l'immeuble où Lisbeth habitait à Paris qu'il avait aperçue? Une chose était sûre : Lisbeth habitait au 72 du boulevard Exelmans, près de la porte d'Auteuil, dans le XVIe arrondissement...

Les jours suivants, la conviction qu'il s'était trompé en pensant que le vieil homme n'était que la projection de l'image de son père n'avait fait que grandir, et il avait fini par se convaincre que le vieillard existait réellement et qu'il avait eu la vision prémonitoire de sa mort... Une seule chose lui semblait alors importante : aller à Paris pour le prévenir !

Bien entendu il avait immédiatement commencé à se raisonner. Pendant quarante-huit heures il s'était épuisé à osciller entre les deux attitudes possibles, jusqu'à ce que se produise l'incident du billet d'avion...

Un matin avec le courrier était arrivée une enveloppe contenant un billet aller-retour New York-Paris, accompagné d'un petit mot manuscrit : *Voilà le billet que vous m'avez commandé l'autre jour quand vous êtes passé me voir à notre agence. Bon voyage. Nancy Lennox.*

Il s'était évidemment précipité dans la petite agence dans Amsterdam Avenue pour rendre le billet.

– Oh ! bonjour, monsieur Ferris. Comment ça va aujourd'hui ? Je parie que vous ne pouvez plus partir, à cause du jeune Ken...

Nancy Lennox était une ravissante rousse avec un charmant sourire. Comment se faisait-il qu'il ne se souvienne ni d'elle ni des circonstances exactes dans lesquelles il était allé la voir ? Mais, d'un autre côté, pour quel motif lui aurait-elle menti ?

Ken non plus n'avait aucune raison d'inventer des histoires... S'il l'avait vu un matin faire des *kata* dans Central Park, c'est qu'il y était vraiment allé, mais il n'en avait gardé aucun souvenir... Visiblement il faisait des tas de choses sans même s'en rendre compte, et surtout sans en garder la moindre mémoire... Comme dans sa jeunesse, lorsqu'il était somnambule...

Il y avait peut-être une explication à son « somnambulisme »... Était-ce « Lac » qui prenait aujourd'hui sa revanche ? Était-il possible que ce frère fictif qu'il avait inventé de toutes pièces pendant ses années d'enfance ressurgisse maintenant des profondeurs de son inconscient pour l'obliger à commettre certains actes ?

Il n'y avait qu'une seule personne qui pouvait l'aider à voir clair dans tout ça. Lisbeth Delmont...

Ken était toujours absorbé par les affrontements sur l'écran, ponctués de cris stridents...

« Je dois aussi penser à moi. Tu seras un peu seul pendant quelques jours, mais ce ne sera pas bien long... », pensa Ferris en regardant affectueusement l'enfant.

7

Généralement, on ne rêve que si l'on atteint la phase de « sommeil rapide » que les spécialistes appellent également stade paradoxal, parce que le rythme des pulsations électriques émises par le cerveau est alors aussi rapide que celui des ondes alpha de l'état d'éveil passif qui précède l'assoupissement. Il faut attendre environ quatre-vingt-dix minutes après l'endormissement pour qu'un observateur extérieur repère le premier signe confirmant avec certitude que le dormeur est en train de rêver. Ses pupilles se mettent à effectuer des mouvements latéraux rapides, alors que par ailleurs son corps, à l'exception de quelques muscles faciaux et des extrémités des membres, reste parfaitement immobile.

Cependant il arrive que dans certaines circonstances particulières le sujet se mette à rêver dès qu'il a basculé dans le sommeil, alors que les ondes électriques sont encore en rythme alpha. C'est la phase précaire, où le moindre bruit peut réveiller le dormeur qui répond si on lui parle. Si un événement extérieur ou une demande urgente sollicite son attention, il lui suffit d'ouvrir les yeux pour être instantanément en situation d'éveil.

C'est justement pour être capables de réagir immédiatement à une situation de danger, que les navigateurs solitaires parviennent à ne dormir qu'en « alpha ». Certains soldats au combat parviennent même à ne se contenter que de quelques très brèves périodes en « alpha » pour rester perpétuellement vigilants...

C'était à l'occasion d'un stage de training autogène auquel on l'avait invitée que Lisbeth Delmont s'était vraiment penchée sur la question.

En expérimentant sur elle-même les fameux sommeils flashes, elle avait pu vérifier que, dans certains états de fatigue extrême ou de surexcitation – similaires à ceux que vivent les marins solitaires ou les professionnels de la guérilla –, il lui était possible d'entrer directement dans le rêve sans passer par les étapes intermédiaires habituelles, ce qu'elle avait pu retrouver dans les ouvrages de nombreux chercheurs.

Elle se souvenait en particulier d'une expérience décrite dans un livre de Pierre Fluchaire [1]. Un rat placé sur une roue dentée tournant lentement de façon continue et à moitié immergée dans de l'eau doit marcher jour et nuit pour éviter de tomber dans l'eau. L'animal ne peut donc tenir le coup que s'il réussit à faire des sommes très brefs – environ le tiers du temps pendant lequel la roue est au-dessus de l'eau – puis se réveille pour courir de nouveau... C'est effectivement ce qu'il fait, comme on a pu le vérifier grâce aux électroencéphalogrammes!

Elle avait tout de suite vu l'intérêt pour elle, en tant que psychanalyste, de se pencher sur les rêves faits en « alpha », le dormeur étant alors dans une situation de quasi-dédoublement : il rêve mais est conscient qu'il est dans une dimension onirique. Il était sûrement possible, se disait-elle, de se servir de « la conscience iceberg », grâce à laquelle le dormeur qui dérive demeure un « rêveur éveillé » encore en contact avec la terre ferme, pour accéder de façon lucide à la partie immergée...

Cela lui rappela les tentatives de Carlos Castaneda pour contrôler ses rêves. Sept ans auparavant, elle avait tenté d'appliquer les trucs qu'il préconisait. Elle n'avait jamais réellement réussi à diriger ses rêves. Et même, seul résultat tangible de cette période agitée, un cauchemar extrêmement désagréable lui était revenu de façon récurrente pendant plusieurs mois...

A part quelques détails mineurs, le scénario du rêve était à chaque fois identique. Cela se passe toujours la nuit : elle est dans son lit et dort profondément quand un bruit la réveille en sursaut. Elle pense aussitôt : « C'est un voleur qui essaie de pénétrer chez moi, il est en train de fracturer la porte. » Elle dirige sa main vers la poire électrique. Mais elle a beau appuyer, la lampe refuse de s'allumer. Pendant ce temps, elle sait au bruit que l'inconnu a réussi à entrer dans l'appartement et qu'il progresse vers sa chambre. A ce moment-là, elle se dédouble, et une partie d'elle-même voit l'autre paralysée par la peur de bouger du lit. Elle peut alors se lever pour essayer le commutateur à l'entrée de sa chambre. Rien à faire. L'électricité a dû être coupée. Elle reste dans le noir. Elle se précipite donc de nouveau sur le lit pour se cacher sous les draps. L'intrus pénètre dans la chambre et s'approche d'elle. Elle hurle, mais aucun son ne sort de sa bouche. Elle se débat, mais aucun membre de son corps ne bouge! Elle éprouve une telle frayeur que cela la réveille. Son cœur bat à tout rompre et elle met un certain temps à réaliser qu'il ne s'agit que d'un cauchemar.

Quand elle analysait son contenu, la forte connotation sexuelle du rêve ne lui échappait pas, ni l'aspect mise en garde très clair de son inconscient. Mais malgré la forte sensation de malaise qu'elle en gardait, elle ne souhaitait qu'une chose : que le cauchemar se renouvelle. Pour essayer de le vivre consciemment, en tentant absolument d'« apercevoir ses mains » quand elle voulait allumer, comme parvenait à le faire Castaneda.

Mais à chaque fois elle avait échoué dans sa tentative de contrôler le processus. Et une chose qu'elle n'avait pas prévue était survenue : elle

---

1. *La Révolution du sommeil*, Pierre Fluchaire, éd. Robert Laffont. L'essentiel des informations données sur la question du sommeil provient de cet ouvrage passionnant.

vivait l'expérience avec tellement d'intensité qu'elle en ressortait à chaque fois un peu plus angoissée. A tel point qu'elle avait jugé indispensable de recourir d'urgence à une technique d'autosuggestion, inspirée de la méditation transcendantale hindoue, pour *banaliser* le songe et le ravaler au même niveau que n'importe quelle autre pensée.

La méthode avait si bien fonctionné qu'après quelques semaines, à son grand soulagement, le cauchemar avait disparu complètement.

Intimement convaincue qu'elle avait réussi à exorciser définitivement ce songe angoissant, Lisbeth fut vraiment surprise de le voir pointer de nouveau son nez.

Grâce à sa « conscience iceberg », elle reconnut aussitôt les prémices du scénario qui l'avait tant perturbée sept ans auparavant. Sa réaction d'étonnement faillit d'ailleurs provoquer son réveil. Le terrifiant *inconnu* revenait ! Elle venait d'entendre le bruit signifiant avec certitude que quelqu'un venait de fracturer la porte d'entrée pour pénétrer dans son appartement...

Le réflexe conditionné provoqua chez elle une si grande panique que sa conscience bascula complètement, entraînant avec elle la partie *émergée* qui aurait pu lui faire noter deux différences importantes : au lieu d'être couchée dans son lit elle était assise derrière son bureau, et loin de chercher à allumer elle tentait au contraire désespérément d'éteindre la lampe !

Elle avait beau s'acharner sur la poire électrique, elle ne parvenait pas à faire l'obscurité dans la pièce. Sa meilleure défense cette fois était de se cacher dans le noir... Mais où donc était passée la ceinture de crin ? Il fallait absolument la retrouver pour serrer les pans entrebâillés du peignoir sur sa poitrine. En entendant la porte de son bureau s'ouvrir Lisbeth ferma les yeux en baissant la tête. Sans s'en rendre compte elle porta ses deux mains à ses oreilles pour les boucher et arrêta également de respirer. Puisqu'elle ne parvenait pas à éteindre la lampe, il suffisait de faire la nuit en elle et de suspendre l'instant qui passait. Quand elle rouvrirait ses yeux, tout redeviendrait normal... Ce n'était qu'un cauchemar !

Effectivement rien ne se passa pendant un long moment, et Lisbeth fut persuadée que son truc avait marché. Tout en prenant un mince filet d'air elle écarquilla lentement les yeux. Son cœur se glaça quand elle aperçut les deux chaussures de sport sur la moquette grise. Elle voulut hurler mais aucun son ne sortit de sa bouche ! Le seul objet dont elle pourrait se servir comme arme était le gros aimant en forme de fer à cheval qui lui servait pour rassembler les trombones. Mais paralysée par la peur, elle était incapable de faire le moindre mouvement... Désespérée, elle ferma les yeux de nouveau. Peut-être ne s'était-elle pas suffisamment appliquée la dernière fois ?

« Calvin Ferris ! »

D'où il se tenait la lumière de la lampe n'éclairait que la partie inférieure de son corps. Elle ne voyait pas bien son visage mais elle le reconnut tout de suite. Debout au milieu de la pièce à trois mètres d'elle, il paraissait immense avec ses longues jambes dans le pantalon vert sombre du survêtement. Comme il restait immobile, elle pensa : « Pourquoi reste-t-il là planté dans l'ombre ? Et pourquoi ne me dit-il rien ? » Comme si elle avait peur par avance d'entendre sa réponse, elle n'osa pas lui demander la raison de sa présence chez elle. Sans comprendre pourquoi elle agit ainsi, Lisbeth baissa instinctivement la tête.

« Regardez-moi ! » crut-elle l'entendre dire sur un ton agacé.

Ce fut plus fort qu'elle. Elle lui obéit en relevant la tête. Ferris avait dû s'avancer car la partie supérieure de son visage était maintenant éclairée. Il la fixa en silence un long moment et elle éprouva une étrange sensation de soumission la gagner progressivement.

Elle ne réagit même pas quand il s'approcha et se pencha sur elle par-dessus le bureau. Il sourit et d'un geste de la main lui caressa un sein avant de rabattre le pan du peignoir. Elle ne vit pas ses lèvres remuer mais elle entendit distinctement : « Je ne vous ferai aucun mal... Je voulais juste vous rendre une petite visite... J'aime bien chez vous... Sauf peut-être le tableau de Kupka que je trouve un peu mièvre... Vous savez, seul un Oriental pourrait restituer l'âme du lotus... »

Ferris était désormais devant les rayons de sa bibliothèque. Après un rapide coup d'œil sur les rayons, il tendit la main pour sortir un petit livre et le consulter. Elle était trop loin pour en reconnaître le titre, mais il provenait de l'étagère où elle classait en principe les bouquins de poésie. Elle vit Ferris corner légèrement une page avant de remettre l'ouvrage à sa place.

En le voyant s'approcher de nouveau d'elle, Lisbeth se surprit à espérer qu'il la caresserait plus longtemps cette fois. Mais c'étaient les CD sur le meuble de la mini-chaîne qui l'intéressaient. Ferris les étudia un moment avant de se décider pour un titre. Il inséra le disque dans la platine laser et pianota pour programmer un morceau. Lisbeth fut heureusement surprise par le choix qu'il avait fait. Dans la liste des pièces de la Renaissance jouées au luth par Raymond Cousté, il avait sélectionné une *Fantaisie* de John Dowland, de loin son morceau préféré ! Ferris trouvait-il comme elle que cette musique était terriblement sensuelle ?

Mais l'attention de Ferris était déjà ailleurs. En lisant les étiquettes qu'elle avait collées sur les cassettes sonores, il était tombé sur celle de son propre enregistrement, où elle avait rajouté de sa main : « C. Ferris/15 février ».

En constatant qu'il avait arrêté la musique pour passer au mode magnéto, elle ouvrit la bouche pour protester mais il lui dit, toujours sans remuer les lèvres :

« Secret professionnel je sais... mais j'ai le droit de l'écouter, puisque c'est moi qui vous l'ai envoyée... »

46

« ... j'osais enfin tuer symboliquement l'image du père... J'assouvissais de cette manière une rancune de plus de trente années... »

Lisbeth éprouva un sentiment de déception quand elle vit que Ferris ne semblait même pas avoir remarqué que le peignoir était désormais largement ouvert sur sa poitrine et qu'elle n'avait rien fait pour cacher ses seins... Se réécoutant avec une grande attention, il était arrivé à l'endroit où elle-même, jugeant inutile d'aller plus loin, s'était arrêtée... Ne lui accordant même pas un regard, il laissa la cassette tourner pour entendre la suite. Pour se venger, Lisbeth feignit l'indifférence en prêtant à peine l'oreille à ce que Ferris avait enregistré.

Mais une chose la fit changer rapidement d'avis : le ton de Ferris avait changé... Il parlait beaucoup plus vite et avec une grande excitation. Elle avait presque du mal à reconnaître sa voix, tellement elle était devenue haletante !

« Le lendemain du jour où je vous ai enregistré le début de cette cassette, une nouvelle vision est venue mettre par terre le schéma d'interprétation dont je vous ai parlé ! Il ne s'agit nullement d'un exercice d'imagination active me permettant de régler symboliquement des comptes avec mon père... Mais de quelque chose de totalement différent : c'est plutôt une sorte de pressentiment que j'ai eu... L'homme aux cheveux blancs, celui du jardin... je l'ai vu clairement marcher la nuit le long d'un trottoir, la tête entre les épaules, les mains dans les poches de son manteau... pour se rendre chez vous ! Avant de pénétrer dans l'immeuble, il s'est arrêté pour vérifier le numéro au-dessus de la porte cochère de l'immeuble. J'ai " lu " les deux chiffres comme il les a lui-même vus : 72. Puis, lorsqu'il s'est penché sur la plaque de cuivre, c'était votre nom qui y était gravé avant le mot PSYCHANALYSTE !... La façon dont ça s'est passé ainsi que la précision des détails ne me laissent aucun doute ! Quand de surcroît le passage de Nerval m'est revenu soudain en mémoire j'ai su avec certitude que cet homme n'était pas un fantasme mais un être vivant. Vous ne devez pas avoir beaucoup de personnes âgées parmi vos patients... Je suis persuadé que vous trouverez facilement de qui je veux parler... Cet homme court un grave danger... Je ne sais pas du tout quelle est la nature du péril mais je crois que si j'arrive à le prévenir à temps j'arriverai à le sauver de la menace qui pèse sur lui ! Je me trompe peut-être mais il n'y a que vous qui pouvez m'aider à voir clair... C'est pourquoi dès que je pourrai je prendrai le premier vol pour Paris... »

Ferris se tourna enfin vers elle. Il la regarda avec un air songeur puis s'avança pour s'emparer du gros aimant. En le voyant tripoter l'objet et jouer machinalement avec les trombones accrochés, elle fut frappée par la beauté de ses mains. Elles étaient vraiment extraordinaires : des doigts longs et fins d'artiste, musclés comme ceux d'un sculpteur...

47

Qu'attendait-il pour la caresser ?

Comme s'il avait deviné ses pensées, il lui sourit d'une façon ambiguë. Il y avait aussi une lueur amusée dans ses yeux.

Mais que faisait-il ?

Après avoir sorti de l'appareil la cassette il était en train de mettre les deux faces en contact avec les extrémités de l'aimant ! Il allait effacer l'enregistrement ! Elle n'eut pas le temps de protester car Ferris avait contourné le bureau pour venir l'embrasser. Elle répondit au baiser avec passion et sa langue fouilla avidement la bouche de Ferris. Le goût la surprit un peu au début : un curieux mélange d'amertume et d'acidité à la fois. Elle fut aussi étonnée par la paume rugueuse que Ferris avait posée sur son sein. Elle s'attendait à une peau plus douce... Mais c'était loin d'être désagréable ! En fermant les yeux, il lui sembla entendre très doucement quelques notes de musique : la sonorité cristalline d'un instrument à cordes. Une guitare... Non, plutôt un luth... Ferris avait dû remettre le CD de Raymond Cousté... Mais à quel moment l'avait-il fait ?

« Comment sait-il que c'est mon morceau préféré ? »

Cette foutue pensée suffit pour lui faire quitter sans transition le jardin magique du rêve. Elle se réveilla affalée sur le bureau. Elle avait dû s'endormir sans s'en rendre compte.

Quel dommage que le songe n'ait pas duré plus longtemps ! Elle était tellement excitée. Si elle n'avait pas surgi dans la réalité, elle serait sûrement parvenue à la jouissance ! Même si ça n'avait été qu'un rêve, elle n'avait qu'à se laisser aller et accepter toutes ces sensations si agréables – la main un peu calleuse sur sa poitrine, le goût d'herbe de la langue dans sa bouche, la mélodie sensuelle de Dowland... Quelle importance la raison pour laquelle il avait choisi cette musique ? Décidément elle ne changerait jamais !

En jetant un coup d'œil sur la pendule, Lisbeth vit qu'il était 4 heures passées. Le souvenir du songe était encore terriblement présent dans sa mémoire. Il y avait longtemps qu'elle n'avait pas vécu avec une telle intensité un épisode onirique. Il lui semblait encore sentir la paume de Ferris sur son sein... Et ce baiser au goût si bizarre, un peu exotique... Cette saveur à la fois âcre et astringente lui rappelait quelque chose ou quelqu'un... Ce n'était pas la première fois qu'elle la découvrait.

Comment était-ce possible ?

Elle avait voulu réécouter l'enregistrement de Ferris : il n'y avait plus rien sur la bande ! Lisbeth embobina et réembobina la cassette deux fois. Comme dans le rêve la bande avait été démagnétisée ! Les trombones faisaient un petit tas à côté de l'aimant.

Elle n'était pas somnambule. Comment avait-il pu faire une bêtise pareille sans même s'en rendre compte ?

Ses yeux tombèrent sur la bibliothèque. En face d'elle sur les rayons elle pouvait voir le petit livre blanc qui dépassait légèrement. Elle se leva et alla le prendre.

Petite Anthologie de la poésie japonaise.

« C'est incroyable ! » s'exclama-t-elle.

Non seulement la page 49 avait été cornée, mais il y avait une petite feuille pliée glissée entre les pages 48 et 49. Sur la page de gauche il y avait un bref historique retraçant l'origine des premiers *haïkus*. Sur celle de droite il y avait deux poèmes, le premier du célèbre Buson et le second d'un auteur nommé Ryotâ :

> *La lune passe à l'ouest*
> *l'ombre des fleurs*
> *s'étire à l'est*

> *Qui veille là-bas*
> *la lampe encore allumée ?*
> *pluie froide à minuit*

Sur le bout de papier, quelqu'un avait écrit à la main trois vers :

> *Le nuage a disparu*
> *Offrande du rêve*
> *Le visage d'une femme*

— Zut ! Je n'y comprends rien..., jura Lisbeth en reconnaissant l'écriture fine et nerveuse de Ferris.

Comment ce poème s'était-il retrouvé là ? Elle était sûre de n'avoir jamais prêté aucun livre à Ferris. Elle avait pour règle de ne jamais se dessaisir de ses bouquins. C'était le seul moyen de ne pas les perdre !

Instinctivement Lisbeth consulta l'heure. Il y avait six heures de décalage avec New York... Mais l'idée était absurde ! Que penserait Ferris si sa psychanalyste lui téléphonait pour lui dire : « Je voulais voir avec vous si j'avais fait un rêve ou un de ces voyages astraux dont tout le monde parle... A moins qu'il ne s'agisse d'un " rêve à la Castaneda "... Dans ce cas j'aimerais bien savoir comment vous vous y êtes pris pour me visiter avec votre double ? »

En tout cas ce n'était sûrement pas le genre de choses qu'elle signalerait à Mark Clemens lorsque celui-ci lui demanderait : « Rien d'anormal à me signaler ? Pas de nouveaux patients un peu farfelus ? »

« Mon Dieu ! Que le temps passe vite... », soupira Lisbeth en réalisant qu'une semaine s'était presque écoulée depuis le dernier déjeuner de Sir Thomas avec la petite Vernet...

8

La poudre bleue de ninhydrine dont Mark Clemens avait enduit l'étui plastique du CD avait fait apparaître trois empreintes utilisables : une petite laissée probablement par Lisbeth Delmont et deux autres nettement plus grandes qui laissaient supposer qu'au moins une main d'homme avait aussi touché l'enveloppe protectrice. Quant à la *Petite Anthologie de la poésie japonaise*, la ninhydrine avait révélé au moins une douzaine d'empreintes exploitables. Quatre sur la première de couverture, deux sur la quatrième et six sur les fameuses pages choisies par Lisbeth Delmont.

— Tenez, pendant que vous y êtes... J'aimerais bien que vous fassiez la même recherche sur ce livre. La première et la quatrième de couverture... ainsi que les pages 48 et 49...

De peur qu'elle ne change d'avis, Clemens n'avait pas voulu sur le moment chercher à approfondir les raisons mystérieuses qui avaient soudain poussé Lisbeth Delmont à lui confier le CD de luth et le petit recueil de poésie nippone...

A plusieurs reprises au cours de leur petit entretien, Clemens avait bien senti à ses réponses vagues et évasives qu'elle était préoccupée. Mais quand elle s'était finalement jetée à l'eau en lui tendant le disque, sa surprise avait été totale ! Surtout après sa réaction véhémente la fois où il avait voulu lui expliquer sa fameuse théorie sur les empreintes...

Clemens sourit en revivant dans sa tête la scène.

Elle s'était vraiment mise dans une colère noire et avait bien failli le mettre à la porte !

— Vous voulez bien répéter ce que vous venez de me dire ?

— Je voudrais que de temps en temps vous me laissiez relever des empreintes digitales que des gens auraient laissées en venant chez vous... Que vous m'aidiez à faire mon travail de flic en me confiant pour quarante-huit heures des objets tels que des verres, bouteilles...

— Vous êtes fou ou quoi ?

— Mais non ! Je vais vous expliquer... Le système de protection que j'ai mis en place est efficace disons à soixante-quinze pour cent... Sir Thomas ne risque pas grand-chose quand il est en voiture ou quand il se trouve chez lui... Lorsqu'il se promène à pied dans la rue, mon job consiste à neutraliser le ou les tueurs qui voudraient lui tirer dessus. Heureusement, comme la majorité des salauds improvisent ou comptent sur la chance pour agir, il est relativement facile de les contrer car on sait qu'ils utiliseront de préférence une arme à feu. Leurs actions sont donc généralement prévisibles. Le plus grand danger proviendrait d'un professionnel qui prendrait tout son temps pour commettre son forfait et seulement après avoir étudié auparavant toutes les possibilités. Dans certains cas, par exemple, pour éliminer un homme d'État, un poison sera bien plus efficace qu'un fusil à lunette, mais à condition de réussir à infiltrer l'équipe de cuisiniers... Dans d'autres, une bombe cachée dans un endroit impossible à déceler sera plus expéditive et spectaculaire...

Lisbeth Delmont l'avait regardé avec des yeux ronds mais l'avait laissé poursuivre sa démonstration.

– Quand vous avez en face de vous un professionnel de cette sorte, le seul avantage en votre faveur, c'est le temps, celui qui lui est nécessaire pour décortiquer toutes les éventualités avant d'agir... En étudiant soigneusement l'environnement de sa future victime, en pénétrant dans les cercles de plus en plus étroits où celle-ci évolue... Tout y passe : relations professionnelles, cadre de vie, famille proche, manies personnelles, profil psychologique... C'est pendant cette phase d'évaluation qui peut prendre des mois qu'il faut saisir la moindre chance de le découvrir...

Peut-être avait-il choisi le bon mot en parlant de « profil psychologique ». Lisbeth avait commencé à l'écouter plus attentivement à partir de ce moment-là, en lui posant même quelques questions pertinentes.

– Comment ? Puisqu'a priori vous ne connaissez même pas l'identité de votre assassin...

– C'est juste, mais le truc consiste à se mettre complètement dans sa peau, en essayant de deviner ce qu'il va faire. Pour paraphraser Sun Tzu, votre premier objectif est l'esprit de votre adversaire. C'est le seul moyen et la seule chance de gagner contre lui... C'est comme de jouer tout seul aux échecs en ayant à la fois les blancs et les noirs, sauf qu'ici le policier doit inverser le problème et se mettre surtout à la place du criminel, tout en cherchant à défendre le roi blanc de toutes les façons imaginables.

– Comment faites-vous, concrètement ?

– En tant que flic, je dois prendre toutes les mesures pour assurer un cordon de protection autour du Roi blanc, mais, si je me contente de me servir uniquement des pièces blanches, je cours le risque de me faire surprendre par une manœuvre inattendue des noirs... C'est pourquoi je dois aussi me placer de l'autre côté de l'échiquier et supposer que le joueur adverse est plus intelligent et astucieux que moi...

– Quel rapport avec les empreintes digitales ? Si j'étais un tueur professionnel, je m'arrangerais pour n'en laisser nulle part... Quelqu'un m'a dit un jour que les vrais spécialistes ne sont pas fichés car, comme ils sont très bons, la police ne parvient jamais à les attraper...! Alors, à quoi ça vous servirait d'avoir des tas d'empreintes que vous seriez dans l'incapacité d'identifier? Vous seriez bien avancé...

— Dans l'absolu, vous avez bien sûr raison... Vous êtes psychanalyste, ce n'est pas à vous que je vais apprendre que, pour ne pas disjoncter en permanence avec un trop-plein d'informations à trier et évaluer, le cerveau humain ne fonctionne la plupart du temps que par algorithme, c'est-à-dire qu'il se contente devant un problème donné de vous suggérer la première solution convenable qui se présente à lui... Je veux dire par là que généralement il estime inutile d'encombrer votre petite tête en cherchant immédiatement dans la foulée si une autre ou même plusieurs autres hypothèses ne seraient pas également valables... A l'inverse, s'il estime qu'une énigme est impossible à résoudre, il aura tendance à vous en persuader très vite... Tout le monde fonctionne en se servant de sa cervelle de cette manière. Moi je prétends qu'en poussant légèrement un peu plus loin, je peux créer une différence décisive...

— Vous ne voulez pas être plus explicite? Sinon je vais finir par croire que vous avez besoin de consulter un spécialiste...

— J'y viens. Pour reprendre votre argumentation de tout à l'heure, revenons au problème des empreintes digitales et à votre criminel génial... Première hypothèse : partout où il va il ne laisse aucune empreinte car il porte toujours des gants... D'abord il est impossible de vivre ganté en permanence sans se faire remarquer... Ensuite, ce qui est important pour un tueur, c'est de ne pas laisser de traces sur les lieux mêmes du crime... Imaginez que j'aie reçu un contrat pour éliminer Sir Thomas. J'envisage de faire sauter sa voiture, par exemple... Avant d'être sûr que c'est le meilleur moyen, j'ai besoin de bien étudier ses habitudes... Pour cela, j'interroge tous ceux qui le fréquentent. Je viens donc chez vous pour soi-disant me faire analyser. Il est inutile pour moi de prendre des précautions dans votre cabinet puisque la police ne pensera jamais à relever les empreintes qui s'y trouvent. Elle se concentrera sur la carcasse du véhicule... Deuxième possibilité : on a affaire à un criminel déjà fiché, le même raisonnement est valable dans son cas. Il sera soigneux dans l'entourage immédiat dans lequel il a prévu de commettre son forfait mais estimera superflues les précautions habituelles dès qu'il en sortira... Maintenant, passons au cas le plus difficile : un individu inconnu de la police et dont les empreintes n'ont jamais été relevées. Là, il faut faire intervenir un principe que j'ai appelé, faute de mieux, selon le point de vue où on se place, le « principe d'improbabilité » ou le « principe de curiosité »... La vieille loi de l'habitude humaine veut que, d'une part, pour effectuer l'action la plus banale, on se retranche derrière toute une série de conventions et de préjugés et, d'autre part, que l'on ne change pas sans raison impérieuse une routine bien établie... Encore une fois, c'est la tentation de l'algorithme... Suivons notre futur meurtrier pendant sa phase de préparation. Il y a toujours un moment où il est nécessaire pour lui de pénétrer dans l'un des cercles concentriques où gravite sa victime désignée pour vérifier un détail, mesurer une distance, minuter un parcours... Plus il se trouve dans un cercle éloigné par rapport à l'endroit qu'il a sélectionné pour agir, moins il aura tendance à prendre de précautions... C'est justement à ce moment-là qu'il peut laisser une empreinte digitale sur une fenêtre, sur un livre, sur un verre... Même si les empreintes du tueur ne figurent dans aucun fichier dactyle – ce qui est le cas des vrais spécialistes –, il y a une toute petite chance pour qu'on puisse quand même le coincer! En vertu de mon fameux principe... Cela nécessite un travail de fourmi mais l'idée est simple. Imaginons que la personne menacée soit un diplomate dénommé Robert, vivant dans une maison dans laquelle un certain nombre de personnes travaillent à son service. Supposons ensuite que le système de protection autour de lui soit tellement efficace que seul un individu travaillant dans son propre entourage puisse l'approcher et le menacer... Bien entendu la première précaution consiste à trier sur le volet tous ceux qui gravitent quotidiennement autour de Robert. L'étape suivante consiste à poser l'hypothèse selon laquelle un tueur X... a réussi malgré toutes les précautions à infiltrer le personnel. Le « principe de curiosité » repose sur le fait que chacun a un rôle déterminé qui ne l'amène à ne pénétrer que dans certaines pièces de la maison ou à ne toucher que certains objets et jamais d'autres... Ainsi un cuisinier n'a pas à aller dans la salle de bains de Robert ou bien un chauffeur n'a en principe rien à faire dans la salle des ordinateurs... Après avoir constitué un fichier dactyle complet de tout le personnel, il faut relever plusieurs fois par jour de façon aléatoire les empreintes dans toutes les pièces et sur tous les objets afin de voir si justement une empreinte n'a pas révélé une curiosité ou une incohérence inexpliquée... Évidemment, il faut le faire à l'insu des gens et, surtout, il faut disposer d'un ordinateur performant. Vous me croirez si vous voulez, mais c'est grâce à un tel système que j'ai pu sauver une fois la vie d'un ministre. J'avais découvert une empreinte appartenant à un traducteur sur une casserole de la cuisine...! Du coup, bien qu'un nouvel examen de son dossier n'ait rien révélé, j'ai surveillé tout particulièrement l'individu en question jusqu'à ce que je le prenne un jour la main dans le sac... Il se préparait à mettre une poignée de cyanure pour corser le potage...!

Lisbeth l'avait regardé pensivement pendant un long moment avant de lui demander à brûle-pourpoint :

– Je suppose que vous conservez systématiquement toutes les empreintes que vous relevez, et que vous gardez en mémoire celles de tous ceux que vous rencontrez... Même les traces des doigts de vos parents ou amis...

Sans réfléchir il lui avait répondu :

– Bien sûr! Sinon il y aurait plein de trous dans mon système...

– Je comprends maintenant pourquoi vous m'avez subtilisé un petit verre à porto quand nous nous sommes vus pour la première fois...! Et moi qui étais persuadée que vous étiez un kleptomane!

Clemens avait éclaté de rire et avait cru la partie à moitié gagnée. Mais elle s'était soudain dressée sur sa chaise et, en pointant un doigt rageur, lui avait dit :

— Monsieur Clemens... J'ai un ami qui siège à la Commission informatique et libertés... Si jamais vous continuez à chiper des objets chez moi pour vous livrer à vos élucubrations, je lui en parlerai ! Et vous avez intérêt à me ramener mon verre la semaine prochaine...! Maintenant déguerpissez !

« Je me demande ce qu'elle manigance... », fit Clemens en repensant à la façon gênée dont elle lui avait dit : « Ne croyez pas que j'aie changé d'avis concernant vos manies orwelliennes, mais je dois voir prochainement un patient, et j'aimerais que vous m'aidiez à résoudre un petit problème. C'est un obsédé de la précision et nous ne sommes pas d'accord sur une question de date... Disons un problème de chronologie... Pourriez-vous identifier les empreintes sur ce disque ? »

L'occasion était trop belle. Aussi n'avait-il pas voulu insister quand elle avait refusé de lui donner plus de détails. Avec un petit sourire énigmatique, elle avait simplement ajouté :

— En principe c'est quelqu'un que vous connaissez très bien. Donc vous devriez avoir ses empreintes dans votre fichier... Serait-il possible que vous me téléphoniez assez vite à ce sujet si vous trouvez quelque chose ? J'aimerais bien être fixée rapidement...

La visite à Lisbeth Delmont avait réservé une autre surprise à Clemens. Sur le pas de la porte elle lui avait confié :

— Vous savez que votre filleul est à Paris ? Il m'a téléphoné pour prendre un rendez-vous avec moi après-demain... J'espère que vous saurez profiter de son séjour en France pour vous réconcilier avec lui...

Sur le moment la nouvelle l'avait tellement agacé qu'il n'avait pas pensé à lui demander comment elle était au courant de leur brouille.

Pourquoi Calvin avait-il soudain décidé de venir à Paris ? Décidément ce gamin avait le chic pour se pointer toujours au plus mauvais moment ! Et il n'avait rien trouvé de mieux que de choisir Lisbeth Delmont comme analyste ! En le maudissant intérieurement, Clemens attrapa la télécommande pour mettre le son car sur son poste il apercevait le générique de la météo.

« L'anticyclone est installé pour plusieurs jours... Demain vous pourrez ranger vos imperméables car il fera grand beau temps sur l'ensemble de la France. Les températures moyennes devraient osciller entre quinze et dix-huit degrés... Le printemps pointe son nez avec plusieurs semaines d'avance... »

Malheureusement il n'y avait aucun doute. Jeudi serait une magnifique journée... En passant tout à l'heure dans la cuisine, il avait tapoté le baromètre et l'aiguille avait penché encore un peu plus vers la droite.

« Décidément, pensa-t-il, en reprenant une rasade de whisky, c'est vraiment pas mon jour ! »

Sa poisse avait commencé dès le jogging du matin au bois. Il s'était bêtement foulé la cheville droite en posant le pied sur une pomme de pin. Il avait fallu toute la science de Thilak pour lui remettre l'articulation en place. Clemens n'avait pas voulu aller se faire soigner chez un traumatologue classique car il savait que la dernière mode consistait à plâtrer systématiquement les bobos aux jointures.

Depuis que Thilak, qu'il avait connu à Calcutta une vingtaine d'années auparavant alors qu'il n'était encore que sergent dans la police indienne, avait pris sa retraite pour ouvrir une école de *Marma-adi* [1] à Saint-Cloud, Clemens n'avait jamais eu l'occasion d'aller le voir. Mais il savait par différents amis communs que Thilak était un maître dans l'art de frapper les points vitaux.

– Je pense que tout devrait rentrer dans l'ordre rapidement, mais attention... si vous voulez marcher ou même courir dans quelques jours, il faut ménager votre cheville au moins vingt-quatre heures... Surtout ne la forcez pas et évitez à tout prix les escaliers...

En sortant de chez l'Indien, il avait la cheville un peu endolorie mais elle ne lui avait posé aucun problème pour conduire en rentrant sur Paris.

Malheureusement, la série noire avait continué. Lorqu'il était ensuite arrivé boulevard Exelmans pour voir Catherine Vernet et Lisbeth Delmont, comme il le faisait tous les mercredis, l'ascenseur était en panne et il avait dû se taper les huit étages à pied ! Ce qui n'avait évidemment pas arrangé l'état de sa cheville... De nouveau il lui était pratiquement impossible de poser le pied par terre sans ressentir aussitôt une douleur lancinante dans toute la jambe.

Par-dessus le marché, Clemens était presque sûr que le traumatisme avait déclenché un commencement de crise de goutte ! Il en avait reconnu tous les symptômes : les picotements brûlants au niveau du gros orteil comme des milliers de piqûres d'épingle, le contact douloureux de la chaussette...

– Merde ! Et dire que je n'ai même plus de Colchimax ! jura-t-il en buvant une nouvelle lampée de whisky, alors qu'il savait pertinemment que l'alcool ne ferait qu'accentuer la cristallisation de l'acide urique.

Pourquoi ces foutus cons de la météo ne se seraient-ils pas plantés comme ils le faisaient si souvent ? Une pluie battante contraindrait peut-être Sir Thomas à renoncer à sa petite promenade habituelle au square des poètes après la partie de jambes en l'air avec la petite Vernet...!

Depuis près d'un an, Sir Thomas Hannay se rendait tous les jeudis chez Lisbeth Delmont pour une longue séance d'analyse qui durait en principe de 11 heures à 13 heures... Mais en fait l'intéressé ne restait qu'un petit quart d'heure sur le divan et s'éclipsait par la porte de service

---

1. Terme indien signifiant littéralement « les enseignements secrets » et qui désigne l'aspect le plus ésotérique de l'art martial indien du *kalaripayit*.

pour aller retrouver Catherine Vernet qui occupait l'appartement situé de l'autre côté du palier. Normalement, puisque Sir Thomas l'avait engagé pour diriger le service de sécurité dans sa holding financière et assurer sa protection personnelle, Clemens aurait dû être le premier au courant de ce genre de choses. Mais curieusement, alors que son patron avait consenti à le laisser ouvrir tout le courrier professionnel et privé qu'il recevait, il n'avait pas jugé utile de le mettre dans la confidence... Sans doute à cause de l'éducation puritaine qu'il avait reçue...

Quoi qu'il en soit, quand Clemens avait découvert l'existence de la petite maîtresse française, s'il n'en avait rien dit à Sir Thomas, il avait pris de son propre chef un certain nombre d'initiatives.

Pour minimiser les conséquences éventuelles des escapades de Sir Thomas – bien excusables même chez un septuagénaire plusieurs fois grand-père quand on connaissait le caractère revêche et acariâtre de Lady Emma –, il fallait prévoir notamment deux éventualités : le chantage ou l'utilisation par un tueur professionnel d'une des deux femmes, à leur insu ou non, dans un plan pour éliminer le vieil homme...

Après avoir parlé longuement à plusieurs reprises avec Catherine Vernet et Lisbeth Delmont, Clemens avait conclu qu'il n'y avait aucun souci réel à se faire sur elles. Jouant immédiatement cartes sur table, il n'avait même pas eu besoin de mentir ni de menacer. Catherine Vernet était une jeune pépée sexy très gentille mais sans aucune cervelle, qui à trente-trois ans passés faisait une sorte de fixation paternelle sur Sir Thomas, et éprouvait pour lui une réelle affection. Côté argent, grâce à un héritage laissé par une tante lointaine, elle n'avait aucun problème pour vivre confortablement sans travailler.

Quant à Lisbeth Delmont, elle était bien sûr tenue au secret professionnel et Clemens était prêt à parier sa chemise qu'aucune indiscrétion ne viendrait de sa part...

Restait la possibilité qu'on les utilise. Clemens leur en avait fait part et, pour les convaincre de collaborer avec lui à la protection de Sir Thomas, leur avait raconté en détail comment, à plusieurs reprises, on avait déjà essayé de le tuer...! Elles avaient alors accepté de lui signaler tout fait un peu inhabituel dans la vie de l'immeuble : nouveaux locataires, allées et venues suspectes de visiteurs inconnus, facteurs malades, pannes d'ascenseur, etc.

Mais autant Catherine Vernet avait trouvé amusant de collaborer avec lui pour le fichier des empreintes, autant Lisbeth s'était révélée réticente. Jusqu'à cet après-midi... Une opportunité formidable.

Sur la table, devant lui, se trouvaient les empreintes soigneusement reportées sur une feuille de papier plastique revêtue d'un enduit spécial. Il avait d'abord prévu d'attendre d'être à son bureau le lendemain pour les rentrer dans son fichier dactyle... Car chez lui il ne disposait que d'un petit scanner à plat Apple, parfait pour numériser des documents imprimés mais très limité dès qu'il fallait transférer d'autres données comme des dessins. Alors qu'avec le dernier système de traitement d'images Canon CLC-500, doté de l'interface UTI et relié au disque dur Macintosh, qu'il avait fait installer boulevard Suchet, il pouvait numériser et traiter toutes les sources possibles d'images : disquette, vidéo, diapositive, photographie, dessin, texte écrit à la main...

Cependant, en étudiant la netteté des labyrinthes bleus qu'il avait sous ses yeux, Clemens avait changé d'avis. Peut-être pourrait-il utiliser le petit scanner s'il parvenait à tirer des épreuves suffisamment nettes et contrastées...

Il regarda l'heure. Presque minuit... Il fit un calcul rapide... « Le temps de les photographier et de développer les clichés puis de les numériser... Je pourrai les transférer sur mon disque dur ici... Si ça marche, je pourrai l'appeler immédiatement après... Elle avait l'air pressée... Il faut absolument pousser mon avantage avec Lisbeth... Je n'aurai pas une autre occasion de sitôt. »

En claudiquant Clemens alla chercher son Nikon dans la petite chambre noire qu'il s'était bricolée dans un placard.

« Un des parrains de la mafia assassiné avec son garde du corps dans des conditions *surréalistes*... » « Don Preatoni meurt dans des circonstances mystérieuses... » « Un tueur à l'imagination délirante élimine Preatoni... »

Jusqu'à présent Clemens n'avait prêté qu'un intérêt amusé aux différents comptes rendus du *Herald Tribune*. Il n'allait pas verser de larmes sur la mort d'un parrain sicilien. Mais un paragraphe avait attiré son attention. Le journaliste chargé de couvrir l'événement, un certain James Flagey, avait tenté de dresser le portrait-robot de l'assassin. Clemens relut avec intérêt le passage en question.

Apparemment il ne s'agit pas d'un tueur ordinaire, un des ces professionnels de la gâchette qui gravitent habituellement autour des parrains. La minutie avec laquelle a été préparé le plan ayant provoqué l'électrocution de Preatoni dans la piscine de la boîte de nuit prouve qu'on a affaire à un spécialiste méthodique, patient et astucieux... Celui-ci, sachant qu'il ne pourrait jamais approcher de près le Don, a tout simplement résolu le problème en choisissant d'agir à distance... mais selon un plan d'une ingéniosité diabolique. Trois coups de feu tirés sur un projecteur électrique... Le tueur était embusqué sur le toit, là où personne ne l'attendait...

« J'aurais bien aimé être chargé de l'enquête..., pensa Clemens en reposant le journal par terre. Voilà quelqu'un avec qui j'aurais aimé me mesurer... »

La sonnerie du téléphone le fit sursauter. Machinalement il regarda sa montre avant de décrocher. Minuit trente. Qui pouvait bien l'appeler ?

– Clemens ?

– C'est moi... Qui est à l'appareil ?

– Lisbeth... Lisbeth Delmont... J'espère que je ne vous ai pas réveillé...

– Non. J'étais justement en train de travailler pour vous...

– Ah... Et alors?

– J'ai trouvé des tas d'empreintes. Malheureusement je ne dispose pas chez moi du matériel qui me permettrait de les comparer avec celles de mon fichier. Ça devra attendre jusqu'à demain matin... Je vous rappellerai de mon bureau...

– Entendu. Bonne nuit.

Elle avait raccroché avant qu'il ait eu le temps de l'interroger. Elle s'était efforcée de prendre un ton détaché, mais le truc devait être bougrement important pour qu'elle le relance chez lui à pareille heure! Dommage que la pellicule se soit coincée quand il l'avait chargée dans l'appareil!

« Merde! Quand une journée commence mal, il n'y a rien à faire... L'entorse... L'ascenseur en panne... La crise de goutte... Ce putain de film... Demain une journée qu'on prévoit splendide... Tu n'as plus qu'à aller te coucher, en espérant que tu pourras dormir avec cette connerie de goutte...! »

9

Une faim terrible le tenaillait. Il y avait encore beaucoup de grains de riz éparpillés par terre. Mais, derrière un rempart infranchissable de doigts acérés, ils lui étaient inaccessibles... A deux reprises, en voulant s'approcher, il avait reçu un violent cou de bec d'un gros pigeon. Les autres moineaux parvenaient sans peine à attraper un grain avant de s'envoler. Mais ils étaient bien plus agiles et rapides que lui, empêtré dans sa frayeur.

Pee-pee-pee-pee... Un cri aigu retentit tout à coup, provoquant un affolement général. Tous, sauf lui, réagirent instantanément en s'enfuyant dans les airs. Le temps pour lui de réaliser que les autres n'auraient pas abandonné la manne sans une raison valable, il était trop tard!

Le pic s'était posé juste à côté de lui. Bien plus terrifiant que l'énorme pigeon qui l'avait blessé quelques instants auparavant. Capable sans nul doute de le tuer sur-le-champ avec son bec long et puissant, avec ses griffes recourbées vraiment impressionnantes... Il le pétrifiait littéralement avec ses yeux perçants.

Comment lui faire comprendre qu'il n'avait plus aucun désir de s'approprier les grains abandonnés par les pigeons ? Ce n'était qu'une terrible erreur de sa part. Comme d'habitude il s'était montré terriblement pataud et lourdaud et il était désormais à la complète merci de l'autre...

Médusé et le cœur battant à tout rompre, il crut avoir mal compris quand le pic lui dit :

> *Viens jouer avec moi*
> *moineau*
> *orphelin*

Mais l'autre lui répéta les mots lentement et distinctement, avant de s'envoler en direction du hêtre pourpre. Incrédule, il le vit se poser sur une branche pour l'attendre. Il battait des ailes comme pour lui exprimer son impatience. Il n'y avait aucun doute, le pic voulait qu'il le rejoigne dans l'arbre.

— Attends... Je viens... Mais je dois manger avant... Je meurs de faim et je suis épuisé...

Le riz était désormais à sa portée. Il n'allait quand même pas l'abandonner sans même en prendre quelques grains! Il sautilla vers les petits points blancs.

Pee-pee-pee-pee. Vif comme l'éclair, le pic avait de nouveau piqué sur lui et, d'un mouvement d'aile, l'avait renversé à terre. Sa dernière heure était venue!

— Ne touche pas à cette aumône! Ne te conduis pas comme tous ces moineaux domestiques qu'on réduit à l'esclavage avec quelques graines ou miettes de pain rassis...! Retrouve ta nature véritable... Viens avec moi, moineau orphelin... Je t'aiderai à retrouver ta liberté... Regarde ce que je suis capable de faire...

Le pic était de nouveau dans les airs. En poussant un cri strident qui était soit le *pee-pee-pee* menaçant de tout à l'heure soit un *tchick* bref, il était en train d'effectuer des cercles au-dessus de lui. A chaque tour, son plumage et son apparence changeaient! Les taches blanches ou grises sur son dos augmentaient ou diminuaient, son front ou sa queue se coloraient d'un rouge de plus en plus vif sur les plumes noires... Son plumage devenait gris-vert ou vert foncé autour des yeux. Sa tête s'enrichissait d'une crête rouge... Son front se dorait ou rougissait... Les modifications se succédaient rapidement sans qu'il puisse comprendre comment le pic s'y prenait pour varier si vite les couleurs de ses plumes.

— Regarde bien et admire ma tenue de guerrier, celle qui révèle ma véritable nature...

A l'exception de la couronne sur sa tête qui demeura rouge, son plumage devint entièrement noir. Le corps du pic en fut comme transformé... Plus affiné... Un véritable projectile qui s'effilait progressivement en fendant l'air.

— *Dendrocopos minor... Dendrocopos major... Picus viridis... Centurus superciliaris... Centurus aurifrons... Centurus carolinus... Campephilus principalis... Campephilus imperialis...* Les humains ont de drôles de façons de nous appeler... Le roi du camouflage est le *Picus viridis* mais l'égal des dieux, c'est le *Dryocopus martius.* Maintenant, viens avec moi, je vais te montrer ce que sont devenus les oiseaux qui t'entouraient tout à l'heure...

Retrouvant soudain son énergie, il s'éleva pour rejoindre le pic. Ils volèrent jusqu'au bout du jardin. Sur la grande étendue verte il y avait des taches grises et marron, qui formaient une espèce de cercle sur le gazon. Comme des fleurs qui se seraient fanées instantanément. En descendant, il comprit leur signification. C'étaient les corps des pigeons et des moineaux gisant morts...!

— Comprends-tu pourquoi je t'ai empêché de picorer le riz? Les

60

grains étaient empoisonnés... Je t'apprendrai à grimper aux arbres et à trouver toi-même ta nourriture... Une autre fois...

Calvin Ferris se réveilla en criant : « Non ! Ne t'en va pas ! Reviens ! » Il mit plusieurs secondes avant de réaliser qu'il n'était plus un moineau. Le *haïku* d'Issa s'était immiscé d'une façon remarquable dans le songe, pour enrichir un scénario d'une précision et d'une clarté étonnantes, sans les fioritures symboliques caractérisant généralement tout épisode onirique. Il faudrait sûrement en parler à Lisbeth mais, contrairement à la fois précédente, le poème japonais semblait avoir cette fois-ci une connotation indéniablement positive... Le pic ne lui avait-il pas sauvé la vie et proposé de venir jouer avec lui ?

« Il faut absolument que je me lève... », se dit Ferris en allumant.

S'il ne notait pas immédiatement les noms savants à consonance grecque et latine prononcés par le pic, il les oublierait...

Les murs de l'hôtel étaient tellement mal isolés phoniquement que la chasse d'eau réveilla Freddie Pearson. Sa chambre était mitoyenne de la salle de bains de Ferris et la nuit on entendait le moindre bruit d'une pièce à l'autre. Une aubaine quand on avait un client à surveiller...

« Quel dommage que cette cloison ne donne pas sur sa chambre... Je pourrais entendre tout ce qu'il dit au téléphone... », maugréa Pearson en se levant et en commençant à reboutonner le haut de sa chemise.

Pour être prêt à suivre rapidement Ferris à n'importe quelle heure de la nuit, il dormait tout habillé.

Il consulta sa montre. Il était presque 4 heures. Dans la salle de bains il s'aspergea le visage avec un peu d'eau et, après avoir enfilé ses chaussures et sa veste, alla se poster près de la porte. Sans faire de bruit, il l'ouvrit légèrement et tendit l'oreille. Il n'y avait plus qu'à attendre... Hier soir il avait encore perdu Ferris dans le couloir du métro ! Apparemment sa bourde n'avait pas été très grave car il avait entendu Ferris rentrer à l'hôtel à peine une heure après lui. En soixante minutes il n'avait pas dû se passer grand-chose... mais aujourd'hui pas question de recommencer.

Cela faisait deux jours qu'ils étaient arrivés à Paris mais Ferris n'avait pas jusqu'à présent montré de velléités particulières de violence... Souffrant probablement comme lui du décalage horaire, il estimait sans doute plus prudent d'être en parfaite forme physique avant de jouer les Bruce Lee... Mais Pearson ne se faisait aucune illusion. D'ici quelques jours Mister Hyde l'entraînerait sûrement dans quelques quartiers mal famés de Paris...

Habillé en prêtre, les cheveux teints, il n'avait rencontré aucun problème pour prendre le même avion que Ferris sans se faire repérer. Pour tester la valeur de son déguisement, il était passé devant lui à plusieurs reprises au moment où ils avaient récupéré leurs valises respectives à Roissy, mais l'autre n'avait pas montré la moindre réaction. Pearson avait donc pris le risque, après l'avoir suivi jusqu'à l'hôtel, de demander la chambre voisine qui par chance était encore libre. Toutefois, par prudence, il avait une nouvelle fois changé d'apparence dans le taxi. Sous les yeux éberlués du chauffeur il s'était transformé en voyageur de commerce : costume gris, petites lunettes cerclées...

Ferris avait choisi un petit hôtel deux étoiles situé dans la rue Poussin, dans le XVIᵉ arrondissement, près de la porte d'Auteuil. Il n'en était sorti qu'à deux reprises depuis son arrivée. La veille, pour aller se promener dans un petit jardin appelé « square des Poètes » en bordure du boulevard périphérique. Il y était resté plus de deux heures, prenant son temps pour noter soigneusement les poèmes gravés sur les plaques disséminées dans les allées du petit parc.

Le jour même, en fin de soirée, il s'était rendu boulevard Exelmans, juste à côté de l'hôtel. Il s'était arrêté plusieurs minutes devant le numéro 72, puis, après avoir longuement hésité, il était reparti sans pénétrer dans l'immeuble. Au passage Pearson avait pu jeter un coup d'œil rapide sur l'unique plaque scellée au mur : « LISBETH DELMONT, PSYCHANA-LYSTE ». Mister Hyde voulait-il consulter une psy ? En tout cas ce dernier avait dû changer d'avis car il l'avait ensuite entraîné dans une longue promenade à pied. Jusqu'à la Seine, puis le long des quais jusqu'à la hauteur du pont Mirabeau. Ferris y avait pris le métro à la station Mirabeau. C'est là qu'à cause d'un foutu portillon qui s'était coincé Pearson avait perdu sa trace.

Il n'entendait plus aucun son dans la chambre voisine. Pour en être sûr, il s'avança dans le couloir. Aucun rai de lumière n'était visible en dessous de la porte de Ferris. Apparemment, il s'était recouché.

« Black... Crack... Hack... Knack... Pack... Rack... Tack... Non, aucun ne convient... A la rigueur Black... Mais ça n'a aucun sens... Où est-ce que j'ai déjà lu ces strophes ? Si seulement cette foutue goutte ne me faisait pas tant souffrir, j'arriverais peut-être à m'en souvenir...! »

Le seul contact du drap sur sa peau lui causait une douleur lancinante au bout du pied. Mais Clemens n'avait pas voulu prendre un somnifère : il tenait à garder toute sa lucidité et sa vigilance pour la journée du lendemain, lorsqu'il devrait jouer les baby-sitters avec un Sir Thomas capricieux et entêté comme une mule.

Le poème était arrivé dans une enveloppe adressée à Sir Thomas environ quinze jours auparavant. Posté de New York et tapé à la machine sur une feuille blanche – un papier à lettres ordinaire. L'expéditeur anonyme en avait déchiré le coin supérieur droit, enlevant le dernier mot du premier vers.

Une nouvelle fois Clemens récita à haute voix les lignes pour tenter de trouver la rime manquante :

I have a rendez-vous with...
At some disputed barricade
When spring comes back
With rustling shade.

Sur le moment, les strophes lui avaient rappelé vaguement quelque chose mais Clemens ne leur avait accordé qu'une attention distraite. Il savait que Sir Thomas était en train de préparer une anthologie de la poésie anglo-saxonne et bien que celui-ci lui eût affirmé n'attendre aucun envoi de ce genre, il s'était persuadé qu'il s'agissait d'un oubli de sa part. Il n'en avait pas moins fait les vérifications habituelles, ce qui lui avait permis de trouver un certain nombre d'empreintes digitales sur l'enveloppe et sur la feuille. Mais la comparaison avec son fichier dactyle n'avait rien donné. Il avait donc classé l'envoi anonyme dans ses papiers en pensant : « Un criminel aurait certainement pris le soin de ne laisser aucune empreinte sur le papier dactylographié... »

« Je connais ces vers ! Je les ai déjà vus quelque part... Mais où ? » s'exclama Clemens, exaspéré de ne pas s'en souvenir.

Car son instinct lui criait désormais que le poème était d'une importance capitale. Depuis la nouvelle lettre reçue avant-hier matin par Sir Thomas !

L'enveloppe avait été postée à Paris mais l'expéditeur avait utilisé la même machine à écrire que le poète inconnu... Cette fois, ce n'était plus un poème mais une feuille déchirée dans un missel... Au recto le « Notre Père »... Au verso le « Je vous salue Marie »...

Quel rapport entre ces prières catholiques et le poème ? Il y en avait sûrement un... Quels messages secrets cachaient ces envois ?

« Sainte Marie, Mère de Dieu... priez pour nous, pauvres pêcheurs... maintenant et à l'heure de notre mort... »

« Bonté divine ! » jura Clemens en se redressant soudain sur son lit.

Il se souvenait maintenant... le mot manquant était *death* ! Il s'était complètement trompé en cherchant un mot finissant en *ack* pour la rime ! Ces vers, il les avait lus sur une des plaques qui décoraient les allées du jardin des Poètes ! Un extrait du poème d'Alan Seeger... Poète américain, mort pour la France pendant la Première Guerre...

I have a rendez-vous with Death
At some disputed barricade
When spring comes back
With rustling shade [1]

« Priez pour nous pauvres pêcheurs... maintenant et à l'heure de notre *mort*... »

---

1. « Je rencontrerai la mort/en défendant une barricade/quand le printemps reviendra/dans un bruissement d'ombre » (traduction libre de l'auteur).

Avec l'élément manquant du puzzle, Clemens n'avait désormais aucun mal à déchiffrer le double message de l'inconnu... l'assassin annonçait à Sir Thomas qu'il mourrait dans le jardin situé près de la porte d'Auteuil...! Précisément là où il avait l'habitude de passer quelques moments après avoir vu la petite Vernet...

Clemens alla se mettre la tête sous le robinet. Il fallait absolument qu'il trouve un moyen de boucler l'endroit en question. Car il était persuadé que Sir Thomas ne renoncerait jamais à sa promenade dans le parc. Surtout s'il faisait beau. En boitillant, il gagna son bureau. Son adjoint Gaines n'avait jamais eu vraiment l'occasion de lui montrer ce qu'il avait dans le ventre. C'était l'occasion.

Après cinq sonneries Clemens reconnut la voix ensommeillée de Bill Gaines.

– Bill ? Clemens à l'appareil. *Mayday mayday,* mon vieux ! Écoutez bien ce que je vais vous dire et ne me posez pas de questions car nous avons très peu de temps devant nous... J'espère que vous êtes tout à fait réveillé car je vais vous confier une mission presque impossible...

A peu près au moment où Clemens appelait Gaines, Lisbeth Delmont se réveillait en sortant d'un songe. Ça faisait une éternité qu'elle n'avait pas rêvé au « montagnard »... Elle n'avait jamais su son nom véritable... Elle ne l'avait vu qu'une fois... Elle secoua sa tête comme pour en chasser le souvenir. Le « montagnard » appartenait à un passé révolu... Elle ne voulait plus penser à celui qu'elle avait aussi surnommé « le chiqueur de bétel »...

Maintenant ça lui revenait. Elle savait pourquoi elle avait été tellement troublée lorsque Ferris l'avait embrassée dans son rêve. Les baisers du « montagnard » avaient le même goût ! Cette saveur amère et acide à la fois, ce piquant sauvage, c'était à cause du bétel...

10

En sortant de la salle des ordinateurs, Clemens s'arrêta devant le grand miroir mural du couloir. Même avec les jambes du pantalon passées par-dessus, les bottes de caoutchouc vertes étaient criantes, surtout avec le costume prince de galles! De plus elles clapotaient à chacun de ses pas. Marie-Élise, qui avait pouffé de rire pendant au moins cinq minutes, ne serait certainement pas l'unique personne aujourd'hui à lui faire une remarque sur cette extravagance. A cause de cette foutue goutte il n'avait pas le choix. Son pied droit avait augmenté d'au moins deux pointures!

En repassant devant sa secrétaire, il vit qu'elle avait sorti un mouchoir pour essuyer ses larmes. Le bruit de ses bottes quand il alla s'asseoir derrière son bureau la fit partir dans un nouveau fou rire.

— Au lieu de vous tordre de rire, Marie-Élise..., lança Clemens sur un ton agacé, vous pourriez peut-être nous refaire un peu de café... Ensuite, je vous demanderai d'aller jusqu'à la pharmacie pour me prendre du Colchimax... Gaines n'a pas rappelé?

— Pas en... core, réusssit à dire Marie-Élise avant de sortir en pouffant.

Clemens posa devant lui les feuilles qui venaient de sortir de l'imprimante à laser. Tout en les étudiant une nouvelle fois, il composa le numéro de Lisbeth Delmont.

— Allô?

— Clemens à l'appareil, je vous rappelle comme promis... Au moins deux personnes ont pris en main le livre et le boîtier plastique du CD... Vous et Calvin Ferris... L'ordinateur n'a pas pu identifier les autres empreintes...

— ...

— Vous êtes toujours là? demanda Clemens, surpris de n'avoir aucune réponse.

– Oui. Excusez-moi. Je croyais qu'on avait sonné à la porte. Où se trouvaient les empreintes de Ferris ?

– Sur la couverture et sur les pages 48 et 49... Et également sur le CD... Pourquoi ? Vous ne voulez toujours pas m'en dire plus ?

– Euh... C'est-à-dire... Ce serait un peu délicat... Vous savez... J'ai Calvin en analyse depuis plusieurs années...

– OK. Je n'insiste pas... Qui voyez-vous aujourd'hui en dehors de Sir Thomas ?

– J'ai deux personnes cet après-midi... Des patients que je suis depuis quatre ans...

– Rien de spécial à me signaler ?

– Seulement que l'ascenseur a été réparé et fonctionne de nouveau...

– Content de l'apprendre. Merci. Au revoir.

Clemens avait écourté la conversation car le voyant de son autre téléphone clignotait. C'était sûrement Gaines...

– Oui, Bill... Alors ? Où en êtes-vous ?

– Le jardin des Poètes est bouclé au public depuis une demi-heure... Prétexte : tournage d'un téléfilm pour la télé... Pendant que les trois types de la petite équipe vidéo que j'ai louée tournent des images qui ne serviront à rien, mes gars finissent de ratisser le square en long et en large avec leurs poêles à frire... Pour l'instant aucune bombe... Rien que des vieux clous ou des bouts de ferraille...

– Aucun promeneur n'a protesté ?

– Pas pour le moment. Pour faire plus vrai, j'ai demandé à un copain, un agent de la paix avec qui je joue au tennis, de se planter à l'entrée.

– Bonne idée, Bill. Vous continuez de m'interdire l'entrée du parc jusqu'à au moins 16 heures... A propos vous avez eu le temps de vérifier pour l'ascenseur ?

– Affirmatif. C'était bien une panne et j'ai interviewé moi-même les deux réparateurs... Ils m'ont l'air réglo... J'ai demandé à Bourdin de rester sur place pour surveiller l'immeuble.

– Beau travail, Bill. Continuez comme ça... A plus tard.

Clemens raccrocha. Il avait failli ajouter : « Ton père serait fier de toi, petit », puis s'était ravisé au dernier moment. A la mort de Jack Gaines – un vieil ami qui avait fait toute sa carrière à Scotland Yard et qui lui avait sauvé la vie à deux reprises –, Clemens avait proposé à son fils de venir travailler avec lui à Paris. Le jeune apprenait vite et il avait l'air de suivre les traces de son père, mais ce n'était pas la peine de le pourrir avec trop de compliments. En tout cas, vu le peu de temps dont Gaines avait disposé pour mettre en place le plan d'urgence qu'il avait imaginé, il s'en était sorti d'une façon épatante !

Au moins, de ce côté-là, les choses étaient bordées... Il ne restait plus qu'à convaincre Sir Thomas de monter avec lui dans la Rolls aux vitres blindées... Mais ça, c'était une autre paire de manches !

« A moins que je réussisse à l'apitoyer..., pensa Clemens qui venait d'avoir une idée. Peut-être que ma goutte va me servir à quelque chose... »

– Ah! Marie-Élise, vous tombez à pic! fit-il joyeusement en la voyant pénétrer de nouveau dans le bureau avec le café. Vous avez même les cachets? Vous êtes une véritable mère pour moi...

Marie-Élise posa la boîte de Colchimax à côté de la tasse et regarda son patron d'un air inquiet. Avait-il vraiment retrouvé sa bonne humeur ou était-il en train de se moquer d'elle, pour se venger de son fou rire?

Clemens avait choisi de se poster près de la haie de pittosporums pour attendre Sir Thomas. Lorsqu'il vit celui-ci apparaître, à 10 h 45 précises, en haut des marches, il jongla ostensiblement quelques secondes avec les clefs de la Rolls avant d'aller en claudiquant vers lui pour le saluer. Il y avait environ cinq mètres à parcourir et il prit volontairement son temps. Le visage légèrement crispé. Il ne fallait surtout pas trop en faire...

– Bonjour, Mark! Quel temps magnifique, n'est-ce pas? Qu'est-ce qui vous arrive, mon vieux?

Clemens haussa les épaules avec un petit sourire et, se mettant à côté de Sir Thomas, commença à régler ses pas sur les siens.

– Juste un peu de goutte... Rien d'insurmontable..., fit-il en traînant imperceptiblement la jambe droite.

– Ah!... C'est pour éviter ce genre d'ennuis que je tiens à entretenir régulièrement ma forme... Si vous voulez, vous n'avez qu'à me suivre en voiture pendant que je marche... Appelez Jean-Paul, il conduira...

– Vous savez bien que le jeudi est son jour de congé...

– C'est vrai, j'avais oublié. Je suppose que vous pouvez quand même vous mettre au volant..., fit Sir Thomas en faisant un signe de tête vers la jambe de Clemens.

– Naturellement. Mais il fait si beau... Un peu d'exercice ne peut pas me faire de mal... Je me disais que pour une fois j'allais vous accompagner, si vous n'y voyez pas d'inconvénient... Je tiens à faire comme vous..., insista Clemens en continuant d'avancer en traînant la patte, alors que Sir Thomas s'était soudain immobilisé au milieu de l'allée.

Le vieil homme, il n'était pas difficile de le deviner, venait de s'apercevoir qu'il avait mis des bottes en caoutchouc pour pouvoir marcher malgré la goutte... C'était maintenant ou jamais...

– Vous plaisantez mon vieux! Nous allons tous les deux y aller en voiture... Allez, venez... Je crois que vous avez les clefs..., dit Sir Thomas sur un ton ferme en faisant volte-face pour marcher en direction de la Rolls que Jean-Paul avait garée au fond du jardin.

« Bingo ! » pensa Clemens en obéissant. En emboîtant le pas à Sir Thomas, il prit soin de garder la tête baissée pour cacher un petit sourire.

Clemens put se garer juste devant l'entrée du 72.

« Encore un bon point Bill... », se dit-il en pensant au jeune Gaines. Il n'avait pas oublié de recommander à Gaston Bourdin, un des deux nouveaux engagés récemment pour renforcer la sécurité des locaux boulevard Suchet, chargé de surveiller les lieux avant l'arrivée de Sir Thomas, de réserver une place pour la Rolls. C'était le genre de détail auquel un débutant ne pensait pas toujours.

Cela faisait environ quatre-vingt-dix minutes que Sir Thomas avait disparu à l'intérieur pour s'allonger sur le divan.

« En ce moment il doit être en train de déguster les bons plats mitonnés par la petite Vernet... », pensa Clemens en allongeant sa jambe droite devant lui. De temps en temps les élancements au niveau de son orteil devenaient vraiment insupportables. Les deux cachets qu'il avait avalés trois heures avant n'avaient guère amélioré son état. Normalement en cas de crise il devait boire au moins deux litres par jour pour faciliter l'élimination de l'acide urique. Mais il n'avait pas voulu charger bêtement sa vessie. Ce n'était évidemment pas le moment d'aller pisser tous les quarts d'heure...

Il était temps d'aller acheter les pains aux raisins pour Sir Thomas... Clemens avait renoncé à demander à Bourdin de se rendre à sa place jusqu'à la boulangerie. Il valait mieux que l'autre reste à l'intérieur, pour repérer tout nouvel arrivant, le suivre éventuellement si celui-ci se rendait au huitième étage...

Clemens ne se souvenait pas d'avoir vu Sir Thomas déroger une seule fois en dix-huit mois au petit rituel... Quel que soit le temps...

« Avant de retourner travailler boulevard Suchet, lui avait-il dit un jour, j'ai besoin d'une bonne promenade en plein air... surtout après la fatigue et la tension engendrées par une longue séance d'analyse... »

Clemens avait déjà découvert depuis longtemps le petit secret de Sir Thomas, mais il n'avait pas eu le mauvais goût de faire une allusion à la tension particulière engendrée par la mignonne Catherine... Un peu d'exercice était effectivement bien utile après les plats gastronomiques qu'elle lui préparait... Mais cela, le vieil homme ne pouvait y faire allusion sans se couper. Et pour justifier le fait que, tous les jeudis, il ne pouvait pas déjeuner avec Lady Emma, Sir Thomas avait imaginé ce repas frugal de pains aux raisins !...

« Achetez-m'en trois, voulez-vous... Je les mangerai en marchant dans le parc... »

En fait, il y touchait à peine. Une ou deux bouchées... Puis il donnait le reste aux oiseaux du jardin...

Un tueur professionnel pouvait exploiter ce cérémonial pour chercher à empoisonner Sir Thomas. Personnellement, c'était ce que Clemens aurait fait s'il s'était trouvé dans le camp adverse... C'est pourquoi il prenait toujours au moins trois précautions. Il allait se procurer les pains le plus tard possible, soit jamais plus de dix minutes avant que Sir Thomas refasse son apparition. Ensuite, comme il y avait au moins quatre boulangeries à proximité immédiate, il pénétrait rarement dans la même deux fois de suite, faisant son choix au tout dernier moment en se fiant à son instinct. Enfin, il achetait toujours cinq pains aux raisins pour en goûter au moins deux. Il risquait d'y laisser sa peau mais, après tout, c'était pour ça que Sir Thomas le payait... !

En sortant de la voiture Clemens jeta un coup d'œil autour de lui. Tout avait l'air normal.

« Un vrai guerrier doit avoir un surnom... Il faut choisir ce dernier avec un grand soin... De sorte que, lorsque ses ennemis le prononcent ou l'évoquent seulement en silence, ils soient saisis d'une grande crainte! Plusieurs facteurs doivent influencer ton choix, et de la justesse de ce dernier dépendra le fait que ton cri de guerre sera ou non efficace, t'apportant une réelle supériorité sur tes adversaires... Ce doit être avant tout une sorte de signature, une trace que tu laisses derrière toi, marquant ta suprématie sur tes ennemis, un signe magique qui te confère une invincibilité quasi surnaturelle... En lui-même il doit constituer un symbole qui résume ton courage et la noblesse de ton cœur, le fait que tu es un samouraï hors du commun, ne craignant ni la mort ni aucun danger... Prends ton temps et médite soigneusement avant de te décider... Pour t'aider, voici un cadeau... C'est un texte secret qui est très peu connu... C'est le " credo " des samouraïs... »

Masashi lui avait donné le petit rouleau le jour de ses vingt-deux ans, comme cadeau d'anniversaire... Un présent magnifique...

Je n'ai pas de parents : le Ciel et la Terre sont mes parents.

Je n'ai pas d'yeux : la lumière de l'éclair est mes yeux.

Je n'ai pas de principes : l'adaptabilité à toutes les circonstances est mon principe...

Trois mois plus tard, sans revenir sur le sujet, Masashi lui avait fait une remarque amusante sur son prénom. Et ce jour-là, avant de s'endormir, il avait fait son choix...

« Tout est signe... Le moindre fait, chaque événement... Ainsi as-tu jamais pensé à ce curieux prénom que Lucy t'a donné? Il n'est pas vraiment courant. Je l'aime bien car il est viril... Il est proche phonétiquement de certains mots japonais. Une sonorité brutale et rapide... Une caractéristique fréquente dans notre langue... Pour moi, à cause de lui, ta vie sera toujours étroitement liée aux arbres... Mais peut-on arriver à connaître vraiment la raison profonde qui pousse un parent à appeler son enfant de telle ou telle façon ? J'ai relu hier un livre sur la mythologie romaine. C'est toujours intéressant d'étudier les mythes d'autres pays... J'ai constaté qu'en modifiant légèrement une lettre, en lui ajoutant ce petit signe qui permet de la retourner, de la dédoubler... on obtenait phonétiquement le nom grec de leur Dieu de la guerre... »

Masashi lui avait donné d'une façon subtile une indication précieuse. Il fallait aussi se souvenir de sa citation préférée inspirée de Sun Tzu : « L'art de la guerre c'est la ruse poussée à son extrême... tromper l'adversaire en l'égarant constamment sur une fausse piste... »

En faisant allusion à Mars, Masashi lui avait laissé le soin de décider par lui-même de se placer ou non sous son influence divine, notamment en choisissant l'un des deux animaux qui lui étaient consacrés : le pivert ou la louve...

« L'idéal, avait-il pensé cette nuit-là en regardant la lune à travers la fenêtre, serait de trouver un surnom remplissant un rôle double : égarer mes ennemis tout en exprimant ma nature profonde, mon être véritable... »

Il commença à ralentir sa respiration quand Clemens sortit de la voiture. Il s'était comporté en guerrier en préparant soigneusement son plan. Comme d'habitude il avait prévenu son adversaire. Celui-ci avait d'ailleurs compris une partie du message. Le dispositif qu'il avait fait mettre en place dans le jardin le prouvait. Il consulta sa montre. Ce serait juste... Si tout se passait comme il l'avait prévu...

« Avant la bataille, ce qui est important, c'est que le guerrier ait fait tout ce qui était en son pouvoir pour se présenter dans les meilleures dispositions... Dans un état mental impeccable, prêt à mourir pour son Seigneur ou pour accomplir son devoir... L'échec ou la victoire... Cela ne dépend plus de lui... »

Il s'était douté que Clemens se garerait devant l'entrée. Un atout pour défendre le vieux Hannay contre une agression rapprochée, mais un handicap pour observer le terrain car, à cause d'une petite courbe à cet endroit du boulevard, il y avait un angle mort. Là où précisément il avait pu attendre dans une Renault sans être repéré...

Clemens ne réapparaissait toujours pas. Dans trente secondes, si le « tagger » était à l'heure, ce serait trop tard... Tant pis! Il n'était pas pressé. Il avait tout son temps... Ah! Clemens revenait vers la voiture en boitillant. Il avait le sac de la boulangère à la main. Malgré la distance son œil perçant reconnut les lapins verts décorant le sachet. Clemens avait choisi la boutique qui se trouvait sur la place. Instinctivement il tourna la tête. Le type au blouson était en train de remonter lentement le boulevard. Dans une minute à peine il serait à la hauteur de la

Rolls... Pourvu que Sir Thomas prenne son temps pour dire au revoir à Catherine Vernet... Il sélectionna le bon sachet sur le siège du conducteur et ouvrit la portière. Il était prêt.

Il faisait de plus en plus chaud et Clemens baissa la vitre. Il plongea sa main dans le sac en papier pour en sortir un pain aux raisins. Machinalement il le regarda avant de mordre dedans. Il sentait bon et avait l'air délicieux. Un léger parfum d'amande...

Tout en mâchouillant, il regarda machinalement dans le rétroviseur et sursauta. Son œil avait soudain détecté un mouvement anormal. Il se retourna et poussa un juron. Un type en blouson noir, le crâne rasé à l'exception d'une touffe centrale teinte en rouge, remontait le boulevard sur des patins à roulettes. Une petite bombe à la main, il était en train de laisser des inscriptions rouges sur les vitres de toutes les voitures garées le long du trottoir... !

« Bon sang ! Qu'est-ce que c'est que ce connard ? » fit Clemens en ouvrant la portière pour sortir. Il n'allait quand même pas laisser ce merdeux faire ses trucs sans réagir. Il fallait lui donner une bonne leçon.

Clemens se planta à côté de la voiture et attendit que l'autre parvienne à sa hauteur.

Le patineur slalomait sur le macadam avec une adresse étonnante. Il devina tout de suite les intentions de Clemens et le nargua en souriant d'un air insolent. Handicapé par sa jambe endolorie et ses bottes trop larges, Clemens était sûr que l'autre allait l'éviter en faisant un écart au dernier moment.

« Je vais profiter de sa vitesse et l'attraper sous les épaules... », pensa-t-il en écartant légèrement les jambes pour renforcer son équilibre.

Mais le *skin head* le surprit par une manœuvre totalement inattendue. Juste avant d'arriver sur lui, il se baissa en pliant les genoux. Clemens ne se méfia pas et l'imita. Mais le patineur se redressa juste avant d'entrer en contact avec lui et, dans un mouvement d'une agileté étonnante se dégagea... Non sans avoir actionné auparavant sa petite bombe et aspergé de rouge le costume prince de galles de Clemens.

— Petit salaud, je t'aurai ! hurla Clemens qui se mit à courir après le *tagger*.

Mais, véloce et souple comme un chat, celui-ci n'avait aucun mal à le narguer impunément. Il prenait tout son temps pour arroser les voitures de graffitis avant de bondir de nouveau sur ses jambes quand il voyait son poursuivant sur le point de le rattraper.

Au bout de dix mètres à peine, le souffle coupé, Clemens comprit que la course était perdue d'avance et il arrêta la poursuite. Il valait mieux qu'il revienne vers la voiture. Son sang n'avait fait qu'un tour quand le salopard était apparu sur le boulevard. Mais il avait peut-être fait une erreur. Car il était possible que ce fût une diversion destinée à l'éloigner de la voiture. Heureusement, il n'était pas parti bien loin. Clemens revint en petites foulées vers la Rolls.

Sir Thomas sortit juste au moment où il ouvrait la portière pour rentrer dans le véhicule. La première chose que Clemens pensa à vérifier fut le petit sac avec les pains aux raisins à l'intérieur. Fausse alerte... Le sachet était resté à sa place. Personne n'y avait touché.

– Qu'est-ce qui vous est arrivé, Mark ? Vous n'allez pas me dire que c'est encore votre foutue goutte ? lança Sir Thomas en jetant un coup d'œil amusé sur le veston tout taché de peinture rouge.

« Pour un homme de soixante-douze ans, il ne fait vraiment pas son âge... On lui en donnerait facilement dix de moins... Je devrais peut-être me trouver moi aussi une petite Vernet... », pensa Clemens en haussant les épaules sans répondre. Ce n'était pas la peine de gâcher le plaisir de Sir Thomas. Pour lui la journée avait si bien commencé...

11

Il y avait un problème. Gaines parlementait avec un grand individu brun vêtu d'un blouson de sport à carreaux qui voulait absolument pénétrer dans le square. Le ton montait. Un agent de la paix, sans doute le partenaire de tennis de Gaines, observait la scène, prêt à intervenir au cas où les choses s'envenimeraient.

— Restez à l'intérieur, Sir Thomas... Je vais voir ce qui se passe, fit Clemens en sortant de la voiture.

Il ne pouvait pas voir le visage du râleur, qui lui tournait le dos, mais il entendait sa voix. C'était amusant, celle-ci lui était vaguement familière. Le type parlait parfaitement le français mais avec un léger accent américain.

— Écoutez, mon vieux, je suis venu ce matin et vous m'avez déjà empêché d'entrer... Maintenant vous me refaites le même coup en prétendant que je risquerais de gêner les techniciens... Soyez un peu compréhensif! Il est très important pour moi de vérifier quelque chose à l'intérieur. Je vous promets que je prendrai soin de rester hors du champ de vos caméras... Laissez-moi y pénétrer au moins cinq petites minutes... Pas plus...

« On avait bien besoin d'un trouble-fête... Sans doute un touriste américain qui ne jure que par ses bons droits constitutionnels... », soupira Clemens en se demandant comme il allait résoudre le problème. Quelques passants curieux s'étaient arrêtés pour écouter. Il fallait surtout éviter de provoquer un attroupement.

Après quelques pas, Clemens s'arrêta net. Pas étonnant que la voix de l'autre lui rappelât quelqu'un... C'était Calvin Ferris! Comme s'il avait soudain senti sa présence, celui-ci se retourna.

Ferris fut tout autant surpris que Clemens quand leurs regards se croisèrent. En notant la façon bizarre et gênée dont ils se toisèrent mutuellement, Gaines pensa : « Ils se connaissent mais auraient préféré ne pas se rencontrer... »

Finalement ce fut Clemens qui rompit le premier le silence. Il dit à l'adresse de Ferris : « Une seconde, Cal, je reviens... » et, s'approchant de Gaines, le prit par le bras pour l'entraîner un peu à l'écart.

— C'est mon filleul, expliqua-t-il en parlant plus bas, Calvin Ferris. Je vais m'occuper de lui. Tout va bien ? Rien à signaler ? Sir Thomas peut aller dans le jardin sans risque ?

— Aucun problème, répondit Gaines.

Il avait remarqué les taches de peinture sur la veste de Clemens mais préféra ne pas poser de question. Son chef était visiblement de mauvaise humeur.

— En dehors des techniciens vidéo, reprit-il, et des trois gars que j'ai postés à l'intérieur, il n'y a personne d'autre dans le square. Sir Thomas peut y rester le temps qu'il veut. Il ne sera pas dérangé...

— Parfait. Dans ce cas je vais aller le chercher. Continuez pour le moment à interdire l'accès du parc aux promeneurs.

En ouvrant la portière, Clemens eut le temps de dire : « Tout va bien. L'incident est réglé... Vous pou... », puis s'arrêta en plein milieu de sa phrase car, le visage livide et décomposé, Sir Thomas était affaissé sur le siège. Le souffle rauque et haletant, il avait visiblement du mal à respirer. Clemens le vit prendre plusieurs grandes inspirations en fermant les yeux.

« Merde! Il a dû avoir une attaque! » pensa Clemens en se penchant sur le vieil homme pour vérifier son pouls.

— Ce n'est rien, Mark... fit alors Sir Thomas en le repoussant d'un geste de la main. Ça va aller... Ne vous inquiétez pas... Mon cœur va parfaitement. J'ai simplement eu une grande émotion en croyant revoir un fantôme... Une similitude vraiment étonnante... En beaucoup plus jeune bien sûr...

— A qui faites-vous allusion, Sir Thomas ?

— Au grand jeune homme là-bas. Vous venez de lui parler...

— Vous voulez dire Calvin Ferris ?

— Je me doutais que c'était lui... Une relation à vous, Mark ?

— Plus que ça. C'est mon filleul. Je ne l'ai pas vu depuis des années... Je ne savais pas que vous vous étiez déjà rencontrés...

— Oh, mais non! Vous vous trompez. C'est la première fois que je le vois. Mais il ressemble d'une façon incroyable à quelqu'un que j'ai connu autrefois... Il y a très longtemps de cela. Pratiquement son portrait au même âge... Ce Ferris, il est eurasien, n'est-ce pas ?

— Oui. Mère européenne et père asiatique... Pourquoi ?

— Par curiosité... Si nous y allions ? demanda Sir Thomas en adoptant un ton que Clemens connaissait bien, celui qui voulait dire : la discussion est close...

Sir Thomas semblait avoir retrouvé toutes ses facultés. Clemens le vit chasser une poussière imaginaire sur son pantalon de flanelle aux plis impeccables avant de sortir de la voiture en tenant à la main le sac contenant les pains aux raisins.

Gaines, qui était en train de se demander pourquoi Sir Thomas tardait tant à sortir de la Rolls, poussa un soupir de soulagement quand celui-ci se dirigea vers l'entrée. Il s'était placé juste à côté de Calvin Ferris. On ne savait jamais. Filleul ou pas, il avait une allure bizarre. L'air sportif mais nerveux comme un chat, il semblait piaffer d'impatience. Par prudence, Gaines glissa négligemment la main droite sous son veston pour sortir plus vite son browning en cas de nécessité.

Il faillit d'ailleurs dégainer en voyant la mine stupéfaite qu'arbora Ferris quand Sir Thomas, flanqué de Clemens, arriva à sa hauteur. Bouche bée et les yeux comme des soucoupes, il fixa le vieil homme d'une drôle de façon, comme s'il venait de croiser soudain sur son chemin un revenant ou un extraterrestre... Au passage Sir Thomas lui fit un bref signe de tête et Clemens lui dit : « Encore un instant, Cal, et je suis à toi... », mais Ferris resta sans réaction et recula pour laisser les deux hommes contourner la petite barrière et pénétrer dans le jardin. De plus en plus perplexe, mais rassuré, Gaines se détendit.

Du coin de l'œil, Clemens pouvait apercevoir Sir Thomas marcher entre les allées à l'extrémité ouest du jardin. Les trois types du service de sécurité que Gaines avait appelés en renfort se tenaient prêts à intervenir à distance respectueuse, chacun occupant l'un des sommets de l'espèce de triangle que formait le parc.

« Décidément, ce foutu gosse ne changera jamais...! Il restera toute sa vie ce silencieux taciturne aux réactions d'écorché vif que j'ai connu! Incapable d'aligner une phrase cohérente dès qu'on lui pose la moindre question... », jura intérieurement Clemens en observant Calvin Ferris qui se tenait à côté de lui, la tête penchée en avant, perdu dans ses pensées.

Les crocus étaient en avance et certains étaient déjà largement ouverts, formant de jolies taches de couleur sur le gazon. Dans quelques jours ce serait au tour des jonquilles. En voyant Sir Thomas s'asseoir sur un banc plus loin, Clemens eut envie d'aller le rejoindre. Lui au moins savait jouir d'une belle journée printanière sans se poser les problèmes métaphysiques dans lesquels Calvin était empêtré depuis sa prime enfance...!

« Lisbeth Delmont m'a dit que tu étais à Paris... C'est pour la voir que tu es venu en France ? »

« Qu'est-ce que c'est que cette histoire que tu as racontée à mon adjoint Gaines ? Que voulais-tu vérifier en venant dans ce jardin ? »

« Si tu veux, on pourrait profiter de ton séjour à Paris pour se voir plus longuement... Quand veux-tu qu'on déjeune ensemble ? »

Ferris n'avait répondu à aucune de ses questions, se contentant de marmonner des choses presque incompréhensibles, avec une mine de chien perdu et malheureux. Autant que Clemens s'en souvienne, son filleul avait toujours été comme ça : parlant tout seul ou murmurant des choses à voix basse, sans se préoccuper de ce que les autres pouvaient lui dire.

— Les alexandrins du poème de Rimbaud... Le vieil homme de mon rêve... En chair et en os... C'est incroyable... Il ne faut surtout pas qu'il aille chez Lisbeth...

Ça n'avait vraiment aucun sens! D'autant que Sir Thomas venait de sortir de l'immeuble de Lisbeth...

« Et dire qu'il doit aller sur ses trente-six ans...! » pensa avec une certaine tristesse Clemens en observant Calvin, dont le visage était tourné vers Sir Thomas. Celui-ci avait sorti un pain aux raisins du sac pour l'émietter et une dizaine de moineaux excités accouraient déjà en voletant autour de lui.

Tout en continuant de regarder la scène, Ferris rompit soudain le silence. Clemens, qui ne s'y attendait pas du tout, fut vraiment surpris de l'entendre dire d'une voix calme et posée :

— Il ne faut pas m'en vouloir, Mark. Tout était jusqu'à présent terriblement embrouillé dans ma tête... Je crois que j'y vois un peu plus clair maintenant... Je suis venu à Paris pour deux choses : d'abord pour consulter Lisbeth Delmont, ensuite pour prévenir ce monsieur...

Calvin désignait Sir Thomas d'un signe de tête. Toutes sortes de pensées se bousculèrent dans l'esprit de Clemens mais il préféra ne pas l'interrompre. Il l'avait mal jugé. Le gamin avait mûri et changé. Il semblait avoir acquis avec les années une certaine force intérieure.

— ... Tu te rappelles... quand j'étais plus jeune, j'étais souvent sujet au somnambulisme... Je pensais qu'avec les années ça s'estomperait... Je me suis trompé... Non seulement je suis toujours somnambule mais en plus parfois ça s'accompagne d'un phénomène de voyance... Appelle ça prémonition ou précognition... peu importe. Ce qui est certain c'est que j'ai « vu », il y a quinze jours de ça, beaucoup de choses... Le poème de Rimbaud qui se trouve sur la plaque derrière toi, j'en ai « lu » le texte dans un rêve... Ce vieil homme, je l'ai vu plusieurs fois donner du pain aux oiseaux... Je ne suis pas un voyant professionnel mais je crois que j'ai « vu » sa mort prochaine... Ça a quelque chose à voir avec Lisbeth Delmont... Je ne sais pas exactement quoi... Mais il ne faut surtout pas qu'il aille la voir...! Avant de venir à Paris je n'avais aucune idée qu'il existait un parc appelé jardin des Poètes et que parmi les stèles je retrouverais les vers d'Arthur Rimbaud... C'est pour ça que je suis ici, après y être déjà venu hier... Pour les poèmes...

Imitant Ferris, Clemens se retourna pour lire les strophes gravées :

Les tilleuls sentent bons dans les bons jours de juin.
L'air est parfois si doux...

Deux mètres plus loin sur la droite, en dessous d'un févier d'Amérique, il y avait un vers de François Coppée que le traducteur français de Culleen Mc Cullogh avait repris pour le titre de son roman *The Thorn Birds* : « Est-ce que les oiseaux se cachent pour mourir ? »

Juste à cet instant, au-dessus d'eux, un oiseau fit un bruit de castagnettes. Tous les deux levèrent la tête en même temps mais ne virent rien.

— C'est curieux, dit Ferris. J'aurais juré avoir reconnu le cri d'un pic en colère...

Pour Clemens, qui s'y connaissait pas mal en ornithologie, c'était plutôt le jacassement d'une pie. Mais il ne protesta pas car la confusion de Ferris avait provoqué en lui une impression bizarre. Il n'arrivait pas à en avoir une idée précise mais il y avait un rapport avec un détail important qu'il avait dû oublier...

Clemens ferma les yeux pour mieux se concentrer.

I have a rendez-vous with Death...

C'était à cause du poème d'Alan Seeger qu'il avait demandé à Gaines de boucler le square... Par quels moyens mystérieux Calvin avait-il eu lui aussi l'intuition du danger que courait Sir Thomas?

« Vous êtes bénie entre toutes les femmes et Jésus le fruit de vos entrailles est béni. Sainte Marie mère de Dieu, priez pour nous, pauvres pécheurs, maintenant et à l'heure de notre mort... » « Notre Père qui es aux cieux, que ton nom soit sanctifié... que ton règne vienne, que ta volonté soit faite sur la terre... donne-nous aujourd'hui notre pain... »

— Bonté divine! jura Clemens tout haut. C'était le mot *pain* qui était important dans le deuxième message anonyme! Tout à fait le genre de lettre qu'aurait envoyé le Pivert... pour annoncer l'arme qui serait utilisée...!

En rouvrant les yeux, Clemens vit qu'il avait deviné juste.

Mais c'était trop tard! A cinquante mètres environ d'eux, au pied du banc devant le grand chêne, il pouvait apercevoir le corps de Sir Thomas gisant au milieu des oiseaux morts. Malgré toutes les précautions qu'il avait prises, le Pivert avait réussi à mettre du poison dans les pains aux raisins...!

DEUXIÈME PARTIE

JO
(Prélude)

Dans la profondeur des bois
le pivert
et le bruit de la hache

Buson

12

Fax marqua un arrêt. Il se trouvait désormais juste en face d'un type bâti comme une armoire à glace. Une nombreuse colonie nippone occupait presque trois rangées dans le fond de la salle. Le type chargé de cacher la montre avait dû se dire : « Rien ne ressemble plus à un Asiatique qu'un autre Asiatique... »

L'hésitation de Fax était visible et la plupart des spectateurs retinrent inconsciemment leur respiration. Fax, qui avait brillamment réussi, lors des deux démonstrations précédentes, à retrouver la paire de lunettes ainsi que le porte-monnaie cachés, simplement « en lisant dans les pensées », allait-il se planter cette fois-ci ?

La montre avait été cachée dans le sac à main de la vieille Japonaise assise juste deux chaises à droite de l'Obélix nippon, et Clemens crut bien que Smarty Fax ne réussirait pas à la dégoter. Échouer si près du but ! Il pouvait presque déjà anticiper les cris de déception de la foule. Pour corser l'épreuve et la rendre encore plus spectaculaire, Fax s'était fait bander les yeux avec un foulard de velours noir. Clemens le vit relever légèrement la tête avant de dire, en agrippant de nouveau des deux mains le poignet de son guide bénévole :

— Je vous demande une nouvelle fois de vous concentrer fortement en pensée sur l'endroit où vous avez dissimulé l'objet.

Le volontaire était un jeune homme âgé d'environ une vingtaine d'années, presque aussi grand que Fax. Avec ses petites lunettes cerclées, sa chevelure moutonnée, et ses airs de potache brillant et décontracté, il avait l'allure typique de l'étudiant malin à qui on ne la fait pas... Bien que Fax fût dans l'incapacité de le voir, il n'arrêtait pas de lui lancer des sourires insolents et ironiques dans le style : « Vous croyez m'impressionner avec vos trucs de magicien, mais je vous piégerai... »

En se haussant sur son siège, Clemens vit Fax se placer soigneusement sur la pointe des pieds. Ça confirmait ce qu'il avait soupçonné depuis le début. Fax n'était qu'un illusionniste...! Et le petit jeunot futé allait se faire un plaisir de le prendre en défaut. Cependant, quelque chose disait à Clemens que Fax parviendrait quand même à berner le freluquet...

Toujours en serrant entre ses deux mains le poignet du jeune homme, Fax fit d'abord quatre grands pas à droite puis aussitôt deux autres à gauche, avant de s'arrêter brusquement. Il était tombé pile dessus! C'était pour le suspense que Fax avait fait semblant de se tromper.

Avec ses dents d'une blancheur éclatante, sa fine moustache et le bandeau noir sur les yeux, il ressemblait de façon étonnante à Guy Williams, l'acteur argentin qui avait immortalisé Zorro pour des millions d'enfants à la télévision américaine...

S'immobilisant devant la vieille geisha, Fax demanda à haute voix :

— Pouvez-vous me décrire la personne qui est assise juste en face de moi ?

L'étudiant ne put s'empêcher d'avaler sa salive avant de dire avec un léger tremblement dans la voix :

— C'est une femme habillée d'un kimono à fleurs...

— A-t-elle un sac à main ?

— Oui.

— Est-il sur ses genoux ?

— Oui.

— Madame, dit Fax en riant, je n'ai pas pour habitude de fouiller dans les sacs à main des femmes. Auriez-vous l'obligeance de sortir vous-même l'objet que le jeune homme à côté de moi y a déposé il y a quelques minutes ?

Sous le regard écœuré du petit malin, la petite vieille gloussa et, après avoir ouvert son sac pour récupérer la montre, l'exhiba au bout de son bras. La salle croula sous les applaudissements de la foule enthousiaste et Clemens tapa également de bon cœur dans ses mains.

Depuis le début du spectacle, il avait remarqué dans la salle un fervent admirateur de Fax qui exprimait son enthousiasme en partant, avec une belle voix de basse, dans des éclats de rire tonitruants et tellement communicatifs qu'il était difficile de ne pas partager son enjouement. Le type, un Asiatique, avait une tête qui lui était vaguement familière. Il était assis plusieurs rangs derrière lui, au milieu de la colonie nippone, mais d'emblée Clemens avait pensé : « Il n'a pas le faciès d'un Japonais... Je pencherais plutôt pour un Chinois ou peut-être un Vietnamien. » Une soixantaine d'années... Un crâne largement dégarni... Avec sa petite barbichette et ses tempes argentées, il ressemblait vaguement à l'acteur Pat Morita. En tout cas, il était plutôt sympathique et il avait spontanément suscité autour de lui une petite coterie joyeuse, au milieu de laquelle on pouvait remarquer, juste à côté de lui, un jeune homme brun, le seul Français parmi les occupants des trois dernières rangées, qui le regardait avec des yeux admiratifs et semblait boire chacune de ses paroles.

Évidemment le succès de Fax n'avait pas manqué de déclencher une nouvelle crise de fou rire chez « Asie Mille ». Clemens, qui avait l'ouïe extrêmement fine, lui avait donné ce surnom depuis qu'il avait eu l'occasion de l'entendre s'exprimer successivement en anglais, japonais, allemand... pour traduire les propos de Fax aux personnes assises autour de lui qui ne comprenaient pas le français...

« Je suis au moins sûr d'une chose, s'était dit Clemens. Vu son accent presque parfait en anglais, ce n'est pas un natif du pays du Soleil Levant ! » Il n'avait pas oublié les nombreuses fois où il avait ri sous cape devant un Japonais confronté à la langue de Shakespeare...

En tout cas, suivant l'exemple du polyglotte aux yeux bridés, tout le groupe de Nippons s'était levé pour applaudir bruyamment Fax, dont les numéros étaient vraiment épatants. L'homme était d'une habileté quasi diabolique et, si Clemens n'avait pas été au parfum, il aurait eu tendance – comme sans doute la totalité des gens dans le théâtre – à le prendre pour un authentique « télépathe et voyant », comme le proclamaient les affichettes en couleurs qui avaient envahi les murs des agglomérations de la côte normande depuis plusieurs jours...

Utilisant une technique mise au point à la fin du XIXᵉ siècle par l'illusionniste anglais Stuart Cumberland, Fax avait roulé dans la farine le jeune blanc-bec en se servant uniquement des minuscules indications de nature psychomotrice que son guide lui avait involontairement fournies...!

Pratiqué loyalement, c'est-à-dire sans recourir à aucun trucage, le « cumberlandisme » exige de la part de son utilisateur une extraordinaire acuité sensorielle.

En tenant fortement la main de son guide, l'artiste se fie aux indications inconscientes qu'il lui fournit. La moindre information de nature psychomotrice lui est précieuse pour trouver le bon chemin. Mais àuparavant il doit juger correctement la personnalité de son accompagnateur. Avant de se faire bander les yeux, il doit d'un simple coup d'œil être capable de déterminer sans se tromper s'il pourra ou non compter sur sa sympathie et donc éventuellement sur son aide inconsciente... Dans le premier cas, la légère hésitation du cornac lui indiquera le côté où il ne doit pas aller. Dans le deuxième, au contraire, la direction à prendre... Pour apprécier correctement ce signe, l'artiste se place sur la pointe des pieds, et, tenant fermement entre ses mains le poignet du sujet, balance légèrement son corps.

Smarty Fax avait évalué correctement la personnalité de l'étudiant. Il savait que l'autre ne lui ferait aucun cadeau et s'efforcerait de le mettre sur une fausse piste dès le départ. Il s'était donc contenté de lire *a contrario* les mouvements de résistance de son guide ! Dépité de n'avoir pas pu se montrer plus malin, celui-ci s'était précipité vers la sortie au lieu de regagner sa place pour la suite du spectacle. Le comble était qu'il rentrerait chez lui avec la conviction formelle de n'avoir fourni aucune espèce d'indication à Fax.

« Ce fanfaron avait bien besoin d'une petite leçon ! pensa Clemens avec un air amusé... Il se serait peut-être méfié s'il avait décelé le double jeu de mots que contient le nom de scène du Zorro de la voyance... Ce ne sera sûrement pas le dernier à se faire avoir en beauté par le renard de la télécopie mentale...! »

Quoi qu'il en soit il était ravi de la tournure de sa soirée. Depuis le meurtre de Thomas Hannay, c'était la première fois que quelqu'un parvenait à lui faire oublier momentanément ses problèmes... Il ne regrettait pas d'avoir délaissé pour un soir la tanière normande où il s'était isolé depuis une semaine pour faire le point.

Ce fut pendant l'entracte que survint le premier incident. Après avoir joué des coudes pour parvenir jusqu'au bar bondé et commander une bière, Clemens était en train de ramasser sa monnaie, quand il ressentit un picotement insistant à la nuque.

Policiers ou criminels, certains individus, à force de côtoyer le danger pendant de longues années, finissent par développer une sorte de sixième sens qui les aide à se sortir des situations les plus périlleuses. Leur instinct de survie est presque aussi développé que chez les animaux et ils réagissent quasiment instantanément à la moindre menace. Quelques-uns même en prennent conscience avant qu'elle se précise réellement. Dans ce cas l'avertissement leur parvient sous la forme d'un petit signal physique ou physiologique qui varie selon la personne : hérissement du duvet de la peau, sensation de crampe au niveau du bas-ventre, bourdonnement des oreilles, assèchement de la bouche, accélération subite du pouls...

La sensation de chatouillement qui persistait en haut de son épine dorsale ne laissait aucun doute à Clemens. Dans la foule qui s'était agglutinée dans la petite salle du bar, quelqu'un constituait pour lui un danger potentiel. En s'efforçant de rester calme et détendu, il prit le temps de finir sa bière avant de se retourner lentement. Puis imperceptiblement il s'arrangea, au fur et à mesure que les gens se succédaient au comptoir, pour se laisser pousser jusqu'à la droite du bar. Là où, adossé au mur, il pourrait balayer toute la salle du regard...

— Je me demande s'il n'y a pas un truc quand même...

— Si je pouvais le convaincre de me donner les six numéros du Loto...

— Je lui trouve un charme fou... C'est dommage que je ne sois pas au premier rang, il lirait tout de suite dans mes pensées... et peut-être qu'il ne dirait pas non !

— Moi qui n'ai jamais cru à ces sornettes, j'avoue que je suis un peu ébranlé...

— Dépêche-toi de payer ! On va rater la deuxième partie du spectacle...

Toutes les conversations tournaient autour de Fax. Même les cinq Japonais, style jeunes cadres dynamiques de chez Mitsubishi, étaient sûrement en train d'en parler avec vivacité. Ne connaissant que quelques mots de japonais, Clemens ne pouvait pas comprendre l'objet du débat animé qui s'était engagé entre eux, mais ils devaient discuter des conditions à proposer à Fax pour le convaincre de faire une tournée triomphale au Japon...

« Qui ça peut-il bien être ? » pensa Clemens en continuant de scruter les visages.

Sa surprise fut totale quand ses yeux tombèrent sur lui.

« Asie Mille ! »

En sortant de la salle, au moment de l'entracte, Clemens avait voulu s'approcher du type pour proposer de lui payer un verre au bar. Ce qui aurait été l'occasion de lui demander s'ils ne s'étaient pas déjà rencontrés et de quel pays il venait. Mais il y avait renoncé quand il avait entendu le bonhomme dire au brun : « C'est vrai, Hughes ? Vous voulez y aller ? Alors ramenez-moi un Perrier s'il vous plaît... Comme ça je pourrai continuer à parler poésie avec mes amis japonais... »

« Je croyais qu'il avait chargé son compère de lui ramener à boire... Pour quelle raison a-t-il changé d'avis ? » se demanda Clemens en cherchant partout du regard le dénommé Hughes, qui avait alors répondu sur un ton déférent à l'Oriental : « Bien entendu... J'y vais tout de suite, Maître... »

Debout près de la porte des toilettes, l'Asiatique avait habilement choisi de se mêler à une bande de Japonais nettement plus âgés qui étaient en train de se faire photographier à tour de rôle sous l'affiche de Smarty Fax. N'importe qui pouvait croire qu'il faisait partie du petit groupe.

L'œil exercé de Clemens nota immédiatement la façon dont l'Oriental se tenait. Attitude détendue et décontractée de tout le corps, jambes légèrement écartées : quel contraste saisissant avec le bonhomme rond et jovial qu'il avait observé dans la salle... A la façon dont il était centré dans son *hara* [1], Asie Mille, était certainement un spécialiste des arts martiaux ! Ce qui expliquait un certain nombre de choses... « Hughes » n'était pas son factotum ou une sorte de serviteur blanc ! Il était son « disciple » ! Et c'était la raison pour laquelle il s'était adressé avec tant de déférence à son *Senseï*...

L'Asiatique était en train de le fixer avec une telle intensité que Clemens crut l'espace d'une seconde se trouver en plein film de science-fiction ! De ses pupilles jaillissaient comme des éclairs ! Pour ne pas donner inutilement l'éveil, Clemens ne soutint pas son regard et tourna lentement la tête sur la gauche en faisant semblant de chercher quelqu'un au bar. Quand ses yeux revinrent vers les toilettes, Clemens laissa échapper un cri de surprise.

Le petit bonhomme avait disparu ! Et à sa place se tenait le dénommé Hughes, qui se frayait un passage dans la foule, une canette de Perrier dans chaque main.

« Ma parole j'ai des visions ! » jura Clemens en clignant les yeux à plusieurs reprises.

Pour en avoir le cœur net, Clemens se mit à courir en bousculant tout

---

1. Centre vital de l'individu selon les Japonais : situé dans le bas-ventre à environ deux doigts en dessous du nombril.

le monde. Il provoqua quelques injures et cris de protestation mais en trente secondes il était de nouveau devant l'entrée de la salle.

Au moment où il pénétra dans l'enceinte, Clemens entendit un rire . tonitruant. C'était Asie Mille! Toujours entouré de ses Japonais... Le petit groupe était resté à la même place, vers le milieu de la rangée.

Un coup d'œil rapide suffit à Clemens. Étant donné les nombreuses personnes assises qui bloquaient la rangée de chaque côté, il était évident que si l'Oriental s'était rendu au bar, jamais il n'aurait pu revenir se glisser aussi vite au milieu de la bande...

Et pourtant Clemens était prêt à jurer qu'il n'avait pas rêvé!

Outre le don des langues, l'Asiatique avait-il aussi celui d'ubiquité?

13

La petite fille avait de grands yeux rieurs sous ses mèches blondes. Elle ne semblait pas du tout intimidée. Elle devait avoir onze ou douze ans. Fax s'avança pour l'aider à monter sur scène.

– Comment t'appelles-tu ?

– Valérie.

– Un prénom qui te va comme un gant... Valérie, si tu veux bien, je vais te demander de passer parmi les rangs pour choisir toi-même dans la salle une quinzaine de personnes qui pourront écrire ce qu'elles désirent sur ces petites feuilles...

Brandissant un carré de papier bleu et une enveloppe grise au bout de chaque main, Fax se retourna en direction des spectateurs.

– Tous les billets ainsi que les enveloppes sont identiques par leur couleur et leur format... Il vous sera facile de vérifier que n'y figure aucune marque ou signe... Dans la corbeille il y a des stylos feutres à votre disposition, bien entendu tous du même modèle. Vous pourrez tracer l'inscription de votre choix : texte, dessin, formule mathématique... ensuite il faudra plier les feuillets en quatre et les glisser dans l'enveloppe avant de la fermer. De cette manière les plis qui seront collectés puis mélangés par Valérie seront tous rigoureusement semblables et rien ne me permettra de les identifier en les attribuant à tel ou tel spectateur...

Encore plongé dans ses pensées, Clemens essayait toujours de se rappeler où et quand il avait vu auparavant Asie Mille. Il mit plusieurs secondes avant de réaliser que Valérie s'était arrêtée devant lui. Elle lui présentait en souriant la corbeille pour l'inviter à prendre une feuille. Il secoua vigoureusement la tête pour lui faire comprendre qu'il n'avait pas envie de participer à la démonstration de Fax. Mais la petite fille restait campée devant lui en prenant aussitôt un air boudeur et les autres spectateurs s'agitaient. Agacé Clemens tendit la main pour s'emparer d'une feuille et d'un feutre. D'une écriture nerveuse et rapide il écrivit la première phrase qui lui passa par la tête. Il plia le billet en quatre et le glissa dans une enveloppe qu'il referma. Avec un petit air de triomphe dans le regard, Valérie le remercia d'un petit signe de tête avant de se diriger droit vers la colonie nippone.

En poussant un soupir, Clemens s'affaissa dans son fauteuil et ferma les yeux. Le cœur n'y était plus. Seule la présence du mystérieux Asiatique l'avait dissuadé de partir avant la fin du spectacle. D'autant qu'il savait comment Fax allait procéder pour lire les plis fermés! En expliquant à la salle que l'uniformité des billets et des enveloppes garantirait l'absence totale de fraude ou de tricherie, il avait annoncé malgré lui la couleur! Il utiliserait la technique inventée par le médium Slade...

« Je me demande quel genre de message il s'est réservé... », pensa Clemens en rouvrant les yeux pour consulter sa montre. Il était impatient que cette mascarade finisse afin qu'il puisse essayer d'en savoir un peu plus sur l'énigmatique *Sensei*.

Dans un silence complet l'assistance attendit que Fax prît la parole. Il avait gardé l'enveloppe plusieurs secondes dans sa main droite en la palpant lentement du bout des doigts. Elle était maintenant posée contre son front. Sa concentration était visible. Il avait fermé les yeux et semblait ne plus respirer. Les plis sur son visage tendu et le froncement de ses sourcils suggéraient qu'il était désormais entré dans une sorte de transe hypnotique. Fax avait renoncé à recourir à tout décor ou accessoire pour faire son numéro. Sur la scène il n'y avait qu'une chaise et une table basse sur laquelle était posée la corbeille contenant les messages. Ainsi un rien lui suffisait pour focaliser instantanément l'attention de la salle : une expression du visage, un mouvement du corps, une inflexion de la voix, un silence prolongé... En ce moment tous les regards étaient braqués sur sa silhouette légèrement recroquevillée...

– Ah ah!

La réaction de Fax fit sursauter tout le monde y compris Clemens. Fax avait choisi le moment de tension maximale pour les surprendre. En se levant il brandit l'enveloppe grise au bout de son bras et l'agita plusieurs fois avant de prendre un air hilare. Comme pour écarter un dernier doute, il posa une nouvelle fois le pli contre son front, tout en s'avançant jusqu'au bord de la scène. Avec un grand sourire il lança sur un ton enjoué :

– Mesdames et messieurs... Nous avons dans cette honorable assistance une personne qui a voulu faire une blague très douteuse! Il y a beaucoup d'enfants dans la salle et je me refuse catégoriquement à vous lire le contenu du message contenu dans cette enveloppe. Sachez simplement qu'il décrit très précisément la quarante-troisième position du *Kama-sutra*... Vous savez... cet ouvrage qui nous vient de l'Inde antique et qui recense toutes les variations imaginables pour un couple désireux de gagner son septième ciel... J'ouvre l'enveloppe devant vous pour voir si je ne me suis pas trompé... Bien entendu, à la fin de ma démonstration, vous pourrez monter sur la scène pour prendre connaissance du contenu exact des billets.

Fax regarda la petite feuille bleue quelques secondes et la reposa sur la table, avant de soupirer d'un air contrit :

– Mes craintes étaient fondées... Simplement j'ai commis une petite erreur, il s'agit de la trente-neuvième et non de la quarante-troisième! Encore plus compliquée à réaliser... Je ne la recommande pas aux gens fragiles du dos!

Heureusement pour Fax, il y avait dans le théâtre un certain nombre de spectateurs pour qui le *Kama-sutra* évoquait au moins quelque chose et son commentaire provoqua quelques rires.

– Maintenant, passons aux choses sérieuses..., enchaîna immédiatement Fax en revenant s'asseoir. J'espère que les autres billets sont plus intéressants...

Fax prit une enveloppe et la porta à son front. Il ferma les yeux et prit un air concentré.

– Ah... Heureusement qu'il n'y a pas que des obsédés sexuels dans la salle... Je crois que cette fois je suis tombé sur un poète... Voyons... *L'odeur... l'odeur de mon pays était dans une pomme... Je l'ai mordue avec les yeux fermés du somme...*

Sans attendre la suite du texte, une jeune fille blonde s'était levée au troisième rang. Elle avait des couettes et plein de taches de rousseur sur le visage.

– C'est moi! C'est moi qui ai écrit le billet...

– C'est toi qui as écrit ce charmant poème? demanda Fax ravi.

– Non. C'est Lucie Delarue-Mardrus... Une poétesse née à Honfleur...

Cette fois la foule applaudit à tout rompre. Fax attendit patiemment la fin des applaudissements avant de prendre une autre enveloppe dans la corbeille.

– Ah... Voilà quelque chose de totalement différent. Une question... J'espère que son auteur ne compte pas sur moi pour lui trouver la réponse... Je ne suis pas Sherlock Holmes...

En se levant, et en prenant soin de bien articuler chaque mot, Fax dit :

– Le texte est : *Mais pourquoi a-t-on assassiné Sir Thomas Hannay?* Y a-t-il dans la salle quelqu'un qui a écrit cette phrase?

Clemens faillit faire le mort. C'était évidemment lui qui avait rédigé ce billet. Il avait formulé la première pensée qui lui était passée par la tête quand Valérie l'avait sollicité avec insistance. En ne se manifestant pas, il n'arrangerait guère les affaires de Fax, car l'assistance commencerait à douter de ses dons de « voyance »... Rien que pour ça il faillit se taire. Mais il changea d'avis au dernier moment. Car il s'était soudain souvenu des circonstances particulières dans lesquelles il avait rencontré précédemment l'Asiatique... C'est pourquoi, avec une arrière-pensée bien précise dans la tête, il se leva et cria bruyamment :

– C'est moi! C'est moi qui ai rédigé cette phrase... Bravo! Ce sont les mots mêmes que j'ai utilisés!

L'assistance applaudit à tout rompre. Et Fax l'invita avec un grand sourire à ajouter un commentaire s'il le souhaitait. Mais il déclina son offre et se rassit. Non sans avoir auparavant jeté un bref coup d'œil en direction du groupe de Japonais.

Comme il s'y attendait, Asie Mille le fixait intensément...

« Ne vous inquiétez pas... Mon cœur va parfaitement. J'ai simplement eu une grande émotion en croyant revoir un fantôme... »

Lors de cet incident, qui remontait à environ cinq ans de cela, Hannay avait dû dire quelque chose de très similaire à ce qu'il lui avait déclaré dans la voiture juste avant de pénétrer dans ce foutu jardin des Poètes... A l'époque il ne travaillait pas encore à plein temps pour Sir Thomas, mais seulement comme consultant sur certains problèmes ponctuels de sécurité liés aux ordinateurs et circuits télématiques utilisés par sa holding financière. Hannay l'avait invité à venir passer le week-end de Pâques dans sa propriété en Normandie.

Après une sortie matinale de pêche en mer, ils s'étaient installés sur la terrasse ensoleillée d'un restaurant de Trouville pour prendre le petit déjeuner. Sir Thomas, l'appétit sans doute aiguisé par l'air frais et vivifiant du large, s'était jeté sur une copieuse assiette de fruits de mer, le tout arrosé d'une bonne bouteille de sancerre. Lui, à cause de ses problèmes de goutte, avait rapidement bu un café et un jus d'orange. Puis, sachant que son hôte avait horreur de parler en mangeant, il avait fermé les yeux et, les jambes allongées, s'était enfoncé confortablement dans son fauteuil.

Les bonnes odeurs marines en provenance de la Touques lui avaient alors rappelé les senteurs magiques de la Camel. Lorsque la mer à marée haute se mêle aux eaux de la rivière...

« Les noces de la terre et de la mer... Les parfums ressortent... On dirait que les arbres se mettent soudain à murmurer toutes sortes de choses... C'est le moment que je préfère, Mark, pour me promener le long des rives... » Insensiblement ses rêveries l'avaient amené à Lucy. Il y avait tellement longtemps... N'était-ce pas elle qui lui avait fait découvrir la poésie et la beauté de ces minutes juste un peu avant la tombée du jour quand les ombres s'étirent paresseusement...? Malgré le passage des années, il n'avait jamais vraiment réussi à l'oublier... Combien étaient vraies les paroles de cette célèbre chanson française : *Plaisir d'amour... Ne dure qu'un moment... Chagrin d'amour... Dure toute la vie...*!

Dans cette humeur particulièrement mélancolique, un fracas de verre brisé l'avait fait sursauter violemment. Comme si une explosion ou un coup de feu avait brutalement interrompu le cours de ses pensées. Le cœur battant à tout rompre, il lui avait fallu plusieurs secondes pour réaliser que Sir Thomas était complètement livide et que ce n'était pas à cause du verre de sancerre qu'il avait fait tomber par terre. L'air terrorisé, il semblait ne pas pouvoir détacher son regard d'un individu qui s'était installé sur leur gauche trois tables plus loin. Le type, un Asiatique d'environ cinquante ans, leur tournait le dos, et lisait tranquillement son journal en sirotant un jus d'orange, sans paraître s'intéresser à eux. Sa présence troublait pourtant profondément Sir Thomas. A cause de sa respiration soudain plus rauque et saccadée, Clemens avait cru à un début de malaise cardiaque et s'était donc levé de sa chaise pour lui porter secours. Mais Hannay, d'un geste de la main, lui avait fait signe de se rasseoir. D'une voix redevenue tout à fait normale, il lui avait dit :

– Ne vous inquiétez pas, Mark, je vais très bien... C'est la peur des fantômes du passé qui me joue des tours... Ça va passer...

– Vous êtes sûr que vous n'avez pas besoin d'un médecin ? avait-il insisté.

– Certain. Je me suis régalé. Les crevettes étaient succulentes. Vous auriez dû vous joindre à moi... Garçon ?

Les couleurs étaient revenues sur son visage et Sir Thomas avait retrouvé l'allure patricienne innée que beaucoup lui enviaient. Clemens avait compris qu'il n'aurait servi à rien de lui poser des questions. Lorsqu'ils s'étaient levés pour partir, il s'était arrangé pour oublier ses lunettes de soleil sur la table. Il avait noté que Sir Thomas avait préféré faire un détour par la droite pour éviter de passer à proximité de l'Asiatique.

Lorsque, revenant en arrière pour prendre sa monture, il était passé en courant à la hauteur de l'Asiatique, celui-ci avait levé brièvement la tête de son journal. Quand leurs regards s'étaient croisés, Clemens avait été frappé par la vivacité et l'intelligence de ses yeux.

Quel lien y avait-il donc entre Hannay et Asie Mille ? Pourquoi l'Oriental avait-il suscité chez Sir Thomas une telle réaction de terreur ? « C'est la peur des fantômes du passé qui me joue des tours... » Qu'avait-il voulu dire ? Dans quelles circonstances ces deux-là s'étaient-ils connus ? Thomas Hannay avait vécu de nombreuses années à Hong Kong... S'était-il passé quelque chose entre eux à cette époque ?

Préoccupé par toutes ces questions, Clemens ne s'intéressait plus du tout au spectacle de Fax. Celui-ci continuait de provoquer la joie et l'enthousiasme de la salle en déchiffrant les uns après les autres les messages écrits sur les billets. Mais Clemens savait qu'il n'y avait aucune « voyance » derrière ces exploits... Fax se bornait avec une grande habileté et une mise en scène ingénieuse à utiliser la technique mise au point par Slade, jouant sur le décalage des papiers sortis successivement du chapeau... Déchirer la première enveloppe pour soi-disant vérifier le contenu du passage coquin du *Kama-sūtra* (que lui-même bien entendu avait pris soin de rédiger et qu'il ne sortirait qu'en dernier) lui avait permis, en fait, de prendre connaissance de l'énoncé du premier texte véritablement écrit par un spectateur, et ainsi de suite... A partir du moment où personne n'avait remarqué l'escamotage qui avait rendu acceptable « l'impasse » sur le premier billet pour cause de « censure »... le plus dur était fait, le reste n'exigeant de la part de Fax qu'une très bonne mémoire.

– Ah... Ah... ah...! Mesdames et messieurs... Ce billet me pose un petit problème... Non rassurez-vous, je ne cherche pas du tout à me défiler, mais figurez-vous que le message contenu dans cette enveloppe n'est pas rédigé en français, mais en japonais! Enfin, du moins je le suppose... Car j'avoue que pour moi tous les idéogrammes orientaux se ressemblent. Je les « vois » distinctement sur le papier, mais je suis bien incapable de vous dire ce qu'ils signifient...

Clemens était soudain redevenu plus attentif.

– Ça devient enfin intéressant! pensa-t-il en se demandant comment Fax allait cette fois s'en sortir.

Prenant un air indécis, Fax colla de nouveau l'enveloppe contre son front. Puis, après quelques secondes de suspense, il s'écria :

– Attendez! J'ai une idée... Pour vous prouver que Smarty Fax est prêt à relever tous les défis, je suggère qu'on aille chercher un grand tableau sur lequel je pourrais essayer de reproduire ce que je « vois »... Ensuite, poursuivit Fax en montrant du doigt les rangées où la colonie japonaise s'était installée, je suis sûr que l'une de ces personnes assises au fond de la salle sera ravie de nous servir d'interprète...

« Si vraiment il ne connaît pas le japonais, se dit Clemens, j'espère qu'il a une mémoire photographique... c'est le billet précédemment tiré qu'il va tenter de retranscrire! »

Après un conciliabule animé, ce fut finalement une femme que l'assemblée nippone choisit d'envoyer sur scène pour aider Fax. Habillée à l'européenne, elle souriait continuellement en hochant la tête. A côté de l'immense Fax, elle avait vraiment l'air minuscule. Déçu qu'Asie Mille ne se soit pas porté volontaire comme traducteur, Clemens se retourna pour l'observer. Mais il ne parvint pas à accrocher son regard car l'autre était en pleine conversation avec son compagnon Hughes...

Une fois qu'on eut installé au milieu de la scène le tableau – en fait un grand panneau rectangulaire de liège sur lequel on avait punaisé une feuille blanche –, Fax s'empara du marqueur noir et traça lentement avec des gestes gauches les colonnes d'idéogrammes. Comme il les transcrivait de gauche à droite – signe qu'il n'avait visiblement aucune notion de japonais –, il provoqua des petits gloussements nerveux de la part de l'interprète. Croyant que c'était à cause de sa maladresse à bien transcrire les idéogrammes, Fax s'appliqua à mieux dessiner les caractères.

Tous les Japonais des derniers rangs s'étaient levés pour déchiffrer les inscriptions de Fax et quelques-uns poussaient des cris d'étonnement. Quand il eut fini d'écrire, Fax recula de plusieurs pas pour contempler le résultat de son travail, puis, sans doute satisfait par la précision de sa mémoire, il invita d'un geste théâtral la petite interprète nippone à prendre la parole. En souriant, celle-ci s'avança en courbant la tête plusieurs fois. Clemens pâlit en écoutant la fin de sa traduction.

– Oui... C'est ce que je pensais... Il s'agit d'un poème. Très court. On les appelle des *haïku* chez nous... Celui-ci dit :

Le pivert
au même endroit s'obstine
déclin du jour

Le même texte ! Le poème que quelqu'un – certainement l'assassin, le fameux Pivert – avait gravé sur le petit bout d'écorce troué que Gaines et lui avaient retrouvé dans le jardin des Poètes, à cinq mètres à peine du corps de Sir Thomas...

– Celui qui a rédigé ce poème peut-il se lever ? demanda Fax.

Sans attendre la réponse, Clemens s'était retourné pour chercher Asie Mille. Ça ne pouvait être que lui... Clemens poussa un cri de rage quand il vit que les places qu'occupaient encore quelques minutes auparavant le mystérieux Asiatique et le dénommé Hughes étaient désormais vides ! Les oiseaux s'étaient envolés !

14

Le micro-émetteur à déclenchement vocal que Clemens avait réussi à poser dans le bureau de Lisbeth Delmont fonctionnait correctement. Satisfait de la qualité sonore de la réception, Gaines enleva les écouteurs avec un certain agacement pour les reposer sur la table. Il supportait de plus en plus difficilement ces déballages indécents.

« Et dire, pensa-t-il, que le monde est plein de tarés prêts à se ruiner pour pouvoir raconter leurs conneries à un psy ! »

Il se retourna pour jeter un coup d'œil derrière lui. Les cassettes empilées qu'il apercevait sur les étagères étaient toutes étiquetées avec la pastille rouge dont il se servait pour identifier les enregistrements effectués. En dehors de celle qui tournait sur le magnétophone, il ne restait donc plus qu'une cassette vierge de soixante minutes. Il fallait absolument qu'il aille en acheter d'autres dès demain – des C 90, car depuis deux ou trois séances Ferris se montrait de plus en plus bavard.

« Si au moins quelqu'un me démontrait la nécessité de tout ce gâchis ! » jura Gaines en réprimant son envie d'allumer une nouvelle cigarette.

Il allait devenir fou à force de rester coincé dans cette fourgonnette enfumée, à chaque fois que Ferris se rendait chez Lisbeth Delmont...! Cette foutue mission de surveillance le privait depuis plus d'une semaine de son tennis quotidien avec son copain Morin. Les filatures des premiers jours avaient perdu très vite leur attrait. Au début, ça l'avait franchement amusé de jouer les espions ou les détectives privés en suivant Ferris. Il avait toujours lu avec un grand plaisir les bouquins d'Adam Hall, fasciné par la maestria avec laquelle Quiller, son héros, se jouait des filatures et contre-filatures. Mais il avait vite déchanté : jusqu'à présent la surveillance de Ferris s'était déroulée dans des conditions plutôt pénibles. De longues heures de marche à pied sous la pluie et dans le froid... D'autres à rester comme un cul-de-jatte dans cette damnée fourgonnette pour entendre Ferris débiter des sornettes à la psychanalyste... Tout ce cirque pour rien ! En une semaine Gaines n'avait strictement rien glané d'intéressant. Pas une rencontre ou une phrase qui aurait pu les faire progresser dans leur enquête! Et pourquoi Clemens ne lui donnait-il aucun signe de vie? Pas un coup de fil! On n'arrivait même pas à le joindre par Euro-Signal, à croire qu'il avait déconnecté son appareil!

Quand il lui avait expliqué qu'à son avis une équipe de trois personnes, se relayant toutes les huit heures, était indispensable pour ce travail, Clemens lui avait répondu :

– Désolé, Bill... Mais je ne veux personne d'autre que vous sur ce coup... Il ne faut pas que l'inspecteur Deschamps se doute de quoi que ce soit. Ce qui ne veut pas dire que je ne le mettrai pas au parfum le moment venu. Mais c'est moi, et uniquement moi, qui prendrai cette décision, selon le déroulement des événements, et selon ce que vous aurez appris. Il n'y a qu'à vous que je peux faire confiance pour ce genre de boulot. J'ai un compte personnel à régler avec le Pivert, si c'est bien de lui qu'il s'agit... Pour le moment tout ceci doit rester strictement entre nous deux... Je vous demande de me faire une entière confiance dans cette affaire. Je ne peux pas vous expliquer mes raisons, pas encore... Notre seule piste sérieuse demeure Ferris. Pour le moment il est impossible de déterminer son rôle exact dans cette histoire. Il est certainement nécessaire d'en savoir plus sur ce qu'il fait, sur les gens qu'il fréquente ou rencontre... Ce n'est peut-être qu'un intermédiaire tout à fait inconscient dont le Pivert se sert... Ou tout simplement un témoin involontaire qui pourrait nous aider. Dans les deux cas, il faut assurer discrètement sa protection... J'ai bien ma petite idée, mais pour le moment c'est encore un peu confus dans ma tête. Si je vous faisais part de mes élucubrations, cela risquerait de vous embrouiller inutilement. C'est beaucoup vous demander, mais je sais que je peux compter sur vous...

Plutôt flatté de cette marque de confiance, Gaines avait d'abord foncé sans aucun état d'âme persuadé que Clemens ne serait pas longtemps absent. Or cela faisait maintenant plus d'une semaine qu'il était livré à lui-même. En dépit de sa loyauté, et de la grande admiration qu'il éprouvait pour son chef, il ne pouvait éviter de se poser certaines questions.

Ce bout d'écorce sur lequel était gravé un poème :

> *Le pivert*
> *au même endroit s'obstine*
> *déclin du jour*

Il l'avait trouvé au pied du cèdre, à cinq mètres à peine du corps du pauvre Hannay... Il l'avait aussitôt montré à Clemens, qui avait pâli en le lisant, puis avait soudain explosé :

– Le salaud! Il est tellement sûr de son invincibilité qu'il signe son forfait...! Je te jure que je te retrouverai, salopard...!

Clemens n'avait pas eu le temps de lui en dire plus, car les policiers français étaient alors arrivés dans le square. Mais Gaines n'avait pas manqué de remarquer le soin avec lequel Clemens avait dissimulé le morceau de bois dans sa poche avant de répondre aux questions des enquêteurs.

Ce n'est que plusieurs heures après, quand ils avaient regagné les locaux boulevard Suchet, que Clemens lui avait donné quelques explications :

– Il n'y a aucun doute possible! C'est le Pivert. Il prévient toujours ses futures victimes. Il leur annonce le lieu où il frappera ainsi que l'arme qu'il utilisera... J'aurais pu deviner ses intentions si j'avais su interpréter correctement ses deux messages... Le poème d'Alan Seeger désignait le jardin des Poètes. Et le mot important dans le « Notre Père » était « pain ». Quant à ce bout d'écorce avec un trou de balle et un poème, c'est sa signature particulière... C'est la première fois qu'il choisit un *haïku* avec le mot *pivert* dedans! Il y a des années que je voudrais le coincer, mais à chacun de nos affrontements il s'est toujours montré le plus fort! Et moi qui pensais naïvement qu'il avait pris sa retraite...

Clemens lui avait parlé des méthodes du Pivert pendant près d'une heure. A la fin de leur conversation, en ressortant le bout de bois de sa poche, il lui avait dit d'un air gêné :

– Euh... A propos, Bill, j'ai un petit service à vous demander... Il faudrait absolument que tout cela reste entre nous. Pour le moment ne parlez à personne de votre découverte. J'aimerais bien pouvoir m'occuper personnellement de cette affaire. Pour ça j'ai besoin de quelques longueurs d'avance sur les flics... Vous voulez bien?

Sur le moment, Gaines avait acquiescé. Maintenant il était vraiment très embêté. Comment avait-il pu accepter de soustraire aux enquêteurs une pièce à conviction aussi importante?

Gaines se pencha par-dessus le magnétophone. Bientôt ce serait la fin de la première face. Il remit les écouteurs. Il était tombé sur un moment de silence. Il en profita pour retourner la bande.

Après avoir retourné elle aussi la cassette, Lisbeth désactiva la touche Pause pour revenir en mode Enregistrement. Elle consulta ses notes quelques instants avant de reprendre :

– J'aimerais bien que nous revenions un peu en arrière. Tout à l'heure, lorsque vous avez évoqué le souvenir de Lan, la bonne, vous avez dit : « Je n'ai jamais compris pourquoi mes parents l'ont renvoyée... Je fus vraiment très malheureux de me retrouver quasiment seul. D'autant plus qu'un épisode douloureux s'était déroulé juste quelques jours auparavant... Quand on est un enfant, ce genre de chagrin vous marque à vie. » Est-ce que vous vous souvenez de cet incident?

– Bien sûr. Le souvenir d'une injustice ne s'efface jamais tout à fait. Quand j'ai eu six ans, mes parents ont quitté la Chine pour venir s'installer à Malacca, en Malaysia. Ils avaient loué une maison à la périphérie de la ville, en bord de mer. Il suffisait de longer un chemin de terre sous les palmiers pour accéder à la plage et, toutes les fins d'après-midi, j'avais le droit, sous la surveillance de Lan, d'aller m'amuser sur le sable. A marée basse la grève était littéralement jonchée de coquillages aux formes et couleurs merveilleuses et j'en remplissais à chaque fois mes poches. Lan connaissait presque toutes les espèces. Grâce à elle je pus très vite mettre un nom sur la plupart. Il y avait les troques coniques ou aplaties, les solariums bigarrés aux motifs en spirale, les cérithes qui finissaient en pointe de tournevis, les calaires précieuses avec leurs chapeaux emboîtés, les strombes aux ouvertures noires, les ptérocères aux contours de scorpions, les natices aux opercules dures...

« Ma parole, je vais avoir droit à un cours sur les mollusques tropicaux... », pensa Lisbeth en regardant subrepticement sa montre. Mais elle n'osa pas interrompre Ferris. Son intuition lui disait qu'il fallait le laisser poursuivre.

– ... Mes préférés étaient les porcelaines à cause de leur vernis étincelant et de leurs formes douces et arrondies. J'adorais passer mon doigt sur les ouvertures légèrement dentelées. Porcelaine daim, porcelaine lynx, porcelaine tigre, porcelaine panthère... Porcelaine taupe, porcelaine grive, porcelaine chaton, porcelaine ânon, porcelaine tête de serpent... Porcelaine noyau, porcelaine pois chiche, porcelaine aurore, porcelaine zigzag, porcelaine monnaie... En m'apprenant à les distinguer les unes des autres, Lan me conviait à une merveilleuse leçon de choses... Le soir dans ma chambre, me souvenant de ses explications, je me plongeais dans les dictionnaires pour essayer de retrouver les modèles qui dans la nature avaient justifié toutes ces appellations imagées. Je suis persuadé que mes parents n'ont jamais soupçonné les immenses qualités de Lan. Pas une seule fois ils n'ont deviné que sous ses apparences grossières de paysanne inculte elle cachait une profonde sensibilité artistique.

Ferris marqua un petit silence. Il était visiblement ému. Quand il reprit la parole, Lisbeth remarqua qu'il avait insensiblement accéléré le rythme de sa respiration.

– Un jour, alors que nous étions tous les deux dans la cuisine, Lan, s'emparant d'une amande dans la corbeille de fruits, me dit : « Sur le dessus elle a la même couleur que ce fruit... Elle est plus petite mais elle a une forme à peu près similaire, en plus arrondi peut-être... Bien entendu sa coque est lisse et brillante... Si un jour tu la trouves rappelle-toi son nom : porcelaine isabelle. » Mes parents s'étaient absentés pour la journée et aussitôt je l'ai suppliée : « S'il te plaît, allons tout de suite sur la plage... Je suis sûr que je vais trouver ta porcelaine isabelle... » Mais Lan a répondu : « Impossible, tu sais bien que c'est l'heure de ta sieste. Tes parents seraient furieux que tu ne la fasses pas ! – Mais ils n'en sauront rien si personne ne le leur dit... Je t'en supplie... C'est marée basse en ce moment ! Ce soir, ce sera trop tard ! De toute façon je sais que je ne parviendrai jamais à m'endormir avec la pensée que la porcelaine Isabelle m'attend sur la plage. » J'ai tellement insisté que Lan, après m'avoir fait promettre le secret, a consenti à m'emmener dehors.

— Et que s'est-il passé ensuite ? demanda Lisbeth.

— Le début de nos ennuis... J'ai toujours pensé que si je n'avais pas été aussi têtu et impatient, peut-être que rien ne se serait passé, les choses auraient continué comme avant... Tout ça pour un coquillage...! Si j'avais connu à l'avance le prix à payer, jamais je n'aurais agi de la sorte!

Lisbeth griffonna sur son bloc : *affect très fort quand il parle de Lan, amertume et colère...*, puis, sentant que Ferris risquait de prendre un chemin de traverse qui les aurait entraînés dans une direction que de toute façon ils n'auraient pas le temps d'approfondir lors de cette séance, elle choisit de canaliser artificiellement Ferris, en lui demandant :

— Et cette fameuse porcelaine isabelle, vous l'avez trouvée ?

— Non. On tombe seulement sur elle de façon exceptionnelle. Comme beaucoup de choses précieuses, on la rencontre par accident quand on ne la cherche pas... C'est comme dans la vie... On souhaite ardemment un événement. Mais parfois il faut attendre tellement longtemps que, lorsqu'il se produit enfin, on ne s'en aperçoit même pas. On ne monte pas dans le train car on ne se rend même pas compte que c'est dans une gare que vos pas vous ont conduit. Cette fois-là j'ai découvert sur la plage une autre rareté. Un phénomène dont j'ignorais totalement l'existence! J'étais accroupi sur le sable en train d'étudier les dessins sur les coques des porcelaines lorsque j'entendis une voix me demander en anglais : « Que cherches-tu ? » En levant les yeux je vis deux enfants se tenir à moins d'un mètre devant moi. Absorbé par ma recherche fébrile, je ne les avais pas entendus approcher. J'allais leur répondre quand soudain ma voix s'est coincée sous l'effet de la surprise. Ils se ressemblaient comme deux gouttes d'eau! A peu près de mon âge, les cheveux aussi blonds que les miens étaient bruns, ils me regardaient avec des yeux dont le bleu était semblable à celui de la mer au large. Ils étaient habillés de la même manière. Une chemise de velours rouge et un short marron avec des bretelles croisées. J'avais beau passer de l'un à l'autre, je ne voyais aucune différence entre eux! Une fois, en me regardant dans la glace, j'avais pensé : « Si seulement mon reflet pouvait sortir de là, il viendrait jouer avec moi... » En contemplant ces enfants, je me disais en moi-même : « C'est sûrement un magicien qui est intervenu... Avec la formule magique il a permis au reflet de traverser la glace. » Tout en les observant avec fascination, j'essayais de deviner celui des deux qui avait précédé l'autre. Lequel était l'être de chair qui avait appelé l'autre ? Ce qui déclencha aussitôt bien d'autres questions : « Est-ce le vrai ou le faux qui s'est adressé à moi ? » « En l'échange de combien de coquillages m'apprendront-ils leur secret ? » Au moment où je me demandais si le faux pouvait parler comme le vrai, ils me fournirent la réponse en me demandant pour ainsi dire au même moment : « Tu ne voudrais pas venir jouer au ballon avec nous ? » Et comme, bêtement, je leur répondis : « Non. Il faut absolument que je trouve un coquillage... », ils n'insistèrent pas. Tournant les talons ils s'éloignèrent en courant. Je ne les ai plus jamais revus...

A cet instant Ferris s'interrompit. En le voyant se redresser dans son fauteuil, Lisbeth cacha difficilement son agacement. Ferris était assis presque au bord du siège, avec les jambes légèrement écartées et les pieds posés à plat sur le sol.

« Merde! jura-t-elle intérieurement. Le voilà parti dans son foutu *Zen*...! Juste au moment où ça commençait à devenir intéressant! »

La première fois, elle avait été plutôt surprise. Ferris venait de parler pendant plus de vingt minutes, avant de marquer une pause. Elle en avait profité aussitôt pour relire les notes qu'elle venait de prendre. Dans sa concentration elle n'avait tout d'abord rien remarqué. Puis elle avait soudain perçu un genre de sifflement sourd et grave qui faisait penser à une soufflerie. En raison des doubles vitrages installés dans son bureau, le bruit ne pouvait provenir que de l'intérieur de la pièce. Quel n'avait pas été son étonnement quand elle s'était aperçue que c'était Ferris qui émettait ce bruit bizarre à chacune de ses expirations! Les mains posées sur les cuisses, il était assis au bord du fauteuil, le buste légèrement en avant, et les jambes écartées.

– Mais que faites-vous? lui avait-elle demandé.

– Je m'efforce de retrouver l'équivalent de la posture de *Zazen*. Comme il n'y a pas de *zafu* chez vous, je suis obligé de me servir de la sensation du *hara* pour trouver une respiration équivalente... C'est *Senseï* Taki qui m'a appris à m'appuyer sur le silence dès que j'en ai la possibilité pour me recentrer...

A chaque séance il avait récidivé, et Lisbeth s'était résignée à le laisser faire ses exercices respiratoires, tout en se demandant tout de même pourquoi ces interruptions provoquaient chez elle une irritation grandissante. Ce n'était pas parce que les séances allaient très souvent bien au-delà de l'heure prévue, ce n'était pas non plus en raison du fait qu'une partie du contrôle de l'analyse lui échappait, ça faisait partie des règles du jeu. C'était ailleurs qu'il fallait chercher la cause de sa gêne croissante.

Lisbeth consulta machinalement son bloc. La dernière phrase qu'elle avait griffonnée était : *Cherche-t-il par tous les moyens à éviter de rentrer dans le vif du sujet, à retarder l'évocation d'un souvenir douloureux?* Un processus tout à fait classique. Cependant quelque chose en elle lui disait que cette explication était trop simpliste.

Ferris avait ouvert les yeux et respirait de nouveau normalement. Son visage, marqué quelques instants auparavant par la tristesse et la lassitude, était désormais totalement détendu.

15

Quand le serveur lui apporta le ballon d'armagnac, Pearson, par habitude, le régla immédiatement. Mais, vu la durée des deux séances précédentes, il pouvait prendre son temps pour savourer cette excellente eau-de-vie française qu'il avait récemment découverte. D'autant que, d'où il était assis, il surveillait facilement à la fois l'entrée de l'immeuble où Ferris s'était engouffré une heure plus tôt, et la fourgonnette grise à l'intérieur de laquelle il avait vu Gaines s'enfermer. Quant au flic qu'il avait surnommé « Couleur Muraille », il l'avait perdu de vue, mais Pearson savait qu'il devait se trouver dans les parages.

« Je me demande si le jeu en vaut la chandelle... », se dit-il en prenant une lampée d'alcool. Il était en train de réfléchir au moyen de se procurer, sans trop courir de risques, une copie des enregistrements effectués par Gaines. Car il n'y avait aucun doute que celui-ci enregistrait systématiquement le contenu des séances chez la psychanalyste. Une fois, avec les jumelles, juste avant que Gaines ne referme la portière derrière lui, il avait aperçu le gros magnétophone relié au microrécepteur.

Il ne pouvait quand même pas s'amuser à fracturer la camionnette! « Il vaut mieux ne pas tenter le diable. Je contrôle la situation pour l'instant, mais les choses peuvent changer. Je ne pourrai compter sur personne à Paris pour me sortir d'un pépin éventuel. Si jamais une occasion se présente, je verrai bien... J'ai assez de munitions pour l'instant », décida-t-il en palpant machinalement à travers son veston la grosse enveloppe où il avait rangé les clichés.

Il se tourna en souriant vers la glace murale sur sa droite et esquissa le geste de se porter un toast. Il pourrait peut-être bientôt envisager de prendre une retraite dorée au soleil de Floride... Il avait dépensé une petite fortune depuis qu'il était à Paris mais ce n'était pas en pure perte! Heureusement qu'il n'avait pas repris le premier avion pour New York comme il avait failli le faire dans les jours qui avaient suivi la mort de Thomas Hannay. En raison du cordon installé devant l'entrée du jardin, il était resté dehors, en profitant du poste d'observation offert par un arrêt d'autobus un peu à l'écart. Aussitôt après l'arrivée des voitures de police gyrophares et sirènes dehors, il avait quitté son abri pour venir aux nouvelles. Dans la pagaille qui avait suivi il n'avait eu aucun mal à se fondre dans la foule des curieux agglutinés devant l'entrée du parc. Il avait remarqué deux hommes au comportement bizarre. Un vieux bonhomme ressemblant étonnamment à l'acteur Sean Connery, avec de ridicules bottes de caoutchouc vertes et un costume prince de galles : Pearson l'avait vu dire quelques mots à Ferris devant l'entrée du parc. Et un autre type, nettement plus jeune, qui avait l'air de travailler pour lui. Ces deux-là s'arrangeaient pour rester le plus souvent possible à l'écart des autres et tels des comploteurs parlaient toujours en chuchotant. Il s'était efforcé de lire sur leurs lèvres et avait failli crier de joie en découvrant qu'ils utilisaient l'anglais ! Le type aux bottes : « Il n'y a qu'à voir le bleu de ses lèvres... Cyanure... Dans les pains aux raisins... Tout est de ma faute... J'aurais dû comprendre plus tôt... » A la question insistante du jeunot : « Vous voulez bien me mettre au courant ? Je ne comprends rien... », l'autre avait répondu de façon cinglante : « Plus tard... Ce n'est ni l'endroit ni le moment ! »

Avec les bribes de phrases glanées par ailleurs auprès des policiers français il lui avait été relativement facile de reconstituer les éléments du puzzle : malgré toutes les précautions prises par les responsables de sa sécurité, dont le chef était un dénommé Clemens – le sosie de James Bond –, on avait réussi à assassiner un milliardaire anglais en l'empoisonnant. Les événements n'avaient pas tardé à apporter une confirmation éclatante de ses soupçons concernant Ferris... Un tueur professionnel redoutable ! Don Preatoni, Sir Thomas Hannay... On retrouvait dans les deux cas la même minutie dans la préparation, une astuce et un raffinement extraordinaires dans le choix des moyens utilisés et cette audace incroyable de l'assassin... Avoir le toupet de pénétrer en personne dans le jardin pour assister à l'exécution à retardement de Hannay !

La réaction rapide des enquêteurs français avait surpris Pearson. Ils avaient immédiatement considéré Ferris comme le suspect numéro un. L'inspecteur Deschamps l'avait convoqué au quai des Orfèvres à trois reprises pour l'interroger longuement. Pour le moment, sans doute faute de preuve matérielle, Ferris n'avait pas encore fait l'objet d'une inculpation, mais Pearson était certain que ce n'était plus qu'une question de jours.

Le lendemain du meurtre, Pearson avait eu un choc en constatant qu'il n'était pas le seul à s'intéresser de près aux faits et gestes du « violoncelliste ». Outre le jeune adjoint de Clemens, un bleu assez inexpérimenté, il avait détecté la trace d'une seconde surveillance. Le type, qui devait sûrement travailler pour Deschamps, était souple, agile et silencieux comme un chat, vif comme une mangouste... Pearson n'avait décelé sa présence que parce que lui-même était un as de la filature, mais il n'avait jamais réussi qu'à l'apercevoir de dos, et encore... Lorsqu'il croyait avoir furtivement repéré sa silhouette ou reconnu la couleur de son imperméable, une fraction de seconde plus tard il n'y avait plus personne... !

Mais cette entrée en scène des policiers français avait sensiblement changé la donne. C'est pourquoi il avait failli reprendre l'avion pour New York. Si Deschamps était sur le point d'inculper Ferris, ce n'était plus la peine de chercher à faire chanter le vieux Shelley. Les deux meurtres n'allaient pas tarder à faire la une des journaux, et le véritable métier du « violoncelliste » serait révélé. Heureusement pour lui, en réfléchissant un peu, il avait rapidement entrevu une possibilité de sauver sa mise : troquer sa casquette de détective contre celle de reporter ou de journaliste !

Si tout se passait comme prévu, il tenait un sujet en or pour lequel il n'aurait aucun mal à faire monter les enchères. Avec un peu de chance il pourrait peut-être même intéresser un éditeur pour un best-seller... « Comment j'ai été engagé sans le savoir par un tueur », « J'ai suivi pas à pas les traces d'un meurtrier », « Comment le filet s'est resserré peu à peu ». Il pouvait imaginer aisément les titres racoleurs qui feraient saliver les lecteurs des feuilles de chou ou les millions de téléspectateurs devant leur téloche.

Du coup il s'était arrangé pour prendre plein de clichés, histoire d'exciter encore davantage la curiosité morbide et malsaine des gens : « Le tueur : un promeneur tranquille aux Tuileries... », « La belle psychanalyste française, confidente ou complice ? », « L'assassin amateur de poésie... ».

Et Pearson n'avait pas oublié la manière dont Ferris avait « cassé » du Noir ou du Portoricain à New York... Dans un sac léger dont il ne se séparait jamais, se trouvait un caméscope acheté l'avant-veille. Si jamais Ferris, en soif d'émotions violentes, s'aventurait dans le Chinatown parisien, les images de ses « exploits » vaudraient une petite fortune !

Lisbeth devait le reconnaître. Il s'était passé quelque chose. Il suffisait d'écouter Ferris. Sa voix s'était complètement transformée. Son ton posé et calme contrastait singulièrement avec le débit rapide et haché de tout à l'heure. Les choses les plus chargées d'affects, il les évoquait désormais sereinement, d'une façon presque totalement détachée, comme si soudainement il avait trouvé en lui-même la capacité de passer de l'autre côté et d'en parler « cliniquement »...

— Rétrospectivement je considère que ce fut une chance extra-ordinaire pour moi d'avoir connu Lan. Je me rends seulement compte aujourd'hui à quel point elle m'était précieuse. Elle possédait ces qualités que tous les gosses solitaires exigent des adultes mais trouvent rarement : une réelle disponibilité et une compréhension complice. D'une grande sensibilité intuitive et d'une patience infinie, elle savait avec une générosité incroyable répondre à mes attentes d'enfant. En un clin d'œil ce jour-là elle comprit, rien qu'en me regardant, tout ce que la rencontre des jumeaux avait signifié pour moi. Avant que nous ayons échangé une seule parole, elle avait deviné les questions qui me traversaient l'esprit. Elle ramassa deux porcelaines daim dans le sable. En me montrant leurs jolies taches blanches et légèrement bleutées, elle me dit : « Regarde comme leurs coques se ressemblent... A première vue on dirait qu'elles sont l'image l'une de l'autre. En réalité, en cherchant soigneusement on finit toujours par trouver une différence même infime... Une tache claire de plus... Un endroit où la robe marron est plus foncée... Il n'existe pas deux coquillages totalement identiques. C'est la merveilleuse diversité infinie de la nature... C'est pourquoi tu as été tellement troublé en voyant les deux garçons. Dans mon pays c'est un gage de bonheur, de prospérité et de fécondité quand parfois deux bébés se ressemblant comme deux gouttes d'eau naissent en même temps. On les appelle des jumeaux. Tu n'as pas rêvé... Les deux enfants blonds que tu as vus sont des frères jumeaux... Je crois qu'ils vivent dans la maison au bout de la plage... » Le soir, comme je l'ai promis à Lan, je m'arrange, malgré mon excitation intérieure, pour que mes parents ne se doutent de rien. Mais les jours suivants ma mère soupçonne très vite quelque chose car je ne tarde pas à développer une double obsession : apercevoir de nouveau les deux jumeaux et devenir leur ami, et trouver deux coquillages absolument identiques. Ma mère est soucieuse car elle me voit revenir de la plage avec une mine de plus en plus triste et désespérée. Et comme je ne peux pas lui expliquer que c'est parce que je n'ai pas revu les jumeaux, je ne lui réponds même pas quand elle m'interroge. Fortement contrariée, elle prend sur elle de supporter sans rien dire mon mutisme jusqu'au jour où l'explosion devient inévitable. Un soir, en rentrant dans ma chambre, elle me voit assis par terre au milieu de ma collection de porcelaines. De plus en plus déçu de ne pas avoir aperçu les deux frères, je m'étais progressivement persuadé que je les rencontrerais de nouveau si je parvenais à trouver deux coquillages absolument semblables ! Dans mon esprit c'était avec les porcelaines, en raison de leurs formes plus simples et régulières, que j'avais le plus de chance de réussir. C'est pourquoi je ramenais systématiquement toutes les porcelaines que je pouvais trouver sur la plage afin de pouvoir les étudier dans ma chambre. Vous imaginez la tête de ma mère en pénétrant dans la pièce ! Elle voit son enfant assis par terre au milieu de centaines de porcelaines. Il y en a partout et en s'avançant elle marche sur un tas que j'avais soigneusement trié. Ce qui provoque une crise de nerfs de ma part... La pauvre femme... Je comprends sa colère. Elle essaie de savoir pourquoi son enfant, qui par ailleurs semble avoir perdu mystérieusement l'appétit, se conduit depuis quelques jours comme un gamin impossible et le voilà qui éclate en sanglots pour quelques coquillages ! Son sang ne fait qu'un tour. Elle se précipite pour lui flanquer une paire de gifles. Puis elle va chercher un grand carton pour y jeter en vrac toutes les porcelaines, et elle demande à Lan de s'en débarrasser ! Ce qui entraîne tout naturellement une série de réactions en chaîne...

Lisbeth, pendant qu'il parlait, griffonnait en hâte sur son carnet avec l'impression de tenir enfin quelque chose de très important : dans le récit de Ferris, « ma mère » était devenue « la pauvre femme », « je » avait été remplacé par « un gamin impossible » et le présent avait supplanté le passé simple et l'imparfait... Cette distanciation était-elle consciente ou inconsciente chez Ferris ? Était-elle la cause de son sourire tandis qu'il décortiquait les raisons pour lesquelles « la pauvre femme » était tellement en colère... ?

Ce n'était pas bien difficile de deviner la suite du récit de Ferris. C'était un procédé qu'elle s'interdisait généralement d'utiliser, mais Lisbeth jugea que c'était l'occasion idéale d'intervenir. Elle le provoqua délibérément :

— Je suppose que la bonne a pris votre défense et c'est la raison pour laquelle elle a été remerciée... Dans le fond, c'est vous qui avez été la cause de son renvoi...

— C'est indéniable. Ce jour-là, j'ai vraiment tout fait pour rendre ma mère folle de rage. Lorsque Lan essaie de la convaincre de me laisser ma collection de coquillages, ma première réaction est de me réfugier dans ses bras en regardant ma mère avec des yeux pleins de colère. Quand une mère réalise soudain que son fils est plus attiré affectivement par la « bonne » que par elle, elle a deux attitudes possibles. Soit elle cherche les raisons profondes de cet état de fait et elle se remet en question. Soit elle accuse l'« étrangère » de lui avoir volé l'amour de son enfant... En s'efforçant d'expliquer calmement à ma mère ce qui s'était passé, notamment l'épisode des jumeaux, Lan n'a fait qu'aggraver les choses. Je me souviendrai toujours du hurlement hystérique que pousse ma mère quand Lan lui parle des deux frères qui pourraient devenir d'excellents compagnons de jeux pour moi...! Il est inévitable qu'elle considère Lan comme sa pire ennemie...! Tout les oppose! D'un côté une femme qui parle simplement mais avec générosité des merveilles de la mer, du mystère de la gemellité, des fantasmes d'un enfant de six ans... De l'autre un être dévoré par la jalousie et dont la vie s'est toujours déroulée dans les préjugés... Compte tenu de la situation devant laquelle elle était, ma mère était acculée... Et c'est moi qui ai contribué à la pousser dans ses retranchements. Aujourd'hui je lui trouve rétrospectivement beaucoup de circonstances atténuantes...

— Vous vous rendez compte que c'est peut-être la première fois que cela vous arrive, Calvin ?

Pendant un long moment Ferris ne répondit rien. La question de Lisbeth semblait l'avoir pris au dépourvu. Puis soudain, avec une lueur amusée, il demanda à son tour :

— Vous savez pourquoi j'ai l'air étonné ?

— Pourquoi ?

— Ce n'est pas votre question qui m'a surpris. Ce serait plutôt la réponse qui me vient spontanément à l'idée... Pour pardonner à sa mère, mieux vaut tard que jamais, non ?

16

La salle d'audience était comble et l'assistance surexcitée. Le procureur s'avança et d'un geste théâtral de la main réussit à obtenir le silence.

– J'appelle M. Calvin Ferris.

Clemens sursauta en entendant le nom du premier témoin cité par l'accusation. Cette dernière était tellement sûre d'elle qu'elle faisait venir à la barre l'accusé lui-même. Calvin le regarda avec une mine implorante. Mais il détourna les yeux. Il ne pouvait rien faire. Ferris se leva et marcha d'un air résigné jusqu'à la barre.

Dieu merci pour Clemens, le procureur s'était placé de telle manière que sa grande carcasse suffisait à lui cacher Ferris. Il n'aurait pas supporté de sentir ses yeux d'animal traqué posés en permanence sur lui. Dès que Calvin eut prêté son serment d'une voix monocorde et à peine audible, l'avocat général attaqua :

– Votre Honneur, mesdames et messieurs les jurés, ne soyez pas surpris par les précisions que je vais demander au témoin, car je vous promets que nous établirons très rapidement grâce à elles la culpabilité de l'accusé. Nous gagnerons tous ainsi un temps précieux...

Clemens devina la tactique de son adversaire dès que celui-ci formula sa première question.

– Monsieur Ferris, est-il exact que le 7 février de l'année 1984 vous vous trouviez à Bombay pour participer à un concert donné au profit de l'Unicef ?

– Exact.

– Le 16 janvier de l'année suivante, n'étiez-vous pas à Canberra pour le Festival de musique ancienne ?

– Oui.

– La date du 22 septembre 1985 évoque-t-elle quelque chose pour vous ?

– Bien entendu : c'est le jour où je me suis fait une entorse du coude juste avant le concert prévu à la Scala de Milan.

– Et le 8 février de cette année?

– J'étais à New York...

– Merci, monsieur Ferris. Vous avez une excellente mémoire. Je ne comprends donc pas pourquoi vous avez omis de préciser à la Cour certains faits importants qui se sont déroulés les mêmes jours... 7 février 1984 : attentat contre le ministre indien des Affaires étrangères... 16 janvier 1985 : John Crane, l'industriel australien, meurt dans l'explosion de sa voiture piégée... 22 septembre 1985 : assassinat d'un chef de la gendarmerie dans une rue de Milan... 8 février de cette année : meurtre de Don Preatoni à New York... Tous attribués à un assassin recherché par les polices du monde entier et surnommé le Pivert... Dois-je poursuivre par ce qui s'est passé un mois plus tard à Paris? N'étiez-vous pas dans la cap...

Le procureur fut soudain interrompu par l'ouverture brutale de la porte de la salle.

– Laissez-moi passer! J'ai le droit d'entrer... Je suis la mère de l'accusé... Lâchez-moi! hurla une voix de femme.

Comme tout le monde, Clemens se tourna du côté de l'entrée.

Lucy! Que venait-elle faire ici ? Elle était au bord des larmes. Ses cheveux étaient en désordre et son chemisier s'était déchiré dans la bousculade. Clemens la vit s'avancer comme une furie puis s'arrêter net quand elle le reconnut. Les spectateurs du premier rang s'étaient écartés pour qu'elle puisse s'asseoir mais elle resta plantée au milieu de la salle à le dévisager. Elle ne prononça pas un mot. Ce n'était pas nécessaire. En le fixant avec ses grands yeux verts tristes et désemparés, elle l'avait déjà jugé et condamné. Son immense douleur... Sa profonde déception. Le sentiment d'avoir été honteusement trahie... C'était lui le coupable!

Clemens voulut protester. Ce n'était pas lui mais la partie adverse qui, en s'acharnant sur son fils, allait obtenir sa tête. Lui, au contraire, était le seul à avoir accepté d'assurer la défense de Ferris devant la cour d'assises... Pour justement rester fidèle à la promesse qu'il lui avait faite autrefois... Ce n'était pas sa faute mais celle de cet impitoyable procureur!

– C'est lui le salopard! finit-il par articuler en le désignant du doigt à Lucy.

Réalisant que l'insulte lui était destinée, l'avocat général, qui jusqu'à présent lui avait tourné le dos, lui fit brusquement face.

– Non! C'est impossible! lâcha Clemens d'une voix tremblante.

Le procureur avait ses traits à lui! Malgré ses cris de protestation, c'était bien son image qu'il avait en face de lui. Le type au rictus cruel et sadique qui venait d'énumérer la liste des crimes commis par Ferris n'était autre que lui-même...

– Non, Lucy... Je vais t'expliquer..., supplia-t-il en s'avançant pour l'empêcher de se détourner de lui.

– Ne me touche pas! hurla-t-elle en le repoussant.

– Je t'en prie... Écoute-moi...

Clemens se réveilla en hurlant. Il était assis dans son lit. Ce n'était pas l'épaule de Lucy qu'il serrait mais la taie du traversin. Il mit deux ou trois secondes avant de réaliser que l'orage tumultueux de la salle d'audience avait cédé la place au calme de la nuit avec ses sons familiers : le tictac de l'horloge, le cri d'une hulotte, le bruit de sa respiration rapide...

Une minute plus tard, il avait pris conscience que dans un raccourci saisissant, le cauchemar venait de résumer son dilemme depuis la mort de Sir Thomas. Il avait beau se dédoubler pour essayer de faire la part des choses, et tenter par tous les moyens de défendre Calvin, c'était une évidence qu'il ne pouvait plus nier : son « filleul » et le tueur professionnel surnommé le Pivert ne faisaient probablement qu'un...

Le « fils » de Lucy était un assassin psychopathe...

Bien que Joyce Tomlinson n'eût jamais révélé à personne les conditions dans lesquelles elle et son mari avaient adopté le jeune Calvin, Clemens avait fini un jour par deviner la vérité : à dix-sept ans, sa jeune sœur Lucy avait quitté l'Angleterre pour les rejoindre, elle et son mari, en Extrême-Orient. Trois ans après elle s'était retrouvée enceinte. Fille-mère à vingt ans d'un bébé eurasien pour avoir couché avec un Asiatique inconnu... Pour éviter le scandale et la honte il n'y avait qu'une solution : l'enfant du péché grandirait dans la maison du pasteur Ferris où il recevrait toute l'éducation religieuse dont il aurait besoin.

... ma place est désormais ici, en Asie... Je ne pense pas que je reviendrai un jour dans notre chère Angleterre... C'est ainsi. Il ne faut rien regretter... Chacun doit assumer son karma... Je déplore cependant de ne pas pouvoir revoir de temps en temps mon neveu Calvin... Il a dû énormément changer depuis la dernière fois que je l'ai vu. Ma sœur et mon beau-frère ne me donnent guère de ses nouvelles dans leurs lettres... J'ai peur que leur éducation trop stricte et rigoureuse ne lui convienne pas. Ce dont cet enfant a besoin, ce n'est pas de ces « bondieuseries » froides qu'on lui assène à longueur de journée mais seulement d'un peu d'amitié et d'affection... Ce qui lui manque le plus, c'est un grand frère qui lui apprendrait à pêcher la truite ou à réparer un vélo... Il n'y a qu'à toi que je peux le demander, mon cher Mark. Je suis sûr que si tu acceptais d'être une sorte de parrain pour lui, il en serait ravi. Dis-moi que tu veux bien... J'en serais tellement heureuse!

En dix ans, il avait dû recevoir une douzaine de lettres de Lucy. A chaque fois, c'était soit pour lui demander des nouvelles de Calvin, soit pour lui rappeler de ne pas oublier d'acheter un cadeau pour son anniversaire, pour la Saint-Nicolas...

Environ trois mois avant sa mort, comme si elle avait pressenti sa fin prochaine, Lucy lui avait envoyé une lettre pathétique, qui ne dévoilait rien mais suffisamment claire pour qu'il comprenne la vérité.

Ce sera peut-être ma dernière lettre, mon cher Mark... Mes forces déclinent de jour en jour. La mort ne me fait pas peur... Sans doute parce que je suis enfin en paix avec moi-même... Je n'ai qu'un regret : celui d'avoir laissé Calvin repartir en Angleterre avec Joyce... J'aurais dû me battre pour le garder auprès de moi... Mais à vingt ans, on n'a pas la même lucidité qu'à quarante et un ans. Surtout avec l'éducation puritaine que j'avais reçue... Laisse-moi te dire une chose, mon cher Mark : savoir que Calvin pouvait compter sur toi, que tu étais là, prêt à lui apporter ton affection et ta protection, m'a donné pendant toutes ces années une force formidable. Sans cette pensée pour me soutenir je crois que je serais morte d'inquiétude ou bien que j'aurais mené une existence tout entière rongée par le remords... Tu m'as fait un cadeau merveilleux, Mark, et cela malgré tout le mal que j'ai pu te faire... Tu es un être merveilleux... Si droit et si généreux... Je t'admirais tant... En un sens, j'avais peur de ne pas être à la hauteur, de te décevoir... Tu as toujours été pour moi une sorte de grand frère, auprès de qui je pouvais trouver refuge et réconfort... Aujourd'hui encore j'éprouve le besoin de faire appel à toi pour me rassurer... Il y a au moins deux certitudes que je voudrais emporter avec moi quand viendra le moment de rejoindre l'autre rive... La première est que tu te souviendras toujours de moi comme de ta meilleure amie d'enfance, celle des moments heureux, des promenades le long de la Camel... L'autre est que jamais les circonstances de la vie ne vous éloigneront l'un de l'autre, Calvin et toi... Promets-moi, s'il te plaît, Mark, que tu veilleras toujours sur lui, quoi qu'il arrive...

Le jour où le télégramme était arrivé, Clemens s'était enfermé toute une journée dans sa chambre pour pleurer tout son soûl. Il avait sorti une vieille photo en noir et blanc de Lucy qui n'avait jamais quitté son portefeuille, et il le lui avait promis : « Je veillerai sur lui, quoi qu'il arrive... »

Mais en treize ans, il s'était passé tellement de choses... Un bref instant Clemens revit le visage de Lucy, celui qu'elle avait dans son rêve au moment où elle l'avait repoussé en hurlant, les yeux pleins de reproche... Comme si elle se trouvait devant lui, il lui lança d'une voix amère :

« C'est vrai, je t'ai juré que je m'occuperais de lui, *quoi qu'il arrive...* Mais aujourd'hui, tu ne peux plus exiger ça de moi, Lucy... Ton fils est devenu un dangereux criminel...! Un assassin impitoyable qui n'a pas hésité à trois reprises à se servir de moi pour commettre ses horribles meurtres! Si tu étais encore vivante, tu te rendrais compte que Calvin est devenu un monstre... »

Était-ce sa conscience, ou était-ce Lucy? Une voix en lui rétorquait : « Il est innocent! N'as-tu pas honte de porter une accusation aussi monstrueuse contre lui? Ne m'avais-tu pas promis de t'occuper de lui? Ton rôle n'était-il pas de veiller sur lui, pour qu'il ne s'écarte jamais du droit chemin? »

« Et merde! » cria Clemens en se levant du lit.

Il allait commencer à protester : « C'était ton fils, Lucy! C'est toi qui l'as abandonné, pas moi! » quand il réalisa soudain qu'il était en train de dialoguer avec une morte!

L'épisode Darnley : Clemens s'en était passé et repassé tellement de fois le film dans sa tête qu'il était capable d'en contrôler à volonté la projection : ici un gros plan au ralenti ou un arrêt sur image pour isoler un détail... là un retour en arrière pour réécouter un dialogue...

Séquence du début, à partir de laquelle tout s'enchaîne :

— Clemens ? Mon nom ne vous dirait rien... Nous nous sommes connus à Hong Kong. Vous m'avez rendu un service un jour... Aujourd'hui j'ai l'occasion de vous rembourser ma dette... Ça vous intéresse si je vous remets une preuve indiscutable établissant les liens entre un de vos responsables politiques haut placés et la Triade 14 C ?

— Des coups de fil anonymes comme celui-ci, j'en reçois des milliers... Si vous n'êtes pas plus précis, je raccroche...

Un après-midi pluvieux de septembre... De longues heures de paperasserie en perspective... Et cet appel sur sa ligne personnelle qui l'a sorti de sa torpeur... Il manque renverser sa tasse de thé quand l'inconnu enchaîne :

— Michael Darnley... Il a dirigé l'ICAC de 1973 à 1976... Il a reçu des sommes considérables d'une Triade. Il continue de se faire payer... Sur un compte à numéros en Suisse...

Darnley ! Il a présidé la fameuse Independant Commission Against Corruption (ICAC) nommée par l'administration britannique après le scandale Godber... En 1973, Peter Godber, un haut responsable de la police britannique à Hong Kong s'était enfui en Angleterre pour échapper à une enquête sur l'origine de ses importantes économies (il disposait sur son compte bancaire de huit cent quatre-vingt mille dollars, alors que son salaire sur vingt ans n'en avait représenté que cent quatre-vingt mille !). Godber, arrêté puis ramené à Hong Kong, avait été poursuivi puis condamné pour corruption. L'affaire avait fait tellement de bruit que l'on avait formé cette fameuse ICAC chargée d'enquêter en permanence sur la corruption de la police. Quant à Darnley, une des stars montantes du parti conservateur, il vient d'être nommé au cabinet du Premier ministre pour suivre précisément toutes les questions relatives à la police... Si son interlocuteur dit la vérité, c'est un scandale susceptible de provoquer la chute du gouvernement !

— Pourquoi m'appeler ? Si vous détenez effectivement la preuve en question, ce serait plus intéressant pour vous de faire chanter Darnley...

— Ce salaud n'a pas fait que se vendre aux chefs de la 14 C quand il était à Hong Kong... Il est aussi responsable de la mort de mon père... Alors, vous êtes intéressé ou pas ?

— Je veux bien vous rencontrer pour en parler... Où et quand pouvons-nous nous voir ?

— Je vous recontacterai. Vous imaginez bien que les tueurs de la 14 C sont à mes trousses. Il faut que je prenne des précautions... Bien entendu, c'est une affaire strictement entre vous et moi. Si vous mettez quelqu'un d'autre dans le coup, je laisse immédiatement tomber... La prochaine fois que je vous appellerai, arrangez-vous pour que la ligne soit parfaitement sûre. C'est clair ?

Le téléphone avec brouilleur sonne deux jours plus tard, un peu avant midi.

– Clemens ? Berwick Street Market dans une demi-heure...

L'autre raccroche avant qu'il ait le temps de protester.

Un rendez-vous dans la rue où se tient le marché aux fruits et légumes ! C'est de la folie ! A l'heure du déjeuner, l'endroit est bondé. Une foule cosmopolite et bigarrée particulièrement dense. Un brouhaha assourdissant sur lequel se détachent l'accent cockney des marchands et la voix chantonnante des Pakistanais. Des milliers d'employés de bureau attablés dans les petits restaurants et les bars des ruelles adjacentes. Un endroit idéal pour un observateur qui ne voudrait pas être repéré... En fait, après une heure passée à traîner dans le coin, Clemens comprend que son interlocuteur l'a justement amené là pour le tester. Deuxième coup de fil :

– Clemens ? Désolé de vous avoir fait poireauter, mais c'était nécessaire... Vous êtes *clean*, personne ne vous suit, mais en revanche j'en ai repéré au moins deux qui semblent s'intéresser à mes mouvements et le plus ennuyeux est que je crois avoir reconnu un 426... Il va falloir que je disparaisse de nouveau dans la nature quelques jours... Je vous recontacterai quand le problème sera résolu... chez vous, après 22 heures.

Dans le jargon des sociétés secrètes de Hong Kong, Clemens le sait, « 426 » désigne l'exécuteur, le « juge de paix », et généralement un 426 dispose d'au moins une vingtaine d'hommes de main pour faire respecter à tout prix la loi de la Triade. Si cette dernière a envoyé son 426 à Londres, ce n'est sûrement pas pour faire du tourisme... Clemens comprend maintenant les extraordinaires précautions prises par son indicateur inconnu mais il ne donne pas cher de sa peau. Malgré tout... S'il y a une chance, même minime, d'épingler Darnley... Le personnage ne lui a jamais inspiré ni respect ni admiration. Il fait donc installer une ligne avec un *scrambler* dans son appartement de Chelsea et veille à ne jamais rentrer chez lui après 22 heures.

Dans ces conditions, plus question de respecter le programme de sorties prévu depuis longtemps avec Calvin. Celui-ci est venu passer deux semaines à Londres à l'occasion du concours organisé par l'orchestre symphonique pour recruter un premier et un deuxième soliste et Clemens a cru bien faire en lui proposant de loger chez lui plutôt qu'à l'hôtel. Le changement de plan provoque une crise de nerfs du gamin qui pourtant à l'époque a vingt-quatre ans !

– Tu m'avais juré qu'on sortirait ensemble ! Tu sais pourtant combien après mes douze heures d'archet j'ai besoin de décompresser... Tu crois que je vais y arriver en restant planté devant la télé ? C'est toujours la même chose avec toi ! Des promesses... Des promesses... Jamais tenues ! Tu n'es pas capable d'un minimum d'efforts pour me faire plaisir... Si c'est comme ça, je me démerderai tout seul pour me distraire la nuit...!

Trois jours plus tard, Clemens n'a toujours pas été recontacté par son informateur et la situation s'est sérieusement compliquée. A croire qu'il l'a fait exprès, Calvin chope une grippe carabinée avec des poussées de fièvre au-delà de quarante! Cela à deux jours de l'avant-dernière audition (de loin la plus importante pour avoir une chance d'obtenir le poste de premier soliste...). Le soir, vers 23 heures, Clemens, qui somnole devant la télévision, est réveillé en sursaut par des hurlements horribles. C'est Calvin. Clemens parvient à le calmer avec une paire de gifles, mais Calvin, les yeux exorbités et la respiration haletante, se met à délirer : « Il l'a tué et m'a tendu un piège... mais je suis le plus fort. Il est mort noyé dans son propre sang, avant même que je lui laisse le temps d'apercevoir mon visage. Il n'a jamais su qui l'avait frappé... » Son regard devient vitreux et son discours incohérent : « ... il est suivi par un assassin qui dispose de toute une équipe de tueurs... mais le danger réel ne vient pas de là... c'est une présence hostile invisible dont je ne parviens pas à distinguer la forme... En tout cas il en émane une force extraordinairement malfaisante... Mon Dieu! Elle a senti que je l'avais surprise! Aah! »

Au moment où Calvin recommence à crier, comme dans les mauvais films, le téléphone sonne!

– Clemens? Le Tigre de Jade dans Gerrard Street... Dans dix minutes... C'est moi qui établirai le contact, quand je serai sûr...

Le Tigre de Jade, l'un des restaurants les plus connus du « Chinatown » de Londres...

Heureusement, Calvin, épuisé, paraît calmé et sur le point de dormir. Clemens fonce au rendez-vous.

A 23 heures passées il n'y a plus grand monde à l'intérieur du restaurant quand Clemens y pénètre. Une seule serveuse pour s'occuper des rares clients : un jeune couple qui mange du canard laqué et trois adolescents qui dégustent une soupe aux nouilles en parlant bruyamment. Personne ne s'intéresse à lui. Il choisit une table près de l'entrée pour surveiller la rue et commande des beignets de crevette. Une demi-heure plus tard, alors que la serveuse lui apporte une autre théière chaude, il croit rêver en apercevant Calvin déambuler dans la rue comme un zombie, une chemise déboutonnée enfilée à la hâte par-dessus un pantalon. Il oublie tout et sort en trombe du restaurant pour lui courir après...

La rue est mal éclairée mais il lui semble voir Ferris s'engager dans la direction de Lisle Street. Au moment où il s'élance à sa poursuite, il croit entendre quelqu'un l'appeler à voix basse. Il s'arrête immédiatement pour tendre l'oreille. Mais c'est peine perdue car un groupe de noctambules éméchés sortis d'un bistro italien débouchent brutalement devant lui en criant et en gesticulant. Non seulement ils lui coupent la route mais en stationnant sur le trottoir ils lui masquent la rue. Il a juste eu le temps d'apercevoir une silhouette qui a tourné vers Notre-Dame-de-France : est-ce son filleul? Il hésite à s'y engager à son tour. Finalement il préfère continuer jusqu'au bout de Lisle Street. Arrivé à Charing Cross, pas de trace de Ferris... ! Se mordant les doigts de ne pas avoir suivi sa première idée, il revient sur ses pas en courant. L'un des portails de l'église est resté ouvert, mais très vite Clemens peut constater que l'édifice, qui est resté allumé, est complètement désert... Pas plus de Ferris que de croyants en prière.

Lorsque Clemens revient devant le Tigre de Jade, il est trop tard. Il n'aurait jamais dû quitter le restaurant.

« C'est moi qui établirai le contact, quand je serai sûr... »

Sûr de quoi... ? Le pauvre type, un Chinois d'une quarantaine d'années, n'aura pas vécu assez longtemps pour le lui dire ! On l'a retrouvé dans les toilettes, les côtes fracassées. Il tient encore dans sa main droite une machette maculée de sang. A ses pieds gît une bobine de film déroulée. Au premier étage, la police découvre dans une des chambres quatre autres cadavres. Un véritable carnage : quelqu'un les a massacrés à coups de machette ! Dans le groupe, tous des Chinois, un type petit et sec, le visage grêlé, les yeux enfoncés dans les orbites, les cheveux noir jais plaqués en arrière, habillé beaucoup plus élégamment que les trois autres, un complet gris trois pièces en soie et au poignet une Rolex incrustée de petits diamants... Selon toute apparence le 426 que la C 14 a lancé sur les traces du mystérieux informateur qui a voulu contacter Clemens. Quant au rouleau de film, le laboratoire le lui confirmera plus tard, il est inutilisable : la pellicule contenant sans nul doute les preuves de la corruption de Darnley est irrémédiablement perdue !

Clemens est tellement bouleversé et écœuré par le spectacle du massacre provoqué indirectement par l'« honorable » Michael Darnley qu'il en a complètement oublié Calvin. Lorsqu'il rentre enfin chez lui, vers 5 heures du matin, sa voisine Mme Tooley, une brave vieille fille qui l'a pris en affection, l'attend sur le pas de la porte avec une mine atterrée.

– C'est votre filleul... Vous saviez qu'il était somnambule ? On l'a retrouvé inanimé à trois pas d'ici... Il a dû trébucher sur quelque chose et se faire très mal. Il saignait de partout...

17

« Un bon policier fonctionne ainsi, Mark : dix pour cent de flair et quatre-vingt-dix pour cent de logique... » En quinze ans de carrière à Scotland Yard Clemens avait pu vérifier maintes fois l'exactitude de cette affirmation de Paul Baker, un des meilleurs flics qu'il eût connus...

« Le bout d'écorce troué n'était pas là avant l'arrivée de Sir Thomas, j'en donnerais ma tête à couper... on a ratissé chaque centimètre carré du jardin... Il n'y a donc que sept personnes qui ont pu le déposer. Si on exclut Sir Thomas, Gaines et moi, les trois gars de l'équipe vidéo, il ne reste que Calvin... »

La conclusion s'imposait d'elle-même, surtout depuis que la petite phrase de Calvin lui était revenue en mémoire : « C'est curieux... j'aurais juré avoir reconnu le cri d'un pic en colère... » C'était une pie qui avait jacassé et non un pic ! Simple coïncidence ou provocation ?

Clemens avait beau se dire que le Pivert ne pouvait être que son filleul, il ne pouvait toujours pas se faire à cette idée ! Il n'arrivait pas à comprendre par quelle aberration un jeune homme qu'il avait toujours connu fragile et hypersensible pouvait en un clin d'œil se transformer en un tueur implacable... Bien sûr, pendant les années qu'il avait passées à Scotland Yard il avait eu affaire à quelques cas de dédoublement de la personnalité assez troublants, mais une question le turlupinait : « Comment ai-je pu être aveugle à ce point pendant toutes ces années ? » Il y avait là quelque chose qui dépassait son entendement !

« Quatre-vingt-dix pour cent de logique, mon cher Mark... »

Clemens contempla une nouvelle fois les sept colonnes du tableau qu'il avait tracé sur une grande feuille accrochée au mur.

Dates	Lieux	Victimes	Prés. Calvin	Défi P.	Sign. P.	Technique P.
3/78	Londres	Darnley	X			X
9/80	Londres	Wakefield	X			X
2/84	Bombay	Mukerjee	X	X	X	X
1/85	Canberra	Cook	X	X	X	X
9/85	Milan	Gandolfo	X	X	X	X
2/88	New York	Preatoni	X	X	X	X
3/88	Paris	Hannay	X	X	X	X

Sept crimes aux quatre coins du monde. Chaque fois, comme par hasard, pour une raison ou pour une autre, Calvin se trouvait dans la ville du crime. Ça ne pouvait quand même pas être une pure coïncidence !

Une colonne « Défi P. » pour les lettres ou envois anonymes du Pivert qui prévenaient à l'avance ses victimes... Une colonne « Sign. P. » pour le bout d'écorce troué, la fameuse signature... Deux coups de fil à un ancien copain pour obtenir les photostats des dossiers d'Interpol, un appel à New York pour parler à l'inspecteur chargé d'enquêter sur le meurtre de Preatoni : cinq croix dans chacune des deux colonnes.

Il n'avait pas hésité à faire sept croix dans la dernière, celle intitulée « Technique P. », car sous ce vocable il s'était proposé de regrouper un certain nombre de caractéristiques qu'on retrouvait dans les meurtres attribués au Pivert : une stratégie subtile combinant astuce et ingéniosité, une longue et minutieuse étude préalable du terrain pour découvrir les points faibles de la victime, une brillante créativité imaginative pour s'adapter à la situation, toujours une approche détournée, à retardement, de la cible après une manœuvre de diversion...

Il manquait quelques croix en haut du tableau, mais en 1978 et 1980, Ferris, qui n'avait que vingt-quatre et vingt-six ans, n'était peut-être pas encore devenu le Pivert. En tout cas on pouvait retrouver, dans l'affaire Wakefield, une note indéniable de « raffinement » extrême-oriental...

Clemens, chargé de la protection de Wakefield, avait mis au point un dispositif en principe infaillible. Son premier souci avait été de trouver un policier volontaire ressemblant suffisamment à Wakefield pour égarer les tueurs de Stroud. Pendant qu'on conduisait, à grand renfort de sirènes et sous bonne escorte, ce « sosie » dans une maison de Southwark, le vrai Wakefield, protégé par trois armoires à glace, avait attendu près de trois heures caché dans un camion de blanchisserie avant de rejoindre la planque que Clemens avait soigneusement choisie pour lui : une petite maison d'angle dans Highgate Road avec un jardin entièrement clos de murs... Clemens l'avait retenue en raison de la configuration particulière des lieux. Il pouvait y établir au moins quatre cordons de protection concentriques : autour du quartier, autour du petit pavillon, dans le jardin, au sous-sol où

Wakefield serait logé... Un système de poupées russes aussi sûr et solide qu'un bunker !

La collaboration de Wakefield fut parfaite : il accepta sans protester le minuscule appartement sans fenêtre qu'on lui avait aménagé dans la cave et il se conforma docilement aux consignes sévères données par Clemens : « On a équipé cette pièce comme une chambre d'hôtel. Vous y trouverez tout le confort dont vous avez besoin... salle de bains, télévision, radio... Mais il n'est pas question pour vous de sortir. De même, vous ne mangerez que ce qui aura été préparé ici par nos hommes. Je ne tolérerai rien en provenance de l'extérieur. Sauf les bouquins, revues et journaux que vous souhaiterez... Pas de visites ni de coups de fil ni de courrier, nous sommes obligés pour votre bien de vous isoler complètement de l'extérieur... Mais vous verrez, quinze jours c'est vite passé ! »

Les trois équipes de tueurs commanditées par Jeremy Stroud qui tentèrent en vain de pénétrer dans la maison de Southwark justifièrent les extraordinaires précautions prises par Clemens. Tant que Stroud continuait d'ignorer l'adresse de la véritable planque de Wakefield, ce dernier ne risquait rien.

Clemens n'en passait pas moins des journées entières à Highgate, inspectant les moindres recoins de la maison et effectuant lui-même deux fois par jour des relevés d'empreintes destinés à l'ordinateur central. Ces tâches de routine lui permettaient de réfléchir intensément : dans sa tête il se dédoublait et imaginait qu'il était de l'autre côté. Si les rôles étaient inversés et qu'il fût à la solde des tueurs, comment s'y prendrait-il pour arriver à ses fins malgré toutes les mesures de protection déjà prises ?

Quand il sentait que la concentration lui faisait défaut, il allait rejoindre Wakefield dans la pièce au sous-sol. Parfois il lui proposait une partie d'échecs mais la plupart du temps il préférait s'asseoir dans un coin après un bref : « Ne vous occupez pas de moi... » Wakefield, un petit bonhomme rondouillard avec une tête de fouine antipathique, haussait alors les épaules avant de se replonger dans un bouquin ou une grille de mots croisés. Il avait l'air morne et résigné de ceux que tout indiffère. Seuls les échecs ou les mots croisés réussissaient occasionnellement à le faire sortir de son apathie apparente. Le fait qu'un policier puisse à n'importe quel moment venir violer son intimité ne semblait nullement le déranger. Clemens en profitait pour étudier minutieusement l'homme et ses manies et se glisser dans la peau d'un assassin : « Voilà le type que je dois tuer, se disait-il. Le connaissant, comment pourrais-je m'y prendre ? »

Plus la date du procès approchait, plus Clemens était enclin à penser qu'il avait quasiment gagné la partie. Il avait organisé une défense impeccable et les adversaires n'y avaient trouvé aucune faille, perdant progressivement un grand nombre de pièces et de pions sur un autre échiquier du côté de Southwark. Tendu et irritable au début de la quinzaine, Clemens se détendait progressivement. Trois jours avant le procès, il fit une partie d'échecs avec Wakefield et pour une fois il s'arrangea pour le laisser gagner. Au moment de le quitter il lui serra la main. Puis, tout en pensant : « Ce type me dégoûte physiquement! Il se ronge sans cesse les ongles, lèche tout le temps ses doigts sales pour tourner les pages de ses livres, ou de ses journaux. Mais je l'adore! C'est lui qui va me permettre de coincer ce salaud de Stroud! », il lui avait joyeusement proposé :

— Je dois aller au bureau... Mais au retour je peux passer chez Smith si vous voulez... Quelque chose de particulier qui vous ferait plaisir?

— Peut-être... Si vous arriviez à trouver un exemplaire du *Nom de la rose* d'Umberto Eco, je serai ravi... Toute la presse parle de ce bouquin... J'aimerais bien le lire, mais je crois qu'il est épuisé en ce moment... Sinon, c'est pas grave, ramenez-moi d'autre trucs de mots croisés, ça ira...

Ce fut seulement quand la pendule sonna sept coups que Clemens réalisa qu'il était resté plus d'une heure devant son tableau à se remémorer les exploits du Pivert. Une crise d'éternuements le sortit complètement de sa rêverie.

« Merde, je vais attraper un rhume! » jura-t-il en se levant pour aller dans la cuisine se préparer une boisson chaude.

Le contact froid du carrelage sous ses pieds nus était désagréable. Il posa la petite casserole sur le feu et alla chercher ses chaussons et sa robe de chambre. En jetant un coup d'œil par la fenêtre il aperçut de la gelée blanche sur l'herbe. Quelque part dans un champ voisin une vache mugit.

« J'avais oublié à quel point les petits matins sont frisquets en Normandie... J'aurais dû laisser une ou deux bûches de plus dans la cheminée hier soir... »

Clemens mit une goutte de calvados dans son café et retourna s'asseoir dans le fauteuil de la grande pièce. Il jeta un regard autour de lui. S'il décidait de conserver cette maison normande que Sir Thomas lui avait léguée, il faudrait probablement en reconcevoir tout l'agencement... Les meubles, le sol et les murs étaient trop froids... Au propre comme au figuré... En dehors de la cheminée qui était magnifique, et des belles poutres apparentes, il n'y avait pas grand-chose qui plaisait à Clemens dans cette bâtisse normande.

« Je me demande, se dit-il en revenant à Wakefield, si les choses se seraient passées de la même façon si je n'avais pas voulu lui faire plaisir... si je n'étais pas repassé au bureau... si je n'avais pas accepté de déjeuner avec Calvin... si le bouquin de cet Italien n'était pas devenu un best-seller... Tant de si! »

Personne ne l'avait vu sortir de la maison... Personne ne l'avait suivi pendant le trajet à pied jusqu'à New Scotland Yard... Mais tous ses collègues avaient remarqué sa bonne humeur quand il était allé prendre un thé à la cafétéria... Pas étonnant qu'il eût réagi de cette façon au coup de fil de Calvin Ferris!

— Mark? C'est Calvin... Si on déjeunait ensemble?

116

– Pourquoi pas ? Avec plaisir, mon garçon... !

Ils s'étaient retrouvés dans un restaurant italien dans Chelsea et avaient passé ensemble une heure excellente. Clemens avait été agréablement surpris en retrouvant Calvin. Il était véritablement transformé depuis qu'il jouait premier soliste dans le London Symphonia Orchestra... Il n'avait pas vu son filleul depuis au moins six mois et la métamorphose était étonnante : une mine splendide, une vigueur nouvelle... Ce n'était plus le même homme... Calvin avait toujours eu la constitution d'un athlète, avec les muscles longs d'un coureur de fond, mais quiconque le voyait pour la première fois était plutôt frappé par la délicatesse et la fragilité de la silhouette. Il semblait être enfin parvenu à se débarrasser des petits gestes de nervosité ou de fébrilité qui lui donnaient un air maladroit ou emprunté. Depuis longtemps Clemens pensait que l'une des causes principales de la grande timidité de son filleul provenait essentiellement du fait qu'il était mal dans sa peau, aussi bien moralement que physiquement... Calvin paraissait enfin s'être pris en charge... Son regard aussi avait acquis de l'assurance. Il n'hésitait plus à vous fixer droit dans les yeux pour vous écouter ou bien pour vous dire quelque chose !

A la fin du repas, en repensant à Wakefield, il lui avait demandé :

– Ah, dis donc... Tu dois savoir ça, toi qui lis beaucoup... Je voudrais offrir à quelqu'un un bouquin intitulé *Le Nom de la rose*, d'un certain Umberto Eco. Il paraît que le livre est épuisé... Tu ne sais pas où je pourrais en dénicher un ?

– C'est effectivement le best-seller du moment. On se l'arrache... Je l'ai lu... Un excellent livre. Ça m'étonne de toi que tu ne l'aies pas encore découvert. Surtout un flic comme toi...

– Pourquoi ?

– Ben, disons que c'est un excellent bouquin policier, un thriller médiéval très astucieux... Si tu veux, je peux le prêter à ton ami... A condition qu'il promette de te le rendre...

– Oh non ! Je ne te ferais pas ça ! Le type en question a la fâcheuse habitude de s'humecter les lèvres pour tourner chaque page... Il se ronge tout le temps les ongles et suce les bouts de ses crayons... Ce mec est un cochon sur deux pattes !

Ferris, qui était en train de finir son sorbet, avait alors lâché sa petite cuiller qui était tombée par terre en tintant. Levant la tête de sa coupe, il l'avait fixé avec de grands yeux. Son expression était tellement bizarre que Clemens s'était dit : « Merde ! Le voilà qui va me refaire le coup du somnambule ! »

Mais à son grand soulagement Calvin était soudain parti dans un immense éclat de rire. Tellement communicatif qu'il n'avait pas tardé à l'imiter.

Les larmes aux yeux, Calvin lui avait expliqué :

– Si tu avais vu ta tête quand tu mimais les gestes de ton porc ! Ah, tu étais à filmer, Mark ! Ça fait du bien de rire de temps en temps. En ce moment, on n'arrête pas de travailler comme des dingues! Colin Davis est un chef extra, mais parfois il exagère.

– J'aimerais bien pouvoir t'entendre jouer de temps en temps...

– Justement, demain soir on répète la *Quatrième Symphonie* de Brahms... Tu devrais venir... Une œuvre pour deux formations à cordes : orchestre de chambre et orchestre symphonique... Le deuxième mouvement est presque entièrement en pizzicatos, superbe! Quelque chose qui devrait tout à fait te plaire... Oui tout à fait dans ton style : au nord petite formation, au sud grande formation... Je laisserai un mot pour toi à l'entrée, si jamais tu parviens à te libérer...

Deux jours plus tard, soit la veille du procès, Clemens, en pénétrant dans la pièce du sous-sol, avait trouvé le pauvre Wakefield couché par terre, mort empoisonné! Sa manie de mouiller ses doigts de salive pour tourner les pages lui avait été fatale! Quelqu'un avait réussi à déposer sur les pages des revues et des journaux qu'on lui avait apportés une pellicule invisible d'un poison très particulier. Un mélange de curare, de strychnine et de cyanure, et d'une dizaine d'autres saloperies hautement toxiques dont le labo avait retrouvé la trace, mais sans pouvoir les identifier! Un simple contact répété avec la salive suffisait...

Pauvre Wakefield! Il avait fallu un enchaînement incroyable d'événements pour qu'on parvienne à l'assassiner...

Clemens voyait d'ici la tête du président du tribunal... Il imaginait aisément la tactique de l'avocat de la défense!

– Mark Clemens, voulez-vous dire à la Cour ainsi qu'aux membres du jury à partir de quelles présomptions vous avez conclu à la culpabilité de Calvin Ferris?

– Plusieurs faits : la méthode d'empoisonnement est directement inspirée du roman d'Umberto Eco... L'accusé a reconnu avoir lu et apprécié ledit livre...

– C'est tout? Voudriez-vous me faire croire que vous l'estimez coupable alors que vous n'avez aucune preuve établissant formellement que l'accusé a personnellement déposé sur les feuilles des journaux la fameuse pellicule empoisonnée? Avez-vous un témoin qui l'ait vu faire une chose pareille?

– Non, malheureusement...

– Pouvez-vous prouver au moins que c'est lui qui a remis personnellement les journaux en question à Paul Wakefield?

– Non. Il a été établi par la suite que les revues qui ont causé l'empoisonnement de M. Paul Wakefield, c'est moi-même qui les ai apportées...

– Est-ce alors M. Ferris qui vous les a procurées?

– Non. Je les ai achetées au rayon Presse de chez Smith... Ah oui! Je me souviens très bien que le prévenu m'a dit : « tout à fait quelque chose dans ton style : au nord petite formation, au sud grande formation... ». Je pense qu'il voulait faire allusion au double dispositif que j'avais mis au point pour protéger Paul Wakefield : un abri sûr au nord à Highgate où je cachais le témoin, une planque leurre au sud à Southwark où demeurait un sosie...

— Un syllogisme parfait sans doute, monsieur Clemens ?

Clemens reposa brutalement sa tasse vide. Tout le problème était là ! Dans aucun des sept meurtres qui pouvaient selon toute probabilité être attribués à Calvin, il n'y avait le moindre commencement de preuve. Impossible d'établir le moindre lien direct. Rien que des présomptions que n'importe quel avocat de la défense se ferait un plaisir de démolir !

Clemens se leva en s'étirant. Il prit un crayon feutre et s'approcha du tableau. En bas il ajouta : « Et Asie Mille ? Quel lien avec le Pivert ? »

18

En dépit de ses efforts répétés, la voile avait tendance à faseyer. Il avait dû trop étarquer. Il n'y avait plus qu'à s'armer de patience en espérant que le vent veuille bien se lever un peu. Au début, Clemens avait été plutôt content de trouver un petit vent régulier de force 2. Pas de houle, une légère brise, du soleil, un clapot insignifiant... Des conditions vraiment idéales pour remonter sur une planche à voile pour quelqu'un qui n'en avait pas fait depuis au moins trois ans... Maintenant qu'il avait retrouvé ses automatismes et ses sensations, il n'était pas contre un petit peu plus de vent...

« Je cherche un Asiatique... petit et plutôt râblé, la soixantaine, un grand front dégarni, les cheveux blancs longs derrière et sur les oreilles, une petite barbichette... Je crois qu'il est plus ou moins professeur d'arts martiaux... Il a un rire très communicatif... »

En trois heures il avait interrogé une bonne trentaine de personnes. Honfleur, Trouville, Deauville, Bénerville, Blonville... Commerçants, garçons de café, pompistes... Personne sur cette partie de la côte ne semblait connaître Asie Mille...

« Désolé, mais j'ai pas le temps... », ou : « Je suis bien incapable de vous aider... Pour moi tous les Jaunes se ressemblent... », c'était ce que la plupart des gens lui avaient répondu...

Le responsable du club nautique de Villers-sur-Mer était la première personne qui avait manifesté un semblant de réaction. D'autres que Clemens n'y auraient probablement vu que du feu...

— Bonjour, je cherche quelqu'un et vous pourriez peut-être m'aider...

La trentaine sportive malgré une calvitie précoce, l'homme était en train d'étaler une couche de peinture antidérapante sur une « Pen Duick Surf MKI ». Tout en lui débitant la suite de son baratin, Clemens observait sa main droite. Les mouvements du poignet tenant le pinceau s'étaient légèrement raidis. Une hésitation intérieure avait imperceptiblement affecté les gestes du bonhomme. Quand Clemens avait fini de décrire l'Asiatique, le type avait attendu au moins quinze secondes avant de lui répondre. Il l'avait d'abord fixé en silence avec des yeux pleins de méfiance, de nervosité et d'hostilité... Apparemment il détestait les flics et ne craignait pas de le manifester.

— Ici c'est un club pour les fanas de voile ou de planche... Pas une agence de renseignements... Vous n'avez qu'à aller au syndicat d'initiative... Quoique je doute qu'ils puissent vous aider... Qu'est-ce que vous lui voulez à cet Asiate?

Il est bien connu que tous ceux qui ont quelque chose à se reprocher flairent un policier à mille lieues à la ronde et qu'une sorte de solidarité les pousse à aider ceux qui sont recherchés. Dix contre un que ce type s'efforçait spontanément de protéger Asie Mille, même si très probablement il ne le connaissait que de vue!

Mais il ne fallait surtout pas l'effaroucher. Clemens fit preuve d'une prudence de Sioux. Il valait mieux le convaincre qu'il se fichait éperdument de retrouver ou non l'Oriental.

— Je passe quelques jours de vacances dans votre belle région et comme je m'ennuyais un peu, j'ai demandé un conseil à mon hôtelier. Il m'a répondu que dans la région je n'avais que l'embarras du choix : faire du cheval, du tennis, du bateau... et aussi qu'il avait entendu parler d'un dojo dirigé par un chinetoque original. J'ai tout de suite eu envie d'aller y jeter un coup d'œil... J'ai toujours adoré regarder tous ces types casser des briques ou faire des sauts en l'air, comme dans les films... Mais, dites-moi, je vois que vous avez toute une collection de planches magnifiques... J'aperçois une « Windsurf 35 Standard »... Oh!... dites donc, c'est une « Banane 480 » que vous avez là!

Une demi-heure plus tard il savait tout sur les qualités et défauts de tel ou tel modèle, et le type, trop heureux d'accepter dans son club un nouveau membre, lui avait prêté une combinaison complète ainsi qu'une « Windglider »...

« Il faudra que je trouve un moyen plausible de revenir à la charge pour Asie Mille... », se dit Clemens en relâchant légèrement sa prise sur le wishbone pour décontracter les muscles de ses avant-bras.

Au lieu de se lever, la brise avait au contraire diminué. Il bougea ses pieds pour éviter que la planche se trouve face au peu de vent qui soufflait encore. Mais, en sentant la voile faseyer, il comprit que ce n'était pas la peine d'insister. La mer était étale quand il s'était mis à l'eau... La marée basse n'allait pas tarder. Il allait falloir revenir en ramant avec ses bras s'il ne voulait pas se laisser dériver au large... Il regarda en direction de la plage pour essayer d'évaluer la distance par rapport au rivage. Cinquante, soixante mètres au minimum...

« Tiens... Qu'est-ce qu'ils foutent, ces deux-là? Je ne les avais pas remarqués... »

Il y avait deux pratiquants d'arts martiaux qui s'exerçaient non loin l'un de l'autre sur la plage, vers les falaises... Le premier vêtu de noir, la silhouette trapue et ramassée, faisait, semble-t-il, des enchaînements de *t'ai-chi ch'uan*... L'autre, nettement plus grand et plus mince, simulait des sauts... à première vue du karaté... Malgré l'effort musculaire que cela représentait pour lui, Clemens resta debout sur la planche pour mieux observer les protagonistes. L'allure du bonhomme râblé lui était vaguement familière...

You Lou Xi Yao Pu, Shou Hui Pi-Pa : les noms des différents enchaînements lui revenaient en mémoire au fur et à mesure que le petit bonhomme les exécutait. Une danse ralentie... Une impression extraordinaire de fluidité... Pour un « profane » davantage une gymnastique ou une sorte de ballet qu'un art de combat...

« Bonté divine! »

Il n'en croyait pas ses yeux! Les deux hommes n'étaient pas en train de s'échauffer chacun de son côté, comme il l'avait cru... En fait, ils tournaient l'un autour de l'autre pour s'observer et se jauger. Maintenant l'affrontement avait commencé! Le petit homme en noir se défendait contre les attaques ultrarapides du karatéka avec des parades empruntées au *t'ai-chi ch'uan*! C'était de la folie! Autant demander à un chat nonchalant de se mesurer contre un tigre... Ou au Mime Marceau de se battre contre Bruce Lee... Et pourtant... avec des mouvements d'une lenteur presque empruntée, le « danseur » réussissait à parer ou esquiver tous les assauts de son adversaire...

En entendant un cri perçant, Clemens crut que le petit homme avait été touché. Mais il s'était encore trompé. Les deux hommes rompaient l'engagement et s'écartaient l'un de l'autre pour se faire face et se saluer.

« Asie Mille! »

Il n'y avait pas de doute! C'était lui, le petit homme habillé en noir! Mais que faisait-il? Il courait maintenant jusqu'au bord de l'eau et rentrait dans la mer pour se diriger droit sur lui... Clemens hésita... Devait-il abandonner la planche et nager à sa rencontre? Ou bien l'attendre sur sa planche? L'Asiatique répondit pour lui en s'arrêtant dès qu'il eut de l'eau jusqu'aux genoux.

Il se passa ensuite quelque chose d'ahurissant pour Clemens. Malgré la distance qui les séparait, environ trente mètres, le visage de l'Oriental lui apparut en gros plan... Comme si soudain sa perception visuelle était équipée d'un zoom! Il voyait distinctement les yeux en amande qui brillaient comme deux braises rougeoyant dans le feu... Aussi distinctement que si l'autre s'était trouvé à moins d'un mètre de lui! En même temps il avait l'impression qu'un irrésistible engourdissement envahissait son corps... Ce salopard était-il en train de l'hypnotiser? C'était incompréhensible, mais une terrifiante sensation de paralysie gagnait progressivement tous ses membres...

« Ça doit provenir de son regard! » pensa Clemens. Paniqué, il ferma les yeux. Mais rien n'y fit : il était toujours dans l'incapacité totale de bouger...

122

Ce fut le contact de l'eau qui permit à Clemens de retrouver l'usage de son corps. Il avait lâché sans s'en rendre compte le wishbone et ça l'avait déséquilibré... Il avait instinctivement trouvé la parade pour rompre l'« envoûtement » de l'Asiatique...

Clemens nagea pour contourner la voile. Il s'accrocha au bord de la planche avant de lever la tête pour jeter un coup d'œil vers le rivage.

Il n'y avait plus personne... Les deux oiseaux s'étaient envolés!

Clemens faillit rater l'embranchement. Il freina brutalement et négocia de justesse le virage à droite. Surpris par sa manœuvre soudaine, le conducteur de la CX qui roulait juste derrière lui eut heureusement un bon réflexe. Au lieu d'appuyer sur la pédale de frein il accéléra en donnant un énergique coup de volant à gauche.

« Heureusement pour lui qu'il n'y avait personne qui venait en face...! » pensa Clemens avec un soupir de soulagement.

« Il y a des fois où il vaut mieux ne rien entreprendre... D'abord la panne sèche... Ensuite l'oubli de mon chéquier chez le marchand de jumelles... Un accident stupide évité de justesse... Je me demande si c'est bien le jour pour me lancer dans ce genre d'expédition, surtout sans avoir réfléchi à un plan d'approche! Je ne peux quand même pas me pointer chez lui la bouche en cœur maintenant que je sais de quoi il est capable! »

La serveuse de l'auberge lui avait donné des indications extrêmement précises : « En continuant vers Annebault, vous allez arriver à un croisement très dangereux... Dans le coin, on le surnomme le carrefour de la mort... C'est vous qui avez la priorité, mais je vous conseille de redoubler quand même de prudence, il y a des gens qui marchent au calva dans le coin... Après, vous ralentirez quand vous apercevrez un château d'eau, car le CD 276 n'est plus très loin sur la droite... Dans la descente, tout de suite après le tournant, vous verrez une vieille église... C'est le dernier portail au bout du chemin à gauche de l'église... »

Malgré tout, il n'avait aperçu le panneau qu'au dernier moment! C'était mauvais signe... Il valait mieux qu'il s'arrête un moment pour reprendre ses esprits. Sur le côté gauche de la route il y avait des tables en bois à l'usage des pique-niqueurs. Il ralentit et gara sa voiture sur l'herbe. C'était le moment ou jamais d'étudier la carte d'état-major qu'il avait achetée dans une librairie de Deauville. Le panneau était à environ cent mètres devant lui. A travers les jumelles l'inscription paraissait énorme : HEU-BEC.

« Heubec... C'est bien un coin pour lui ça! » se dit Clemens en repensant à Sung. Il avait beau se raisonner et se trouver complètement ridicule, il lui semblait qu'une espèce d'atmosphère néfaste collait à cet endroit. « Quel drôle de nom! Heubec... Un village qui s'appelle comme ça ne peut pas avoir des habitants normaux... Je suis sûr qu'il doit se passer des tas de trucs bizarres dans le coin... De la magie noire ou je ne sais quoi... C'est sûrement la raison pour laquelle ce foutu Asiatique y a élu domicile! »

Était-ce le souvenir de l'expérience de la veille ? Le seul fait de penser à Sung lui donnait la chair de poule...

« Les faits, Mark ! Un flic doit s'en tenir aux faits ! » N'était-ce pas le leitmotiv de son mentor Paul Baker ?

« C'est vrai, Paul, dit tout haut Clemens en s'extirpant de la voiture, mais crois-moi, ce gars me fiche vraiment les jetons... Je préférerais presque avoir en face de moi un mec avec une arme à feu... Au moins, je saurais comment réagir... Mais avec ce type je m'aventure vraiment en terrain inconnu.... Il doit avoir des pouvoirs paranormaux... »

Pour obtenir son adresse, il avait fallu en passer par un dîner avec le bonhomme du club nautique de Villers. Celui-ci avait accepté avec enthousiasme son invitation pour soi-disant parler de planche à voile... Il l'avait emmené au Vapeur à Trouville et vers la fin du repas, généreusement arrosé de vin blanc, l'imbécile n'y avait vu que du feu quand la conversation était revenue sur Asie Mille...

— A propos l'Asiate dont l'hôtelier m'avait parlé... Je l'ai vu cet après-midi sur la plage. Il s'entraînait avec un autre type du côté des « Vaches noires »... Effectivement ça m'a l'air d'un original... Je comprends qu'on m'en ait parlé comme d'une curiosité touristique... Un Oriental maître en arts martiaux qui parle plusieurs langues... vous savez comment on le surnomme ?

— Non. Je ne vois pas. Vous devriez reprendre un peu de ce sancerre... Il est formidable !

— Asie Mille...

— Comment dites-vous ?

— Vous savez bien, la célèbre méthode pour apprendre les langues... Assimil... Lui, c'est Asie Mille...

Le type avait éclaté de rire en se tapant les mains sur les cuisses.

— Elle est excellente celle-là ! Il faudra que je la raconte à Sung...

— Si on lui rendait une visite surprise à ce Sung ? On pourrait trinquer avec lui. Allez, on y va ?

— Non. Pas ce soir... Une autre fois. Mais il faudra trouver autre chose pour faire la fête avec lui, car il ne boit jamais...

— Ça ne fait rien. On boira pour lui... Allez chiche qu'on débarque chez lui...

— Mais non, je vous dis. Il habite à au moins dix-sept kilomètres d'ici... C'est beaucoup trop loin pour moi. Je vais plutôt aller me coucher...

— Dix-sept kilomètres seulement ? Avec ma voiture, on y est en dix minutes... C'est où ?

— A Heubec... Il y a quelques années Sung a sauvé la vie d'une vieille dame qui allait se noyer. A sa mort, en signe de reconnaissance, elle lui a légué sa propriété. Une magnifique demeure en pleine campagne...

Clemens étala la carte sur la table en bois et l'étudia attentivement. Même pas un village, d'après le relevé... Une sorte de hameau... Plus un lieu-dit qu'une commune... Champs et prés enclos... collines, plateaux...

Pommiers disposés en rangées... Une configuration typique de cette région qui semblait avoir conservé toutes les caractéristiques du bocage normand d'origine : chemins creux ou fossés bordés de levées de terre, talus plantés de chênes ou de hêtres pour abriter les « masures » des regards et du vent, haies de houx ou de coudriers... Même les têtards d'ormes avaient été conservés pour servir de poteaux aux clôtures en fil de fer barbelé...

L'objectif qui l'intéressait, la maison de Sung, se trouvait sur un terrain formant un quadrilatère. D'après les cotes, l'endroit était tout en dénivellations. Pour sélectionner un point d'observation plus élevé que la propriété, Clemens avait le choix entre deux solutions : soit un plateau herbeux au nord, soit des collines situées juste en face, de l'autre côté du petit ruisseau qui coulait en bas du terrain... C'était plein de haies dans le coin... Même si, à cause de la saison, elles n'étaient pas très fournies, elles lui fourniraient un camouflage passable... Selon toute probabilité, l'édifice était orienté sud-ouest... Il valait mieux choisir les collines pour avoir une vue sur le devant du bâtiment...

Clemens replia la carte. Il en avait mémorisé les détails importants. En consultant sa montre il vit qu'il disposait de trois bonnes heures avant la tombée du jour pour étudier les lieux.

« D'abord je dois trouver un endroit pour cacher la voiture... », se dit-il en rentrant dans la 309. Juste avant de mettre le moteur en route, il entendit une pie jacasser. Il se pencha au-dehors mais il ne réussit pas à l'apercevoir.

La vache, une hollandaise, avec le numéro 584 pendant au bout de son oreille gauche, en avait oublié de brouter. Depuis une demi-heure elle était plantée là à l'observer avec ses deux yeux au beurre noir. Après avoir fait à deux reprises le tour de la propriété de Sung, il avait finalement opté pour un point d'observation situé au sud, sur les collines. Avec le soleil dans le dos il pouvait se servir de ses jumelles sans trahir sa présence par un reflet intempestif. Il s'était hissé jusqu'à la grosse branche d'un vieux merisier. Appuyé au tronc il pouvait se redresser sans fournir une silhouette trop voyante, tout en bénéficiant d'une excellente vue plongeante sur les lieux. Pour le moment seule la vache semblait lui porter quelque intérêt...

Il était visible que la propriété héritée par Sung avait dû être à l'origine une ferme importante, organisée sur le modèle de ces grandes exploitations courantes en Haute-Normandie mais plus rares en Basse-Normandie, avec leur terre enclose regroupant jardins, champs et vergers, et leurs bâtiments d'exploitation et logis disséminés aux quatre coins du domaine. Il y avait le colombier en dur avec ses rangées alternées de brique, pierre et silex taillé... Un vieux puits avec son toit de chaume... L'ancien four avec sa cheminée... L'étable ou l'écurie... La grange pour entreposer les bottes de foin... Bien que ne servant plus, les bâtiments semblaient bien entretenus... Toutes ces structures étaient dispersées à l'intérieur d'un rectangle d'herbages d'environ trois hectares, délimité par un plateau au nord... un ruisseau au sud... un petit chemin à l'est, un autre champ à l'ouest... Des pommiers un peu partout... Quelques poiriers...

La maison d'habitation, nichée sous les arbres, comportait deux étages et un grenier. Elle avait été construite dans le pur style normand. Colombages droits et écharpes obliques aux angles... Entrecolombages alternés de galandages et de pisé... Avancée du toit en « cul de geai » ou « nez de veau » à l'extrémité est pour former auvent... A l'étage, lucarnes à croupe avec leurs toitures avancées à trois pentes... Une dizaine de pièces environ... Une terrasse en pierre...

Un peu à l'écart sur la gauche il y avait un bâtiment tout en longueur. Sans doute l'ancien pressoir. C'était le seul édifice dont l'agencement d'origine avait été légèrement « modernisé » : les entrecolombages de la façade sud étaient vitrés... Juste devant il y avait une grande pelouse tondue à ras...

« Une immense pièce très claire, avec un tapis de gazon dehors... Un endroit idéal pour pratiquer les arts martiaux... Quand il pleut, il suffit de rentrer à l'intérieur... Dix contre un que c'est le dojo ! s'écria Clemens. Ah, voilà peut-être mes oiseaux ! »

Deux hommes venaient de sortir de la maison.

« C'est bien eux... Tous deux dans un *gi* en coton noir... Sung et son compère Hughes... Ils ont l'air de se diriger du côté du dojo... »

« Quel dommage que ce ne soit pas un type comme Sung qui m'ait initié au *t'ai-chi ch'uan*... », pensa Clemens. En observant le fantastique ballet qui se déroulait sous ses yeux il avait vraiment le sentiment d'être le témoin privilégié d'un spectacle rarissime... Si le dénommé Hughes semblait assez doué, son maître pratiquait cet art à la perfection.

« Quel imbécile j'ai été ! » fit-il en repensant aux six mois pendant lesquels il avait essayé d'apprendre le *t'ai-chi* auprès de Chuen-feng, lorsque celui-ci avait accepté de quitter Taipei pour initier tous ceux qui à Scotland Yard s'intéressaient à cette discipline... Passionné depuis longtemps par tout ce qui touchait aux arts martiaux, il avait évidemment sauté sur l'occasion. Malheureusement Chuen-feng avait très vite détecté ses limites vis-à-vis de cette science où il fallait « intérioriser » un maximum...

— N'allez pas trop vite... Le *t'ai-chi* est l'accomplissement ultime des trois arts souples... Tous ceux qui choisissent un art dur ou externe comme la boxe de Shaolin concentrent le *chi* au niveau de la poitrine, où il est quasiment impossible de le contrôler... Les arts internes visent au contraire à abaisser le niveau du *chi*... Si ce dernier est bas, la position du combattant est solide et bien équilibrée... Aucune colère ne traverse son esprit qui demeure parfaitement calme... Si vous n'êtes pas capable de percevoir la différence qui distingue la boxe de Shaolin ou tout autre style dur et un art comme le *hsing-i* ce n'est pas la peine de me faire perdre mon temps...

126

Coups de poing, blocages, coups de pied bas se ressemblent... L'élève avance en ligne droite, se retourne et repart dans l'autre sens... Mais tout sépare en réalité les deux arts... Dans le *hsing-i*, le corps et les épaules sont arrondis, presque voûtés. Les blocages sont circulaires et les positions basses avec les jambes fléchies, presque arrondies... Pensez à des mouvements d'animaux : l'hirondelle pique du haut du ciel, le coq se tient sur une patte, l'ours agrippe, le serpent ondule...

— Mais si quelqu'un m'attaque et que je pare avec la lenteur des mouvements du *t'ai-chi* je suis fichu d'avance...!

— Parce que vous vous attachez au niveau le plus élémentaire, vous ne voyez dans l'extrême lenteur du *t'ai-chi* qu'une caricature risible de la pondération, de la relaxation ou de la sérénité... Si vous étiez plus avancé, je vous ferais la démonstration que celui qui bouge très lentement a tout le temps de réfléchir et d'agir exactement comme il le faut, dans le calme total... Une simple pression d'un de mes doigts sur un de vos trente-six points vitaux me suffirait pour vous vaincre...

Sung avait dû être formé à la même école... Celle qui enseigne les trois arts internes selon un ordre strict : l'élève doit d'abord maîtriser le *hsing-i*, puis le *pa-kua* et enfin le *t'ai-chi*... En tout cas, c'était l'enseignement que Sung distillait en ce moment à son disciple.

L'Asiatique était en train de lui démontrer l'art de se dérober inhérent au *pa-kua*. Il tournait sur lui-même, puis plongeait vers le sol, effectuait un travers opposé avant de plonger encore... Clemens avait sous les yeux l'illustration vivante de cette parole de son maître qu'il avait souvent entendue : « Dans le *hsing-i*, mille kilos de force rencontrent mille autres kilos... Dans le *pa-kua*, on se déplace en cercle pour éviter la confrontation directe... De cette manière, il suffit de cent grammes pour dévier et retourner contre elle-même une force de mille kilos... Le *hsing-i* est direct et linéaire, le *pa-kua* est indirect et circulaire... Le *t'ai-chi* utilise toutes les directions... »

« Merde, où il est passé ? »

Clemens était tellement absorbé par le spectacle qu'il n'avait pas remarqué le changement. Il venait soudain de réaliser que ce n'était plus Sung mais Hughes qui était en train d'effectuer les enchaînements de *pa-kua*!

Où était passé l'Asiatique ? Était-il rentré dans la maison ?

« Pourtant j'aurais juré qu'il était encore là sur la pelouse avec Hughes... Comment a-t-il pu sortir de mon champ de vision sans que je m'en rende compte ? »

Clemens crut alors entendre un léger bruissement sous lui. Il pencha la tête et crut qu'elle allait exploser. La dernière chose qu'il vit avant de perdre connaissance fut la robe tachetée de la vache.

19

*Le sentiment d'une double personnalité est ressenti dans le somnambu-
lisme et dans la convalescence après de longues maladies, comme dans la
folie et le rêve.*

« Zut ! J'aurais dû noter les références ! Maintenant je ne sais même
plus où j'ai recopié cette phrase... »

Elle avait utilisé les guillemets. C'était donc une citation... Mais de
qui ? Extraite de quel livre ?

Contrairement aux idées reçues concernant leurs fameuses qualités
d'ordre et d'organisation, les natifs du signe de la Vierge ne concrétisent
leur manie de rangement et de classement que de façon très épisodique,
et souvent seulement lorsqu'ils y sont contraints et forcés. Jusqu'au jour
où un événement extérieur (manque soudain de place, déménagement,
nécessité de retrouver un papier précis) les oblige à faire un tri dans
leurs possessions, ils ont tendance à systématiquement tout conserver en
se disant : « Ça pourra toujours servir un jour ou l'autre, à moi ou à
quelqu'un d'autre... », et donc à accumuler un bric-à-brac digne des
chiffonniers.

Lisbeth Delmont était comme ça, elle ne jetait jamais rien : cata-
logues, factures et relevés bancaires, vieux horaires de train, livres reçus
en service de presse, correspondances, magazines et revues, coupures de
journaux... Dans la pièce contiguë à son bureau les quatre tiroirs de la
commode étaient bourrés à craquer de chemises dans lesquelles elle avait
rangé en vrac ses notes... Commentaires d'analyse, citations glanées dans
ses lectures, esquisses d'articles, brouillons de lettres...

Au verso de la feuille sur laquelle elle était tombée en cherchant ses
notes sur Calvin Ferris, elle avait recopié une autre phrase, en notant cette
fois l'auteur : E.T. Hoffmann : *J'imagine mon moi comme dans un prisme ;
tous les personnages qui tournent autour de moi sont des moi qui m'agacent
par leurs agissements.*

C'était vraiment la citation adéquate. Il fallait absolument qu'elle y voie un peu plus clair. Elle avait donc décidé de s'asseoir pour une fois dans le fauteuil de ses patients.

3 heures du matin. Elle était en train de devenir une insomniaque...

« Par où vais-je commencer ? » se demanda-t-elle en introduisant une cassette de quatre-vingt-dix minutes dans le magnétophone.

A côté d'elle sur une petite table il y avait la pile des transcriptions dactylographiques des toutes premières séances d'analyse avec Calvin Ferris. Elle aurait sans doute à s'y reporter de nombreuses fois... Elle ferma les yeux pour réfléchir.

« Enregistrement du 12 avril. 3 heures du matin...

" Le sentiment d'une double personnalité est ressenti dans le somnambulisme et dans la convalescence après de longues maladies, comme dans la folie et le rêve. " Cette citation résume avec une ironie parfaite la situation. En ce qui concerne Calvin j'ai envie de dire : " Lequel précède l'autre ? Est-ce le somnambulisme qui engendre le sentiment d'une double personnalité ou le contraire ? " Une somnambule...! Voilà ce que je serais devenue si j'étais parvenue à *développer le double* en partant du rêve. C'est pour atteindre le même but que j'ai voulu être initiée au *Maithuna*[1]... Pour vérifier par moi-même ce qu'on raconte sur ces couples tantriques capables de s'unir non seulement charnellement, mais aussi dans leurs corps subtils... Tantrisme de " la Main gauche " et expériences castanédiennes... mes motivations profondes étaient les mêmes! Revivre la magie des épisodes de dédoublement de ma prime enfance... J'ai retrouvé dans les transcriptions des premières analyses de Calvin de nombreux passages que j'avais carrément refoulés ou volontairement banalisés... Tout simplement parce que leur contenu risquait de faire resurgir en moi des choses anciennes...! »

Lisbeth posa le micro pour chercher les pages en question. Puis elle poursuivit :

« ... Voici, à titre d'exemple, quelques extraits du récit onirique fait par Calvin lors de la seconde séance :

« " Après avoir marché longtemps dans la forêt obscure, je débouche enfin dans une clairière, mais soudain surgit devant moi un homme dont l'apparence monstrueuse me terrifie. Il a trois yeux. Sur la tête il porte une couronne formée d'un serpent qui ondule et siffle. Son visage est enduit de cendre. Je sais sans l'ombre d'un doute que celle-ci provient d'un bûcher funéraire proche. Une peau de lion jetée sur son épaule, il est aussi vêtu d'une peau d'éléphant. Son corps musclé et puissant est recouvert de bijoux multicolores. Il fait un pas vers moi et je réalise avec horreur que ce sont des serpents et des scorpions qui lui servent en fait d'ornements! Il pousse

---

1. Rituel magique et sacré du tantrisme shivaïte, aussi appelé yoga de la Main gauche, par lequel un couple parvient, par une pratique « sacralisée » et rigoureusement codifiée de l'union sexuelle, à réaliser l'ascension de la fameuse énergie ésotérique « Kundalini »...

un grognement qui me jette presque à terre car sa voix résonne comme le tonnerre un jour d'orage... »

« " ... Je cours à perdre haleine pour échapper à cet être démoniaque, et j'arrive au bord d'une sorte de précipice surplombant une vallée. Je m'arrête pour reprendre mon souffle et contempler la chaîne de montagnes bleutées à l'horizon. Une vision me donne aussitôt le vertige. Au loin j'aperçois un être extraordinaire : un homme immense possédant quatre bras... Assis au sommet de l'une des montagnes il me regarde avec un air menaçant. Subitement je le vois s'approcher à grande vitesse. Escorté par des génies-magiciens, des fantômes, et des esprits malins, il chevauche une sorte d'éléphant céleste. Il se met debout sur l'animal et j'aperçois ses cheveux noirs et bouclés. Sa peau aussi est sombre alors que ses yeux sont rouges. Dans sa tête sont accrochés un croissant de lune et un serpent. Horrifié, je détourne mon regard... " »

« Pour moi il n'y a aucun doute. Ce rêve comporte deux allusions très claires au Shiva de la tradition indienne. Pour rassurer Calvin, il suffisait que je lui dise : " Le disciple qui suit la voie du tantrisme voit se dresser sur son chemin des visions analogues... Ces dernières sont là pour qu'il apprenne à maîtriser parfaitement tous les processus de son imagination... " Pourquoi n'en ai-je rien fait à l'époque ? Par peur de rouvrir un livre que je m'étais promis de refermer à jamais ?

« Et ces deux *visions* étonnantes dont Calvin m'a fait part trois séances plus tard...

« " ... On me conduit jusqu'à une grande caverne souterraine d'où s'élève une odeur insistante d'encens. Mes narines perçoivent également un mélange enivrant et obsédant de plusieurs parfums de fleurs. Mon regard est attiré par les magnifiques corbeilles de fruits et les bouquets de fleurs tressées délicatement arrangées qu'on a posés sur une sorte d'autel. La beauté du lieu est accentuée par l'éclairage d'une multitude de petites lampes disposées un peu partout, et à plusieurs niveaux, de façon à rehausser subtilement toutes les nuances de la lumière. En levant les yeux je remarque que les parois de l'immense grotte sont recouvertes d'étoffes luxueuses aux mille couleurs. De grands panneaux sur lesquels on a peint à la main des motifs géométriques aux dessins compliqués – ronds, cercles, triangles entrelacés – sont disposés aux quatre points cardinaux. Je m'approche spontanément d'eux car je sens instinctivement que la contemplation de ces symboles est destinée à stimuler mon imagination. Je regarde longtemps ces diagrammes dont la signification m'échappe mais dont les couleurs provoquent une étrange fascination en moi. Soudain, j'entends comme une sorte de chantonnement ponctué de sons de cloches. En faisant le tour de la grotte pour découvrir l'origine de cette musique, je tombe sur une porte basse que je n'avais pas remarquée auparavant et qui s'ouvre sur un petit escalier taillé dans la roche. Je m'empare d'une torche murale et commence à m'y engager. Mais, à ce moment, mon guide, que j'avais totalement oublié, me retient fermement par l'épaule. Il m'oblige à mettre un épais bandeau sur les yeux. Il me fait signe de baisser la tête et, en me prenant par la main, me précède dans l'étroit passage. Au fur et à mesure que nous progressons je perçois de plus en plus clairement la musique obsédante qui avait suscité ma curiosité. Il s'agit d'un chantonnement nasalisé où les terminaisons en ' om ' ou ' im ' dominent. Je ne comprends pas le sens des syllabes qui sont ainsi psalmodiées mais la combinaison des différents timbres, mélangés avec les sonorités lancinantes des clochettes, provoque au niveau de mon bas-ventre des vibrations. Je sens que j'ai atteint ma destination lorsque mon guide s'arrête. Il me lâche la main et vient derrière moi pour enlever le bandeau de mes yeux. A cet instant je remarque que la musique a brusquement cessé. Le silence pèse alors comme un lourd manteau qu'on m'aurait soudain jeté sur les épaules. J'ouvre les yeux et, lorsque se dissipe l'effet d'éblouissement, j'aperçois devant moi un immense cercle de flammes. Je sens leur intense chaleur sur mes joues. La vision qui s'offre alors à moi est magnifique : au centre du rond de feu est agenouillée une femme vêtue de blanc qui a son visage tourné vers moi. En découvrant cet être d'une beauté extraordinaire je n'ai qu'un désir : traverser le rideau infranchissable de flammes... La rejoindre pour m'unir à elle.

« " ... Mes tribulations nocturnes me conduisent ensuite jusqu'à une plaine désolée où règne une obscurité lugubre. L'astre de la nuit est invisible car c'est une phase de lune noire. Et pourtant il me suffit en levant la tête vers le ciel et les nuages de fermer les yeux pour deviner où se cache le disque noir. Il en émane comme une présence maléfique... Attiré par une légère lueur que je viens d'apercevoir au loin un peu avant la ligne d'horizon, je continue à avancer. Je ne sais combien de temps je marche ainsi en trébuchant sur les divers obstacles du chemin, mais bientôt j'aperçois une espèce de lumière rougeoyante au milieu d'un terrain vague. C'est un feu dont la fumée s'élève jusqu'au ciel. A l'odeur de brûlé que perçoivent mes narines se mêlent toutes sortes d'exhalaisons pestilentielles. En m'approchant je découvre avec horreur la cause de cette puanteur : je me trouve dans un champ crématoire au milieu duquel a été dressé un bûcher funéraire. Là, parmi les corbeaux et les chacals qui se repaissent d'ossements, et des cadavres déterrés pour être jetés dans le feu, des hommes et des femmes sont en train de célébrer une sorte de rite absolument monstrueux : pendant que certains ont des rapports sexuels sur les tombes, d'autres dansent autour du bûcher en psalmodiant des mots incompréhensibles et en se passant des morceaux de viande cuite ou des coupes remplies d'alcool... " »

Lisbeth posa le micro et poussa un soupir en fermant les yeux. Relire à haute voix ces lignes n'avait pas été facile pour elle. Même après quatorze ans, le simple fait de repenser à la nuit où elle avait participé au rite collectif du *chakrapuja* suffisait à faire monter en elle une foule d'émotions contradictoires. A un moment, l'un des moines s'était levé et lui avait tendu une coupe. En la portant à ses lèvres elle s'était rendu compte qu'on l'avait remplie d'un liquide ressemblant à du sang humain... Que serait-elle devenue si ce jour-là elle ne s'était pas enfuie et avait bu le breuvage ?

Quelques heures avant cela, le Maître les avait réunis autour de lui pour leur dire :

« ... Par les mêmes actes qui mènent l'homme ordinaire à la ruine, le yogi initié obtient l'émancipation permanente des enchaînements de la naissance et de la mort... Toutes apparences ne sont véritablement que nos propres concepts, conçus d'eux-mêmes dans l'esprit, semblables aux reflets vus dans un miroir... Certains boivent du vin pour accomplir le rite, d'autres accomplissent le rite pour boire du vin... Certains pratiquent l'union sexuelle pour accomplir le rite, d'autres prennent prétexte du rite pour se livrer à la débauche... Pour être vraiment libéré, il faut parvenir à cueillir le lotus sans se mouiller la main... »

Lisbeth rouvrit les yeux. Comment Calvin aurait-il réagi à l'époque si elle lui avait dit : « J'ai un secret à vous confier. Comme la femme de votre rêve, je me suis retrouvée au centre d'un cercle de flammes... J'avais à peine dix-neuf ans... Ça se passait dans une caverne de l'Himalaya... Quant au cérémonial du bûcher funéraire que vous avez vu en rêve, il existe réellement... C'est un des rites tantriques les plus connus... Une variante du *chakrapuja*... J'y ai participé, il a très longtemps de cela... »

« En un certain sens, se dit-elle, si on fait abstraction de la relation analyste/analysé, me voilà à égalité avec lui... Chacun de nous a son secret. Je ne parviendrai sans doute jamais à savoir exactement ce qui s'est réellement passé la fameuse nuit où il est venu me rendre visite... Un somnambule écrit-il un poème avant de le signer et de le cacher entre les pages d'un livre ? Je ne peux pas essayer d'en savoir plus sans me dévoiler... Je ne vais quand même pas lui avouer : " Je me fiche que vous soyez venu en pleine nuit chez moi, en forçant la porte... Clemens m'a dit que c'étaient bien vos empreintes sur le livre et le disque... Ça m'est complètement égal que vous me mentiez en prétendant que vous n'êtes arrivé à Paris que trois jours plus tard... Dites-moi seulement une chose : pourquoi n'avez-vous pas continué à me caresser ? " »

« Une peau de lion jetée sur son épaule, il est aussi vêtu d'une peau d'éléphant. Son corps musclé et puissant est recouvert de bijoux multicolores. Il fait un pas vers moi et je réalise avec horreur que ce sont des serpents et des scorpions... »

Ce fut en reconnaissant sa voix que Lisbeth se réveilla en pensant : « Tiens ! Il me semblait bien que j'avais éteint l'appareil depuis longtemps... Je me demande quelle heure il est... Mon Dieu, que je suis fatiguée... »

Elle ne se sentait même pas la force de tourner légèrement la tête pour regarder le cadran de la montre sur son bureau. Il ne fallait surtout pas bouger. Il fallait absolument préserver cette agréable sensation d'engourdissement qui s'était emparée de tout son corps... Déjà, tout à l'heure, quand elle avait senti l'assoupissement la gagner elle avait préféré rester dans le fauteuil. Se lever et faire les dix mètres la séparant de son lit... L'effort lui avait semblé trop important... Elle s'était réveillée à deux reprises mais à chaque fois elle s'était finalement rendormie. D'abord, elle avait cru entendre le grincement de sa porte d'entrée. Comme si quelqu'un était entré chez elle. « C'est mon imagination », s'était-elle dit. Ensuite, il lui avait semblé avoir reconnu le bruit de sifflement que faisait son magnétophone en mode Retour ou Avance rapide. « Je dois rêver. Je me souviens très bien avoir appuyé sur la touche Arrêt », avait-elle pensé.

Elle n'avait qu'à adopter la même attitude en s'enfonçant sans résister dans sa somnolence.

« L'astre de la nuit est invisible car c'est une phase de lune noire. Et pourtant il me suffit en levant la tête vers le ciel et les nuages de fermer les yeux pour deviner où se cache le disque noir. Il en émane comme une présence maléfique... »

« Mais comment est-ce possible ? se demanda soudain Lisbeth. J'ai bien éteint l'appareil ! »

Tout en se redressant, elle ouvrit les yeux. Mais elle les referma immédiatement et se laissa retomber dans le fauteuil. Elle battit plusieurs fois des paupières, mais la vision ne voulait pas disparaître... C'était incroyable ! Calvin Ferris était installé sur la chaise derrière son bureau... Là où elle s'asseyait d'habitude pour analyser ses patients ! Que faisait-il là ? Comment était-il entré ? Depuis combien de temps était-il chez elle ?

Elle voulut crier son indignation devant cette intrusion inadmissible, mais aucun son ne sortit de sa bouche. Ferris dut lire dans ses pensées car il la regarda en souriant et mit son index devant ses lèvres, comme pour lui dire : « Chut... laissez-moi écouter ceci... »

« ... A l'odeur de brûlé que perçoivent mes narines se mêlent toutes sortes d'exhalaisons pestilentielles. En m'approchant je découvre avec horreur la cause de cette puanteur : je me trouve dans un champ crématoire au milieu duquel a été dressé un bûcher funéraire... »

Non ! Elle ne voulait pas qu'il entende la suite ! Ce n'était pas pour lui qu'elle avait ressorti ses notes...! Elle voulut tendre la main pour arrêter l'appareil, mais son bras refusait obstinément de bouger.

« J'ai bien le droit non ? C'est quand même moi qui ai fait ce rêve... Et pas vous ! » crut-elle entendre Ferris lui dire. Pourtant il n'avait pas remué ses lèvres... Elle en était sûre !

C'était quand même grotesque ! Une nouvelle fois, Ferris était entré chez elle en pleine nuit et de nouveau elle était comme paralysée en sa présence ! Elle ne pouvait qu'observer les expressions de son visage au fur et à mesure qu'il découvrait le contenu de la cassette... Allait-il l'effacer comme la précédente, quand il aurait fini ?

« Pour être vraiment libéré il faut parvenir à cueillir le lotus sans se mouiller la main... »

Ferris parut surpris et déçu que l'enregistrement s'arrêtât là. Après avoir laissé défiler la cassette pendant près d'une minute, il appuya comme à regret sur la touche Arrêt. Lisbeth ne pouvait détacher les yeux de ses mains : il bougeait ses doigts avec la précision rituelle d'un *mudra*... Dix danseurs au sommet de leur art pour le ballet du silence. Elle n'avait pas oublié le plaisir trouble qu'elle avait éprouvé quand il avait posé sa paume sur sa poitrine... Elle ferma les yeux en réprimant un frisson.

« Regardez-moi ! »

Elle rouvrit les paupières en sursautant. Ferris s'était penché et la lampe n'éclairait plus que la partie supérieure de son visage. Il la fixait non plus avec cet air amusé et ironique qu'elle commençait à bien connaître, mais avec une intensité pensive et interrogative. Il y avait dans ses yeux une lueur inquiétante qu'elle n'avait encore jamais remarquée. En même temps elle prit conscience d'une étrange transformation en elle... Elle ressentait une impression bizarre... comme si toutes ses défenses étaient en train de disparaître les unes après les autres... comme si elle perdait progressivement toute opacité... Elle se sentait soudain aussi fragile et vulnérable que quelqu'un qu'on force à se déshabiller...

« Il est en train de pénétrer à l'intérieur de moi ! réalisa soudain Lisbeth. Il sonde mon âme et en fouille les moindres recoins... Il lit en moi comme si j'étais devenue totalement transparente ! Mes pensées les plus secrètes ne m'appartiennent plus ! »

Prise de panique, elle voulut réagir en détournant la tête mais elle s'aperçut que ça lui était impossible !

« Racontez-moi comment s'est passé pour vous le rite du *nyâsa* !
— Non ! Je vous en prie !
— Ne résistez pas ! Ce n'est pas la peine de parler si ça vous demande un effort trop violent ! Fermez les yeux et rappelez-vous simplement... Je vais vous aider... Ralentissez d'abord votre respiration pour calmer votre esprit... Laissez-vous aller... Comme si vous alliez vous endormir... Pensez très fortement à l'endroit où le premier rêve va vous amener... Choisissez un souvenir simple que vous avez conservé du rite du *nyâsa*. Un visage, une sensation, un parfum, une parole... Peu importe... »

Lisbeth ferma les paupières et suivit docilement les instructions de Ferris. Elle pensa spontanément à plusieurs choses... Le visage de son compagnon *tantrika*, sa peau couleur pain d'épices et le goût si étrange de ses baisers... Les deux yeux perpétuellement rieurs sous les épais sourcils noirs, le grand front ridé comme le jardin de sable d'un monastère *Zen,* la moustache poivre et sel cachant le dessin des lèvres... Sa peau avait l'air de briller au contact des gouttes d'eau ruisselant sur son corps... Et cette saveur âcre et sauvage sur sa langue à cause du mélange de la chaux et de la noix d'arec sur la feuille de bétel...

« *Choisissez une seule chose !*
— *Le Montagnard !* »...

Son surnom. Un simple mot. Peut-être le « souvenir » qu'elle garderait toujours de lui... Il n'avait jamais consenti à lui révéler son nom. Juste avant de disparaître au détour du sentier escarpé, il s'était retourné pour lui faire un dernier signe de la main. Puis de sa voix grave il avait lancé un cri dont l'écho avait été renvoyé plusieurs fois par les parois rocheuses : « Le Montagnard... Juste le Montagnard...! »

L'homme s'avance avec un sourire hésitant. En joignant ses deux mains sur sa poitrine, il lui dit en s'inclinant :

« C'est moi qui ai été désigné pour accomplir avec vous le rite... C'est un honneur pour moi... Vous êtes vraiment très belle... »

C'est la première fois qu'elle voit un Asiatique se mêler aux Indiens et aux Tibétains. Il doit avoir dans les quarante ans. Pas très grand, il a l'allure et la démarche d'un félin, le teint hâlé de quelqu'un qui passe son temps dehors. Ses épaules et ses jambes sont particulièrement musclées. Il lui semble que ses yeux en amande sont plus grands que ceux des autres Orientaux qu'elle a connus. Il a une façon franche de la regarder qui lui plaît tout de suite, même si elle y note une certaine malice ironique.

« Je suis prête... Que dois-je faire ?

– Rien! répond-il en riant. C'est à moi d'officier... »

L'Oriental lui fait signe de s'asseoir. A ce moment elle réalise que tous deux parlent en français. Dans l'Himalaya, la langue européenne est plutôt l'anglais. Doit-elle remercier les moines de lui avoir choisi un compagnon parlant sa langue maternelle ?

« Vous le savez peut-être déjà, mais je dois vous rappeler que *nyâsa* veut dire fixation en sanskrit... C'est le rite par lequel toute jeune fille doit passer avant de recevoir l'initiation et l'instruction dans l'art des postures magiques du *Vajrayâna*. Il est nécessaire que son corps soit au préalable " réveillé " et rendu " vivant " par un procédé sacramentel dont les différentes étapes sont extrêmement précises et qui consiste à " imposer ", " enduire ", " fixer " sur différentes parties de son corps un fluide que les livres nomment " fluide divin "... On m'a demandé de bien insister sur cet aspect " sacré " et " rituel " de ces attouchements pour qu'il n'y ait aucune possibilité de malentendu... Les moines ne veulent pas que le regrettable incident qui s'est produit il y a six mois avec une autre Européenne se renouvelle... Comprenez-vous ? »

Elle hoche la tête et il continue ses explications :

« Dans ce rituel, les aspects favorables de Shiva sont logés dans huit parties du corps : le cœur, le cou, les épaules, le nombril, le ventre, le dos, la poitrine. Par contre, treize parties du corps correspondent à son aspect magique, *Vâmadeva* en sanskrit : ce sont l'anus, le sexe, les cuisses, les genoux, les mollets, les fesses, les hanches, les côtes, le nez, la tête, les bras... »

« Que faites-vous ? Pourquoi vous êtes-vous arrêtée ? Le rituel! Ne pensez qu'à l'aspect sacré...

« – Non! Je vous en prie. Laissez-moi tranquille!

– ...

– Vous êtes fou! Qu'est-ce qui vous prend? Enlevez tout de suite votre main!

– Au sud-est, Vighnesha, qui écarte les obstacles... Au nord-est, Durgâ, l'Inatteignable... Au nord-ouest, Kshtrajna, la Connaissance du Champ d'action... Au sud-ouest, Nirriti, le Déclin et la Mort... Je vais toucher votre anus, votre sexe, vos cuisses...

– Oui... Oui...! »

« C'est pour ça que vous vous êtes retrouvée dans cette secte déviante... En voyant dans quel état les " attouchements " vous mettaient, les moines ont estimé que vous n'étiez pas qualifiée pour le *Maithuna*. Il faudra que nous reparlions tous les deux... Vous êtes peut-être celle que je cherche depuis longtemps... Vous me reconnaîtrez par ce baiser... »

Quand Lisbeth se réveilla elle était toujours dans le fauteuil, mais il n'y avait plus personne sur la chaise derrière son bureau. Calvin Ferris avait disparu.

Avait-elle rêvé une nouvelle fois? Dans ce cas comment se faisait-il qu'elle se souvenait de tout avec tant de précision, notamment de ses dernières paroles? Et d'où venait ce goût amer et acide sur ses lèvres?

20

Était-il mort ? C'était le visage de Lucy qui était penché au-dessus de lui. Entouré d'une sorte de halo. Elle lui souriait en le fixant avec ses grands yeux verts. Un regard limpide d'amour... Celui d'une mère pour son enfant ou d'une grande sœur pour son petit frère... Jamais hélas il n'avait détecté dans ses yeux une lueur différente, celle qui lui aurait peut-être permis d'espérer autre chose...

« Dans les instants qui suivent la mort, les parents et amis, tous ceux qu'on a aimés viennent à notre rencontre... » Était-ce pour cela qu'elle lui apparaissait telle qu'il l'avait « aimée » la première fois... ? Tous deux avaient grandi ensemble à Bodmin et s'étaient assis sur les mêmes bancs à l'école. Mais jamais il n'avait pensé qu'un jour il deviendrait follement amoureux de Lucy Tomlinson... Jusqu'à cette fête autour des feux de la Saint-Jean... Avec une joyeuse bande d'autres adolescents, ils s'étaient baignés dans la Camel avant d'aller courir dans les landes pour se sécher. Au moment de se rassembler autour du feu, ils s'étaient tous donné la main pour faire la ronde en chantant. Lucy était juste à sa droite et il avait remarqué qu'elle avait les yeux humides.

« Qu'as-tu ? Pourquoi pleures-tu ? »

Elle ne lui avait pas répondu et s'était contentée de lui sourire pour le rassurer. Il n'avait pas insisté mais, à la fin des chants, était allé s'asseoir près d'elle pour qu'elle le sente à ses côtés si elle avait envie de parler. Tous deux avaient regardé le feu en silence pendant de longues minutes. A un moment, elle lui avait montré le brasier du doigt :

« La bonne odeur du bois brûlé, le crépitement joyeux du feu, la danse légère des flammes... C'est un spectacle qui ne manque jamais de m'émouvoir profondément... Parce que je ne peux pas m'empêcher de penser aux millions de feux qu'on allume, au-delà des mers, des montagnes, des continents... Je pense à tous ces hommes et femmes qui, à la nuit tombée, s'arrêtent et se rassemblent autour d'un foyer improvisé, avant de repartir dans leur voyage... N'y a-t-il pas quelque chose de magique dans le feu ?

Imagine... Une brassée de bois mort, un ciel étoilé et voilà que devant les flammes chaudes et crépitantes, des hommes et des femmes se mettent à réciter des poèmes, raconter des légendes merveilleuses, composer des chansons... C'est le moment où chacun dans le silence de son cœur repense à ses rêves de jeunesse les plus fous et se demande si un jour il pourra enfin les réaliser... Voilà ce qui me rend heureuse et triste à la fois... Heureuse parce que je me rends compte que c'est merveilleux et miraculeux de vivre sur cette terre... Prends simplement un arbre... Ses couleurs qui changent, ses différents parfums selon les heures de la journée ou la saison... quelle offrande magnifique !

– Mais alors, pourquoi es-tu triste ? »

Lucy s'était tournée vers lui. C'est alors qu'il l'avait « vue » pour la première fois. Il avait soudain découvert la beauté de son visage. Ses traits n'avaient pas la finesse et la délicatesse des créatures de mode. Avec ses cheveux en désordre, son nez légèrement busqué, ses taches de rousseur, elle faisait plutôt penser à une petite sauvageonne. Mais il lui apparut qu'il suffisait de la regarder pour l'aimer et admirer immédiatement l'authenticité de son être... Tout en elle respirait son amour illimité pour la nature, les arbres... Derrière ses yeux verts on devinait une soif inextinguible de paysages étoilés, de grands espaces... Cela la rendait bien plus belle que toutes les autres filles qui avaient mis plusieurs heures à se coiffer et se maquiller...

Quand enfin elle lui avait répondu, il avait cru déceler une petite lueur de déception dans ses yeux. Comme si elle était triste qu'il n'eût pas compris de lui-même ce qu'elle ressentait.

« Pourquoi ? Parce que je n'aurai jamais le temps de tout découvrir... De tout connaître... »

« Non ! Reste avec moi... Ne pars pas ! »

Il devait être mort, puisqu'aucun son n'était sorti de sa bouche quand il avait crié. Il n'entendait même pas le bruit de sa respiration. Ou alors il rêvait. C'était pour cela qu'il n'avait aucune sensation de son corps... Était-il debout ou allongé ? Sa question n'avait aucun sens puisqu'il dormait !

« Tiens, bonjour, Calvin... Pourquoi t'es-tu levé de si bonne heure ?

– Tu as déjà oublié ? Tu m'as dit hier que tu m'apprendrais le karaté...

– Ah oui, c'est vrai ! Viens, on va aller sur la plage. A cette heure, il n'y aura personne... »

« Vas-y Calvin ! Je t'ai dit de frapper, alors cogne ! N'aie pas peur de me faire mal... »

« Quel âge as-tu, Calvin ?

– Quinze ans...

– Alors, ne pleure pas... Et relève-toi... Tu es tombé parce que, dès

138

que je t'ai dit de bouger, tu as oublié ton équilibre... Même en déplacement ton corps a besoin d'appuis. Nous ne sommes pas des oiseaux! Oublie que nous sommes sur un sol plat... Imagine que nous sommes tous les deux en train de nous affronter sur les marches d'un escalier...

— Je n'y arriverai jamais! C'est trop difficile...

— Arrête de pleurnicher et montre-moi ce que tu as dans le ventre! Je ne cherche pas à faire de toi un Mushasi Miyamoto, je voudrais simplement t'apprendre à te défendre contre tes petits copains du collège... J'en ai marre de voir ta mine de chien battu à chaque fois que l'un d'entre eux te traite de sale chinetoque! »

« Chinetoque! » Sa mémoire lui revenait! Il était dans le merisier en train de l'observer s'entraîner avec Hughes, quand...

« C'est lui qui a dû m'assommer quand j'étais dans l'arbre... Ouille! »

La douleur au sommet de son crâne était lancinante. Il avait l'impression que sa tête allait exploser.

« Je ne dors plus... Mais alors, pourquoi est-ce que je ne peux pas bouger? » Clemens essaya de replier les doigts de sa main gauche, mais il ne parvenait même pas à les sentir se toucher entre eux... Était-il toujours en train de rêver?

Que faisait la petite Japonaise en compagnie de Fax?

« Il s'agit d'un poème. Très court. On les appelle des *haïkus* chez nous... Celui-ci dit :

> Le pivert
> au même endroit s'obstine
> déclin du jour

— Celui qui a rédigé ce poème peut-il se lever?

— C'est Sung! C'est lui..! Les mots mêmes qui étaient gravés sur le bout d'écorce retrouvé par Gaines dans le jardin des Poètes... La signature du Pivert...

— Personne dans la salle ne s'est levé... Pourquoi dites-vous cela, monsieur...?

— Mais enfin, Fax! Vous n'avez pas vu comment il m'a regardé quand vous avez lu mon billet?

— Mais qui est Sir Thomas Hannay? Et qui est le Pivert?

— Thomas Hannay était mon ami... C'était mon job d'assurer sa protection... Quant à cet infâme tueur, j'aimerais bien pouvoir le coincer... Sung doit être son complice... Sinon pourquoi m'aurait-il nargué avec ce poème? »

Sung! Il lui sembla un bref instant le reconnaître, penché au-dessus de lui... Mais non! C'était Thomas Hannay... Il avait une mine splendide. Ça devait être l'air marin... La promenade leur avait fait un bien terrible à tous les deux. Rien de tel qu'une sortie en pleine mer... Tiens, pourquoi faisait-il cette grimace ? Était-ce le vin blanc qui n'était pas à son goût ?

« Vous êtes sûr que ça va, Sir Thomas ? Vous êtes tout pâle...

— Mais oui ! Ça va passer... C'est la peur des fantômes du passé qui me joue des tours... On y va... Vous avez remarqué, Mark, cet Asiatique assis sur notre droite ?

— Lequel ? Il y a au moins une vingtaine de Japonais dans ce restaurant...

— Celui qui est tout seul à la table devant nous... Avec le jus d'orange à la main... Il n'a pas arrêté de se retourner pour me regarder... Je me demande ce qu'il me veut...

— Je crois qu'il s'appelle Sung... Un individu curieux... Un spécialiste des arts martiaux... Je le soupçonne de se servir de pouvoirs paranormaux... Des bruits similaires courent sur le Pivert...

— Mais qui est ce Pivert dont vous me parlez sans arrêt ?

— Le tueur qui vous a empoisonné... »

Il était en train de divaguer complètement, ballotté entre le rêve et la réalité... Il dialoguait avec des personnes mortes, en mélangeant les souvenirs du passé avec des choses imaginaires...

La forme lumineuse qu'il voyait en ce moment était-elle réelle ou un pur fantasme de sa part ? Il n'arrivait à lui attribuer aucune position précise dans l'espace. Il ne pouvait dire si elle était devant lui, derrière lui ou sur les côtés. Il la percevait comme un halo lumineux, dont le contour était plus ou moins triangulaire. Même lorsqu'il fermait les paupières, à ce qui lui semblait du moins, elle ne disparaissait pas... Était-elle donc à l'intérieur de lui-même ? Était-ce la fameuse source de lumière, décrite par les spécialistes de la NDE [1] et qu'on apercevait au bout du tunnel quand on était mort ?

Il en avait marre d'errer sans savoir !

« Si c'est ça la mort, qu'on en finisse ! Au moins j'aurai peut-être une chance de retrouver Lucy... », pensa Clemens. Un long moment passa. Puis un autre... Il n'y avait rien de pire que cette horrible incertitude.

« Qui que vous soyez... achevez-moi donc ! » hurla-t-il de rage quand il constata que rien ne se produisait. Il était toujours dans le même état d'impuissance. Non ! Il s'était passé quelque chose ! C'étaient des larmes qu'il sentait descendre doucement le long de sa joue... La première qui toucha ses lèvres avait un goût salé... Il était donc vivant !

Simultanément Clemens pensa : « J'ai dû faire un mauvais rêve... » car plusieurs choses prouvaient sans aucun doute possible qu'il avait retrouvé l'usage de ses sens ! Il avait l'impression qu'un camion lui était

---

1. *Near Death Experience*, terme utilisé par les Anglo-Saxons pour désigner les « phénomènes » décrits par ceux qui ont connu la mort « de très près » (coma accidents de la route...). Cf. notamment Raymond Moody, *La vie après la Vie*, éd. Robert Laffont.

passé sur le corps... Une migraine lancinante sur tout le côté droit de sa tête... Des membres et des muscles complètement raidis et contractés... La bouche pâteuse et l'estomac barbouillé comme après une monumentale gueule de bois... Lentement et méthodiquement, Clemens poursuivit son inventaire sensoriel pour évaluer la situation. Il était allongé dans un lit... Ça devait être une couverture de laine qu'il sentait sous ses doigts... Il pouvait bouger ses bras et ses jambes sans aucun problème. Il n'avait apparemment rien de cassé... Mais pour le moment il devait rester couché... Le moindre effort pour se relever et s'asseoir lui provoquait une violente douleur à la nuque...

C'était bien l'hululement d'une chouette qu'il entendait... On était donc la nuit... Le vent, en s'insinuant à travers les interstices du toit, provoquait un chuintement qu'il percevait de temps à autre quelque part au-dessus de lui. Sung avait dû l'enfermer dans une pièce située sous les combles. Il fallait qu'il dorme un peu... Pour reprendre des forces... Dès qu'il pourrait se lever, il explorerait sa cellule...

Les coups de feu étaient de plus en plus rapprochés. Les claquements secs des armes automatiques alternaient avec le crépitement saccadé des fusils à répétition. Ce qui était curieux, c'était que les mésanges continuaient de chanter. Bleues, charbonnières, huppées... elles semblaient indifférentes au vacarme... Continuant de voleter gaiement... Faisant inlassablement l'aller et retour entre la soucoupe de terre remplie de graines posée au pied du noisetier et le morceau de graisse attaché à la branche du pommier... Une nouvelle détonation retentit derrière lui et machinalement il roula sur lui-même pour se mettre à l'abri.

Clemens ne réalisa pas tout de suite que ce n'était qu'une bûche qui venait d'éclater dans la cheminée. Il ouvrit les yeux et les referma aussitôt pour ne pas être ébloui par la lumière du jour. Mais quelque part dans son dos il reconnaissait maintenant le craquement des branches dans le feu. Une bonne odeur de bois brûlé parvenait à ses narines. Ce n'était plus un matelas qu'il sentait sous lui, mais le contact froid de quelque chose de dur... Sous sa main droite, c'était... du carrelage...

Le cri d'une hulotte... C'était la dernière chose qu'il avait entendue juste avant de s'endormir... Le grésillement du feu, le gazouillis des mésanges, ce n'était sûrement pas son imagination qui lui jouait une nouvelle fois des tours. Où se trouvait-il ? Pourquoi ne s'était-il pas réveillé au même endroit que tout à l'heure ?

Surtout rester parfaitement immobile pour laisser ses geôliers croire qu'il dormait toujours... Reprendre la respiration régulière de celui qui est endormi... Écarter imperceptiblement les paupières pour voir où il se trouvait. Heureusement il n'était pas couché sur le dos, mais sur le côté droit...

Le halo lumineux ! Il était à trois mètres devant lui ! Formant une sorte de triangle ou de pyramide... Mais cette fois l'image disparaissait dès qu'il fermait les paupières. Clemens les rouvrit très légèrement. Un peu floue au début, sa vision s'améliora rapidement.

Sung! C'était lui qu'il avait devant les yeux. Lui tournant le dos... Assis dans une posture de méditation... Les épaules recouvertes d'une sorte d'étoffe ou de drap, de couleur gris clair, dont les pans descendaient jusqu'au sol... La tache de clarté qu'il croyait avoir aperçue, ce n'était que Sung, installé sur un coussin posé devant la porte-fenêtre, à quelques mètres à peine de lui... Il n'avait que deux grands pas à faire pour lui assener une manchette sur la nuque... D'abord se relever en jaillissant, puis bondir sur lui, en trouvant le bon angle, ainsi que la force nécessaire... Le tout en une fraction de seconde...

Tout en veillant à ne pas modifier le rythme de sa respiration, Clemens commença à se recroqueviller lentement, en bandant progressivement ses muscles. Sung dut l'entendre bouger, mais, rassuré sans doute par le bruit régulier de son souffle, ne se retourna pas.

« Encore un petit effort, se dit Clemens en ramenant sa main droite au niveau de ses hanches. Je n'aurai qu'à m'appuyer sur ma main et sur mon épaule pour me donner l'impulsion nécessaire... Encore quelques centimètres et mes deux genoux seront dans la bonne position... »

Clemens fut totalement incapable de comprendre ce qui se passa ensuite. En une fraction de seconde il se redressa et se retrouva debout. Mais au moment même où il se jeta en avant pour assener sa manchette, il se retrouva violemment projeté en arrière sur le sol. Cependant il ne pouvait absolument pas dire sous quelle forme la riposte, qui avait été instantanée, s'était présentée! Son agression avait été stoppée net... Mais pas par Hughes dont le pied gauche s'était immobilisé à un millimètre de son cou...

– Non, Hughes!

Si l'ordre de Sung n'avait pas jailli tel un *kiaï*, il serait déjà mort, la nuque fracassée... Surgissant de nulle part ce diable s'était immédiatement porté au secours de son *Senseï*... Pourtant, ce n'était pas lui qui l'avait fait tomber. Ça ne pouvait être que Sung... Dans ce cas, aussi invraisemblable que cela pût paraître, il l'avait neutralisé sans faire un seul geste! Clemens s'était trouvé dans l'impossibilité pure et simple d'exécuter le mouvement escompté... Il restait peut-être une distance de vingt-cinq centimètres à peine entre sa main et la nuque de l'Asiatique... Ses doigts n'avaient pas pu descendre plus loin... Ils s'étaient heurtés soudain à un obstacle invisible, aussi solide qu'une paroi de béton. Sur le moment il avait été trop surpris pour ressentir quelque chose. Maintenant il avait envie de hurler tellement son côté droit le faisait souffrir. Son bras était quasiment inutilisable... Il ne sentait plus sa main mais son épaule était aussi meurtrie que s'il avait reçu dix coups de couteau... Il ferma les yeux et se mordit les lèvres...

– Aidez M. Clemens à se relever, Hughes... Je crois qu'il ne nous causera plus d'ennuis désormais.

21

Clemens n'avait pas encore touché à sa tasse. Une bonne odeur de thé s'en élevait mais le liquide brûlant avait une drôle de couleur...

– Ah, ah...! M. Clemens a peur qu'on cherche à l'empoisonner...! fit Sung en partant dans un éclat de rire sonore. Venez donc vous asseoir, Hughes, et montrez à notre hôte que ce breuvage est inoffensif!

Hughes vint s'asseoir de l'autre côté de la table basse et s'empara de la théière pour se servir. Clemens nota qu'à aucun moment il ne le quittait des yeux. En bon chien de garde, il veillait sur son Maître... Il porta la tasse à ses lèvres et but deux gorgées avant de la reposer sur la table. Clemens tendit la main gauche pour l'imiter. La douleur avait presque disparu mais son bras droit était encore tout ankylosé. S'était-il cassé quelque chose?

– Ne vous inquiétez pas... D'ici quelques minutes la paralysie va disparaître et vous retrouverez l'usage de votre membre... Il y aurait un moyen beaucoup plus rapide de réactiver le nerf, mais je suppose que vous ne me laisserez pas vous toucher, n'est-ce pas?

Ce type lisait-il donc dans ses pensées?

Clemens ne répondit pas. Il regarda l'Asiatique en silence, tout en se massant machinalement l'épaule avec sa main gauche. C'était incroyable comme les apparences pouvaient être trompeuses! Il avait devant lui un petit bonhomme barbichu qui avait l'air totalement inoffensif... Un grand front tout ridé, un menton légèrement empâté, un léger sourire perpétuel au coin des lèvres... Des yeux marron, vifs et expressifs, dénués de toute agressivité... Un type qui devait avoir un peu plus de la cinquantaine... Qu'on aurait imaginé en train de jouer paisiblement au jeu de go avec un ami, ou réparant un vieux chapeau de paille... Mais certainement pas dans la peau d'un de ces rarissimes maîtres en arts martiaux parvenus au sommet de leur art... et détenteurs de ce fameux *ki* dont tout le monde parle sans jamais vraiment pouvoir en vérifier l'existence... En tout cas Sung venait de lui prouver de façon éclatante la réalité de cette « force vitale »...

Car pour Clemens il n'y avait aucun doute : son attaque avait échoué parce que Sung avait réussi à « matérialiser » son *ki* autour de son corps physique en une sorte de mur invisible mais impénétrable...

« Et moi qui ai toujours pensé que toutes ces histoires étaient de la foutaise...! » pensa Clemens en prenant une autre gorgée de thé.

— Excellent! s'écria Sung en se saisissant de la théière pour remplir les trois tasses vides. Pendant que Hughes va nous préparer un bon déjeuner, nous allons bavarder un peu tous les deux... Vous verrez, Hughes est un excellent cuisinier... Vous devez avoir une faim de loup, monsieur Clemens, depuis deux jours que vous n'avez pas mangé...

Deux jours? Était-ce le temps qu'il était resté dans cette fameuse pièce où il s'était cru mort?

Hughes continuait à l'observer en buvant son thé. Quand il eut fini, Clemens nota la réticence avec laquelle il se leva pour se diriger vers la porte. Juste avant de quitter la pièce il se retourna pour regarder Sung. Clemens comprit à son air soucieux qu'il n'avait pas envie de laisser son Maître seul avec lui.

« Allez! Obéis donc à ton Maître! C'est plutôt moi qui aurais besoin d'un garde du corps...! Un éclopé en face d'un tigre mortel... », pensa Clemens amusé par l'ironie de la situation.

Sung fit un signe de tête imperceptible et Hughes, satisfait, quitta la pièce.

— Permettez-moi de vous donner un conseil concernant Hughes, dit Sung quand ils furent seuls. Ne le provoquez jamais... Vous pourriez le regretter... Il a déjà failli vous tuer une fois... S'il vous a épargné c'est parce qu'il me voue une admiration et une affection sans bornes et qu'il n'a pas voulu me désobéir... Mais si vous lui laissez croire, ne serait-ce que l'espace d'une seconde, que vous pourriez constituer une menace pour ma vie, il n'hésitera pas à vous éliminer immédiatement... A propos, comment va ce bras?

— Mieux, merci..., répondit Clemens.

Maintenant que Sung avait évoqué le déjeuner, il sentait son estomac qui le tenaillait.

— Dans ce cas, nous allons pouvoir nous expliquer... J'espère que nous allons parvenir à un arrangement satisfaisant... Ça ne devrait pas être bien difficile entre deux personnes raisonnables et de bonne foi... Après tout nous avons au moins une chose en commun...

— Que voulez-vous dire? demanda Clemens soudain sur ses gardes.

« Un arrangement? Veut-il m'acheter? »

— Nous avons aimé passionnément la même femme...

— Quoi? s'écria Clemens en ouvrant des grands yeux. Qu'est-ce que vous racontez?

— Quelqu'un qui reste inconscient deux jours délire, vous savez... Vous avez parlé dans votre sommeil... Vous ne pouviez pas vous en douter, mais j'étais à vos côtés. Je n'avais pas prévu que vous tomberiez de l'arbre...

La bosse au sommet de votre crâne, ce n'est pas moi... Vous avez heurté violemment une branche dans votre chute...

– Délire ?... J'ai déliré ? Qu'est-ce que j'ai dit ?

– Pas grand-chose... Quelques mots par-ci par-là... C'était plutôt décousu... Mais intéressant... Confirmant l'essentiel de ce que j'ai appris par un autre moyen plus direct...

Clemens était complètement largué. De quoi parlait l'Asiatique ?

– Croyez-vous à la transmission de pensée ?

La question de Sung prit Clemens au dépourvu. Il pensa immédiatement : « Ce type est fou à lier ! »

– Je sais ce que vous vous dites... Vous croyez que je suis fou... Mais je vous assure, je suis très sérieux... Répondez-moi sincèrement...

– Oui et non..., finit par lâcher Clemens, de plus en plus désorienté par la tournure des événements. Disons qu'en théorie j'en accepte la possibilité... Je suis prêt à y croire, mais à condition qu'on m'en apporte la preuve concrète... Et ce ne sont pas des individus comme Fax qui me feront changer d'avis... C'est un habile illusionniste, sans plus... A condition de connaître ses trucs, n'importe qui peut obtenir, avec un peu de mise en scène, les mêmes résultats...

– Ah oui, Smarty Fax... Le personnage qui a involontairement joué un rôle si important dans notre rencontre... Je me doutais aussi que c'était un truqueur remarquable... Il faudra que vous m'expliquiez comment il procède, mais plus tard... Nous avons des choses plus importantes à évoquer... Ce sera plus facile pour moi, puisque vous ne faites pas partie de ces personnes qui nient systématiquement la télépathie... Disons pour simplifier que la « lecture de vos pensées » m'a convaincu de votre bonne foi... Maintenant que je connais les raisons précises qui vous ont poussé à venir jusqu'ici m'espionner, il n'y a aucune raison pour que nous continuions à nous comporter comme deux adversaires...

– Comment ça, vous avez lu dans mes pensées ? s'exclama Clemens en haussant le ton.

« Il a dû me droguer... Me faire une piqûre de scopolamine... Pour me cuisiner pendant que j'étais dans les vaps... »

– Mais non ! fit en riant Sung. Ni drogue ni potion magique... Vous voyez bien que je lis dans vos pensées... Je n'ai qu'à me fier aux expressions de votre visage... Et c'est encore plus facile avec quelqu'un d'inconscient... Il suffit d'atteindre l'état de réceptivité nécessaire... Vous êtes resté de longues heures profondément endormi. Avec quelques brèves périodes de conscience... Mais votre esprit était tellement confus que vous ne saviez jamais où était la frontière. Vous étiez comme un bout de bois flottant à la dérive. Moi, j'étais au contraire ancré solidement dans ma méditation... Une contemplation tranquille, détachée, sans but... J'étais comme la tache de lumière vers laquelle se précipitaient, tels des papillons de nuit, toutes vos pensées...

– Attendez, Sung..., coupa Clemens. J'aimerais savoir une chose...

— Dites...

— Quand vous étiez près de moi, vous aviez ce manteau que vous portez actuellement, et vous étiez en lotus, n'est-ce pas?

— Pourquoi?

— A plusieurs reprises il m'a semblé apercevoir une forme lumineuse triangulaire... Je n'arrivais pas à la chasser de mon esprit... Même quand je fermais les yeux, je continuais à la voir... Ainsi c'était vous...

— Il n'y avait que moi en tout cas dans la même pièce..., dit en riant Sung. Quoi qu'il en soit, je voulais vous dire que je n'ai rien à voir avec le meurtre de Thomas Hannay... C'est vrai, c'est moi qui ai rédigé le *haïku* sur le billet... Souvenez-vous je vous ai regardé lorsque Fax a lu votre texte: « Pourquoi a-t-on assassiné Sir Thomas Hannay? »... Je m'amuse souvent à essayer de deviner les pensées d'une personne choisie au hasard au milieu d'une foule. Vous n'êtes pas obligé de me croire, mais ce soir-là au théâtre c'est tombé sur vous... Le *haïku* m'est venu en une sorte de « flash »... En vous choisissant j'étais tombé sur un poète!

> *Le pivert*
> *au même endroit s'obstine*
> *déclin du jour*

» J'ai eu soudain envie d'introduire malicieusement un grain de sable dans la mécanique de Fax... Et si je rédigeais le même *haïku,* mais en japonais? Je ne pouvais pas me douter que le destin avait déjà engagé sa partie de dés en nous désignant comme joueurs... En nous invitant à poursuivre un *Renga* qui s'est déroulé il y a bien longtemps de cela...

Sung s'était tu pour reprendre du thé et Clemens, qui avait mille questions à lui poser, attendit qu'il eût fini. Il avait déjà remarqué, avec agacement, la lenteur avec laquelle l'Asiatique buvait son breuvage. De toutes petites gorgées à chaque fois – en prenant la tasse délicatement entre ses doigts avant de la porter à ses lèvres et en fermant quasiment les yeux... Il devait toutefois avouer que le service à thé était magnifique. A travers le liquide transparent il pouvait apercevoir le dessin à l'intérieur de la tasse: deux grues blanches sur un fond carré bleu. Deux échassiers avec leurs pattes et leurs yeux noirs minuscules, symbole de longue vie, de bonheur et de longévité... « Lucy et moi nous aurions pu vivre une longue vie heureuse ensemble, si la vie avait voulu... »

— Savez-vous ce qu'est un *Renga?* reprit soudain Sung.

— Non. Pas du tout... Un jeu de dés japonais? répondit distraitement Clemens.

Ce qui déclencha un nouveau fou rire chez Sung.

— Pas tout à fait... Mais il y a une certaine analogie. On peut jouer et tout perdre sur un coup de dés malheureux... Dans le *Renga* aussi on risque gros: un mot, un préjugé, une idée malencontreuse... et l'essentiel est perdu à jamais. Si nous avons un peu de temps, je vous expliquerai... A propos, avant que je n'oublie, je dois vous rendre ceci...

Sung glissa sa main sous les pans de sa robe et en ressortit une vieille photographie qu'il tendit à Clemens. Ce dernier pâlit en la reconnaissant.

— Lucy !

Un cliché en noir et blanc, le seul qu'il avait d'elle, et qu'il conservait au fond de son portefeuille... En voyant Clemens porter machinalement la main vers son cœur, Sung lui dit :

— Rassurez-vous... Votre portefeuille est sur le buffet derrière vous. Vous pourrez vérifier qu'il n'y manque rien. Je vous ai seulement emprunté cette épreuve...

En fusillant Sung du regard, Clemens se saisit de la photo avec une certaine brusquerie. Il n'aimait pas beaucoup qu'on vienne fouiller dans les recoins secrets de sa vie passée... Mais sur son visage la colère avait déjà disparu... Que lui avait donc dit Sung quelques instants plus tôt ? « Après tout nous avons au moins une chose en commun... Nous avons aimé passionnément la même femme... » Non ! Ce n'était pas possible ! Il se refusait à le croire !

— A vrai dire, vous et moi n'avons pas été les seuls à aimer Lucy Tomlinson..., commença à dire Sung.

« Merde ! Ce salaud peut vraiment lire dans mes pensées ! » pesta intérieurement Clemens.

En le regardant avec un air amusé, Sung poursuivit :

— Il y a eu au moins deux autres hommes, dont Thomas Hannay... *karma* et destinée... Si Hannay n'avait pas désiré de toutes ses forces posséder Lucy, rien de ce qui est arrivé ne se serait produit... Nous ne nous serions probablement jamais rencontrés, vous et moi...

Sung était devenu soudain songeur. Perdu dans ses pensées, semblant s'adresser à lui-même plutôt qu'à Clemens, il poursuivit sur un ton distrait :

— Que nous le voulions ou pas, notre *karma* nous rattrape... Nous voici embarqués dans le même *Renga*...

Clemens dut faire un effort surhumain pour garder son sang-froid. Où diable ce macaque voulait-il en venir ? *Renga* ! Combien de fois allait-il encore lui ressortir ce mot ? Lucy et Sir Thomas Hannay ? Qu'est-ce qu'il allait inventer ?

Clemens prit plusieurs inspirations profondes pour se calmer. Il était encore trop tôt pour savoir avec certitude ce que l'Asiatique était en train de manigancer. Le mieux était de le laisser parler et dévoiler son jeu... De toute façon s'il affrontait en ce moment Sung et Hughes, il n'aurait pas l'ombre d'une chance... « *Wait and see.* »

— Ah, voici Hughes... Je suppose que le déjeuner est prêt ? Ah... une précision, monsieur Clemens... C'est très rare que nous ayons des visiteurs... Mais quand parfois un invité se joint à nous pour partager notre frugal repas, nous lui demandons une faveur... Manger en silence... Vous connaissez sûrement cet adage *Zen* : « Quand je dors, je dors... Quand je mange, je mange... Quand je bois, je bois... »

Clemens ferma les yeux et réprima un soupir. Il aurait donné cher pour pouvoir répliquer : « Et moi, quand je cogne, je cogne...! »

« En plus ils sont végétariens! » jura intérieurement Clemens en découvrant ce qui était disposé sur la table : une carafe d'eau, une corbeille de pain de campagne, une salade, une assiette de petits fromages de chèvre, une corbeille de pommes, un panier de noix, deux bocaux remplis respectivement de levure de bière et de graines de sésame grillées... Et comme plat de résistance un gratin de légumes! Une sorte de ratatouille passée au four : courgettes, tomates, riz, céleri, fenouil...

Les plats étaient au milieu de la table : à chacun de se servir et de remplir son assiette. Clemens remarqua que ses deux hôtes saupoudraient systématiquement leur assiette de sésame et de levure. Il les imita en se disant : « Sans doute pour les vitamines... de toute façon ça me fera pas de mal... » A sa grande surprise, relevé avec ces deux ingrédients, le plat de résistance s'avérait finalement délicieux.

Au début ça l'avait plutôt agacé de manger en silence en observant Sung et Hughes dans leur rituel. Il avait lu quelque part que le yoga recommandait de « boire ses aliments » et de « manger son eau »... Ces deux-là en tout cas appliquaient à la lettre ce précepte! La mine concentrée ils mâchaient encore consciencieusement leur deuxième ou troisième bouchée de ratatouille que lui, après s'en être resservi à deux reprises, avait déjà fini de manger la salade... Puis il décida de mettre à profit ce temps de répit pour réfléchir et évaluer la situation...

Il était inutile et stérile de se creuser la cervelle pour deviner où voulait en venir Sung et si son changement d'attitude était sincère. Ses allusions absurdes à propos de Lucy et de Sir Thomas tendaient visiblement à détourner son attention... mais pour dissimuler quoi? « J'espère que nous allons parvenir à un arrangement satisfaisant... » Qu'entendait-il par là?

En posant un peu brutalement sa fourchette dans son assiette, Clemens eut droit à un regard assassin de la part de Hughes. Il n'avait pas oublié le conseil de Sung, mais il savait que Hughes ne tenterait rien en présence de son Maître. Ne résistant pas au plaisir de le narguer, Clemens commença à casser bruyamment quelques noix. Tout en faisant mine d'admirer les magnifiques solives du plafond, il jetait des coups d'œil autour de lui... Il n'y avait absolument aucun objet dans la pièce qu'il pourrait utiliser comme une arme éventuelle! Dans la plupart des maisons normandes, on s'attend à trouver le fusil de chasse accroché sur le mur au-dessus de la cheminée... Là deux masques de nô, une gravure tibétaine, une calligraphie *Zen* : « Deux flèches se heurtent en plein vol », des bâtonnets d'encens plantés dans un petit bol... Rambo en personne n'aurait pu faire grand-chose avec cet arsenal...!

Quant à fuir et échapper à ses poursuivants, autant déclarer forfait d'avance... La table était au centre d'une grande pièce d'environ trente mètres carrés. Pour atteindre l'escalier menant à l'étage il fallait faire environ sept mètres... De toute façon déguerpir par là ne mènerait à rien... Une porte menait sans doute à la cuisine : c'était par là que Hughes avait disparu avant de revenir avec les plats... Mais il y avait une distance de six mètres à franchir pour y parvenir, à condition d'avoir neutralisé Sung auparavant... L'issue la plus proche pour lui était la porte-fenêtre donnant directement sur la terrasse. Deux mètres à peine, mais il fallait d'abord éliminer Hughes...

« Pari perdu d'avance... mais le seul qui me laisse éventuellement une petite chance... », pensa Clemens en décidant de se tenir prêt à bondir à la première occasion.

– Hughes ! Surveillez M. Clemens !

L'interpellation avait été si soudaine que Clemens faillit en avaler de travers. Il crut que l'Asiatique avait une nouvelle fois lu dans ses pensées. Mais il réalisa très vite qu'il n'avait rien à voir avec la réaction de Sung, qui paraissait sur le point d'entrer dans une sorte de transe. Le front plissé et les yeux fermés, il était maintenant figé dans une parfaite immobilité. C'était à peine s'il respirait... Une image s'imposa spontanément à Clemens : un pavé qu'on jette dans une marre et les ondes de choc qui s'ouvrent en cercles de plus en plus grands... Sung était rentré en lui-même, mais pour mieux projeter au-dehors son esprit... Clemens pouvait presque sentir les vibrations de cette exploration invisible. Il se sentit la gorge sèche.

La tension retomba aussi subitement qu'elle était apparue. Alors que Clemens observait fasciné les gouttes de sueur qui perlaient sur le front de Sung, celui-ci ouvrit brusquement les yeux et aussitôt tout redevint normal : son visage, sa respiration... Hughes lui-même se détendit...

Clemens vit Sung le fixer en silence pendant un certain temps. Pendant une fraction de seconde en voyant ses pupilles briller, il fut pris de panique en se souvenant de la plage de Villers. Il ferma instinctivement les yeux.

– Ne vous inquiétez pas... lui lança en riant Sung, je n'avais pas l'intention de vous hypnotiser. Je voulais simplement m'assurer que vous n'aviez rien à voir avec les deux hommes armés de fusils qui se trouvent actuellement sur le plateau derrière la maison... Hughes... Je pense que ce sont deux chasseurs qui se sont égarés... J'ai « vu » qu'ils n'avaient aucune intention agressive à notre égard... Allez donc leur proposer votre aide pour qu'ils retrouvent leur chemin...

TROISIÈME PARTIE

DAI
(Thème)

Au soleil couchant
L'ombre de l'épouvantail
atteint la route

Shôha

22

Fong Yi Ting avait tout essayé. Fermer les yeux et se concentrer sur les formes plantureuses de Marie-Josée... Triturer et malaxer ses énormes seins... Varier les plaisirs en délaissant les collines charnues et rebondies pour une partie de « main chaude »... Laisser ses doigts s'égarer dans les recoins tièdes et humides, s'attarder un peu à l'orée de la forêt pour caresser la végétation luisante avant de se frayer un chemin vers la porte des délices... Entrer et sortir sans cesse comme s'il cherchait toujours l'accès du divin labyrinthe... Passer alternativement de la douce chaleur à l'intérieur à l'agréable fraîcheur à l'extérieur... Au moment où le feu commence à bien prendre, l'attiser avec la bouche, les lèvres ou la langue...

Il n'y avait vraiment rien à faire... Il ne parvenait pas à chasser le « Métis » de ses pensées! Plus il s'efforçait de l'oublier, plus son image revenait avec insistance. Pas étonnant dans ces conditions qu'il ait un mal fou à maintenir son érection... *Diou ne lo mo* sur ce fornicateur de malheur! Si ça continuait comme ça, jamais Marie-Josée ne parviendrait à lui faire connaître aujourd'hui l'indicible félicité de l'union de « la pluie et des nuages »... Malgré les efforts qu'elle prodiguait depuis une demi-heure... La douce vallée entre ses seins blancs comme deux pics enneigés, le tunnel mystérieux caché sous les deux immenses montagnes, la caverne brûlante de sa bouche, les ondulations marines de ses doigts, Marie-Josée savait comment réveiller le « dragon » endormi... Le problème était que l'esprit de ce dernier était ailleurs...

Elle avait maintenant changé de position. Elle s'était retournée avant de s'asseoir sur lui. Ainsi il pouvait s'accrocher à ses seins pendant qu'elle le chevauchait. A chaque fois qu'elle soulevait sa croupe, Marie-Josée poussait des petits cris joyeux. « Cette fois, je vais y arriver! » pensa-t-il en sentant son membre reprendre de la vigueur.

Persuadé que la vision des fesses généreuses de Marie-Josée ne pourrait que l'exciter davantage, Fong Yi Ting rouvrit les yeux. Et le regretta aussitôt, car la vue des bourrelets disgracieux de Marie-Josée provoqua l'effet inverse. Il fut soudain pris d'un fou rire irrépressible! Marie-Josée se méprit et accéléra les mouvements de va-et-vient en se mettant à glousser elle aussi. Mal lui en prit car le simple fait de voir les renflements de graisse trembloter à chacun des soubresauts de Marie-Josée suffit à le faire débander complètement.

– Ben... Qu'y a-t-il mon trésor? fit Marie-Josée en se penchant sur son sexe.

Elle avait enfin réalisé la situation et, après «être descendue de cheval», s'était retournée vers lui avec un air déçu et surpris, voire même une petite lueur de vexation dans les yeux.

C'était sûrement la première fois qu'elle ne parvenait pas à faire jouir un homme. Tout en se penchant vers son «dragon» pour lui faire des petits bisous, elle se crut obligée de lui dire:

– C'est à cause de Marie-Jo? Elle ne sait pas s'y prendre? Elle va trop vite peut-être?

– Non... Non! s'empressa de lui répondre Fong en s'esclaffant toujours. Ce n'est qu'un peu de fatigue... Ça ira mieux dans quelques instants. Je vais reprendre un peu de thé et de gingembre... Rien de tel pour redonner des forces au dragon...

Il tendit la main pour caresser doucement la joue de Marie-Josée avant de se dégager et se lever du lit. «J'aurais pu lui parler à la rigueur du Métis... Mais jamais elle n'aurait compris si je lui avais expliqué la raison de ma bonne humeur...», songea Fong en se dirigeant vers la salle de bains.

Fong ferma soigneusement la porte derrière lui, car il savait que son fou rire risquait à tout moment de le reprendre.

«*H'eung yau!*»

Il adorait les calembours et le jeu de mots lui était spontanément venu à l'esprit en remarquant les bouées disgracieuses à la taille... Marie-Josée était une «faveur» qu'il devait à Paul Costa, un Français grâce auquel il avait réussi pour la seconde fois consécutive à écouler un important stock de faux lingots. L'aide du Corse lui avait été précieuse pour trouver des clients en dehors de la communauté asiatique parisienne et pour cette raison il avait accordé à Costa un substantiel pourcentage, nettement supérieur à ceux habituellement consentis.

H'eung yau désigne en général l'argent, le tribut versé aux Triades par les restaurants, commerces légaux ou illégaux, boîtes de nuit, casinos, dames de petite vertu... C'est aussi la commission inévitable dans toute transaction commerciale quelle qu'elle soit. Dans n'importe quelle affaire il est normal de remercier l'intermédiaire. Peu importe le moyen de paiement choisi: information confidentielle, avantage en nature, argent, faveur, récompense, effacement d'une dette...

Dans l'opération des faux lingots d'or fourgués à des émigrés arméniens, c'était Fong qui était redevable à Costa. Il était naturel que ce dernier perçût un *h'eung yau* important. Par contre rien n'obligeait Costa, comme il l'avait fait, à l'inviter à déjeuner chez Lasserre en compagnie de Janine, sa maîtresse antillaise, et de la savoureuse Marie-Josée.

Costa avait visé en plein dans le mille en dénichant pour lui cette créature pleine de ressources amoureuses. « Pour une fois, s'était dit Fong à la fin du repas, en posant sa main sur la cuisse de Marie-Josée, voilà un *kwei loh*, un étranger, suffisamment fin et subtil pour comprendre l'importance d'un *h'eung yau*... Échange élégant de bons procédés... »

« Je me demande, pensa Fong en riant, si Costa se doute qu'en chinois *h'eung yau* veut dire " graisse odorante "...! »

En tout cas, en poussant Marie-Josée dans ses bras, le Corse avait trouvé une manière extrêmement originale de le remercier à son tour... Il y avait longtemps qu'il n'avait pas rencontré une *kwei loh* avec des formes aussi rebondies et généreuses. Bourrelets ou pas... après tout, un cochon de lait serait-il aussi délicieux sans un peu de graisse ?

Forniquer comme il ne l'avait encore jamais fait avec « Graisse Odorante », voilà ce qu'il allait faire! Le seul moyen de retrouver la face vis-à-vis d'elle et de son ami Costa... Ensuite il pourrait se concentrer sur le problème du Métis...

Fong jeta un coup d'œil à la montre du tableau de bord, tout en caressant machinalement le manche de sa machette. Ça faisait vingt minutes qu'il attendait dans la voiture avec Liang Bo. Le Métis était en retard. En se penchant, il pouvait apercevoir Chen Wu dans le rétroviseur. Il lui avait demandé de se poster à dix mètres environ de l'entrée principale de l'entrepôt. Par prudence il avait chargé Zou Li de couvrir également les arrières du hangar. Il donnerait un coup de sifflet si jamais le *kwei loh* empruntait l'autre sortie, celle donnant sur l'impasse derrière le bâtiment. *Diou ne lo mo* sur tous les fornicateurs barbares qui se croyaient tout permis! Et que la malédiction tombe sur tous les Japonais, jusqu'à la dixième génération! Ils se comportaient avec une insolence et une arrogance intolérables! Ainsi ce chien pourri de Chomo Motobu! Ça faisait trois mois qu'il avait ouvert à Hong Kong son école de *Shorin-ryu* [1] et qu'il refusait systématiquement de verser le traditionnel *h'eung yau* pour bénéficier de la protection de la *Yonggyhui* [2], la loge à laquelle Fong appartenait!

Pour le faire changer d'avis, Fong avait donc envoyé deux tueurs de la *Chuk Lung-bong*, le « groupe de bambou », l'unité spéciale regroupant

---

1. Terme japonais signifiant littéralement « l'école du pin souple »; issu du fameux karaté d'Okinawa, cet art martial résulte d'une synthèse entre deux styles différents : le *shuri-te* et le *tomari-te*.
2. Littéralement « société de la justice éternelle ».

les exécuteurs des hautes œuvres des Triades de Hong Kong... Trois jours après leur visite à l'entrepôt on avait retrouvé les cadavres des deux *xiapai* [1] au fond de l'eau. Une semaine plus tard, le 489 [2] avait choisi personnellement cinq de ses meilleurs *dapai* [3] pour « partir en croisière » (*dadayou*), c'est-à-dire pour mener une expédition punitive contre l'école de Chomo Motobu. Hélas, la « croisière » avait mal tourné. Leur groupe avait été massacré et un seul avait survécu... Même s'il eût mieux valu pour lui subir le même sort que ses camarades! Les os des bras et des jambes en mille morceaux, la colonne vertébrale brisée, il resterait dans une chaise roulante le reste de son existence... Les salopards l'avaient sans doute épargné uniquement afin qu'il transmette leur message : « Laissez-nous tranquilles! »

Un coup de frein, une portière de voiture qui claque... Réveillé en sursaut par le vacarme, Fong s'était précipité dans la rue pour y trouver le pantin désarticulé qu'était devenu Wen Dao. Juste avant de sombrer dans le coma Wen Dao avait eu le temps de lui faire une description précise du salopard qui l'avait mis dans cet état.

– C'est un métis, un demi-*kwei loh*, le fruit maudit de la fornication d'une Blanche et d'un barbare japonais... Grand, mince, les yeux bridés mais les pommettes hautes d'un Caucasien. Il a l'air de seconder Chomo Motobu à l'école. C'est lui qui dirigeait et galvanisait la bande des sept élèves qui nous ont accueillis. Un véritable cobra... Avec un drôle de nom... Quelque chose comme Arec ou Ares... Méfie-toi, Fong... Ce type est vraiment très fort.

Fong avait donc décidé de s'occuper personnellement du problème. Le Métis lui avait fait perdre la face à deux reprises déjà, en se débarrassant des *xiapai* et des *dapai* avec une facilité insolente...

« L'information préalable », voilà quelle avait été son erreur : jamais il n'aurait dû agir avant d'avoir recueilli cette « information préalable » tellement importante selon Sun Tzu pour gagner la bataille... Il aurait dû envoyer un de ses hommes s'inscrire à l'école du Japonais. Prendre tout le temps nécessaire pour observer le terrain, jauger la force des adversaires, recenser les points faibles...

Il avait retenu la leçon et, cette fois, son premier souci avait été d'introduire un espion dans la place, Xu Wu, qui suivait les cours dis-

---

1. Littéralement « petits panneaux », petits grades dans la Triade, accordés aux membres récents, qui peuvent être armés pour exécuter les basses besognes qui leur sont confiées.
2. Les membres d'une Triade ne se désignent jamais entre eux par leurs noms. Pour les identifier, on se réfère à leurs titres traditionnels qui dépendent de leur rang dans l'organisation secrète, ou bien aux numéros qui correspondent à ce rang. Ces chiffres sont toujours divisibles par 3, un chiffre considéré comme magique par les Chinois. Le chef suprême de la Triade est par exemple le 489, *Shanshu*, le Maître de la Montagne (*Hill Chief* en anglais). L'exécuteur en chef de la Triade, le « juge de paix », est *Honggun*, « Bâton rouge » (*Red Pole* en anglais).
3. « Grands panneaux », membres de plus haut rang que les *xiapai* et qui constituent les unités armées de la Triade.

pensés à l'école de Chomo Motobu depuis quinze jours. Selon lui, sans le Métis, les sept élèves de l'école n'auraient jamais fait le poids contre les cinq *dapai*...

— Je t'avoue très franchement, Fong... ce type me fiche la trouille. Souvent, à la fin de l'entraînement, il propose aux élèves de se mesurer à lui, tous ensemble contre lui! Tigre, cobra, faucon pèlerin... Il est tout ça à la fois. Plus dangereux que mille scorpions... C'est lui qu'il faut neutraliser avant de songer à une nouvelle « croisière ». J'ai bien observé sa technique. Il semble qu'il ait une légère préférence pour le style du Nord : bonds très rapides, retournements et grands mouvements circulaires. L'un de ses coups favoris est le chassé latéral sauté. Mais il a besoin d'une certaine distance pour donner à ses attaques leur efficacité maximale. A mon avis, il sera moins dangereux dans un espace confiné. Les *dapai* ont eu le tort de l'affronter sur son terrain. Il faudrait trouver deux ou trois excellents spécialistes du style du Sud et ensuite l'attirer dans un piège. Si on parvient à l'acculer contre un mur, il est prenable... Le jeudi soir, il reste souvent tard pour continuer de s'entraîner seul...

En voyant Chen Wu sortir un mouchoir blanc pour s'essuyer le visage, Fong sentit son pouls s'accélérer. C'était le signal convenu. Le Métis sortait enfin. Liang Bo et Chen Wu étaient les meilleurs spécialistes de *wing chun* [1] qu'il connaissait. Une fois le fornicateur neutralisé, il lui sectionnerait avec sa machette les muscles du cou et des bras. Le barbare s'en sortirait vivant mais infirme à vie...

Chen Wu les rejoignit et Fong mit le contact. Comme prévu le Métis était seul. Il avait tourné dans la première rue à gauche, c'est-à-dire qu'il empruntait son itinéraire habituel. Ce serait un jeu d'enfant de le suivre jusqu'à la petite ruelle sombre où ils avaient prévu de l'affronter. En jetant un coup d'œil dans le rétroviseur, Fong vit que Chen et Liang Bo étaient parfaitement détendus. Tous deux semblaient n'avoir aucun doute sur l'issue de la « croisière »... Fong aurait voulu partager leur assurance mais il était obsédé par l'expression d'absolue terreur qu'il avait lue dans le regard du pauvre Wen Dao quand celui-ci lui avait parlé du *kwei loh*... Machinalement il lâcha le volant une seconde pour tâter le contact familier et rassurant du manche de la machette au bas de son siège.

Un mur de quatre mètres dans son dos. Un camion sur sa droite, une charrette en face. Le passage était complètement bloqué. Chen Wu avait admirablement choisi et préparé son terrain. Curieusement le Métis n'avait tenté aucune manœuvre pour déjouer la tactique d'encerclement de ses adversaires. Et pour l'instant il se bornait à parer et blo-

---

1. « Printemps éternel », un des styles les plus efficaces de l'école du Sud, issu de la « boxe de Shaolin » : combat rapproché où les coups de poing, de coude, manchette, sont secs et très rapides, et portés avec une puissance terrible.

quer les attaques de Chen Wu et de Liang Bo, sans se rendre compte que ceux-ci étaient en train de réduire insensiblement mais inexorablement son périmètre de défense. Il n'avait déjà plus assez d'espace pour tenter ses coups de pied sautés... Fong regrettait presque à présent de ne pas pouvoir participer également à l'affrontement, mais compte tenu de l'exiguïté des lieux il n'y avait pas de place pour un combattant supplémentaire. De toute façon ses deux hommes semblaient parfaitement contrôler la situation, et il était maintenant complètement rassuré. Ils s'arrangeaient à chaque attaque pour synchroniser leurs coups, de façon à contraindre sans cesse leur adversaire à se défendre simultanément sur ses deux flancs, et les blocages du Métis étaient de moins en moins efficaces. *Chudan shotei-ate!* Chen Wu avait failli faire mouche avec son coup dirigé au plexus solaire. Et Liang Bo semblait l'avoir atteint aussi avec son coude. Le barbare ne venait-il pas de grimacer ?

Chen Wu et Liang Bo s'écartèrent pour le laisser passer. En enjambant le corps inanimé, Fong passa la machette dans sa main droite. Il avait toujours adoré cette arme. Il sentait à peine son poids, car elle était parfaitement équilibrée. Un prolongement naturel de son bras. Une lame meurtrière idéale pour trancher les deux bras et les deux jambes du métis. Fong se pencha pour le gifler violemment mais n'obtint aucune réaction. Furieux, il lui cracha sur le visage avant de lui donner plusieurs coups de pied dans les côtes. Cette fois il l'entendit gémir. Pendant un bref instant le *kwei loh* aux jambes de héron ouvrit les yeux. Puis il perdit de nouveau connaissance.

– Allez me chercher de l'eau! cria Fong à ses deux compagnons.

Diou ne lo mo sur ce fruit d'une engeance excrémentielle! Il patienterait toute la nuit si cela était nécessaire, mais il attendrait que cette déjection inerte reprenne vie avant de lui faire subir son châtiment... Il était indispensable que ce salopard fût pleinement conscient lorsqu'il lui sectionnerait les muscles et les tendons... Fong agirait lentement et méthodiquement. D'abord une main, puis l'avant-bras... Il lui expliquerait minutieusement avant chaque geste comment il allait s'y prendre.

« Quel dommage que Wen Dao ne soit pas là pour assister au spectacle... », songea Fong en allant s'adosser contre le mur pour attendre le retour de ses hommes.

Il finissait sa cigarette quand deux silhouettes réapparurent au bout de la rue.

« Ah, les voilà enfin... », s'écria-t-il.

Diou le no mo! Il faillit en avaler son mégot. Ce n'était pas Chen Wu et Liang Bo qui revenaient! Le type à gauche était bien plus grand que Chen Wu. Des jambes immenses... Il portait sur le visage un masque grimaçant de nô... Quant à l'autre, il marchait en se dandinant et en soulevant alternativement ses jambes. Il était énorme... En dehors

d'un pagne et d'une grosse corde blanche autour de la taille il était nu...
Un *sumôtori*! Un de ces lutteurs japonais à la force phénoménale... Il
bloquait le passage presque à lui tout seul. Fong avala sa salive et chercha des yeux son compagnon, celui qui était masqué... Où était-il passé?
    — C'est moi que vous cherchez, Fong?
    Fong se retourna en sursautant. L'inconnu longiligne l'avait inter-
pellé en cantonais... Comment avait-il fait pour se glisser derrière lui
sans faire un seul bruit? Fong fit un bond à gauche pour se dégager et
brandit sa machette d'un air menaçant. L'homme à la face cachée éclata
de rire et d'un geste vif écarta son masque pour dévoiler son visage.
    Diou le no mo! Le *kwei loh* aux jambes de héron! Avait-il ressus-
cité? Mais non! Il avait des visions... Le corps du barbare était toujours
à ses pieds. C'était extraordinaire! L'autre lui ressemblait d'une façon
incroyable... Le même sourire arrogant... Il sautillait tout en mâchouillant quelque chose. Soudain l'inconnu cracha et Fong regarda instinctivement par terre. Une sorte de boule rouge... Fong pensa immédiatement à un bout de chair sanguinolente. Pendant un long moment il ne
put détacher son regard de ce morceau luisant et écarlate.
    — Ohé, Fong!
    Abasourdi Fong leva la tête. Le sosie du barbare avait réussi à se
jucher sur le mur de quatre mètres et il l'interpellait de là-haut!
    — Un jour je m'occuperai sérieusement de toi... Et je te réduirai en
petits morceaux... Que je chiquerai consciencieusement avant de les
recracher, comme ce morceau de noix d'arec... Mais aujourd'hui je vais
laisser Sadamo Yama s'occuper de toi... Il a besoin de dénouer un peu
ses muscles... A bientôt!
    En même temps qu'une vive douleur à la main l'obligeait soudain à
lâcher son arme, Fong sentit l'énorme masse du *sumôtori* se coller contre
lui. Il n'eut pas le temps de s'écarter et se retrouva plaqué contre le
mur.
    Il hurla mais aucun son ne sortit de sa gorge. Ses os commençaient
à craquer les uns après les autres. Il était écrasé sous deux tonnes de
muscles et d'os. Seule sa main gauche pouvait encore bouger. Machinalement il referma ses doigts et fut étonné de sentir une chair molle et
moite. Une peau douce, chaude et bien grasse. Fong savait qu'il allait
mourir. Mais maintenant une seule question lui paraissait importante. Il
ne parvenait pas à se souvenir s'il avait réussi à forniquer convenablement avec Marie-Josée... *H'eung yau*... Était-il au moins parvenu à
contenter Graisse Odorante?
    — Ohé, Fong! Mon petit dragon...
    Fong ouvrit les yeux.
    Ce n'était pas le *sumôtori* qui était assis sur lui, mais Marie-Josée.
Elle avait enfourché son sexe tumescent et ses seins ballottaient au-
dessus de son nez. Il était en vie!
    Il n'avait fait qu'un horrible cauchemar... Après une dizaine

d'années, le souvenir de cette nuit maudite le poursuivait encore. Chen Wu s'était tragiquement trompé en pensant tendre un traquenard au *kwei loh*! C'était au contraire celui-ci qui les avait attirés dans un piège. Il les avait totalement bernés! Il s'était volontairement laissé entraîner jusque dans l'impasse sombre... Et s'il s'était contenté ensuite de bloquer les attaques des deux spécialistes de *wing chun* sans jamais attaquer, c'était pour endormir leur méfiance et donner à ses acolytes le temps de prendre position et de fermer toutes les issues...

Au signal donné par l'un de ses hommes – trois coups de sifflet rapides –, le « cobra » était passé à l'action. Une minute à peine lui avait été nécessaire pour éliminer les deux compagnons de Fong. Un petit saut sur place. Un tourbillon... Un coup de pied... Chen Wu s'était écroulé la nuque fracassée. Un coude tournant... Liang Bo avait eu les poumons perforés. Une vive douleur au poignet... Fong avait lâché la machette avant même de savoir comment il avait été touché. Il s'était retrouvé seul au milieu d'une bande de fauves en furie... En riant comme des fous, ils avaient transformé l'exécution en jeu. Chacun devait briser un os différent et annoncer à l'avance celui qu'il choisissait! Sous les yeux méprisants du *kwei loh* qui se contentait d'observer.

Malgré ça, il en était sorti vivant... Avec une jambe légèrement plus courte que l'autre et un bras gauche quasiment inutile... Ce n'était plus qu'un mauvais souvenir! C'était bon de se sentir vivant! Marie-Josée était en train de lui procurer un plaisir indicible... L'union « de la pluie et des nuages » était proche. Fong enfonça ses doigts dans les fesses de Graisse Odorante.

« Ohh...! »

Au moment où il lâcha sa semence en longs jets, Fong se fit silencieusement un serment. Il avait attendu plus de dix ans... Aujourd'hui la chance lui avait enfin souri... Au restaurant, chez Lasserre, il avait vu le Métis! En compagnie de deux autres hommes... Une table au fond de la salle... Il ne l'avait remarqué qu'au moment où ils sortaient tous les quatre, Costa, sa fiancée antillaise, Marie-Josée et lui... Sur l'instant il avait été trop surpris pour faire quoi que ce soit : il n'avait même pas songé à prévenir l'un de ses hommes pour le faire suivre. Mais maintenant qu'il savait que l'étranger aux jambes de héron était à Paris, il remuerait ciel et terre pour le retrouver et se venger. Fong était confiant. Il s'était souvenu d'un détail extrêmement important : cette engeance fornicatrice chiquait le bétel! Une habitude courante en Asie... La chique de bétel qu'on offre aux invités à l'occasion des grands événements de la vie : naissance, mariage, décès, cérémonies religieuses, publiques ou privées... Les feuilles de bétel qu'on mâche avec un mélange de chaux et la noix de l'aréquier... Une mixture qui finit par prendre une belle couleur rouge... Il suffirait de surveiller les points de vente où l'on en proposait... Il y en avait beaucoup à Paris. Mais quand on est 426 de l'une des plus puissantes loges, on peut mobiliser beaucoup de « petits panneaux » et de « grands panneaux »...

160

Diou le no mo! En jurant à haute voix Fong fit sursauter Marie-Josée.

– Ce n'est rien..., dit-il en la caressant pour la rassurer.

Il avait du mal à cacher son excitation. Il disposait d'un autre précieux renseignement sur son ennemi... Son surnom était non pas Ares, l'autre nom de Mars, le dieu de la Guerre, mais Arec... A cause de son habitude de chiquer le bétel...!

23

Clemens secoua la tête en réprimant un air de dégoût. C'était encore plus répugnant que de chiquer. Il n'avait jamais compris quel plaisir les millions de personnes qui dans toute l'Asie continuent à mâcher le bétel pouvaient tirer de cette saloperie !

Sung ne paraissait pas offusqué de son refus et, après avoir ajouté une pincée de chaux qu'il avait prise dans une petite boîte rouge, il enroulait soigneusement sa noix d'aréquier dans les feuilles de bétel.

— C'est une habitude que j'ai gardée de ma jeunesse... Je n'ai jamais réussi à y convertir Hughes...

A la demande de Sung, ils s'étaient assis sur les marches de la terrasse pour profiter des derniers rayons de soleil. En le voyant les deux mains occupées, Clemens se demanda s'il ne devait pas profiter de l'occasion pour tenter quelque chose. Il pouvait apercevoir Hughes sur les collines en face. Après avoir raccompagné les deux chasseurs égarés jusqu'à la route, il était en train de revenir à pied à travers champs. Il ne serait pas là avant cinq minutes... Le déjeuner lui avait redonné des forces... Il se sentait revigoré par la brise de printemps un peu frisquette qui fouettait son visage. Il avait une petite chance... Mais il lui faudrait s'écarter un peu plus de Sung... Son coup de pied aurait plus de force...

— Vous savez que vous commencez à me fatiguer ? lui dit soudain Sung en poussant un grand soupir. Vous ne pouvez pas rester tranquille ? Abandonnez une fois pour toutes vos velléités agressives... Imitez donc ces vaches paisibles qui broutent dans le pré.

Clemens s'efforça de regarder Sung sans trahir son trouble. L'Asiatique commençait à lui porter sérieusement sur les nerfs : comment faisait-il pour lire continuellement ses pensées ?

— C'est un don..., lui répondit en riant bruyamment Sung, alors qu'il n'avait rien dit. Mais aussi parfois une malédiction... Prenez-en votre parti et cessez de vous agiter. Je vous promets que lorsque vous m'aurez laissé finir l'histoire que je dois vous raconter, vous pourrez repartir d'ici... Je ne vous demande pas grand-chose... Simplement de m'écouter... Rien de plus.

Clemens se tourna vers l'Oriental. Cette fois il ne put cacher son étonnement.

— Je crois que jamais je n'ai rencontré un type aussi maladivement méfiant que vous! Allons, suivez-moi à l'intérieur. Il commence à faire un peu frais, et c'est une assez longue histoire...

Clemens le suivit jusque dans la salle de séjour.

— Je peux m'asseoir? demanda-t-il en montrant du doigt l'unique fauteuil de la pièce. Il avait toujours eu du mal à rester pendant des heures sur ces foutus coussins aussi durs que des briques qu'utilisent les Asiatiques.

En hochant la tête, Sung alla ajouter une bûche dans la cheminée, et prit le tisonnier pour ranimer les braises...

«Le tisonnier! Voilà une arme dont je pourrais me servir...!»

Sung se retourna brusquement, et, lui tendant le pique-feu, lui lança :

— Tenez... Vous le voulez tout de suite?

Clemens eut un sourire gêné, mais déjà Sung s'asseyait sur les coussins juste en face de lui et commençait sans transition son récit :

— Puisque vous avez été un ami d'enfance de Lucy Tomlinson, je présume que vous connaissez les conditions dans lesquelles, à l'âge de dix-sept ans, elle a quitté définitivement l'Angleterre pour aller vivre en Asie...

— Pas dans les détails, mais je sais que c'était pour aller rejoindre sa sœur Joyce et son mari le pasteur Ferris... Depuis toujours elle rêvait d'un voyage en Extrême-Orient... Je crois qu'ils ont été ravis qu'elle choisisse de venir vivre avec eux en Malaisie...

— Détrompez-vous... Ce fut tout le contraire... Depuis la mort de leurs parents, Joyce, qui était de cinq ans l'aînée, s'était toujours comportée vis-à-vis de Lucy comme une sorte de mère de substitution davantage que comme une grande sœur... D'emblée, sans que Lucy eût son mot à dire, elle s'était attribué toute l'autorité parentale. C'était elle qui prenait toutes les décisions concernant sa cadette : ses études, son avenir... Lucy étant rarement du même avis qu'elle, les conflits entre les deux sœurs étaient fréquents... Furieuse de voir Lucy débarquer à l'improviste, sans avoir terminé ses études en Angleterre, Joyce lui a ordonné aussitôt de reprendre le premier bateau pour Londres... Une violente dispute s'est ensuivie et Lucy s'est sauvée en claquant la porte. Bien entendu, sans dire à Joyce où elle comptait aller... Grâce aux dernières économies qui lui restaient, elle a réussi à payer son passage sur un paquebot en partance pour Hong Kong. C'est là que Thomas Hannay entre une première fois en scène. Les époux Ferris se sont immédiatement dit que la « colonie » était le premier endroit où elle irait : Lucy, seule et sans ressources, ne parlant que l'anglais, allait chercher inconsciemment refuge dans un endroit où on comprenait sa langue maternelle et où elle aurait des chances de trouver de l'aide et peut-être du travail... Hong Kong était évidemment l'idéal... Et justement Edward Ferris connaissait dans la péninsule un homme en mesure de lui apporter une aide précieuse : Thomas Hannay, membre distingué du Conseil exécutif... Hannay et Ferris avaient été condisciples à Eton... Si quelqu'un pouvait mobiliser les hommes de la Police royale de Hong Kong à la recherche de Lucy, c'était lui...

— C'est Lucy qui vous a raconté tout ça ? demanda sur un ton belliqueux Clemens en bougeant nerveusement dans son fauteuil.

Il se sentait incapable de dissimuler la jalousie qui l'envahissait. « Pourquoi ne m'en a-t-elle jamais rien dit dans ses lettres ? Oh, Lucy ! Pourquoi lui, et pas moi ? Pourquoi ne m'as-tu pas appelé immédiatement à ton aide ? »

— Bien sûr..., fit Sung, surpris par la question. Par qui d'autre aurais-je été mis au courant ? Pas par les Ferris en tout cas, puisque personnellement je ne les ai jamais connus... Votre ami Thomas Hannay y a soigneusement veillé... Ça... on peut dire qu'il s'est montré zélé et efficace...

— Hannay ? Que vous a-t-il fait ? aboya Clemens, de plus en plus agressif.

— J'y viens..., fit Sung avec un petit sourire ironique. J'ai rencontré Lucy Tomlinson en 1951, un soir de décembre... Afin que vous compreniez bien les circonstances dans lesquelles nous nous sommes connus, il faut que je vous parle un peu de moi... Je suis né au Viêt-nam, mais comme Lucy j'ai quitté mon pays très tôt... J'avais perdu mon père à l'âge de quatre ans, et à la mort de ma mère, dix plus tard, j'ai commencé une existence errante dans toute l'Asie... En fait je rêvais depuis longtemps de partir et de voyager... Mais je ne pouvais pas le faire tant que ma mère avait encore besoin de moi... Les arts martiaux m'avaient toujours attiré et très jeune je m'étais promis qu'un jour je m'y consacrerais entièrement . « Puisqu'il y a tant de techniques différentes enseignées par tant de spécialistes de par le monde, me disais-je, je les apprendrai toutes, mais en cherchant le meilleur Maître dans chaque discipline... » En une dizaine d'années j'ai pu aussi découvrir effectivement le *Bando* et le *Banshei* en Birmanie, le *Bersilat* en Malaisie, l'*Ahntook Ken* à Java, le *Pentjak silat* en Indonésie, le *Pagkalikali* aux Philippines... Doté d'une constitution solide et d'une santé de fer, j'arrivais toujours à trouver un travail comme cuisinier ou marin sur les bateaux se rendant dans les pays qui m'intéressaient. Une fois sur place, j'étais prêt à accepter n'importe quel boulot, pourvu qu'il me permît de manger et de survivre. Pour dormir, je me contentais d'un endroit sec, à l'abri de la pluie, des animaux sauvages et des insectes venimeux...

Voyant que Clemens commençait à montrer certains signes d'impatience, Sung crut nécessaire de s'excuser :

— Pardonnez-moi de parler si longuement de moi, mais il est important que vous sachiez dans quel état d'esprit j'étais quand j'ai fait la connaissance de Lucy... En novembre 1951 je m'étais retrouvé sur un paquebot à destination de Java car j'avais entendu dire qu'un Chinois dénommé Zuo Xin venait d'y ouvrir une des meilleures écoles de *t'ai-chi chuan*, une discipline dont j'ignorais encore tout mais que je voulais à tout prix ajouter à mon « palmarès »...

Sung esquissa un sourire comme pour s'excuser par avance de cette nouvelle digression.

— J'étais très imbu de ma personne à l'époque... Travaillant comme aide aux cuisines j'avais sympathisé avec Tong Yen, le cuistot, un Chinois natif de Canton. Un soir, nous bavardions tous les deux sur le pont et quand je lui confiai fièrement la raison pour laquelle je me rendais à Java, Tong me dit aussitôt : « Je connais ce Zuo Xin dont tu parles... Il enseigne effectivement le *t'ai-chi* mais c'est une technique dévoyée qu'il transmet... Il en apprend à ses élèves les enchaînements comme une discipline à part, alors qu'un tel enseignement devrait représenter l'accomplissement ultime des trois arts internes... Traditionnellement les Maîtres authentiques s'interdisent d'y initier leurs élèves tant que ceux-ci n'ont pas démontré une connaissance suffisante du *hsing-i* et du *pa-kua*... Si le *t'ai-chi* t'intéresse, ce n'est pas à Java qu'il te faut aller, mais à Hong Kong... Là tu pourras apprendre les trois arts souples auprès d'un Maître véritable... » Dans l'académie de Fu Xing, les enfants et les adolescents apprennent d'abord l'une des principales variantes de boxe dure de Shaolin. Ensuite, lorsqu'ils sont suffisamment âgés, le Maître les initie aux techniques du *hsing-i* et du *pa-kua*... Le *t'ai-chi* ne vient pour eux que beaucoup plus tard, au bout d'au moins une dizaine d'années... En réalité très peu d'élèves atteignent le stade ultime...

— C'est pourquoi vous êtes allé dans la péninsule... », dit doucement Clemens en hochant la tête.

Sung ne l'avait peut-être pas fait exprès, mais il avait réussi à éveiller sa curiosité en l'entraînant sur un terrain qu'il connaissait bien, du moins d'un point de vue théorique... Il brûlait de demander à Sung si celui-ci avait aussi connu Chuen-feng, le Maître de Taipei, qui était venu à Londres... Il était même possible que Chuen-feng et Fu Xing eussent été initiés aux arts internes par le même Maître...

— Oui. Il nous restait trois jours de voyage avant de parvenir à Java et j'ai proposé à Tong de nous entraîner ensemble... A chaque fois il prenait le dessus sur moi... C'était le meilleur des arguments. J'avais encore beaucoup à apprendre... Et si Tong qui m'avait vaincu avait été formé par Fu Xing, c'était auprès de ce dernier qu'il fallait que je me rende... Tong rédigea pour moi une lettre d'introduction et c'est comme ça qu'un soir de décembre 1951 j'ai débarqué à Hong Kong... Ah ! Vous voilà, Hughes...

Clemens sursauta et leva les yeux. Il ne l'avait pas entendu pénétrer dans la pièce !

— Voulez-vous avoir la gentillesse de nous préparer un peu de thé ? J'ai le gosier sec comme un haricot, à force de raconter ma vie à M. Clemens..., ajouta Sung en riant bruyamment.

— Et Lucy dans tout ça ?... Hum... pensez-vous... Votre impatience est compréhensible... Mais justement il y a tant de choses à évoquer... Le problème est de choisir parmi elles les plus importantes, celles qui vous aideront à comprendre...

« En tout cas, vous autres Asiatiques, on peut dire que vous êtes vraiment les champions pour tourner autour du pot... Accouche donc, hypocrite sournois et sadique! » aboya Clemens *in petto*.

Pour une fois Sung semblait avoir débranché sa ligne « télépathique ». En tout cas s'il avait « entendu » l'insulte, il n'en laissa rien paraître. Il porta la tasse de thé à ses lèvres et but lentement en fermant les yeux. Clemens haussa les épaules et reporta son attention sur Hughes. Depuis que ce dernier les avait rejoints autour du feu un léger changement s'était produit chez lui. On le sentait aussi tendu et concentré qu'auparavant, mais Clemens sentait confusément que la vigilance de Hughes n'était plus uniquement focalisée sur lui... Leurs regards se croisèrent et Clemens comprit en une fraction de seconde : « Il est aussi impatient que moi que Sung reprenne son récit!... Excité comme un chat à la perspective de découvrir enfin le passé mystérieux de son *Senseï* vénéré... Mais est-il bien convenable, se demande-t-il, pour un disciple de faire preuve d'une curiosité aussi débridée? Voilà le genre de question qui l'agite... »

Sung tira Clemens de ses pensées en reprenant la parole.

— Grâce à la lettre d'introduction de Tong, j'avais réussi à me faire accepter comme élève chez Fu Xing. Je vous passe les détails de mes premiers contacts avec ce petit homme fluet qui se révéla effectivement être un personnage extraordinaire... Cela nous entraînerait trop loin...

Clemens regarda du coin de l'œil Hughes qui laissa échapper une imperceptible expression de déception. Sung, comme s'il avait cette fois encore tout deviné, adressa un sourire gentil à son disciple.

— J'avais trouvé non sans mal un job de coolie extrêmement mal rémunéré qui me permettait à peine de me nourrir, une fois que j'avais payé la participation financière, tout à fait raisonnable, que Fu Xing exigeait de ses disciples. Il ne me restait évidemment rien pour louer même un lit! Or, pour dormir, il ne suffisait plus de dénicher un endroit sec comme lorsque j'étais en Malaisie ou en Indonésie... En quelques jours j'avais vite compris pourquoi Hong Kong, « terre promise » pour des millions d'immigrants clandestins en provenance de Chine et de tout le Sud-Est asiatique, avait été surnommé par un dénommé Palmerston la « fosse à reptiles et à pirates »... Il fallait souvent que j'erre pendant des heures avant de trouver un emplacement où je pouvais raisonnablement espérer me reposer quelques heures sans être aussitôt attaqué, dépouillé et dévalisé par un autre vagabond aussi démuni et désespéré que moi, prêt à tuer père et mère pour quelques sous, une paire de chaussures, une chemise, des papiers d'identité... Pour de multiples raisons j'avais décidé de ne pas m'aventurer en dehors d'Aberdeen. C'était là que, dans un vieil entrepôt, Fu Xing avait ouvert son académie, là que je pouvais aussi le mieux me fondre dans la population et cacher ma situation d'émigrant clandestin... Mais à Aberdeen abondaient les bandes de jeunes voyous qui ne rêvaient que de se faire la main sur n'importe quel quidam pour attirer l'attention des recruteurs des Triades... Heureusement j'avais les moyens de me faire respecter. Une nuit, en déambulant au bord de l'eau, j'entendis crier. Un vieux pêcheur se faisaient agresser par trois vauriens. Ce n'était que des adolescents cherchant une proie facile pour la dévaliser et je n'eus aucun mal à leur flanquer une correction.

Sung tendit la main pour reprendre une gorgée de thé, avant de poursuivre :

— L'homme s'appelait Wang Chin et avait plus de soixante-dix ans. Il avait le visage complètement tuméfié. Et cantonais il m'expliqua qu'il vivait sur un sampan et me demanda de l'aider à regagner sa maison flottante. Il ressentait une vive douleur à la poitrine et avait peur d'avoir plusieurs côtes cassées : malheureusement pour le pauvre bougre, j'étais arrivé un peu tard sur les lieux... En suivant ses explications je réussis à le ramener chez lui, une minuscule embarcation à fond plat avec au centre un simple abri en bambou tressé soutenu par des arceaux branlants... Une barque réduite à sa plus simple expression et qui justifiait pleinement l'origine chinoise du mot sampan : « trois planches » ou « trois bords »... Sans doute la seule richesse de ce vieillard sans défense que trois lâches n'avaient pas hésité à attaquer... Je l'allongeai sous une couverture et lui demandai s'il connaissait un médecin, mais il secoua vigoureusement la tête... Ne sachant que faire je décidai de rester avec lui jusqu'au matin, en attendant d'aller voir Maître Fu Xing pour lui demander conseil. Je me couchai en chien de fusil au bout du sampan et essayai de dormir, malgré les gémissements de douleur de Wang. Au milieu de la nuit je fus réveillé par des cris. C'était Wang qui délirait. Je ne pouvais rien faire sinon humecter un vieux mouchoir pour le passer sur son front... Un mot revenait souvent quand il se mettait à parler, mais je n'arrivais pas à saisir sa signification. Quelque chose comme *t'si*... ou *leu tsi*... Un peu avant l'aube je l'entendis qui m'appelait doucement. Il s'était soulevé sur un coude et me suppliait d'une voix pressante de venir près de lui. Je m'approchai et compris qu'il voulait que je colle mon oreille contre sa bouche. Il s'agrippa à moi et mit sa main dans la mienne avant de me dire : « Vous... bon... peux faire confiance... pour *leu tsi*... merci de m'avoir secouru... taels pour *leu tsi*... » Sur ce il mourut dans mes bras. Je restai ainsi un long moment à me demander ce qu'il avait voulu dire. *Leu tsi*... Était-ce le nom de quelqu'un ? Un parent à lui qu'il fallait prévenir ? Avait-il caché quelque part des taels pour lui ? Les premiers rayons du soleil à l'horizon me tirèrent de mon indécision. J'allais être en retard pour mon travail. Il fallait vite que j'aille retrouver mes camarades sur les quais, sinon je me retrouverais sans boulot... Je réalisai que la main de Wang était toujours accrochée à la mienne. Quand je parvins à la retirer, non sans mal, je m'aperçus que Wang y avait déposé sans que je m'en rende compte une petite bourse en tissu. A l'intérieur il y avait douze taels d'or. Une fortune ! Certainement l'héritage qu'il comptait transmettre par mes soins à un dénommé Leu t'si... J'avais un mort dont je ne savais quoi faire, un magot qu'il me fallait mettre en sûreté, et seulement un vague nom pour retrouver un type dans une fourmilière d'un million et demi d'âmes...

Clemens devait reconnaître que Sung avait un don naturel de conteur... Une nouvelle fois ce dernier s'était interrompu pour boire un peu de thé. A croire qu'il le faisait exprès pour ménager le suspense! Hughes lui-même était désormais suspendu à ses lèvres...

— Je décidai de laisser le corps de Wang dans le sampan, après l'avoir soigneusement enveloppé dans la couverture, et de garder l'argent sur moi. En me servant d'une cordelette j'improvisai un collier solide et enfilai la bourse autour de mon cou avant de la faire disparaître sous ma chemise. En voulant secourir le pauvre homme je m'étais mis sur le dos des tas de soucis supplémentaires dont je me serais volontiers passé... Cependant il y avait un élément positif dans mon aventure : j'avais trouvé, au moins pour quelques jours, un endroit où dormir... Tout en chargeant et déchargeant les ballots de marchandises, je ne cessais de repenser aux événements de la nuit. Toutes les cinq minutes, je me touchais la poitrine pour m'assurer que j'avais toujours le précieux collier autour de mon cou... Quand vint enfin la fin de ma journée de coolie, je me précipitai à l'académie, en espérant que Maître Fu Xing pourrait me donner un conseil. Malheureusement il avait dû s'absenter pour aller voir un parent malade dans les nouveaux territoires. Je retournai donc à l'embarcation de Wong en me demandant bien ce qu'il fallait faire de son corps. En approchant du bateau j'eus une surprise... Sous l'abri en bambou tressé il y avait quelqu'un qui, assis, le visage entre les mains, était en train de pleurer à chaudes larmes... Un adolescent ou une jeune fille d'après la frêle silhouette que je voyais de dos. Avec un grand bonnet noir de laine sur la tête... Je vérifiai que je ne m'étais pas trompé d'embarcation, ce qui n'aurait pas été surprenant étant donné qu'il devait y avoir quelque trois mille jonques et sampans, tous semblables les uns aux autres, disséminés dans cet immense labyrinthe d'eau où la population flottante d'Aberdeen avait choisi de s'entasser : il y avait bien, accroché, à l'un des arceaux, mon vieux mouchoir, celui avec lequel j'avais éponge le front de Wang... Je pouvais également deviner la forme allongée sous la couverture. Je ne m'étais pas trompé. « Sans doute un parent ou une relation de Wang, pensai-je immédiatement. Peut-être pourra-t-il me dire qui est Leu t'si... » Je toussai doucement pour annoncer ma présence à l'occupant du bateau. Celui-ci se retourna en sursautant violemment. Il ne m'avait pas entendu car le bruit de mes pas avait été couvert par les sanglots... Il me regarda avec une mine effrayée. Moi-même je devais faire une drôle de tête car je l'entendis gémir de peur... J'étais dans un état de stupeur complète!

Sung but lentement une nouvelle gorgée de thé avant d'ajouter, avec un petit sourire malicieux :

— Évidemment, vous avez deviné que le jeune inconnu du sampan n'était autre que Lucy... Dans la bouche du pauvre Wang, c'était devenu Leu t'si!...

24

Fong Yi Ting était un Chinois « moderne » en ce sens qu'il ne croyait ni au *joss* (mot chinois désignant le sort, la chance, Dieu et le Diable à la fois...) ni au pouvoir des devins, diseurs de bonne aventure, et autres astrologues auxquels ses compatriotes faisaient appel à la moindre occasion : avant d'effectuer un voyage important, avant de signer une transaction commerciale... Personnellement il estimait que c'était une pure perte de temps et d'argent de recourir systématiquement à l'expert en *fung shui* [1] pour déterminer l'emplacement favorable d'une construction, d'une route, d'un immeuble industriel... Évidemment, de cette façon, lorsqu'une affaire commerciale périclitait, c'était plus facile d'incriminer son *fung shui* que de mettre en doute la qualité de sa gestion !

Pour Fong, depuis que le monde existait, une seule chose comptait en réalité : *h'eung yau*, la « graisse odorante », qui dégrippait tous les rouages coincés, décuplait toutes les énergies, déliait toutes les langues et pouvait transformer du jour au lendemain un homme insignifiant en personnage puissant.

C'était grâce au *h'eung yau* – les lingots d'or qu'il avait pu récupérer à son profit lorsqu'il avait été 426 pour la loge *Yonggyhui* – qu'il avait pu se faire soigner par le guérisseur d'une Triade rivale après la désastreuse « croisière » où Chen Wu et Liang Bo auraient dû punir Arec le Métis... Grâce encore au *h'eung yau* qu'il avait pu subir une opération de chirurgie esthétique, changer d'identité et se faire oublier complètement pendant deux ans, le temps nécessaire pour réapprendre à marcher à peu près normalement, avant de se faire recruter dans la 14 C, la Triade la plus puis-

---

1. En chinois *fung*, c'est le « vent », et *shui*, c'est l'« eau ». Il est préférable de consulter l'expert en *fung shui* avant de choisir le site d'une nouvelle maison, car c'est lui qui dira – grâce à la géomancie, la chiromancie, l'astrologie, et aussi une connaissance approfondie des mythes et superstitions populaires – si l'emplacement projeté se situe sur le dos du dragon de la terre (ce qui est excellent et de bon augure) et non pas sur sa tête ou ses yeux (ce qui serait la pire des choses !).

sante de Hong Kong... Si jamais le réseau à sa disposition – en tant que 426 de la 14 C à Paris il disposait d'une véritable armée clandestine – ne suffisait pas pour retrouver la trace du maudit *kwei loh*, ce serait encore une fois le *h'eung yau* qui ferait la différence...

Fong leva les yeux de ses livres de comptes pour consulter la pendule murale. Chaw, son lieutenant, n'allait pas tarder. Il était impatient d'entendre son premier rapport. Deux jours auparavant il lui avait demandé de dresser la liste de tous les magasins parisiens où la chique de bétel était en vente. Une fois muni de ce renseignement, Chaw devait convoquer tous ses *xiapai* – Fong avait décidé que pour cette mission de simples « petits panneaux » feraient l'affaire – pour les envoyer surveiller tous les points de vente, diffuser le signalement du Métis aux jambes de héron, et s'assurer, au besoin par la contrainte, de la collaboration de tous ceux qui pourraient se trouver en sa présence...

« Il va sûrement pleuvoir dans la soirée..., pensa Fong en se levant pour aller fermer la fenêtre et en se massant machinalement la jambe droite – depuis dix ans elle était devenue son meilleur baromètre. Pour une fois, j'ai vraiment envie de croire un *fung shui*... Je suis tellement impatient de retrouver ce fornicateur pour lui faire payer son arrogance que je serais prêt à boire toutes les paroles de ces diseurs de bonne aventure... »

Marie-Josée, elle, était encline à tout gober... Cancer ascendant Balance... « Méfiez-vous du trigone de Mars en huitième maison... » Passer des heures à essayer d'interpréter les prédictions des rubriques astrologiques des journaux ne lui suffisait plus... Agacé de ne pas pouvoir répondre à ses questions incessantes sur les sciences de la divination orientales, il avait préféré l'emmener chez un expert *fung shui* afin qu'elle découvrît par elle-même la manière dont les « sorciers » aux yeux bridés opéraient... Hier sur le pas de sa porte, celui-ci l'avait fixé avec un drôle d'air et lui avait dit : « Ah, honorable Fong... savez-vous que parfois il m'arrive en regardant simplement une personne d'apercevoir fugitivement mais avec quand même une certaine précision une image de son proche avenir ? Évidemment ce que je vais vous dire demanderait à être confirmé de façon plus précise par un examen des astres ou une consultation des hexagrammes du yi-king... Mais tout à l'heure en posant distraitement mes yeux sur vous, j'ai vu que très bientôt la chance vous sourira en vous aidant à résoudre un problème du lointain passé... Vous pourrez enfin vous confronter avec un vieil ennemi de toujours... Je pressens aussi un grand danger mais le rêve vous enverra un message pour vous avertir et vous mettre en garde... »

La sonnette de son interphone tira Fong de ses pensées. C'était sûrement Chaw. Il n'allait pas tarder à savoir si ce foutu *feng shui* avait vraiment « vu » quelque chose, ou s'il avait simplement cherché à ferrer un client sceptique. Il n'ignorait certainement pas que Fong était 426 de la 14 C. Quand on est un *Honggun* on a toujours quelque part un vieil ennemi qui traîne... Le *fung shui* n'avait pas pris un grand risque en lui disant que bientôt... il pourrait « résoudre un problème du lointain passé... ».

Il n'en croyait pas ses yeux ! La 309 était toujours à la même place. Là où il l'avait rangée, sur le bas-côté de la petite route derrière la vieille église, sous les poiriers déplumés... Avec ses quatre pneus intacts, ses enjoliveurs, son autoradio... Apparemment, dans ce coin de Normandie on pouvait encore retrouver sa voiture entière après l'avoir abandonnée pendant plusieurs jours dans un endroit désert.

Clemens introduisit la clé de contact et le moteur démarra du premier coup.

« Ma parole, s'écria-t-il, c'est à croire que c'est ma fête aujourd'hui ! Je devrais aller tenter ma chance au casino. »

En réalité le jeu était loin des préoccupations de Clemens en ce moment. Tant de pensées contradictoires se bousculaient dans sa tête... Il revoyait encore le sourire franc et chaleureux de Sung quand celui-ci lui avait dit :

— Honnêtement je vous avoue que par le passé cette idée m'a traversé la tête de nombreuses fois... Jusqu'au jour où enfin je n'ai plus considéré les actes des humains en termes de « mal » ou de « bien » mais dans le contexte beaucoup plus vaste des « actions » et « réactions concordantes »... A chacun d'écrire son *Renga* personnel : celui de Lucy était de finir sa vie au Japon... Enfin, vous connaissez maintenant le mobile qui aurait pu être le mien, si j'avais décidé de me venger et de tuer Sir Thomas Hannay : le punir pour le mal qu'il a fait à Lucy et à moi... et vous admettrez que mon désir de vengeance aurait été justifié. Seulement voilà, je ne suis pour rien dans l'élimination de Hannay. Bien entendu rien ne vous force à me croire... Et je ne dispose d'aucune preuve pour étayer ce que je vous ai raconté... Je suppose que dans les archives du procès on pourrait retrouver les traces de son intervention. Mais quant à démontrer qu'il a fait sciemment un faux témoignage... Voyez-vous, maintenant, pour moi, tout ça c'est du passé... Je mène une vie heureuse ici. Je ne désire qu'une chose : qu'on me laisse vivre tranquille... Songez-y quand vous repenserez à notre longue conversation...

Clemens avait bouclé sa ceinture, mais ne parvenait pas à se décider à enclencher la première. La pluie avait commencé à tomber, une petite pluie fine qui faisait ressortir toutes les bonnes odeurs de la campagne... Semblables à celles que Lucy appréciait tant autrefois... « Un bon chandail, un ciré et une paire de bottes... Sais-tu, Mark, que je préfère presque la pluie au soleil pour me promener dans ces landes ? » Clemens comprit soudain pourquoi il n'arrivait pas à se décider à rejoindre sa tanière normande. A vrai dire il n'avait qu'une envie. Revenir sur ses pas et revoir Sung, pour que ce dernier lui parle encore de Lucy, qu'il évoque une nouvelle fois les dix-huit mois qu'ils avaient passés ensemble à Hong Kong... Pour la faire « revivre »...

Parjure et subornation de témoins... Sans parler de son attitude inqualifiable envers Lucy... Thomas Hannay aurait-il pu se comporter d'une façon aussi abjecte et vile que Sung le prétendait ? Clemens fit un calcul rapide dans sa tête. En 1953, quand Hannay les avait finalement retrouvés, Lucy devait avoir dix-neuf ans et Hannay trente-sept... Oui... A cet âge-là, on peut perdre la tête quand une belle jeune fille dont on tombe éperdument amoureux vous résiste et vous rit au nez... Et quand on est un membre influent du Conseil exécutif on doit difficilement supporter que votre rival soit un Asiatique dépenaillé, un émigré clandestin. Quoi de plus facile, dans ce cas, que de se débarrasser de lui en le faisant endosser n'importe quel crime... Une condamnation rapide... La prison à vie... Le champ est libre...

« Non ! cria soudain Clemens en donnant un violent coup de poing sur le volant. Je ne peux pas croire une chose pareille de la part de quelqu'un qui a été mon ami... Sung a menti... Je ne sais pas pour quelle raison, mais je le découvrirai... »

– Hu You... Li Ta... Ping Sha...

Chaw, assis en face de lui, était en train d'énumérer la liste des candidats possibles pour la prochaine initiation et Fong l'écoutait d'une oreille distraite. Il préféra fermer les yeux pour réfléchir. Il avait soigneusement repassé dans sa tête l'ensemble des décisions prises par Chaw. Il ne voyait rien à changer au plan de son lieutenant. Il avait ordonné aux *xiapai* de visiter au moins une fois par jour les magasins concernés : c'était la seule manière de maintenir la pression et de faire savoir à tous ces employés que d'une façon ou d'une autre ils travaillaient pour la 14 C... Il fallait leur apprendre à la craindre et à la respecter. Mais c'était également une occasion idéale pour tester et recenser de nouvelles recrues éventuelles, marquer ceux qui rechigneraient à collaborer...

« Si seulement tout ça pouvait aller plus vite... », pensa Fong en rouvrant les yeux. Pour le moment il se fichait complètement des noms de la liste de Chaw. Seul comptait le foutu Arec... Il fallait absolument le retrouver !

– Bon travail ! lança-t-il quand même à son adjoint, mais en se levant pour lui signifier que la réunion de travail était finie et qu'il pouvait partir.

Marie-Josée n'allait pas tarder. Fong ne voulait pas que Chaw la voie quand elle arriverait. Chaw était un Chinois traditionnel qui méprisait les *kwei loh*...

– Ah... j'allais complètement oublier, chef... Ce matin j'ai rendu une petite visite personnelle à Lin Lu, vous savez, cet antiquaire qui nous paye toujours en retard... J'ai pensé qu'il était nécessaire de lui rappeler les bonnes manières. Je lui ai confisqué toutes ses pièces anciennes... Tenez, les voici... Je lui ai dit qu'on les lui rendrait lorsqu'il se montrerait plus ponctuel.

Chaw avait sorti de la poche intérieure de son veston un petit paquet qu'il posa sur la table. Une poignée de pièces précieuses enveloppées dans du vulgaire papier journal... C'était tout Chaw! Fong joua machinalement avec les pièces tout en les étudiant.

– *Heya! Diou ne lo mo!*

Chaw sursauta en entendant Fong jurer.

– Qu'est-ce qu'il y a? Elles sont fausses?

– Où as-tu pris ce papier? demanda Fong sans répondre à sa question.

– Quel papier? demanda Chaw interloqué.

– Celui-ci, imbécile! Je te demande où tu as trouvé cette feuille de journal dans laquelle tu as enveloppé les pièces!

– Mais chez Lin Lu... Il a tout un stock de vieux journaux qu'il conserve chez lui, pour emballer les objets fragiles...

Fong écarta les pièces d'un geste agacé et lissa la feuille des deux mains pour la défroisser. C'était une demi-page du journal *Le Figaro*... La date était encore dans le coin supérieur : 23 octobre 1983. Sous la photo en noir et blanc la légende disait : *Calvin Ferris, le jeune violoncelliste talentueux de vingt-neuf ans qui s'est distingué au récent Festival de Prades, a annoncé hier sa décision d'abandonner sa carrière de concertiste...*

La photographie n'était pas très bonne, mais il n'y avait aucun doute : c'était bien le Métis, le dénommé Arec, qui était en train de sourire derrière son violoncelle!

– Heya! Le *fung shui* avait vu juste! La chance est avec moi! Chaw, je veux que tu ailles tout de suite au *Figaro* et que tu te procures un exemplaire du numéro du 23 octobre 1983. Allez, fonce! Si tu fais vite, tu pourras arriver avant la fermeture des bureaux.

25

Instinctivement Clemens avait fermé les yeux. Heureusement le chauffeur de la R 5 grise parvint, en donnant un violent coup de volant, à éviter de justesse le cycliste qui avait surgi sur la droite. Ça faisait un moment déjà que le conducteur de la Renault s'énervait derrière Clemens et cherchait à le doubler à tout prix. Ce connard avait démarré dans un crissement de pneus alors que le feu était encore au rouge...!

« Encore un salopard qui marche au trou normand..., jura Clemens en voyant que la voiture était immatriculée 14. Ma parole, je vais finir par penser que les conducteurs d'ici sont encore plus sauvages que ceux de Paris... »

En apercevant le panneau, Clemens fut tout surpris de constater qu'il était déjà à l'entrée de Trouville. Absorbé dans ses pensées, il avait conduit sans vraiment prêter attention à la route. Depuis une dizaine de minutes une impression désagréable le tourmentait. Il était certain d'avoir oublié un détail important. C'était sûrement quelque chose qu'il avait négligé d'évoquer avec Sung... Mais quoi exactement ?

Ce fut en voyant le pittoresque manège de bois sur la petite place juste après le pont sur la Touques que ça lui revint... Un vieux manège traditionnel avec ses chevaux de bois, ses licornes, ses zèbres, ses éléphants, ses tigres... Sans doute le même qui les avait fait tant rire autrefois, Sir Thomas et lui, lorsqu'ils étaient passés ensemble sur ce pont.

« Si je n'avais pas peur de paraître un peu ridicule, Mark... je m'offrirais dix tours... Tous les ans, pendant les vacances d'été il y en avait toujours un qui s'installait pour plusieurs jours dans le village... Un comme celui-là, tout en bois...

— Et pourquoi n'y monteriez-vous pas ? Si vous voulez, je viens avec vous... Et je vous offre une barbe à papa...

— Vous êtes gentil, Mark... Mais à mon âge...

— Allons... Venez... Personne ne nous verra...

— Chiche ?

– Chiche! »

Riant comme des gosses ils s'étaient offert cinq tours chacun en mangeant une barbe à papa. Après, ils étaient allés s'asseoir à la terrasse ensoleillée... Sir Thomas avait commandé une copieuse assiette de fruits de mer. Lui s'était contenté d'un café et d'un jus de fruits. Une magnifique journée de printemps... Une matinée de détente... Puis le fracas du verre brisé... La pâleur soudaine du visage de Sir Thomas... Sa respiration rauque et saccadée...

« Ne vous inquiétez pas, Mark, je vais très bien... C'est la peur des fantômes du passé qui me joue des tours... »

Voilà l'incident dont il avait oublié de parler à Sung! Pour essayer d'en savoir davantage... Pour connaître sa version sur cet épisode...

« Merde! jura Clemens en s'engageant sur la D 513. Il a réussi à semer le doute dans mon esprit... »

La maison normande que Sir Thomas lui avait léguée était située à l'entrée ouest de Honfleur sur les hauteurs de la côte de Grâce. Lorsqu'il n'y avait pas trop de circulation, c'était la route du bord de mer qui était la plus agréable pour rejoindre le petit port honfleurais.

Clemens réussit à sortir les inévitables prospectus publicitaires par la fente sans être obligé d'ouvrir la boîte aux lettres. Le clerc de notaire lui en avait bien remis un jeu de clefs mais il n'avait encore jamais eu à s'en servir puisqu'il n'y avait aucune raison pour qu'il reçoive déjà du courrier en Normandie. Il n'avait pas encore décidé s'il garderait la maison. Donc il n'avait fait aucune démarche auprès des Postes de Honfleur pour un éventuel changement de nom. Par pur réflexe, Clemens regarda quand même à travers les petits trous.

« Tiens! On dirait une lettre... Sans doute pour Sir Thomas... Envoyée par quelqu'un qui ignorerait qu'il est parti *ad patres...* »

Clemens farfouilla dans la poche de son manteau pour prendre le trousseau. Après s'être trompé deux fois, il finit par trouver la bonne clef.

Il y avait un pli à l'intérieur. Une grande enveloppe format 23 x 15.

« Ça alors! Qui peut bien m'écrire? Seul Bill sait que je suis ici... Ce n'est pas son écriture... »

> *Monsieur Mark Clemens*
> *c/o Thomas Hannay*
> *Les Pommiers*
> *route du Mont-Joli*
> *14600 Honfleur*

Clemens referma le portail et alla garer la 309 sous l'if centenaire. Une fois dans la cuisine, il s'assit et, vieille habitude de flic, examina soigneusement l'enveloppe avant de l'ouvrir. Pas de nom d'expéditeur. Postée trois jours auparavant à Paris. Bureau de poste du IIIe arrondissement. C'était trop tard pour les empreintes sur l'enveloppe, mais pas pour celles qui se trouveraient à l'intérieur. Il se souvenait d'avoir vu sous l'évier une paire de gants à vaisselle... Il se leva pour aller la prendre. Il l'enfila et déchira le bord supérieur de l'enveloppe avec un couteau.

C'était une feuille pliée en quatre, une lettre manuscrite de Me Henri Cheval, notaire, et une deuxième enveloppe fermée plus petite sur laquelle Clemens reconnut l'écriture fine et nerveuse de Sir Thomas : « Pour Mark Clemens. Personnel. »

Il lut d'abord la missive de Me Cheval :

Cher monsieur Clemens,
Nous nous sommes déjà rencontrés une ou deux fois, mais peut-être ne vous souvenez-vous pas de moi... Je suis un ami du regretté Sir Thomas Hannay et c'est moi qui ai eu le plaisir et l'honneur d'être son notaire pour certaines de ses affaires personnelles et privées. Il y a quelque temps, il m'avait prié de vous remettre, s'il lui arrivait un « accident », l'enveloppe ci-jointe. Il avait ajouté, en insistant tellement que je m'en souviens mot pour mot : « Je suis sûr qu'il comprendra... Il devinera ce que j'ai voulu dire... Et je sais qu'il fera le nécessaire... Je connais sa droiture et son sens de la justice... »

Je voulais venir à son enterrement, ce qui m'aurait permis de vous remettre la lettre en main propre. Mais une violente crise d'asthme m'a cloué au lit... Je crains que mon heure n'approche à grands pas, aussi ai-je préféré vous l'envoyer par la poste (c'est votre adjoint qui m'a dit que vous seriez en Normandie), car je pense que c'est encore le moyen le plus sûr de vous la faire parvenir. Je ne veux pas prendre le risque de mourir sans avoir rempli la promesse faite à un ami.
Croyez, cher monsieur...

Il se souvenait de Me Cheval, un grand type mince et osseux, toujours habillé comme un croque-mort et d'une pâleur cadavérique, qui parlait d'une voix souffreteuse... Une des rares personnes que Sir Thomas recevait sans rendez-vous...

Clemens enleva ses gants désormais inutiles et ouvrit la seconde enveloppe non sans une certaine fébrilité, dans l'espoir qu'il allait trouver la réponse à ses questions. Il déplia le feuillet.

Mon cher Mark,
Peut-être serez-vous en Normandie, aux Pommiers... quand vous prendrez connaissance de ce petit mot. Ça voudra dire que je vous aurais légué ma maison de Honfleur, et que je serai mort... Dans ce cas il n'y a pas d'endroit plus indiqué pour cette dernière petite conversation entre nous... J'ai bien vu, lorsque vous êtes venu il y a plusieurs années de cela, que vous vous plaisiez particulièrement dans cette région... Vous souvenez-vous,

Mark, de cette merveilleuse journée que nous avons passée ensemble à Trouville? Grâce à vous, plus de frayeur, plus de soucis... Les Pommiers sont à vous désormais... C'est une bien jolie maison, même si elle était un peu grande pour un vieux singe triste et solitaire comme moi... Je sais que vous en ferez un excellent usage et qu'avec vous elle se transformera en un lieu où régneront la bonne humeur, la joie, l'amitié et l'affection... Un vieux whisky de douze ans d'âge... Un bon livre : j'affectionne particulièrement les Confessions de saint Augustin, ce grand pécheur repenti... Un feu de cheminée en hiver... Une chaise dehors sous le cerisier au printemps... Un disque de Bach, une de ses suites pour violoncelle par exemple... Voilà des plaisirs simples que je vous recommande... Mon rêve était d'y organiser des concerts privés de musique de chambre... Peut-être le ferez-vous un jour avec votre filleul Calvin... Encore merci pour tout, mon cher Mark... Et particulièrement pour le souvenir inoubliable que j'ai gardé de cette matinée où, après la sortie en mer, vous m'avez entraîné, moi le pécheur, sur le manège de bois... Le manège... La chantilly sur le parquet! Ne cherchez pas ailleurs le cœur secret d'un vieil homme anglais qui compte sur vous pour réparer gaiement ses erreurs de jeunesse...

Adieu, Mark! Ou à bientôt... si nous devons nous retrouver dans une autre vie!

Fidèlement votre ami,
Thomas Hannay

Clemens relut la lettre trois fois. Il n'en croyait pas ses yeux! Hannay avait pris la précaution de passer par son notaire pour lui faire parvenir cette page! Certes ces lignes étaient émouvantes et touchantes dans leur sentimentalité débridée, mais c'était du début à la fin un tissu de banalités...

Quelle était la fameuse phrase que Sir Thomas avait prononcée devant Me Cheval? Clemens reprit la première lettre.

Je suis sûr qu'il comprendra... Il devinera ce que j'ai voulu dire... Et je sais qu'il fera le nécessaire... Je connais sa droiture et son sens de la justice...

Qu'y avait-il donc à comprendre? Était-ce une plaisanterie? Non, ce n'était pas le genre du vieil homme. Se pouvait-il alors, se demanda Clemens après un moment de réflexion, que la lettre soit une sorte de message codé? Ça, par contre, ça ressemblait tout à fait à Sir Thomas.

Clemens regarda sa montre. Pour le moment il avait un truc urgent à faire : aller dîner en ville. Il avait découvert un bon restaurant italien du côté des Greniers à Sel. Ensuite il aurait toute la nuit pour s'atteler au problème, devant un feu de bois et une bouteille de Glenfiddich...

Clemens déposa une nouvelle bûche de chêne dans le feu et retourna s'asseoir dans le fauteuil. Il avait en y réfléchissant acquis la certitude que Sir Thomas lui avait écrit une lettre codée. Sinon il n'aurait pas tellement insisté devant Me Cheval : *il comprendra... Il devinera ce que j'ai voulu dire...* Retrouver le message caché, voilà un défi qui ne lui faisait pas peur. Au contraire même... Il n'y avait rien qu'il aimait tant que résoudre ce genre d'énigme.

Pour commencer, trois postulats raisonnables. Primo : Hannay ne lui avait transmis qu'une lettre ; c'était donc dans son contenu ou sa forme qu'il fallait chercher la ou les clefs, et nulle part ailleurs, sinon Hannay lui aurait donné un autre élément du puzzle. Secundo : la missive lui était personnellement adressée, avec une insistance particulière : *il comprendra...* ; le code était donc basé sur une sorte de *private joke* entre Hannay et lui, ce que venait corroborer la mention de la journée qu'ils avaient passée seuls à Trouville. Tertio : quelques détails de la lettre avaient éveillé son attention et semblaient avoir été choisis avec soin pour le mettre sur la piste...

« Voyons déjà ce qu'on peut tirer de ce dernier point », murmura Clemens.

Il se leva et alla accrocher une nouvelle feuille sur le tableau où il avait recensé les forfaits du Pivert. Il réfléchissait mieux quand il pouvait visualiser les choses.

La première chose était de relever les mots ou les groupes de mots qui l'avaient intrigué. Peut-être qu'un premier *pattern* apparaîtrait... Clemens, tout en tenant la lettre dans sa main gauche pour la lire au fur et à mesure, commença à écrire :

Les Pommiers... pas d'endroit plus indiqué... pour cette dernière petite conversation entre nous... cette merveilleuse journée que nous avons passée ensemble à Trouville... plus de frayeur, plus de soucis... les Confessions *de saint Augustin, ce grand pécheur repenti... votre filleul Calvin... concerts privés de musique de chambre... moi le pécheur... Le manège... La chantilly sur le parquet... ne cherchez pas ailleurs le cœur secret d'un vieil homme anglais qui compte sur vous pour réparer gaiement ses erreurs de jeunesse...*

Il pouvait déjà tirer au moins plusieurs indications précieuses.

La lettre ne comportait pas moins de six allusions aux « Pommiers » ou à la maison, *pas d'endroit plus indiqué...*. Conclusion provisoire : le message avait un lien direct avec la masure normande !

Quatre évocations de la journée passée à Trouville : certainement pour inviter Clemens à se remémorer l'épisode, qui devait constituer un élément essentiel du code.

Trois références un peu surprenantes et inattendues. Pourquoi les *Confessions* de saint Augustin ? Hannay connaissait ses goûts dans le domaine de la lecture : un bon thriller ou de la science-fiction... Et que diable venait faire Calvin Ferris là-dedans ? Pourquoi cette mention de la musique de chambre ? Enfin, une expression incompréhensible : *La chantilly sur le parquet...* Pendant les tours de manège ils avaient mangé une barbe à papa, pas de gaufres à la chantilly... La mémoire de Sir Thomas lui avait-elle fait défaut ? Probablement pas ! Elle avait toujours été excellente ! Il avait sans doute choisi chaque mot avec le plus grand soin... Ainsi il avait utilisé deux fois « pécheur ». Ce n'était sûrement pas gratuit... Confessions... Pécheur...

« Voilà un début de *pattern* possible... songea Clemens. Et qui colle parfaitement avec la dernière phrase, sans doute la plus importante de toutes : *Ne cherchez pas ailleurs le cœur secret d'un vieil homme " anglais " qui compte sur vous pour réparer gaiement ses erreurs de jeunesse...* »

« Tiens, c'est curieux ! » s'exclama soudain à haute voix Clemens, qui venait de noter deux nouveaux détails intéressants. D'abord le mot « anglais » que Sir Thomas a écrit avec des guillemets... Ensuite l'absurdité du terme « gaiement » accolé à « réparer ».

Pour l'instant leur signification lui échappait. Pourtant Clemens sentait confusément que la clef du problème était là, quelque part devant ses yeux... Sur le tableau figuraient, il en était sûr, un grand nombre des pièces du puzzle. Le problème était de décider par quel morceau il fallait commencer le travail de reconstitution.

« C'est ici que devrait intervenir l'intuition... si j'en crois mon vieil ami Paul Baker, se dit Clemens en buvant une nouvelle gorgée de Glenfiddich à sa santé. Mais elle ne vient jamais quand on la siffle... Bonté divine ! »

Porter un toast à son vieux copain avait dû lui porter chance car il eut une inspiration subite. Ils étaient tous deux d'origine anglaise et la lettre était en français... Et si la façon dont Hannay avait accentué le terme « anglais » signifiait que certains mots de la lettre devaient être lus en anglais ? Ç'aurait été un moyen astucieux de rendre le code quasiment inviolable pour quelqu'un de peu familiarisé avec la langue de Shakespeare... Voyons ce que ça donnerait... Pécheur... manège... chantilly par exemple... en anglais *sinner*... *merry-go-round*... *Chantilly*... gaiement... *merrily*... Ça n'a aucun sens... Chantilly sur le parquet... *Chantilly on the parquet floor*... Chantilly... parquet...

Bingo ! Il avait trouvé ! « Chantilly parquet ! » Voilà le cœur du code... ! D'ailleurs Hannay avait tout de suite ajouté : « Ne cherchez pas ailleurs le cœur secret d'un vieil homme... » Sir Thomas avait utilisé, en le déguisant, un terme technique désignant une variété de parquet...

Clemens s'était déjà élancé dans l'escalier pour monter à l'étage. Il se précipita dans la chambre de Thomas Hannay, où ce dernier s'était amusé à faire poser des échantillons variés de différents styles de parquet... Lorsqu'il l'avait invité, lors de ce fameux week-end pascal, Hannay avait tenu à lui faire visiter de fond en comble sa propriété normande, et dans sa chambre il lui avait fait tout un cours sur l'art des parquets...

« C'est la seule pièce où je n'ai pas respecté le cachet normand... Ayant toujours eu un faible pour les beaux parquets, j'ai voulu me faire plaisir en faisant poser dans ma chambre une combinaison réunissant mes choix préférés. Vous voyez au centre ce qu'on appelle le « Chantilly parquet »... Près de la fenêtre l'« Arenberg parquet »... Devant la cheminée le « Versailles parquet », au pied du lit le « parquet à points de Hongrie ». J'ai toujours eu en horreur notre « parquet à l'anglaise »...

Clemens s'avança au milieu de la pièce. Indubitablement le « Chantilly parquet »! Au cœur de ce qui avait été la chambre de Sir Thomas! Un grand carré d'environ un mètre sur un mètre. Des lamelles délicatement posées à la façon d'un tissu tressé... Avec tout autour un parquet mosaïque...

Son cœur battant à tout rompre, Clemens alla s'asseoir sur le lit pour savourer son triomphe. Il avait trouvé la solution de l'énigme imaginée par Thomas Hannay pour cacher en lieu sûr ses secrets! Les yeux brillants, il fixa les lames de bois par terre. Quelque part, en soulevant une des lattes, il trouverait un compartiment caché...

« Dix contre un, pensa Clemens, que je trouverai le mécanisme d'ouverture en faisant le tour du " Chantilly "... Sacré Sir Thomas! *Merry-go-round the Chantilly parquet. Faites un tour de manège autour... ne cherchez pas ailleurs...* »

26

... dans la marge il venait de dessiner un petit garçon poussant une brouette pleine de pierres d'une porte à une autre. L'une s'appelait Passé, *l'autre* Avenir...

Cette phrase, une des nombreuses qu'elle pouvait quasiment réciter par cœur – tant elle avait adoré le livre – lui revint au début du deuxième mouvement. Après l'*allegro ma non troppo* où il avait exposé sans aucune introduction le motif musical principal de sa quatrième symphonie, Brahms avait écrit un andante où les instruments à cordes jouaient presque exclusivement en pizzicatos, introduisant une note de gaieté et de fantaisie là où les cors donnaient une tonalité romantique sombre en développant une variation du thème central...

Le chef d'orchestre était le petit garçon... Les musiciens les pierres dans la brouette... Le compositeur l'architecte qui assemblerait les pierres pour construire... Jouant sur un va-et-vient permanent entre les deux portes *Passé* et *Avenir*...

« C'est sans doute dans cette relation mystérieuse avec la mémoire et le temps, pensa Lisbeth Delmont, qu'on peut trouver le secret de la beauté de la musique... »

Considérée au *Présent*, une composition se présente comme une pure succession de notes perçues isolément l'une après l'autre par l'oreille... Un collier de perles de grosseurs et de couleurs différentes, enfilées le long d'un fil... Mais ce n'est pas l'ouïe qui fait qu'une accumulation de sons brefs devient une mélodie, c'est la mémoire... Un phénomène analogue à celui de la persistance rétinienne... C'est le souvenir des notes précédentes qui ont fini de résonner pour faire place aux suivantes qui permet à l'auditeur de reconnaître la phrase musicale qui se développe, d'en sentir le rythme interne...

Lisbeth Delmont tourna la tête pour regarder Calvin Ferris du coin de l'œil. Tout en notant le processus d'association d'idées, elle pensa en réprimant un soupir : « Je suis semblable au petit garçon... Au lieu de pierres ma brouette est remplie de doutes... Je connais seulement le nom de la première porte : *Incertitude* ou *Indécision*... Mais que trouverai-je derrière l'autre ? Les réponses à mes nombreuses questions ? Rien n'est moins sûr... La personnalité de Calvin me plonge dans une totale perplexité et me bouleverse dans toutes mes certitudes... Mais c'est mon attitude qui m'inquiète le plus... »

A côté d'elle, Ferris avait fermé les yeux. Il dodelinait imperceptiblement de la tête pour marquer le tempo. En dehors de ce léger mouvement il était parfaitement immobile. Elle n'entendait pas sa respiration... Pour cacher sa frustration Ferris s'était réfugié dans son foutu *Zen*... Dans les premières minutes de l'allegro, elle l'avait surpris à mimer les doigtés des six violoncellistes... Ça crevait les yeux... Il bouillait de ne pas pouvoir quitter son siège de spectateur passif pour rejoindre les autres interprètes du Lancashire Students' Symphony Orchestra et jouer avec eux cette œuvre de Brahms où les instruments à cordes avaient une part si belle... Sentant qu'elle l'observait il l'avait regardée en souriant mais elle avait saisi une lueur fugitive de tristesse dans ce regard et elle avait été prise d'un élan de tendresse en réalisant soudain combien la décision de renoncer à sa carrière de concertiste avait dû être déchirante pour lui...

Les musiciens avaient attaqué le troisième mouvement sans qu'elle s'en rendît compte. Ses pensées étaient ailleurs...

Cinq jours auparavant, elle avait reçu un cadeau par la poste, un livre merveilleux dont elle n'avait jamais entendu parler, *Peter Ibettson*, de George Du Maurier, le grand-père de Daphné... L'expéditeur anonyme avait simplement joint un poème en guise de signature, un *haïku*... Elle avait immédiatement reconnu l'écriture de Calvin. Et puis il n'y avait que lui pour avoir choisi une poésie aussi elliptique... Trois vers qui pouvaient renvoyer aussi bien à l'œuvre de Du Maurier qu'à leurs relations si particulières...

> *Quand je me retournai*
> *l'homme qui me croisait*
> *s'était perdu dans le brouillard*

Trois jours plus tard, Calvin était venu pour une analyse. A sa grande surprise, quand elle avait voulu le remercier pour son envoi, il avait aussitôt affirmé qu'il n'y était pour rien, il n'avait jamais expédié de livre!

« Il doit y avoir une erreur, Lisbeth... Je ne vous ai pas offert de livre...

— Mais vous avez même joint un poème... Tenez... C'est bien votre écriture, non ?

— Euh... Oui... C'est vrai.

Quand je me retournai
l'homme qui me croisait
s'était perdu dans le brouillard

« Je peux même vous dire son auteur. C'est Shiki qui a composé cet *haïku*. Je l'avais remarqué quand je me suis replongé dans l'anthologie de Blyth... Mais je vous promets que ce n'est pas moi qui vous ai posté ça... *Peter Ibettson* par George Du Maurier... *Peter Ibbetson*... Mais oui, c'est ce film avec Gary Cooper... Dans le rôle d'un architecte... Je l'ai beaucoup aimé. Mais je ne savais pas que l'histoire était tirée de cette œuvre de Du Maurier... Vous me dites que vous avez reçu cet ouvrage par la poste il y a trois jours...

— Oui, Calvin. Avec la poésie.

— Je n'y comprends rien... A moins que je ne sois de nouveau sujet à mes foutues crises de somnambulisme! Mais, alors... si c'est le cas... Kenneth ne se trompait pas... C'était bien moi qu'il avait vu dans Central Park... Le pauvre... Il a dû me prendre pour un fieffé menteur...

— Kenneth... ?

— Il y a environ un mois, Kenneth Shelley, un gamin de onze ans à qui je donne des cours de violoncelle, m'a vu dans Central Park. Malgré le froid de canard qui devait régner ce jour-là, il paraît que j'étais torse nu sous les arbres en train de faire des *kata*...

— Des quoi ?

— Des *kata*... Ce sont des enchaînements de mouvements, des exercices d'échauffement particuliers au karaté. Ils s'exécutent comme une chorégraphie extrêmement précise. Tout est rigoureusement codifié... Chaque *kata* a un nom particulier... Il en existe treize dans le style *goju-ryu* et dix-huit dans le style *shorin-ryu*... On commence par exercer la plante du pied et les orteils... Puis on se consacre aux articulations. Élongation, contraction, et relaxation des tendons et muscles...

— Vous en parlez comme si vous étiez un grand spécialiste.

— C'est justement là que le bât blesse, Lisbeth... Je n'en ai qu'une connaissance purement théorique... Celui qui s'intéresse au *Zen* se penche forcément un jour ou l'autre sur cet aspect... Les arts martiaux sont indissociables de la Voie... Mais je ne suis jamais devenu ce qu'on appelle véritablement un "pratiquant"... En tout cas pas au point de risquer une pneumonie pour faire des *kata* sous la neige...

— Et pourtant c'était vous dans Central Park...

— Sans doute... Pourquoi Kenneth aurait-il inventé une histoire aussi rocambolesque ?

— Et vous ne vous souvenez de rien ?

— Absolument rien...

— Vous me promettez que ce n'est pas vous qui m'avez envoyé ce livre et ce poème ?

— Je vous le jure, Lisbeth! En tout cas je n'en ai gardé aucune mémoire. Si c'est moi, j'ai dû le faire en plein somnambulisme... »

Les musiciens avaient entamé le finale. Pour le dernier mouvement Brahms avait choisi la forme du thème et variations sur une basse obstinée. Huit notes revenant de façon insistante, entonnées au début par les instruments à vent. L'auteur du programme imprimé pour le concert avait noté que le thème était identique, à une note près, à celui utilisé par Bach pour la chaconne finale de sa Cantate BWV 150.

Mais les pensées de Lisbeth étaient ailleurs : Calvin Ferris était-il fou ? Sujet à une amnésie partielle provoquée par sa schizophrénie ? Il paraissait si sincère : il y avait sans aucun doute une forte tendance schizoïde chez lui, un phénomène possible de dédoublement que lui attribuait au « somnambulisme »... Sans doute parce que ses parents adoptifs lui avaient martelé ce mot depuis sa prime enfance...

C'était la première fois, dans sa carrière de psy qu'elle tombait sur une personnalité aussi complexe et fascinante. Ce qui expliquait mal cependant pourquoi il l'obsédait à ce point. Elle ne rêvait que très rarement de ses patients... Et jamais de façon aussi intime et aussi personnelle que ça venait de lui arriver à deux reprises... Il fallait qu'elle rencontre Ferris en dehors de son cabinet d'analyste pour y voir clair. C'était pourquoi elle lui avait demandé de l'accompagner à ce concert.

Les applaudissements enthousiastes de la foule saluèrent la fin de la symphonie. En voyant Calvin taper dans ses mains, Lisbeth fut rassurée. Il avait surmonté sa détresse de tout à l'heure. Elle applaudit à son tour.

Pearson n'avait jamais été un fana du répertoire classique. En dehors de quelques exceptions, c'était la plupart du temps des grincements lancinants de violon qui vous cassaient les oreilles et vous donnaient des maux de tête... Ou des beuglements discordants d'instruments à cuivre... Le jazz, ça, c'était de la vraie musique... Qui vous donnait aussitôt d'agréables fourmis dans les jambes... Il jeta un coup d'œil vers Gaines qui était assis quatre rangs devant lui. Le jeunot semblait apprécier Brahms. Il applaudissait avec le même enthousiasme que l'ensemble des spectateurs qui s'étaient levés pour réclamer bruyamment un bis. Ferris aussi s'était mis debout pour taper dans ses mains. Pearson le vit rire à une remarque de la psychanalyste : « J'aurais bien aimé, pensa-t-il, pouvoir écouter un échantillon des enregistrements effectués par Gaines. Je me demande lequel des deux s'allonge en fait sur le divan... »

Pearson eut soudain la désagréable impression que quelqu'un était en train de l'observer avec insistance. Tout en enfilant son manteau il fit mine de chercher quelque chose dans son sac, celui contenant le caméscope, et de s'énerver, comme s'il avait des problèmes avec la fermeture à glissière. D'un geste agacé il empoigna la sacoche pour la poser à côté de lui. Ainsi il put se retourner sans éveiller les soupçons. Avec de petits mouvements de la tête, il scruta rapidement les visages autour de lui. Il ne remarqua rien d'anormal. Il y avait bien un Asiatique dont les yeux s'étaient un peu attardés sur lui. Le type, vingt-cinq ans environ, lui avait même adressé un sourire béat et niais comme seuls les Orientaux savent le faire. Le visage vérolé, un front minuscule, trois dents manquant sur le devant... Le genre de gueule affreuse qu'on remarque immédiatement dans une foule. Certainement pas le physique de l'emploi pour une mission de surveillance...

Le chef d'orchestre avait invité ses musiciens à se lever pour saluer. Il allait sûrement y avoir un bis. « J'ai dû rêver..., se dit Pearson en reportant son attention sur Ferris et sur la femme. D'ailleurs il n'y a aucune raison pour qu'on s'intéresse particulièrement à moi. Je lis trop de romans d'espionnage... »

En fait, abusé par l'apparence stupide de l'Asiatique, Pearson avait eu tort de ne pas se fier à sa première réaction. L'autre l'observait avec curiosité depuis une bonne demi-heure... La nature, si elle ne l'avait pas particulièrement gâté au point de vue physique, l'avait doté d'une intelligence vive, nettement supérieure à la moyenne, qui faisait depuis des années l'admiration d'un grand nombre de ses compatriotes de la communauté parisienne. Imbattable aux échecs chinois, au jeu de go, au mahjong, mathématicien inné, Ning To avait mis au point une martingale au *Tai Xieu* [1] donnant une espérance mathématique de gain supérieure à celle résultant des probabilités normales. Il était également très fort au *Jeu des 36 bêtes et des 4 génies* [2], pour résoudre les petites phrases énigmatiques qui contenaient des indications précieuses sur la « bête » correspondant au numéro gagnant...

Les deux principales Triades contrôlant les cercles de jeux à Paris (la « Société du Petit Couteau » et la « Société du Secret ») ne pouvaient évidemment pas rester indifférentes à l'habileté légendaire de Ning To. C'était le « grain de sable » qui risquait de gripper les rouages de la mécanique bien huilée qu'elles avaient mise au point dans le domaine des jeux d'argent... Il fallait le supprimer, organiser d'urgence une « croisière ». Heureusement pour Ning To, Fong Yi Ting songeait depuis longtemps à le recruter pour la 14 C. Lorsque ses espions l'informèrent de la condamnation à mort qui avait été prononcée, il prit personnellement les choses en

---

1. En cantonais « grand et petit ». Jeu chinois importé de Macao, qui se pratique avec trois dés posés sur une assiette et un gobelet peint en noir. Le croupier secoue le gobelet et annonce les résultats. Si le total des points des trois dés est inférieur ou égal à 10, ceux qui ont misé sur le *Xieu* (petit) gagnent ; s'il est égal ou supérieur à 11, c'est le *Tai* (grand) qui encaisse. Les façons de miser sont multiples, et un joueur peut gagner jusqu'à dix-huit fois la mise.
2. Sorte de loterie où les numéros de 1 à 40 sont représentés par trente-six animaux et quatre figures peintes. Les flambeurs asiatiques prisent particulièrement ce jeu où l'imagination et la superstition se donnent libre cours. On distribue gratuitement en masse des papiers de couleur sur lesquels est imprimée une phrase (en chinois, vietnamien, et même en anglais) au sens ambigu constituant une devinette mystérieuse que les joueurs doivent résoudre pour deviner la « bête » qui a été choisie pour le tirage par les organisateurs de la loterie (bien entendu des frères des Triades) ; ils peuvent ensuite acheter auprès des nombreux revendeurs des billets portant le numéro de la « bête » qu'ils ont cru découvrir dans l'énigme inscrite sur le papier de couleur.

main. Il suscita d'urgence une réunion secrète avec les dignitaires des deux Triades en question pour les persuader que la mort de Ning To serait un gâchis. Il suffisait de le recruter et de le convaincre de mettre sa remarquable intelligence au service des Triades, en lui faisant jurer de garder pour lui seul ses intuitions géniales. Il se faisait fort d'obtenir de Ning To la promesse qu'il ne ferait plus profiter les autres joueurs de ses compétences... D'ailleurs il était établi que Ning To considérait le jeu – sous toutes ses formes – plutôt comme un défi intellectuel que comme un moyen facile de faire fortune... Les dignitaires proposèrent un compromis : la sanction prononcée serait suspendue pour un an, pendant lequel Ning To bénéficierait d'un sursis avec interdiction formelle de s'impliquer de quelque façon que ce soit dans les jeux d'argent... Fong Yi Ting devrait y veiller personnellement. En cas de problème éventuel ce serait à lui que les Triades demanderaient des comptes... Après un long entretien avec Ning To, Fong avait volontiers pris le risque, persuadé qu'il recrutait pour sa loge un élément exceptionnel, qui de surcroît lui serait dévoué corps et âme parce qu'il lui avait sauvé la vie... Trois ans s'étaient passés depuis et Fong n'avait jamais regretté son investissement. Ning To avait rapidement gravi les échelons pour devenir *Laotuanshi* c'est-à-dire chef de groupe.

En distribuant largement la photocopie faite à partir du cliché paru dans *Le Figaro*, Chaw, le lieutenant personnel de Fong, avait mis en avant le fait que le « Métis aux jambes de héron » s'adonnait à la chique de bétel et qu'il fallait donc se concentrer sur tous les points de vente... Mais Ning To, lui, n'avait pas hésité à faire appel à son intelligence. Sachant que le maillage mis en place dans les commerces, magasins et supermarchés serait certainement suffisant, il s'était dit qu'il jouerait un rôle plus utile en cherchant Ferris là où personne ne songerait peut-être à le dénicher. Depuis une semaine, il assistait à tous les concerts qui se donnaient dans la capitale... Les joueurs repentis adorent traîner dans les casinos, se consolant en regardant les autres perdre... Les anciens joueurs de tennis reviennent dans les gradins pour voir évoluer les nouveaux champions... Pourquoi un ex-concertiste ne ferait-il pas la même chose ?

Ning To était ravi. Il avait trouvé Ferris. Et son rapport contiendrait une information vitale : la 14 C n'était pas la seule à s'intéresser au *kwei loh*... Il y avait deux autres barbares sur ses basques. Il était trop tôt pour déterminer le rôle de chacun des deux hommes. Une chose semblait à peu près certaine : ils n'avaient pas l'apparence de tueurs. Mais on n'était jamais sûr de rien avec les Occidentaux.

27

« Et après tout, qu'est-ce qu'un mensonge ? La vérité sous le masque... (Lord Byron). »

« Sans un mot elle s'est avancée en me jetant un regard plein de mépris. Elle était prête à se sacrifier pour le sauver. Mais comme elle me haïssait ! En un éclair je pensai aux vers dans Macbeth :

> *Oh ! attention, monseigneur, à la jalousie;*
> *C'est le monstre aux yeux verts, qui tourmente*
> *La proie dont il se nourrit...*

ainsi qu'à cette phrase de Stevenson : " Les mensonges les plus cruels se disent souvent dans le silence. " »

« Yahvé dit à Caïn : " Où est Abel, ton frère ? " Il dit : " Je ne sais ! Suis-je le gardien de mon frère ? " »

« N'avons-nous pas accordé notre bénédiction à l'usurpateur ? N'est-ce pas Jacob qui se cache sous les traits d'Ésaü ? »

C'était comme un système de boîtes chinoises : dans la première, une autre... et ainsi de suite... Ou un labyrinthe de miroirs... Clemens avait résolu l'énigme du compartiment secret soigneusement construit sous les lattes du « Chantilly parquet » pour se retrouver avec un livre de phrases codées... Un cahier d'environ deux cents pages avec une couverture cartonnée rouge. Inclassifiable... Recueil d'aphorismes... Collection d'épigraphes... Citations, proverbes... Passages de la Bible... Pensées ou réflexions intimes sous forme de maximes... L'emploi du « je » pouvait aussi suggérer une sorte de journal de bord sibyllin, mais sans aucune date...

Ne cherchez pas ailleurs le cœur secret d'un vieil homme...

« Ç'aurait été trop facile! » jura Clemens en refermant agacé le cahier. Tout était dit ou pensé de façon tellement cryptique... Sauf erreur de sa part il n'avait trouvé aucun passage de saint Augustin, mais un ton identique semblait imprégner fortement le contenu des pages : celui d'une confession voilée... C'était un pécheur qui s'était retranché pudiquement derrière un rideau de références érudites pour confier son remords, son repentir. Mais en évitant toujours toute allusion directe et explicite à sa faute... Comme le chrétien au confessionnal qui cache son péché mortel derrière une longue liste de fautes sans gravité et qui conclut en disant au prêtre : « Et pour finir j'ai commis le péché de mensonge, mon père », en espérant que ce dernier aveu couvrira du même coup son omission...

A deception man!

Un qualificatif qui s'appliquait à la perfection à Thomas Hannay! Il aurait été un espion parfait... Le double ou triple langage comme une seconde nature. *Deception* : tromperie, supercherie, duperie... Le sens actif que le mot avait conservé en anglais était plus fidèle à l'étymologie latine : dessaisir quelqu'un de son attente, de son espérance... Cette différence avec le français était significative. « C'est peut-être pour ça, pensa Clemens, que les meilleurs agents secrets sont de l'autre côté de la Manche... »

Intelligenti pauca : c'était à cause de cette épigraphe, à la première page, que Clemens était persuadé que le cahier était un cryptogramme. « A qui sait comprendre, peu de mots suffisent... » « A certaines personnes, on peut parler à demi-mot... »

Seulement Hannay avait oublié que Clemens était un policier! Un flic ne peut se contenter de ces pensées philosophico-morales pour se former un jugement. Il lui fallait bien plus que cette allusion shakespearienne au « monstre aux yeux verts » pour conclure que Lucy était celle qui – « sans un mot... s'est avancée en... jetant un regard plein de mépris ». « Elle était prête à se sacrifier pour le sauver. Mais comme elle me haïssait! » Ça pouvait être n'importe quelle femme! Le passage n'était même pas daté...

« ... Si Hannay n'avait pas désiré de toutes ses forces posséder Lucy, rien de ce qui est arrivé ne se serait produit. On peut dire qu'il s'est montré zélé et efficace... Après avoir impitoyablement lancé la Police royale de Hong Kong à ses trousses, la contraignant à mener pendant dix-huit mois une existence de taupe, il s'est arrangé dès qu'ils nous a retrouvés pour me faire jeter immédiatement en prison. Nous étions tout de suite tombés follement amoureux l'un de l'autre... Avec les taels légués à Lucy par le brave Wang, nous aurions pu nous sauver n'importe où, en Birmanie, en Indonésie, pour y vivre en paix... Mais Lucy aimait trop Hong Kong. Elle pensait qu'on finirait par l'oublier... ou par croire qu'elle était repartie en Angleterre... Le procès n'a été qu'une formalité. C'est un docteur sans doute acheté par Thomas Hannay, un dénommé Mosley, qui est venu à la barre pour témoigner à la place de Lucy... " Elle est toujours en soins intensifs... Nous sommes encore très inquiets sur ses chances de s'en sortir... Maltraitée, battue, privée de nourriture... Heureusement les services de Sir Thomas l'ont retrouvée à temps... Une semaine de plus et c'était peut-être trop tard. " Après une déposition aussi " accablante " pour l'Asiatique qui avait commis cet impardonnable forfait, Hannay, éminent membre du Conseil exécutif, pouvait réclamer devant les membres du jury une sanction exemplaire... Ne venait-il pas, par sa diligence et sa persévérance, de sauver la vie d'un sujet de Sa Majesté ? Je me demande ce que je serais devenu si Hannay avait été jusqu'à affirmer que j'avais également violé Lucy ? Je suppose qu'avec les Ferris ils ont dû y penser, mais qu'ils y ont renoncé pour préserver la réputation de Lucy... »

Clemens posa le cahier rouge sur la table. Il n'avait fait en réalité que le feuilleter en tournant les pages au hasard. Mais le peu qu'il en avait lu avait fait naître en lui comme un sentiment de malaise. Il n'avait aucune envie d'aller plus loin... De s'embourber dans les méandres de la pensée tortueuse de Sir Thomas. Un homme dont il avait toujours admiré la droiture, l'honnêteté, la noblesse de caractère... Même s'il lui était pour le moment impossible de décider si Sung avait dit toute la vérité, il était suffisamment lucide pour reconnaître que d'une certaine façon Hannay l'avait trompé. *A deception man.* Il était triste de découvrir soudain son ami sous ce visage de faiblesse, de duplicité et d'hypocrisie... Comment avait-il pu se laisser abuser pendant si longtemps par son regard franc et direct ? Si Hannay était vraiment rongé par le remords, pourquoi n'avait-il pas eu le courage d'avouer sa faute ? A quoi rimaient tous ces détours, ces déambulations philosophiques ? S'il comptait sur lui – comme sa lettre le laissait entendre – pour réparer les torts qu'il avait pu causer... pourquoi ne pas se confier à lui explicitement dans une lettre, même posthume ? Tout ce verbiage rabaissait la précieuse amitié qui les avait liés...

« Quel contraste entre les deux hommes ! s'écria Clemens en notant le changement d'attitude qui était en train de s'opérer en lui. Malgré ma jalousie et mes préjugés, en écoutant Sung faire son récit j'avais plutôt envie de m'identifier à lui... Je m'imaginais à sa place auprès de Lucy pour l'aider, la protéger... J'approuvais silencieusement telle ou telle de ses initiatives pour mettre Lucy à l'abri... En dépit de l'amitié et de l'estime que j'ai pu lui porter, j'éprouve au contraire la plus forte répugnance à m'aventurer dans ce jardin secret que Thomas Hannay a voulu me léguer... »

Dans la cache aménagée par Sir Thomas, il y avait autre chose : une grosse enveloppe matelassée cachetée à la cire. Clemens s'était précipité sur le cahier, pressé qu'il était de trouver d'abord des réponses à ses interrogations. Résultat décevant...

« J'espère que le reste n'est pas du même acabit... », fit Clemens en regardant pensivement le paquet. C'était sûrement une précaution inutile, mais il préféra remettre ses gants avant de le décacheter. Peut-être, aurait dit Lisbeth Delmont, à qui il pensa curieusement à cet instant, voulait-il inconsciemment quitter ainsi son rôle d'ami, et reprendre celui du flic... C'est vrai qu'il se sentait de nouveau lui-même, rien qu'en manipulant délicatement l'enveloppe entre ses doigts.

Ne cherchez pas ailleurs le cœur secret d'un vieil homme...
On pouvait se déguiser ou se cacher de mille façons derrière les mots. Mais les objets, eux, ne mentaient pas...

Content de se retrouver dans son élément, Clemens décacheta soigneusement le pli avant d'étaler son contenu sur la table : des lettres, des relevés chiffrés, une petite clef, une enveloppe pleine à craquer de billets de cent dollars — une petite fortune à en juger par l'épaisseur des liasses —, plusieurs feuilles de journaux découpées en morceaux irréguliers...

Cachant à grand-peine son excitation, Fong Yi Ting ferma les yeux pour faire croire à Chaw et à Ning To qu'il réfléchissait. Les deux autres s'enfoncèrent aussitôt dans le canapé et s'efforcèrent de ne plus bouger, pour ne pas gêner la concentration de leur chef.

En fait Fong était dans un tel état de jubilation qu'il avait bien du mal à penser de façon cohérente. La phrase de l'expert en *fung shui* lui revenait sans cesse et à chaque fois il se sentait comme un gosse hilare.

Fong ne savait pas comment Yau Yau avait pu lire l'avenir, mais il avait vu juste! Et lui avait eu du nez en misant sur Ning To! Et sans recourir à l'astrologie, au Yi-king, ou à quoi que ce soit! Ning To s'était montré le plus intelligent et le plus efficace de tous. Une simple déduction lui avait suffi pour donner un coup de pouce à la chance... Grâce à lui, Fong avait enfin retrouvé le maudit Arec!

Sur les conseils de Ning To, Fong Yi Ting avait assigné à trois *xiaopai* la mission de surveiller jour et nuit l'hôtel de Calvin Ferris. Les deux barbares qu'il avait repérés au concert, et dont il avait découvert assez vite l'identité, étaient également suivis : deux « petits panneaux » pour Pearson, l'Américain moustachu, et deux autres pour Gaines, le jeune Anglais à l'allure sportive... Même traitement pour Lisbeth Delmont, l'amie de Ferris... En accord avec Chaw, Ning To avait choisi personnellement les neuf hommes en question. Pour le moment leurs instructions étaient précises : ils devaient se contenter de ne pas les quitter d'une semelle. De son côté, Ning To ferait une enquête approfondie sur Pearson et Gaines pour essayer de déterminer leurs rôles respectifs.

Fong Yi Ting rouvrit les yeux et regarda ses deux hommes. Il était temps de leur donner ses instructions. Pour ne pas le froisser, c'était à Chaw qu'il s'était adressé en premier pour recueillir ses suggestions concernant la préparation de la « croisière »... Celui-ci, comme d'habitude, avait fait une réponse dictée par son bon sens si précieux : « Si ce Ferris est toujours aussi dangereux que vous le prétendez, rien ne presse... On peut le tester en sacrifiant quelques têtes brûlées... Une fois qu'on aura déterminé le champ de ses éventuelles faiblesses, on rassemblera une petite armée réunissant les meilleurs... au besoin en les faisant venir de Hong Kong ou de Taipei... »

Ning To avait abondé dans le sens de Chaw, mais incidemment il avait ajouté une suggestion géniale, prouvant bien qu'il ne laissait rien au hasard : « Il y a déjà, à mon avis, un atout dans notre jeu dont il faut se servir : c'est la femme... Je pense que Ferris sera automatiquement plus vulnérable si la " croisière " se déroule à un moment où il se trouve avec elle... La faiblesse sentimentale des Occidentaux est bien connue... N'est-il pas à moitié blanc ? Je suis prêt à parier qu'il faut en profiter... »

– Voici ce que j'ai décidé... commença Fong.

Quatre lettres envoyées à Thomas Hannay par un dénommé Russel Jenkins, *solicitor*, du cabinet Morris & Jenkins Associated, basé à Londres... La plus ancienne remontait à 1971, les trois autres étaient de 1975, 1982 et 1986... Pour lui donner à chaque fois les coordonnées du compte où le « virement des dix mille dollars serait effectué »... En 1971, la succursale de la Barclays à Wadebridge ; quatre ans plus tard, une agence de la Midland à Londres ; en 1982, une agence de la Société générale à Paris ; puis la Chase Manhattan Bank à New York en 1986... Jenkins était plus que laconique à chaque fois : juste une formule de politesse et les références du compte... Avec une seule exception, dans sa lettre de 1986 où il avait ajouté un post-scriptum : « Cliff Lewis de la Chase m'a signalé que le " bénéficiaire " était allé le voir. Il voulait connaître l'identité du " donateur ". Lewis lui a répondu : " Un généreux admirateur de votre art qui souhaite demeurer anonyme... " Cette réponse a paru satisfaire le " bénéficiaire ". Je tenais à vous signaler cette initiative inhabituelle... »

Un coup d'œil rapide avait suffi à Clemens pour interpréter les relevés. Ils correspondaient aux versements des sommes en question. Dix mille dollars ou leur équivalent en livres sterling, francs français... Quatre échéances par an : 15 janvier, 15 avril, 15 juillet, 15 octobre... Quarante mille dollars par an, par versements trimestriels... La dernière opération remontait au 15 janvier 1988... La première au 15 janvier 1971...

Clemens fit un calcul rapide : quarante mille dollars pendant dix-huit ans... Sept cent vingt mille dollars ! Un montant négligeable cependant comparé à la fortune accumulée par Sir Thomas et il pouvait écarter immédiatement une première hypothèse : celle d'un détournement de fonds commis par Hannay... En 1971, celui-ci figurait déjà en douzième place au classement de Forbes... Ses opérations financières lui rapportaient certains mois près d'un million de dollars...

Un chantage alors ? Exercé par quelqu'un qui aurait été au courant de la « faute » commise par le « pécheur » Hannay ? Dans ce cas, pourquoi le « bénéficiaire » aurait-il voulu s'enquérir de l'identité du « donateur » ? Ça n'avait pas de sens...

« Il faudra que je trouve un moyen de faire parler Jenkins... je me demande si ses instructions sont toujours valables, maintenant que Thomas Hannay est mort... », songea Clemens en posant ses yeux sur la petite clef. A 2054. De toute évidence la clef d'un coffre-fort. Mais autant chercher un coquillage dans l'océan, quand on ne sait de quelle banque il s'agit... Encore un autre mystère légué par Hannay !

Les pages de journaux – *Le Figaro, Financial Times, Herald Tribune* – paraissaient bonnes à jeter au feu... Les dates, sur certaines, remontaient à au moins cinq ans. Aucun lien apparent entre les rubriques : un résultat d'un match de cricket, un reportage sur un scandale financier, le compte rendu d'une conférence humanitaire... Apparemment aucun intérêt. Mais Sir Thomas avait jugé nécesssaire de les conserver dans sa cachette : elles faisaient donc partie du puzzle... Clemens poussa un soupir et commença à les étudier plus attentivement. Très vite un sentiment d'excitation s'empara de lui... Ce n'était pas, comme il l'avait pensé au premier coup d'œil, le contenu des pages conservées qui comptait mais au contraire ce qui y avait été enlevé ! On s'était amusé à découper aux ciseaux des parties de titres... Avec un peu d'effort, on pouvait deviner les syllabes manquantes : GA, DAN, VIE, TI. Le genre de fragments rassemblés par quelqu'un qui veut rédiger un message anonyme avant de l'envoyer par la poste... Ça collait avec l'hypothèse du chantage...

« Mais non ! s'écria Clemens. C'est absurde ! S'il était lui-même victime d'un chantage, pourquoi se serait-il amusé à s'adresser des lettres anonymes ? A moins que... »

Non ! L'idée qui lui avait un instant traversé l'esprit, la possibilité que Sir Thomas eût tout simplement inventé un maître chanteur pour justifier a posteriori les versements trimestriels, était stupide... Quand on jongle avec des milliards, on ne perd pas son temps à des manœuvres tortueuses et compliquées qui vous rapportent seulement quarante mille dollars par an... Mais alors, pour quelle raison Hannay avait-il caché si soigneusement ces journaux ?

Clemens ferma les yeux. « Quand la logique apparaît totalement invraisemblable ou incompréhensible, et qu'aucune intuition ne vient à ton secours, une seule solution, Mark, revenir aux faits et coller à eux », disait Paul Baker. Les faits : c'était Hannay et personne d'autre qui avait collecté ces journaux... Il s'en était donc servi lui-même pour des messages anonymes... Même si logiquement cette hypothèse semblait absurde... Les faits... Quoi d'autre ?

Bien sûr... Quel imbécile ! Il avait voulu mettre la charrue devant les bœufs ! Il avait simplement négligé l'essentiel ! Essayer de reconstituer le contenu de la phrase ou des phrases formées avec les fragments de mots !

Il se leva pour aller chercher une grande feuille blanche.

Au bout d'une heure Clemens avait réussi à reconstruire deux messages. C'était comme au Scrabble. A force de permuter les différents éléments, on arrivait à trouver la solution la plus intéressante. Il avait un peu pataugé jusqu'au moment où le passage de la lettre lui était revenu : « le secret d'un vieil homme " anglais "... ». Il fallait jouer en anglais...

Clemens se recula pour examiner les deux phrases qu'il avait recopiées en bas de la feuille. Deux menaces de mort... Comme il l'avait deviné.

Une littérature très spéciale émanant de maniaques ou de détraqués. Lui-même avait ouvert des centaines d'enveloppes contenant ce genre de saloperies... Ça ressemblait étonnamment à quelque chose qu'il avait déjà vu, dans une vieille affaire...

– Bonté divine!

En voyant les mots écrits en lettres capitales, il venait soudain de se rappeler dans quelles circonstances il avait lu les deux messages... C'étaient deux envois anonymes que Thomas Hannay avait reçus et qu'il avait tenu à lui montrer... Le jour où il avait tellement insisté pour le convaincre de travailler pour lui : « J'ai besoin de vous, Mark... Quelqu'un cherche depuis des années à me tuer... Jusqu'ici il a échoué... Mais un jour il réussira... Pour la première fois de ma vie j'ai vraiment peur... Vous seul pouvez m'aider... Démissionnez de Scotland Yard et venez vivre à Paris... »

Clemens alla pensivement dans la cuisine se verser un verre de Glenfiddich. Il le but d'une traite. Il avait résolu l'une des énigmes imaginées par Thomas Hannay. Mais il n'avait aucune raison de se réjouir... Au contraire il était consterné.

28

Il s'éveilla en sursaut, couvert de sueur. Autrefois il se serait sûrement efforcé de chasser immédiatement le cauchemar de son esprit. Aujourd'hui il savait qu'il était au contraire essentiel de tout se rappeler, dans les moindres détails... Mais d'une façon naturelle... Sans effort... Sans chercher à privilégier l'une ou l'autre des quatre formes du *furyu*, cette fameuse perception des instants « sans but » de la vie qui imprègne l'état d'esprit du *Zen : sabi, wabi, aware, yugen*... Quatre mots intraduisibles pour exprimer les nuances subtiles qui différencient tel *haïku* de tel autre, tel paysage esquissé de tel autre...

Sabi... Un sentiment de solitude, de quiétude tranquille. *Wabi*... La simplicité, la nature « ordinaire » des choses; en un instant intemporel éprouver soudain qu'il n'est nécessaire d'aller nulle part... *Aware*... Une seconde suspendue; au moment où l'on perçoit avec tristesse et regret le caractère transitoire du monde, on découvre la vraie nature des choses... *Yugen*... Brusquement la découverte de quelque chose de mystérieux et d'étrange, évoquant un « inconnu » indéchiffrable. Une nouvelle fois, il se surprit à réciter silencieusement son *haïku* préféré :

> *Le pivert*
> *Reste à la même place*
> *Le jour s'estompe*

Il s'était réveillé au moment où il brisait d'un coup de sabre la glace sans tain pour passer de l'autre côté. Son cœur battait déjà nettement moins vite et il avait retrouvé sa respiration normale : lente et régulière... Le songe avait fait irruption brutalement. Tel un pavé jeté dans une mare tranquille... Ou un *koan* [1] inattendu jeté à sa figure par un moine hurlant.

---

1. Problèmes ou énigmes posés par les Maîtres *Zen* à leurs disciples, dont le but apparent est de tester leur compréhension spirituelle mais qui constituent en eux-mêmes un enseignement...

Sabi, wabi, aware, yugen... En laissant indifféremment les quatre états le submerger sans chercher à lutter, il avait spontanément trouvé l'attitude juste qui lui permettrait dans quelques instants de réfléchir sereinement à la signification de son rêve. Les vaguelettes à la surface de l'étang disparaîtraient peu à peu... Même cette référence aux deux vers du *Zenrin Kushu* [1] qui lui était venue à l'esprit était superflue :

> *Les oies sauvages ne cherchent pas à se mirer*
> *L'eau ne pense pas réfléchir leur image.*

Il suffisait d'attendre calmement... Au lieu de se précipiter tête baissée au-devant de l'orage... Comme la plupart des novices qui, en même temps que lui, avaient demandé leur admission au temple d'Eiheji... Il sourit en repensant à la tête ahurie de son *roshi* [2] quand il lui avait rendu le petit miroir de poche après l'avoir fracassé avec une pierre.

Son *roshi* l'avait fait attendre trois jours avant de le recevoir pour lui donner son *hosshin* [3]. Sortant une petite glace de sa robe, le moine avait fait mine de se regarder dedans, avant de la lui tendre en disant d'une voix grave : « Comment retrouver mon visage originel au-delà de son reflet imparfait ? »

Le lendemain, il était retourné voir le *roshi*. Sans dire un mot il avait déposé à ses pieds le miroir brisé avant de s'incliner. Masquant difficilement sa surprise, le moine l'avait dévisagé en silence. Puis après un certain temps, il avait déclamé d'une voix grave :

> *Le miroir brisé ne renverra plus d'images;*
> *La fleur tombée remontera difficilement sur la branche...*

avant de lui donner une gifle retentissante!

Des éclairs dans les yeux, le moine avait ensuite hurlé, en l'agrippant violemment par la manche :

— Savez-vous d'où ça vient ?

En guise de réponse il avait secoué lentement la tête, ne sachant trop quelle attitude adopter devant la réaction brutale du moine.

Le *roshi* l'avait fixé pensivement pendant un long moment, puis, d'une voix nettement radoucie, il avait dit :

— C'est un poème extrait du *Zenrin Kushu*... Vous en connaissez

---

1. Le *Zenrin Kushu* est une anthologie de quelque cinq mille poèmes de deux vers, compilés par Toyo Eicho (1429-1504), pour donner aux étudiants *Zen* un ouvrage de référence où choisir les versets exprimant le thème d'un *koan* récemment résolu. De nombreux Maîtres exigeaient de l'élève un verset dès que la solution convenable du problème avait été trouvée.
2. Moine chargé des novices. C'est lui qui, dans les temples *Zen*, propose aux débutants les *koan*.
3. *Koan* préliminaire destiné à faire obstacle à la démarche de l'élève, en l'orientant généralement dans une direction opposée à celle qu'il devrait suivre.

désormais au moins deux vers... Maintenant voici un autre *koan* pour vous : « Une jeune fille traverse la rue. Est-ce la sœur aînée ou la sœur cadette ? »

Un problème bien entendu absurde, insoluble. Le jour suivant, en guise de solution, il s'était borné à cligner les yeux rapidement derrière sa main en forme d'éventail. La réponse avait paru satisfaire le moine car celui-ci l'avait invité, en grognant mais sans le frapper, à aller aux cuisines laver le riz.

Il ferma les yeux et, après avoir chassé de son esprit toute référence de son séjour à Eiheji, commença à reconstituer dans sa tête la scène de son rêve.

Pendant de longues années, il avait pris l'habitude de ne descendre dans un hôtel que s'il était sûr de disposer d'une grande glace murale dans sa chambre. Pour pouvoir s'observer lorsqu'il effectuait ses *kata*... Grâce à son reflet dans le miroir il pouvait soit juger de la perfection de ses enchaînements soit affronter un adversaire imaginaire aussi rapide et expérimenté que lui... Cette exigence le contraignait le plus souvent à délaisser le confort des grands palaces pour se contenter d'une chambre sordide dans un établissement de passe quelconque, mais comportant une pièce un peu spéciale où les amants peuvent se voir en train de copuler... Maintenant qu'il avait atteint le niveau où le miroir était en lui-même, il n'avait plus besoin de loger dans les quartiers de prostituées.

Dans le rêve, après avoir exécuté devant le miroir mural le *suparim-pei* [1], il s'était levé pour aller éteindre avant de passer au *iaï-jutsu* [2], les *kata* exécutés avec son *katana*, son grand sabre de combat. Les doubles rideaux soigneusement tirés pour préserver une obscurité parfaite dans la pièce, il avait commencé à faire le vide dans son esprit, aiguisant tous ses sens, en particulier l'ouïe, sur la pierre du silence... Au moment où il avait commencé à faire glisser le sabre hors de son fourreau avec le pouce gauche, il avait soudain entendu comme un grincement de porte. Jaillissant sur ses pieds il avait aussitôt dégainé en esquissant un mouvement de demi-tour pour contrer une éventuelle attaque dans son dos. Mais à peine avait-il amorcé son geste qu'un rire de femme avait retenti dans la pièce, l'obligeant à pivoter de nouveau. Comment Lisbeth Delmont avait-elle fait

---

1. Le plus avancé des treize *kata* du style *goju-ryu* du karaté ; c'est un enchaînement des techniques les plus secrètes de cette école qui combine des mouvements rapides et lents avec une respiration rigoureusement rythmée. Par exemple : préparer un sabre de main tout en achevant son adversaire tombé à terre avec le talon ; saisir son adversaire avec la main droite et le frapper simultanément avec le tranchant de la main gauche...

2. Entraînement en solo de l'art du sabre, qui comporte également ses *kata* minutieusement codifiés, dont la position de départ est basse et ramassée, et dont le but est de préparer l'élève à réagir instantanément à une attaque en pleine nuit. Les mouvements couvrent donc les attaques par l'avant, les côtés, par l'arrière, ainsi que les assauts multiples venus de plusieurs directions... On a écrit que, réduit à l'essentiel, le *iaï-jutsu* était l'art de donner un seul coup de sabre parfait...

pour pénétrer dans la pièce? Elle était là, à moins de trois mètres, en face de lui! Il cligna rapidement les paupières pour accommoder ses yeux éblouis par l'apport soudain de lumière, et comprit aussitôt la situation. Il se trouvait devant une immense glace sans tain! L'hôtelier lui avait donné une chambre d'où il pouvait voir et entendre tout ce qui se passait dans l'autre pièce. Lisbeth Delmont venait d'y pénétrer... En la voyant s'avancer résolument vers lui, il recula instinctivement. Mais il s'était trompé... Elle s'immobilisa et se passa les mains dans les cheveux... Elle n'avait fait que s'approcher du mur pour se regarder dans le miroir qui se trouvait sans doute de l'autre côté! Une glace tout à fait normale qui l'empêchait de noter sa présence à lui...

C'était bizarre... On avait dû utiliser un matériau spécial pour fabriquer le miroir sans tain, car il pouvait contempler simultanément trois personnes distinctes. Lisbeth Delmont, avec ses cheveux noirs légèrement bouclés rejetés en arrière et ses yeux verts. Puis son propre reflet, celui du guerrier torse nu, immobilisé provisoirement dans une position défensive, le sabre dans la main droite... C'était la troisième image qu'il ne comprenait pas : ce n'était certes que son reflet mais, était-ce dû à une déformation inhérente à la structure interne du miroir sans tain ou bien au fait qu'il avait sous les yeux plusieurs glaces superposées? Il le voyait dans une perspective curieuse... Comme si, soudain animé d'une vie propre, il avait traversé le mur pour se retrouver de l'autre côté auprès de Lisbeth et continuait de bouger même lorsqu'il sortait du champ du miroir... Mais que faisait-elle? En déboutonnant lentement son chemisier, elle avait commencé une sorte de danse de séduction autour de son image! Avec ses longs doigts elle effleurait sa poitrine dénudée... Soit Lisbeth était toute seule dans la pièce en train de mimer une scène de séduction amoureuse... Soit elle avait perçu la présence de ce « double » déconcertant de lui-même et avait trouvé amusant de « le » séduire, sachant qu'en réalité il était derrière le mur en train de l'observer... Elle était maintenant nue et se laissait enlacer par l'« autre »... Mais en s'arrangeant pour s'approcher de plus en plus du mur qui les séparait... et en lui présentant son dos arc-bouté et ses fesses pour qu'il ne voie plus qu'elle... En poussant des cris de plaisir, elle renversait la tête en arrière pour lui jeter des coups d'œil fiévreux et gourmands, comme ces actrices de films érotiques qui soudain fixent en gros plan la caméra, s'offrant le temps d'un regard coquin et sans ambiguïté à tous les hommes anonymes qui sont les spectateurs fascinés de son corps secoué par le plaisir et la jouissance... C'était sûrement ça! Une espèce de jeu subtil et pervers... Dans lequel elle voulait l'entraîner... « Je suis là, belle et désirable... Je sais que tu es de l'autre côté, mais tu ne me posséderas qu'avec tes yeux! »

A peine avait-il formulé silencieusement cette pensée que le rêve avait soudain basculé. Quatre hommes avaient fait brusquement irruption dans la pièce en défonçant brutalement la porte de la chambre de Lisbeth. Des tueurs armés de machettes menaçantes... L'« autre » s'était dégagé de Lisbeth pour empoigner son sabre. Mais avait dû aussitôt le lâcher en hurlant de douleur! L'un des tueurs lui avait planté un *shuriken*[1] dans chaque main. Son « reflet » s'était effondré aux pieds de Lisbeth. Il n'y avait qu'une solution s'il voulait la sauver... Briser la glace et passer de l'autre côté... Ce qu'il avait fait en s'élançant le *katana* devant lui. Pour se réveiller en sursaut...

Dans le roman de George Du Maurier, c'était Lady Towers qui avait surgi dans le rêve de Peter Ibbetson pour le tirer des griffes des geôliers qui voulaient l'enfermer... Leur première expérience de « rêve vrai ». Il ne s'était pas trompé! Lisbeth avait adoré ce curieux livre... Deux êtres s'aimant d'un amour impossible sont contraints d'apprendre à diriger et contrôler leurs rêves pour se retrouver ensemble...

Le songe qu'il avait fait était différent... Il contenait deux messages importants. D'abord la confirmation de ses craintes et de ses soupçons... Le modèle et son pâle reflet dans le miroir... Une implication plus active de sa part allait être nécessaire... Une fois mise au courant, Lisbeth saurait faire la part des choses. Elle n'hésiterait pas une seconde, il en était convaincu! Mais cela pouvait attendre. Car il y avait un problème plus urgent : prendre en compte l'avertissement du cauchemar! Les machettes dont les quatre hommes étaient armés : un anachronisme chez les tueurs d'aujourd'hui... sauf pour les assassins des Triades... Lisbeth Delmont courait un grand danger, c'était la signification de son rêve prémonitoire. Il allait falloir retarder son prochain voyage de quelques jours, voire d'une semaine ou deux... Car il ne quitterait la capitale que quand il aurait la certitude d'avoir éliminé la menace pesant sur Lisbeth, quelle qu'elle fût... C'était le seul plan d'action possible...

Il n'avait pas besoin de consulter sa montre pour savoir qu'il ne ferait pas jour avant au moins quatre heures. Il pouvait se rendormir... Par expérience il savait qu'il n'y avait pas le feu. Généralement un événement qu'il avait pressenti oniriquement ne se réalisait jamais avant trois ou quatre jours...

Il ferma les yeux puis récita le *haïku* qui était devenu une sorte de mantra pour lui :

> *Le pivert*
> *Reste à la même place*
> *Le jour s'estompe*

Clemens n'avait pas réussi à se rendormir. Que fallait-il faire? Avoir une nouvelle conversation avec Sung? Ou rentrer à Paris comme le lui avait demandé avec insistance Bill Gaines?

Retourner à Heubec... Il devait sans doute quelques excuses à Sung...

---

1. Dard de fer, muni d'une pointe ou d'une lame, généralement empoisonnée, dont se servaient les *ninja*, assassins-espions de l'époque féodale nippone, pour tuer silencieusement.

Mais il voulait aussi lui soutirer quelques pièces manquantes du puzzle... Afin de corroborer avec certitude la théorie qu'il avait finalement réussi à élaborer, en partant des différents éléments cachés sous le « Chantilly parquet »... Dans le cahier rouge, il avait fini par trouver un message dont le style crypté ne laissait aucun doute : *Pâques, le jour du soleil... Mais j'ai peur du soleil levant... Dieu a voulu que je me trouve en compagnie d'un évangéliste. Peut-être devrai-je m'appuyer sur lui, non seulement pour me débarrasser de toute peur, mais aussi pour préparer mon salut...*

A la première lecture, il s'était simplement dit : « Tiens... Je croyais que le soleil, c'était plutôt le jour de la Pentecôte... Quand l'Esprit Saint descend sur les disciples sous la forme d'un disque lumineux... » C'est seulement à la deuxième lecture que le lien lui avait semblé évident ! « Soleil levant », c'était évidemment Sung ! L'Orient... Comment le jeu de mots avait-il pu lui échapper ? Dans ce cas, l'évangéliste en question, c'était lui-même, « Marc » ! Le hasard avait voulu qu'il fût présent le jour où Hannay avait revu Sung pour la première fois depuis de longues années. Paniqué par la pseudo-« résurrection » de Sung, il n'avait plus pensé qu'à une seule chose : se protéger à tout prix... Quoi de mieux qu'un bon professionnel ayant acquis une réputation indiscutée à Scotland Yard ? Hannay n'avait pas hésité pour lui forcer la main à fabriquer lui-même les fameuses lettres anonymes...

Tout se tenait. Le coup de feu qui était passé à travers la fenêtre de son bureau un soir de juin : pas étonnant qu'on n'ait jamais retrouvé le coupable... Hannay avait lui-même tiré la balle qui s'était lovée dans la plinthe au-dessus de la cheminée...

Restait à résoudre le problème du mystérieux bénéficiaire des dix mille dollars trimestriels. Il n'était pas persuadé d'avoir eu une bonne idée en appelant Bill Gaines pour lui demander de faire quelques recherches. Car Gaines avait semé le doute dans son esprit !

— Ah ! c'est vous, Mark... Vous ne pouvez pas savoir combien je suis heureux de vous entendre ! Je commençais à croire que vous aviez disparu définitivement de la circulation. J'ai laissé au moins vingt messages sur votre Eurosignal. Votre boîtier doit être déréglé...

— Je pense qu'il marche toujours, mais je l'avais débranché.

— Ah ! Quand rentrez-vous à Paris, Mark ?

— C'est-à-dire... que j'ai encore une affaire importante à régler ici. Pourquoi ?

— Eh bien, ce n'est qu'une impression, mais je crois que vous feriez bien de rappliquer assez vite. Il y a des choses pas très nettes qui se préparent. Je serais plus tranquille si vous étiez là, Mark...

— Expliquez-vous...

— Y a-t-il selon vous une raison précise pour qu'une bande de chinetoques s'intéresse de très près à Calvin Ferris ?

— Quoi ? Depuis quand ?

— Quelques jours. J'en ai repéré au moins trois ou quatre... Ils ont un air bizarre. Des Orientaux qui se bornent pour le moment à faire comme moi, c'est-à-dire à suivre Ferris. Mon petit doigt me dit qu'ils sont tous plus ou moins des spécialistes des arts martiaux... Ils en ont vraiment la touche...

– Vous en êtes certain? Vous vous êtes peut-être trompé...

– Je ne peux rien affirmer... Mais est-ce que vous vous souvenez de ce type de Hong Kong que mon père et vous aviez coffré il y a quelques années? Un tueur que vous soupçonniez de travailler pour une Triade quelconque... je crois bien que je l'ai reconnu...

– Merde! Vous êtes formel?

– Non, évidemment... C'est pourquoi je préférerais que vous rentriez à Paris. Vous seul pouvez l'identifier à coup sûr...

Clemens entendit l'horloge sonner 6 heures. D'un geste irrité il repoussa les draps. Il avait pris sa décision. Il allait se lever et prendre une douche. Ensuite, après une bonne tasse de café, il rentrerait à Paris... Mais en faisant un petit détour par Heubec...

29

Lisbeth renversa quelques gouttes de vin en reposant son verre un peu trop brusquement. Calvin avait à peine touché au sien. Un excellent nuits-saint-georges pour accompagner ses côtes d'agneau et la bavette à l'échalote qu'il avait choisie.

« C'est un comble! pesta-t-elle silencieusement. Je ne vais quand même pas le violer! Ça fait quinze jours que cela dure. Malgré tous les signaux que je lui envoie, rien! Pas une avance! Même pas une allusion... Je vais finir par croire qu'il est impuissant! »

Ils se trouvaient dans un restaurant de la rue Saint-Louis-en-l'Isle, à deux pas de la galerie de peinture où s'était tenu le vernissage de la dernière exposition de Martin Palarczyk, un jeune peintre d'origine polonaise dont la presse parisienne disait le plus grand bien... De grandes toiles réalistes... Une obsession en blanc et gris de la laideur humaine, impitoyablement traquée, représentée par un détail anodin sur un fond apparent d'harmonie et de beauté : une adolescente nue qui a tout pour séduire, un joli corps, des yeux expressifs, mais le gros nez boursouflé d'un ivrogne... Ou bien un magnifique athlète en plein effort : en s'approchant, on réalise que la tache noire sur sa cuisse est un mélanome cancéreux...

Elle avait détesté cette sorte de complaisance indécente pour le morbide... Calvin, qui avait une prédilection pour les maîtres de la période Sung tels que Hsia-kuei, Ma-yüan, Mu-ch'i ou Liang-k'ai, avait dû la prendre pour une folle de l'avoir emmené dans cette galerie! C'était sûrement la contemplation des toiles de Palarczyk qui l'avait plongé dans cette humeur taciturne et morose qui ne l'avait pas quitté depuis le début du repas. Malgré plusieurs tentatives de sa part pour essayer de le dérider...

« Peut-être a-t-il besoin d'une atmosphère un peu plus excitante pour se dévoiler ? » se dit Lisbeth en fixant pensivement les mains de Calvin et avec l'espoir confus qu'elle parviendrait à surprendre le moment où l'autre Ferris allait ressurgir. Elle venait d'avoir une idée... Complètement loufoque! Qui pourrait pimenter un peu cette soirée qui était en train de devenir mortelle... Il y avait un endroit sûrement amusant où ils pourraient aller après le dîner. Mais il fallait d'abord convaincre Calvin de l'y emmener. Ce ne serait pas facile...

Plusieurs petits gestes d'impatience et de nervosité. C'était visible, Lisbeth s'ennuyait ferme... Il aurait fallu la faire rire. Lui raconter n'importe quoi... Une anecdote, une histoire drôle... Lui poser des questions... Elle ne lui avait pas dit si elle avait aimé le film d'hier soir... La cuisson de la viande lui convenait-elle ? Qu'avait-elle le plus aimé dans le roman de George Du Maurier ? etc. Ferris le savait bien. Son mutisme était à la limite de la muflerie, plongeant Lisbeth dans un embarras croissant.

Cette fois, il fallait qu'il s'en sorte tout seul... ! Sans qu'elle se doute de quoi que ce soit... Il était temps qu'il mette en pratique l'enseignement de *Sensei* Taki. Assis sur son coussin dans la posture de méditation *Zazen,* dans l'isolation et dans le silence, c'était relativement facile de pacifier ses pensées, de retrouver sa sérénité... Mais dans le brouhaha du restaurant... en compagnie de Lisbeth et avec tous ces convives attablés tout autour qui les observaient avec curiosité... c'était une autre paire de manches ! Il n'était pas sûr qu'il y arriverait... Ce soir, toutes les conditions étaient réunies pour le faire définitivement ployer sous le doute et le découragement...

Il y avait d'abord eu cette exposition hideuse. Un étalage glacial de la laideur. Une toile en particulier lui avait donné la nausée. Un groupe d'enfants rassemblés devant un stand de fête foraine. Des visages angéliques et rieurs. En suivant la direction de leurs regards on découvrait enfermé dans une cage un enfant tronc à la tête difforme... La vision de cette œuvre que l'artiste polonais avait intitulée « Mozart assassiné » lui avait soulevé le cœur. Ravivant de surcroît son sentiment de culpabilité à l'encontre de Ken. Le pauvre gosse devait se demander pourquoi il ne lui avait donné aucune nouvelle depuis son départ de New York...

La soirée lui avait réservé une seconde surprise désagréable. Déjà présent à la galerie en même temps qu'eux, le dénommé Bill Gaines avait eu le toupet de les suivre à l'intérieur du restaurant. Il s'était assis à trois tables derrière eux. Sa présence n'était donc pas due au hasard... Il était sans doute là à la demande de l'inspecteur Deschamps pour le surveiller... Au début il avait supposé que Gaines travaillait uniquement pour Mark Clemens. Jusqu'au jour où lui-même avait fait l'objet de trois convocations par l'inspecteur Deschamps. A chaque fois, Gaines assistait à l'interrogatoire... C'est à partir de ce moment qu'il avait commencé à avoir quelques doutes sur ses fonctions exactes... Le policier français, qui persistait, en l'absence de toute preuve, à vouloir lui coller le meurtre de Thomas Hannay sur le dos, avait dû trouver un moyen quelconque de s'assurer la collaboration de Gaines. La présence au restaurant de ce faux jeton l'avait profondément agacé.

Mais il y avait eu pire ! Le mystérieux incident de la veille s'était de nouveau produit... Hier soir, après le concert à la Sainte-Chapelle et le dîner dans un bistrot de l'île Saint-Louis, Lisbeth avait voulu se promener un peu le long de la Seine. Après avoir flâné sous les arbres ils étaient descendus jusqu'au quai. Il s'était assis à côté de Lisbeth juste au bord de l'eau. Une nuit d'avril exceptionnellement douce... Notre-Dame illuminée se reflétant dans les eaux... Ils étaient restés longtemps silencieux, chacun sentant que les mots étaient superflus en ces minutes... A un moment Lisbeth avait laissé pendre sa tête en arrière en dénouant le ruban dans ses cheveux. Un geste d'abandon et de bien-être... Il n'avait qu'à tendre la main pour lui caresser le cou, la joue, les cheveux... Se pencher sur elle pour l'embrasser doucement.

L'instant était idéal... Comme dans la chanson de Kris Kristofferson chantée par Joan Baez...

> *Take that ribbon from my hair*
> *Shake it loose and let it fall*
> *[...]*
> *Come and lay down by my side*
> *Till the early morning light*
> *All I am taking is your time*
> *Help me make it through the night*
> *[...]*
> *Let the devil take tomorrow*
> *[...]*
> *Yesterday is dead and gone*
> *[...]*
> *It's so sad to be alone...*

Il avait tendu le bras... Et n'avait pas pu la toucher... Car à cet instant précis, le *haïku* s'était « imprimé » dans sa tête. Le foutu poème par lequel tout avait commencé à New York... Les visions prémonitoires du vieil homme... Un sentiment de malaise, de profond désarroi l'avait laissé soudain comme pétrifié... Immobile comme une statue de sel...

> *Le pivert*
> *au même endroit s'obstine*
> *déclin du jour*

Il s'était secoué en se disant : « Je dois faire un mauvais rêve... », et avait essayé de nouveau de toucher avec sa main les cheveux de Lisbeth... En vain! Il n'était sorti de sa torpeur que quand elle lui avait dit : « Il commence à faire froid, je voudrais rentrer... » Il ne s'était même pas aperçu qu'elle était déjà debout...

Ce soir, la même chose était arrivée. Au restaurant, au moment de s'asseoir, elle lui avait adressé un magnifique sourire. En le regardant avec une expression de douceur et de tendresse... Comme pour s'excuser de l'avoir emmené dans cette horrible exposition. Il avait spontanément tendu le bras pour serrer sa main dans la sienne... Et s'était figé dans son geste. Les vers d'Issa résonnaient de nouveau dans sa tête... Dans une sorte de brouillard... Auparavant, lorsqu'un *haïku* « s'imprimait » dans ses pensées de cette façon, c'était pour annoncer de funestes événements... Maintenant le phénomène s'accompagnait d'une soudaine « impuissance » de sa part... Il ne parvenait pas à comprendre pourquoi... Il faudrait bien pourtant qu'il trouve l'explication de ce processus surprenant. Et tout seul... Sans l'aide de Lisbeth... S'il échouait, tout s'effondrerait comme un château de cartes... Ses rapports avec Lisbeth retomberaient de nouveau dans les schémas du carcan psychanalytique. Chacun retrouverait ses distances... Lui sur le divan... Elle derrière son bureau... Toute chance d'établir une relation plus authentique entre eux s'envolerait définitivement... Pour l'instant il avait un mal fou à ne pas lâcher prise sous l'avalanche de pensées qui déferlaient. *Senseï* Taki n'était pas là, mais c'était le moment ou jamais de mettre en pratique son enseignement.

« En *zazen*, les yeux sont à demi clos... Les oreilles entendent tout mais ne privilégient aucun son... Les pensées passent... Mais c'est *Zazen* sans l'assise qui est le plus difficile... Dans la cohue du métro... Dans le brouhaha de la rue... Tout en conversant avec quelqu'un d'autre... Voir sans voir... Entendre sans entendre... Respirer sans respirer... Quand vous pourrez faire ça, Ferris-san... Vous aurez atteint l'essentiel... »

Ferris tendit la main pour reverser du vin dans le verre de Lisbeth. Puis il but un peu d'eau minérale. Accentuant volontairement la lenteur de chacun de ses gestes.

« Dans une première phase, il faut retrouver la concentration... En faisant le contraire de ce que j'ai dit : chaque mouvement est exécuté avec une sorte d'exagération dans sa perception, sa conscience... Mes doigts se referment sur le verre... Je le porte à ma bouche... L'eau dans ma bouche, sur ma langue... Je bois en ayant conscience que je bois... »

S'emparant de sa serviette il s'essuya consciencieusement les lèvres en focalisant son attention sur des choses concrètes, mais neutres : le contact frais du coton... la douceur de l'étoffe sous ses doigts... Il était sur la bonne voie... Le plus gros de l'orage était passé. Il leva les yeux de son assiette et sourit timidement à Lisbeth.

Fredie Pearson faillit avaler de travers quand il « lut » sur les lèvres de Lisbeth Delmont :

– C'est vrai ? Vous voulez bien qu'on aille faire un tour à la porte de Choisy ? Oh, je suis contente ! Il y avait longtemps que je voulais me rendre dans l'un de leurs cercles de jeux clandestins, mais jamais je n'aurais osé m'y aventurer toute seule... Je suis persuadée que ça va être terriblement excitant !

Machinalement, il laissa retomber son bras pour palper le sac en bandoulière accroché à sa chaise. Il ne l'avait pas oublié : le caméscope était là. Il allait enfin pouvoir filmer Ferris dans ses entrechats à la Bruce Lee! Un document qui vaudrait son pesant d'or...

La perspective de se payer la tronche de quelques mangeurs de riz du Chinatown parisien avait en tout cas transformé Ferris. Il était métamorphosé. Lui qui faisait une gueule pas possible depuis le début du repas, voilà qu'il s'animait subitement. Plaisantant et faisant rire la Delmont...

Vu la tournure de la soirée, Pearson n'y croyait plus tellement. Un monde fou dans cette galerie pour s'extasier devant des horreurs. Une table près de la porte des chiottes, juste à côté des cuisines et en plein courant d'air. Hélas le seul endroit d'où il pourrait suivre leur conversation en lisant sur les lèvres de la gonzesse... Il s'était rasé la moustache pour modifier son apparence, mais il ne voulait pas prendre le risque de faire face à Ferris... Un serveur lui avait renversé une saucière sur la manche... Un client qui devait avoir la courante avait renversé son verre de chablis en se précipitant aux toilettes... Tout ça pour surveiller deux amoureux qui se parlaient à peine et se faisaient la gueule!

Au début il avait cru que les choses s'animeraient un peu quand il avait noté la présence dans le restaurant d'une bande de trois jeunes chinetoques bruyants et sans gêne... Vu l'état d'énervement et de tension dans lequel Ferris semblait être, il s'était dit : « S'ils continuent comme ça, ils vont se faire corriger vite fait bien fait... » Même le dénommé Gaines, d'habitude si discret, avait jeté plusieurs coups d'œil agacés en leur direction... Pearson avait un peu escompté sur une mise au point musclée de Ferris. Espoir déçu. Ce dernier était resté imperturbable. C'était la psy qui avait soudain rompu la monotonie du scénario en déclarant à Ferris :

– J'ai un nouveau patient depuis une semaine... Un Asiatique assez pittoresque et curieux... Il vient me voir pour un rêve récurrent qui revient pratiquement chaque nuit depuis plusieurs années... Bien entendu, un problème strictement entre lui et moi... Mais ce qui est amusant, c'est qu'il m'a avoué qu'il travaillait comme croupier dans un des cercles de jeux clandestins de la mafia asiatique de Paris. Il ne m'a pas ouvertement présenté les choses comme ça, mais, si j'ai bien compris, il préférerait me régler mes honoraires autrement qu'en sortant les sommes de sa propre poche... Par exemple en me faisant gagner au casino! J'ai bien sûr vigoureusement protesté et devant mon indignation il a fait machine arrière. Mais il m'a laissé quand même une sorte de laissez-passer au cas où je changerais d'avis. C'est une salle de jeux clandestine qui se trouve quelque part dans le XIII\ae\ arrondissement... Ça m'amuserait énormément d'aller y faire un tour... Non pas pour les gains qu'il m'a fait miroiter, mais pour l'ambiance particulière qui doit régner dans ce genre d'endroits...

Pearson fit un signe au serveur pour lui demander l'addition. Il faudrait qu'il trouve un moyen de pénétrer lui aussi dans le cercle de jeux... Mais, pour le moment, ce n'était pas le problème qui le préoccupait.

Depuis le début de la soirée il sentait la « présence » de celui qu'il avait surnommé Couleur Muraille... Mais il n'était pas encore parvenu à le repérer... C'était embêtant : il aurait préféré avoir les coudées franches ce soir pour agir et filmer tranquillement avec son caméscope. Il ne se faisait pas trop de soucis pour Gaines : il trouverait facilement un moyen de le mettre hors jeu. Par contre, ce serait bien plus emmerdant si Couleur Muraille s'avisait de mettre son nez dans ses affaires. Il avait patiemment et soigneusement mis au point cette combine juteuse... Il ne voulait pas se retrouver dans l'obligation d'en partager les bénéfices ou de rendre des comptes à l'inspecteur Deschamps !

Ça faisait au moins la dixième fois que Gaines glissait négligemment la main sous son veston pour vérifier la présence de son browning. Il avait besoin de toucher le pistolet automatique pour se rassurer. Il avait comme un sombre pressentiment. Le fait d'apercevoir à quelques tables à peine de la sienne l'Asiatique balafré et ses deux acolytes aux gueules d'assassins n'arrangeait rien. Il était désormais certain de l'avoir reconnu. Le tueur de la Triade que son père avait coffré il y a quelques années.

Gaines consulta nerveusement sa montre. Clemens avait laissé un message sur son répondeur pour le prévenir qu'il serait à Paris un peu après minuit et qu'il le rappellerait dès qu'il serait chez lui... Gaines poussa un soupir. Ferris et la fille s'étaient levés. C'était trop tard pour essayer de joindre Clemens ou lui laisser une indication sur sa messagerie. Si jamais les autres passaient à l'action, il ne pourrait compter que sur lui-même et son automatique...

30

Une lueur moqueuse teintée d'admiration dans ses yeux, Ferris fit un signe à Lisbeth qui lui renvoya un clin d'œil en souriant. Elle avait l'air de s'amuser comme une folle. Le fait d'être la seule femme blanche dans toute l'assistance ne semblait guère l'impressionner. Sous les yeux éberlués des Asiatiques, elle évoluait comme un poisson dans l'eau à l'intérieur de la grande salle enfumée, passant d'une table de jeu à une autre avec l'assurance d'une joueuse professionnelle... Pourtant, avec son allure très chic, on l'aurait plutôt vue dans une soirée de la jet-society où l'on rivalise d'élégance qu'au milieu de ces flambeuses orientales d'origine certainement modeste à en juger par leur accoutrement très ordinaire. Ce n'était ni Deauville ni Monte-Carlo... Plutôt le mirage de la fortune agité sous les yeux des gogos du Loto, ou du tiercé. L'Oriental a le jeu dans le sang. Les femmes plus encore que les hommes. Il suffisait à Ferris de promener son regard dans l'assistance pour en vérifier la justesse : cuisinières, commerçantes, secrétaires, serveuses, vieilles mégères fumant comme des pompiers, largement majoritaires, elles étaient venues là avec un seul espoir, gagner en une seule soirée un mois ou un an de salaire... C'est pourquoi, passé un instant de stupeur ou de simple curiosité à l'arrivée de l'étrange *kwei loh*, toutes avaient repris sans exception le masque concentré et crispé des joueurs jouant leur va-tout sur un jet de dés ou une carte... Seuls quelques hommes jetaient furtivement un œil gourmand voire concupiscent sur Lisbeth. A en juger par la liasse de billets qu'elle tenait à la main et qui grossissait à vue d'œil, elle gagnait sans cesse. On eût dit qu'elle avait fait ça toute sa vie !

Très vite Ferris avait renoncé à tenter de comprendre les règles des divers jeux proposés aux flambeurs. Pas de roulette, de baccara ni de black-jack comme dans les casinos classiques... Mais des trucs bizarres et compliqués auxquels il ne comprenait strictement rien. Loin de se laisser impressionner, Lisbeth voulait tout essayer... Il lui suffisait, semble-t-il, d'observer les autres joueurs pendant cinq ou dix minutes pour comprendre les subtilités de tel ou tel système...

Ferris s'était réfugié avec son verre de whisky sur une sorte de mezzanine en fer à cheval qui surplombait une des extrémités de la grande salle – un gymnase désaffecté d'environ quatre cents mètres carrés. De là il pouvait aisément suivre Lisbeth dans ses déambulations, mais l'endroit avait un inconvénient : dans le vacarme invraisemblable de ce tripot, c'était de loin la partie la plus bruyante! On y jouait à une sorte de bille infernale.

Répartis le long de la rambarde, les joueurs disposaient de paniers numérotés en osier attachés à une chaînette métallique, un environ tous les cinquante centimètres, pour y déposer l'argent de leurs mises. Chaque panier correspondait à un chiffre accroché autour du cou de l'employé se trouvant juste en dessous, chargé d'échanger l'argent contre des jetons multicolores et de valider les paris. Les mises et les gains transitaient obligatoirement par les paniers qui montaient et redescendaient au rythme de la partie. Faisant office de roulette, une longue gouttière horizontale débouchait au-dessus d'un carré de deux mètres de côté, comportant seize trous perforés de dimensions différentes et numérotés de 50 à 65. Au-dessus, un couvercle de plexiglas pour protéger le carré... La bille était propulsée le long de la gouttière pour être expulsée sur le plateau de jeu. Le tout faisait un bruit infernal car un système mécanique secouait l'ensemble d'avant en arrière, de manière que la bille en jaillissant allât frapper violemment les parois du dôme transparent. Au moment où le vibrateur s'immobilisait, les joueurs guettaient dans un silence de mort le résultat. Un hurlement collectif hystérique annonçait le numéro gagnant...!

Un nouveau cri frénétique des parieurs agglutinés autour de lui le fit sursauter. C'était le 64 qui venait de sortir... Ferris eut un moment d'affolement. Il ne voyait plus Lisbeth. Il se pencha pour la chercher dans la salle. En principe, compte tenu de la façon chaleureuse dont ils avaient été accueillis par Huynh, le nouveau « patient » de Lisbeth, ils ne risquaient pas grand-chose, sauf peut-être une descente de police inopinée... Mais vu les extraordinaires précautions qui avaient été prises avant qu'ils fussent tous deux finalements admis dans cet antre clandestin digne des casinos de Macao, Ferris pensait que le danger éventuel ne viendrait pas des flics, mais plutôt d'une bande rivale qui songerait à faire un raid punitif. Il n'y avait aucune raison pour que les loges parisiennes des Triades ne ressemblent pas à celles de New York ou d'ailleurs qui se font une guerre permanente pour s'emparer d'une part toujours plus grande du gâteau représenté par le jeu illégal... Selon lui la dizaine de gardes armés ostensiblement de mitraillettes était moins là pour décourager chez les joueurs les improbables trouble-fête, que pour constituer une force susceptible de s'opposer à une attaque ennemie.

Le « laissez-passer » remis à Lisbeth était une simple carte commerciale du restaurant Le Dragon Céleste situé avenue d'Ivry dans le XIIIᵉ arrondissement, sur lequel Huynh avait apposé sa signature et son sceau personnel. Le taxi les avait déposés un peu avant minuit devant l'établissement, un des rares à rester ouverts jusqu'à une heure avancée de la nuit, et Lisbeth s'était rendue directement au bar pour présenter son sésame. Le patron du restaurant, un petit homme obèse et souriant, avait aussitôt décroché son téléphone pour baragouiner rapidement en cantonais. Cinq minutes après, deux jeunes Asiatiques athlétiques et musclés en survêtement de sport étaient entrés dans le restaurant pour les emmener du côté du centre commercial des Olympiades. Tout au long du chemin – un dédale de couloirs et d'escaliers situé en dessous de la dalle des Olympiades –, Ferris avait noté la présence discrète de nombreuses sentinelles équipées de talkies-walkies, et sans doute armées jusqu'aux dents... Durant leur trajet labyrinthique ils avaient dû s'arrêter au moins six ou sept fois le temps que leurs deux guides chuchotent les mots de passe exigés ou exécutent avec leurs doigts les signes de reconnaissance les identifiant formellement auprès des gorilles asiatiques. Il avait même été étonné du manque incroyable de discrétion de la part de leurs cornacs. Ils procédaient comme s'ils étaient seuls, sans se préoccuper une seconde du fait que Lisbeth et lui pouvaient parfaitement les entendre et les voir, et donc surprendre leurs petits secrets. Il était possible que les codes et signes de reconnaissance ne fussent valables que pour ving-quatre heures... Avant d'être admis enfin dans l'entrepôt clandestin, ils avaient fait l'objet d'une fouille corporelle minutieuse. Lisbeth par une Asiatique sans doute championne de kung-fu... La négligence de leurs deux chaperons bridés ne collait pas avec le reste du tableau : le balisage incroyablement précis et efficace du trajet par les sbires armés... Un système de sas successifs pour écarter les intrus et les indésirables... La possibilité de faire déclencher l'alarme avec une grande antériorité. N'avait-il pas lu quelque part que les Triades étaient une sorte de franc-maçonnerie du crime ? Pourquoi prendre le risque de dévoiler à deux profanes leurs secrets ? Il y avait là un mystère qui lui échappait. Il avait beau se dire qu'il était peut-être parano, un étrange sentiment de malaise et d'inquiétude croissait en lui...

Un immense cri de déception de la foule l'interrompit dans ses pensées. La bille était tombée dans le 60. Un numéro oublié par les parieurs... Ah! Il avait aperçu Lisbeth. Elle se trouvait dans le coin des joueurs de cartes. Encore un jeu compliqué dont il n'avait pas saisi le nom quand Huynh leur avait fait faire le tour de la salle. De nombreuses cartes, au moins le double de celles habituellement utilisées par les Européens, beaucoup plus étroites aussi, avec des figures imprimées : le cheval, le poisson, le chat, l'éléphant..., représentées dans quatre couleurs : vert, blanc, jaune, rouge. Apparemment, une sorte de poker.

Huynh était un peu plus loin sur la droite, assis derrière une table couverte de plaques multicolores. Il était en train de les trier en les regroupant en tas de même couleur. A côté de sa main droite un boulier en bois qu'il manipulait avec dextérité. L'Asiatique dut sentir son regard car il leva la tête pour lui faire un grand sourire ainsi qu'un signe de la main. Mais, au lieu de le rassurer, ce geste ne fit qu'augmenter son appréhension.

Il regarda sa montre. Bientôt 3 heures...

« Il faudrait que je la persuade de filer d'ici... je ne sais pas pourquoi, mais moisir plus longtemps dans cet endroit ne me dit rien qui vaille... », se dit-il en se dirigeant du côté de l'escalier. Parvenu aux dernières marches il dut s'effacer pour laisser passer un Asiatique. Sans doute un joueur qui se précipitait pour occuper la place qu'il venait de libérer à la mezzanine. Sans se retourner le bonhomme maugréa un vague grognement d'excuse. Ferris haussa les épaules et partit à la recherche de Lisbeth.

L'Oriental que Ferris avait pris pour un parieur pressé de perdre sa chemise n'était autre que Fong Yi Ting qui avait tenu à vérifier de visu l'identité du Métis aux longues jambes. Il n'y avait aucun doute possible ! Le type qui avait pénétré dans le cercle de jeux avec la femme blanche était bien le maudit Arec qui l'avait ridiculisé autrefois...

L'heure de la vengeance allait enfin sonner. Tout se passait conformément au plan qu'il avait élaboré avec l'astucieux Ning To... Comme ils l'avaient espéré, la psychanalyste leur avait amené sur un plateau Calvin Ferris ! Elle n'avait pas résisté à la tentation de l'exotisme et de l'insolite. Ning To l'avait bien jugée. Cette fois Fong Yi Ting prendrait tout son temps... Il avait attendu pendant trop longtemps une telle opportunité pour être tenté d'en finir vite ou d'expédier rondement les choses. La « croisière » qu'il avait prévue pour ce damné fornicateur serait longue et raffinée... Et cette nuit il n'y aurait aucune surprise. Toutes les précautions imaginables avaient été prises...

Fong se fraya un chemin vers le milieu de la rotonde. Un coup d'œil rapide lui confirma que tout le monde était en place. Les hommes n'attendaient que le signal convenu : lorsqu'il tirerait vers lui le panier numéroté 65... Fong pianota nerveusement avec ses doigts sur le rebord métallique de la rambarde. Il ne comprenait pas pourquoi Ning To n'était pas encore là pour lui faire son rapport. Celui-ci avait réussi à le convaincre que l'élimination physique des dénommés Gaines et Pearson comporterait plus d'inconvénients que d'avantages. Ce n'était pas effectivement le moment de prendre des risques inutiles. Aussi Ning To avait-il conçu un plan original et astucieux pour les mettre hors circuit en douceur... Mais que fabriquait-il donc ? Ça faisait un bon quart d'heure qu'il aurait dû déjà être revenu. Pour lui confirmer que la voie était libre et que la « croisière » pouvait commencer...

Masquant son impatience Fong chercha des yeux Ferris et la femme. Ils étaient à la table de *Tai Xieu* [1]. L'excitation ostensible de la psychanalyste le rassura. De ce côté au moins il était tranquille. Les deux compères étaient encore là pour un bon moment !

---

1. Jeu de dés importé de Macao. Voir note 1, p. 185.

Parfaitement immobile et pratiquement invisible, il avait sélectionné un emplacement d'où il pouvait tout voir et entendre. Tout en restant totalement libre de ses mouvements pour réagir instantanément...

Instinctivement, il récita le *haïku* de Buson. Un superbe poème qui était devenu son mantra de guerre.

> *Dans la profondeur des bois*
> *Le pivert*
> *Et le bruit de la hache*

Tous ses sens en éveil, il sentait un calme extraordinaire l'imprégner. Il évalua la situation en une seconde et, malgré sa complexité, la stratégie lui apparut clairement. Il y avait plusieurs batailles à livrer, chacune de nature différente... La Reine et le Roi blancs étaient menacés de façon pressante. Mais, avant de procéder à leur attaque, les Noirs devaient d'abord débarrasser l'échiquier du Fou et du Cavalier. Curieusement, au lieu de les éliminer tout simplement, les autres avaient choisi de les repousser sur des cases inutiles. Il y avait un moyen pour lui de récupérer à son avantage ces pièces surchargées. Au départ il avait prévu de sauver la Reine et le Roi sans se dévoiler. Mais il y avait eu ce fameux rêve de la glace sans tain... Le songe lui avait montré la voie... Il ne pouvait laisser éternellement la Reine dans l'ignorance de la vérité. Le moment de briser le miroir était venu.

Comme il avait légèrement sous-estimé les forces rassemblées par l'ennemi, le recours à la magie était indispensable... Il lui faudrait courir deux lièvres à la fois, mais ce n'était pas impossible... La réactivation du Fou et du Cavalier ne pourrait que semer la confusion chez l'adversaire... S'il vivait toujours, Masashi approuverait une telle tactique. Directement inspirée de Sun Tzu... Apportant l'indispensable « élément de surprise » qui ralentit automatiquement la réaction de l'ennemi...

Il ferma les yeux et régula sa respiration. Quand il s'estima prêt, il commença à former avec ses doigts les neuf signes. *Rin, pyo, to, sho, kaï...*

Pearson bouillait de rage. C'était peut-être la raison pour laquelle, malgré les efforts de la fille, il ne parvenait pas à bander. Elle avait des nichons plutôt gros pour une Orientale et sa peau était incroyablement douce, mais il n'y avait rien à faire. En d'autres circonstances il aurait même été prêt à payer cette poule asiatique qui était en train de lui prodiguer mille caresses expertes et raffinées... Si seulement il avait disposé de son pistolet habituel... Après avoir assommé la petite, et neutralisé le chinetoque armé de l'autre côté de la porte, il aurait pu partir à la recherche de Ferris, avec un guide infaillible : les hurlements de douleur que ses victimes allaient pousser...

Il n'avait pas pu aller plus loin que le premier niveau du centre commercial des Olympiades. Un type bâti comme une armoire à glace l'avait abordé au bas des marches pour lui barrer le chemin.

– Désolé, monsieur... Il y a ce soir une petite soirée privée un peu spéciale... Ceux qui y participent tiennent à leur tranquillité. Si vous n'avez pas de carton d'invitation, je ne peux pas vous laisser aller plus loin...

Il avait évidemment protesté énergiquement en faisant valoir qu'il se trouvait dans un endroit public où les gens étaient libres de circuler comme ils l'entendaient. Le gorille avait simplement hoché la tête et trois types armés de pistolets automatiques avaient alors surgi.

– La personne qui organise cette petite réception serait tout à fait désolée qu'un incident fâcheux se déroule le soir de son anniversaire... C'est pourquoi elle préférerait que tout se passe sans problème... Elle est même prête à vous dédommager pour s'excuser des inconvénients occasionnés... Que diriez-vous de passer un moment agréable en charmante compagnie ? A nos frais, bien entendu... Qu'en pensez-vous ?

Un claquement de doigts et trois jolies pépées aux yeux bridés, sans doute planquées dans une encoignure sombre, avaient fait leur apparition. De toute façon il n'avait pas eu le choix. Sauter une poule orientale ou se faire buter... Tant qu'à faire il avait préféré accompagner la petite aux longs cheveux. Escorté par l'affreux coco jaune qui montait la garde de l'autre côté de la porte.

La fille, que Pearson avait surnommée « Fleur de Lotus », n'arrêtait pas de glousser nerveusement.

« Merde ! J'ai vraiment pas de bol... Moi qui rêvais depuis toujours de coucher avec une créature comme elle ! Ça m'arrive le jour où je dois absolument filmer Ferris... »

Tout à coup il sursauta. Il avait entendu un éclat de voix. Il tendit l'oreille. C'était bien ça. Le sbire était en train de parler avec quelqu'un d'autre. Une conversation animée. Une idée sinistre lui passa soudain par la tête. Et s'ils voulaient le tuer ? Ils lui avaient fait une dernière faveur – dans le style dernière volonté du condamné à mort – en lui permettant de faire l'amour une ultime fois...

La porte s'ouvrit brusquement et, dans une attitude défensive instinctive, Pearson se dégagea brutalement de la fille pour se coller contre le mur. Ce n'était que leur garde-chiourme, le chinetoque avec la raie au milieu et une boucle d'oreille à l'oreille gauche. Il commença par engager avec Fleur de Lotus un dialogue en chinois dont la signification échappa totalement à Pearson. Finalement la nana hocha la tête docilement et commença à se rhabiller. Quand elle fut prête, elle sortit et ferma la porte derrière elle. C'était ce qu'il avait redouté. L'exécution après le dernier orgasme... Il fallait gagner du temps, trouver n'importe quoi...

– Hé, doucement... lança Pearson. Je n'ai même pas...

Il allait protester qu'il n'avait même pas joui, quand l'Asiatique s'approcha de lui pour lui tendre son arme, mais en la tenant par le canon ! C'est alors que Pearson remarqua la façon hagarde dont le type le regardait. Il avait l'air de planer littéralement. Pearson ne perdit pas de temps en conjectures inutiles. Il s'avança et, avec des gestes d'une grande lenteur – avec ces vicelards de Jaunes on ne savait jamais –, s'empara de l'arme que l'autre lui offrait.

Confronté au même problème, Bill Gaines n'avait pas du tout réagi de la même façon. Le premier moment de surprise passé, il s'était plié au jeu de bonne grâce. Il n'avait pas le choix. Un contre quatre... Des vrais pros... Il avait été délesté de son browning avant même qu'il réalisât ce qui lui arrivait. Des types extrêmement polis mais qui pouvaient devenir extrêmement méchants. Celui qui était intervenu pour l'empêcher de s'emparer de son arme l'avait à peine touché. Il avait simplement senti la pression du pouce et du majeur sur son poignet mais celui-ci était resté ankylosé pendant plus d'un quart d'heure.

– Elles sont aussi jolies l'une que l'autre... Ma galanterie m'interdit de choisir entre elles... Ce serait mieux si je pouvais m'occuper de ces deux charmantes demoiselles en même temps...

Les autres l'avaient pris au sérieux. Gaines sourit en repensant au malentendu qui lui avait permis de se retrouver avec les deux filles en même temps. « Comme quoi il ne faut jamais perdre son sens de l'humour... Dans n'importe quelle circonstance... », s'exclama-t-il à voix haute, en s'esclaffant. Ce qui eut pour effet d'interrompre Lune de Printemps qui était en train de faire une « gâterie » à Fleur de Prunier. Elle releva la tête pour le regarder avec un air interrogateur.

Gaines, qui avait laissé les deux filles poursuivre leurs jeux érotiques pour se reposer un peu, était de nouveau en érection. Il était impossible de rester de marbre devant un tel spectacle ! Fleur de Prunier s'ouvrait délicatement sous les caresses de Lune de Printemps en poussant des petits gémissements de plaisir...

Gaines rampa vers les deux corps. La vision du dos soyeux de Lune de Printemps venait de lui donner une idée lubrique. Il était temps de s'occuper d'elle... Il se mit sur les genoux et s'avança. A cet instant un bruit sourd retentit brusquement de l'autre côté de la porte. Le ramenant brutalement à la réalité. Dans l'euphorie de ses exploits avec les deux créatures, il avait réussi à faire quasiment abstraction de tout ce qui aurait pu lui gâcher son plaisir : le type au visage vérolé qui montait la garde de l'autre côté de cette chambre de passe, les quatre cerbères asiatiques qui lui avaient soudain barré le chemin...

Mark Clemens... Il serait furieux en découvrant qu'il avait laissé filer Ferris et Lisbeth Delmont ! Sans opposer la moindre résistance. Bien au contraire...

Lune de Printemps avait refermé sa main autour de son membre pour le guider. Mais il l'écarta brutalement pour sauter du lit et se précipiter vers la porte. Face de Lune gisait inanimé par terre. Gaines se baissa pour le fouiller. Il récupéra son browning et le 357 magnum de l'Asiatique. Les deux armes étaient chargées... Les événements prenaient une tournure de plus en plus incompréhensible. Mais il avait désormais les moyens de reprendre l'initiative. Ce n'était peut-être pas trop tard... Le problème était qu'il n'avait aucune idée de l'endroit où il pourrait retrouver Ferris et la femme! Sous les yeux apeurés des deux filles il commença à se rhabiller.

31

Dans le ciel, la lune ressemblait à un gros ballon fluo. Coincé entre le sommet de la tour et un nuage sombre.

— Qu'est-ce que je me suis amusée! Oh! Regarde, Calvin... lança Lisbeth en levant la tête en direction du disque lumineux.

Elle trébucha, ce qui obligea Ferris à la rattraper pour l'empêcher de tomber. Elle avait beaucoup trop bu. Elle l'avait tutoyé sans même s'en rendre compte. En riant, Ferris lui offrit son bras pour l'aider à monter les marches du petit escalier.

Quand ils eurent atteint l'espèce de plate-forme, il s'arrêta pour essayer de se repérer. Il regrettait de ne pas avoir accepté l'offre de Huynh quand celui-ci avait proposé de les raccompagner. Le quartier souterrain situé sous la dalle des Olympiades était une suite de couloirs et de dédales où il était facile de se perdre. Après avoir tourné en rond à plusieurs reprises ils avaient réussi à atteindre enfin le niveau extérieur. A l'air libre ils devraient pouvoir s'orienter plus aisément.

Ah! Il entendait des bruits de pas se rapprocher... Plusieurs personnes... Des noctambules certainement, qui allaient les aider à sortir de ce labyrinthe...

« Tiens. En voilà d'autres derrière nous... C'est curieux, il en vient de partout... »

— Qu'est-ce qu'on attend, Calvin? demanda d'une voix pâteuse Lisbeth en s'appuyant lourdement contre lui.

Ferris ne lui répondit pas. Il y avait quelque chose de bizarre. Un rapide coup d'œil circulaire lui confirma ses craintes. Ce n'était nullement des promeneurs innocents, c'était visible. A la façon dont ils s'étaient spontanément écartés les uns des autres en s'avançant sur eux... Dont ils les cernaient en leur coupant toute possibilité de fuite... Ils étaient au moins une quinzaine! Tous des Asiatiques... Sans doute de jeunes voyous qui se trouvaient au cercle de jeux et qui s'étaient mis en tête de récupérer l'argent que Lisbeth avait gagné...

– Qu'est-ce qui se passe, Calvin ? Pourquoi ces gens-là nous empêchent-ils d'avancer ?

Ferris pensait avoir repéré le chef de la bande. Il se tenait un peu en retrait des autres. Les bras croisés sur la poitrine. Une grosse chevalière en or à chaque main. Souriant et l'air content de lui. Le bonhomme le fixait d'une façon bizarre... Des petits yeux vifs qui bougeaient tout le temps... Une fossette au milieu du menton. Une vilaine peau... Sans doute les séquelles d'une varicelle mal soignée... Une calvitie précoce et un visage rond comme un ballon. Sa tête lui était vaguement familière...

– J'ai bien peur, répondit-il à Lisbeth, mais en s'arrangeant pour faire face au patron présumé de la clique, que ces messieurs en veuillent à vos gains de ce soir. Sans doute une revanche contre le mauvais sort...

Le Chinois auquel il s'était indirectement adressé partit dans un éclat de rire sonore. Ferris avait vu juste : c'était incontestablement le chef...

– Ha, ha, ha ! Une revanche contre le mauvais sort... Comme c'est bien dit... Plutôt une dette dont j'attends le remboursement depuis des années... La patience finit toujours par être récompensée... N'est-ce pas, monsieur Ferris ? A moins que vous ne préfériez que je vous appelle par votre autre nom... Arec... Je dois reconnaître que ce surnom colle mieux à vos talents cachés...

– Surnom ? Arec... ? Talents cachés ? Que veut-il dire, Calvin ? demanda Lisbeth dégrisée en se serrant instinctivement contre Ferris.

Celui-ci ne dit rien. Lorsque le chef des truands s'était avancé, tous les autres avaient fait un léger pas en arrière, mais des lames de machettes ou des pistolets avaient fait soudain leur apparition... Jamais Calvin n'avait éprouvé une telle panique. Doublée d'un sentiment total d'impuissance... Que pouvait-il faire contre cette armée de coupe-jarrets ? Si au moins ces salopards pouvaient laisser Lisbeth en dehors de tout ça...

– Écoutez, mon vieux, dit-il en s'adressant de nouveau à leur chef, si j'ai bien compris, c'est après moi que vous en avez... Dans ce cas, pourquoi ne la laisseriez-vous pas partir ? C'est une amie personnelle de Huynh, le responsable du casino. Laissez-la passer... Et après nous pourrons discuter entre nous de nos problèmes, OK ?

En cherchant des yeux Ning To, Fong Yi Ting pensa : « Bien joué ! » Arec avait réagi exactement comme il l'avait prédit, leur révélant son premier signe de faiblesse. Curieusement Ning To restait sans réaction. Il ne parut même pas se rendre compte que Fong le regardait. Le regard brillant et étrangement fixe, il semblait perdu dans ses pensées, totalement indifférent à ce qui se passait autour de lui. Mais Fong était trop heureux de tenir Ferris à sa merci pour lui accorder beaucoup d'attention.

– Vous n'êtes pas sérieux, Arec ! lança-t-il sur un ton jovial. Vous avez vu comme votre amie adore l'excitation des salles de jeux ? Vous ne voudriez tout de même pas la priver du plaisir de parier sur vous ?

– Qu'est-ce que vous racontez ?

– Je voudrais que vous nous montriez si vous êtes toujours capable d'affronter plusieurs spécialistes d'arts martiaux à la fois...

216

– Quoi ?

– Allons ! Pas de fausse modestie, Arec ! Voilà ce que je vous propose, mon cher : neutraliser trois adversaires avant que ceux-ci soient parvenus à vous couper un bras ou une jambe, sinon vous serez considéré comme ayant perdu... Deux bras, deux jambes, il y aura donc quatre manches... Si vous sortez vainqueur de ces quatre épreuves, vous pourrez repartir tous les deux sans être inquiétés... Lisbeth Delmont pourra parier soit sur votre défaite soit sur votre victoire.

Le sang glacé, Lisbeth était incapable de proférer un mot. Ce n'était pas possible ! Elle devait être en train de rêver. Pourquoi Calvin restait-il muré dans son silence ? Écoutant sans protester les propositions complètement folles du Chinois ? Pourquoi ne lui expliquait-il pas qu'il n'avait rien de commun avec cet Arec dont l'autre n'arrêtait pas de parler ?

Pearson avait l'œil rivé à l'objectif du caméscope. Il était trop loin de la scène. Au moins une quinzaine de mètres... Caché derrière un des cyprès nains de la terrasse d'un restaurant, juché tant bien que mal sur deux caisses de bois qu'il avait trouvées, il n'avait pas osé s'approcher plus près. Des images floues et lointaines, un son faiblard, ça valait quand même mieux qu'un ticket pour le cimetière... Ce n'était pas la peine de tenter le Diable. Surtout après ses mésaventures de la soirée...

Il avait eu un vrai bol de cocu... La caméra était toujours dans son sac... Une fois le chinetoque envoyé par précaution au pays des songes d'un violent coup de crosse à la tempe, il avait attaché et bâillonné Fleur de Lotus puis les avait enfermés tous les deux dans la chambre. Sans avoir aucune idée de l'endroit où il pourrait retrouver Ferris, il s'était dirigé intuitivement dans le dédale à plusieurs niveaux de l'immense centre commercial, s'engageant au hasard à gauche ou à droite. Il avait bénéficié d'une chance insolente ! En haut d'un escalier, il était tombé sur le groupe. Une quinzaine d'hommes rassemblés sur une espèce de plate-forme en contrebas, à environ trente mètres sur la gauche... Grâce à la pleine lune on y voyait presque comme en plein jour...

Trop loin pour entendre ce qui se disait, Pearson fit marcher le zoom automatique dans l'espoir d'arriver à lire sur les lèvres... Manque de chance ! Le teint livide et les lèvres pincées, la psy n'ouvrait pas la bouche... Ferris faisait également une drôle de tête. Le regard fixe et brillant, il était dans une sorte de transe silencieuse...

Un éclat de rire... Plusieurs chinetoques se mirent à pousser des cris excités en brandissant des liasses de billets... Trois des types se détachèrent de la bande, chacun armé d'une machette... Voilà Ferris qui les rejoignait d'une démarche hésitante, en marchant lentement, apparemment contre son gré... Un des gars de la clique lui avait enfoncé une arme à feu dans le dos...

Pearson se rendit compte qu'il avait la main complètement moite et que son cœur battait plus fort. Il venait de comprendre enfin le sens de la scène se déroulant sous ses yeux... Ferris n'avait certainement pas prévu cet inattendu retour de boomerang..! A force de jouer les redresseurs de torts musclés, il avait fini par tomber sur un os... Tous ces chinetoques étaient là pour lui donner une leçon. Pearson avait lu quelque part que ces toqués du jeu pariaient sur n'importe quoi! Ils transformaient la correction de Ferris en un pari d'argent!

Les réjouissances avaient débuté... La phase d'observation... Les quatre protagonistes avaient commencé à bouger. Des mouvements rapides, des petits pas de côté. Dans ses déplacements, Ferris semblait lent et emprunté... Sans doute une ruse.

Lac viendrait-il à son secours?

Lac, le double qu'il s'était inventé après avoir rencontré les jumeaux de la plage... Ce qui avait commencé comme un simple jeu – parler à son reflet dans le miroir comme à un autre enfant, pour sortir de sa solitude – était devenu avec le temps un truc magique... Lan lui avait brodé le diminutif de son prénom sur son sweat-shirt préféré. Dans la glace Cal était devenu Lac, le nom du héros qu'il avait imaginé... Lui ressemblant comme un frère... Bien plus brave et courageux que lui... Plus fort et intelligent aussi... Lac aurait toutes les qualités qui lui faisaient défaut...

Au fil des années Lac était devenu le confident secret... L'ami invisible auprès de qui il trouvait toujours refuge et consolation... Afin de donner plus de réalité à cette « fiction » Calvin avait sophistiqué à l'extrême le jeu du dédoublement. Puisque l'image dans le reflet restituait tout de façon inverse, Lac aurait la raie à droite, il serait gaucher, il faudrait chercher le minuscule grain de beauté sur la joue droite, etc.

Un quart d'heure en tête à tête avec Lac et il était de nouveau « fort ». Capable de cacher son chagrin en retenant ses larmes, même si les adultes s'étaient montrés particulièrement odieux envers lui... Il suffisait de peu de chose pour le faire apparaître : un simple miroir! Narcisse, à force de se contempler dans l'eau, avait fini par se noyer... Lui tirait au contraire toute sa force de son reflet. C'était le double, le frère jumeau auquel il pourrait faire appel à tout instant.

Après quelques années, il était même parvenu à se passer de miroir. Il lui suffisait de fermer les yeux et de se concentrer fortement sur son image inversée pour que son frère vienne à son aide. Il prononçait également mentalement son nom, lentement et de façon incantatoire.

« Lac... Lac... Lac... » Son ange gardien se matérialisait...

Dans deux situations, le « double » avait volé à son secours... En se substituant entièrement à lui... Mais en générant une réaction d'une telle violence qu'il avait après coup regretté de l'avoir « invoqué »... Il n'avait pas du tout supporté de perdre ainsi tout contrôle de lui-même...

« Alors, mauviette de chinetoque...! Tout juste bon à pleurer... Pourquoi ne nous donnes-tu pas ton nouveau cartable ? C'est tout ce qu'on désire... On ne veut pas te faire de mal... Laisse-le-nous... Ensuite, tu pourras aller t'amuser avec les fillettes de ton âge... » Il devait avoir un peu moins de onze ans... Les trois grands lui étaient tombés dessus sans crier gare. Pour s'emparer de sa précieuse collection de porcelaines qu'il avait emportée à l'école pour la montrer à la maîtresse. Acculé dans un coin sombre de la cour de récréation par trois costauds...

En fermant les yeux, il avait appelé à l'aide Lac... Soudain il avait senti comme une force mystérieuse monter en lui... L'invocation l'avait transformé en une bête féroce. Sans réfléchir il s'était rué sauvagement sur ses trois agresseurs, distribuant rageusement coups de poing et coups de pied sans se préoccuper de leurs réactions et ripostes éventuelles... Surpris par la soudaineté et la violence de son attaque, les autres avaient préféré battre en retraite... Trois dents cassées... Cinq côtes brisées... Deux yeux au beurre noir... Un poignet foulé... Deux de ses agresseurs avaient dû rester une semaine à l'hôpital... L'importance des blessures infligées lui avait fait regretter d'avoir invoqué Lac. Aucune collection de porcelaines, si belle fût-elle, ne justifiait une telle punition...

« Arrête de pleurnicher et montre-moi ce que tu as dans le ventre ! J'en ai marre de voir ta mine de chien battu à chaque fois que l'un de tes copains de collège te traite de sale chinetoque ! Allez, Cal... Bats-toi comme un homme ! » Mark Clemens insistait tant... Il voulait absolument faire de lui un expert en arts martiaux... Et lui ne désirait qu'une chose... Faire plaisir à son « parrain »...! Alors il l'avait « invoqué » pour la deuxième fois... Mark était tellement fort : il ne risquait sûrement rien...

Une côte brisée... Un gros hématome à la cuisse gauche, une pommette tuméfiée... Paradoxalement, Mark Clemens ne lui en avait jamais tenu rigueur. Au contraire... Riant et n'arrêtant pas de répéter pendant que l'infirmière le soignait : « Petit cachottier, va... Alors, on prend des cours de karaté en secret... Ah, tu m'as bien eu, gamin ! »

Instinctivement, Ferris se jeta en arrière. Heureusement pour lui. La lame de la machette manqua son genou d'un millimètre...

« Lac... Lac... Lac... Lac... Viens à mon secours...' »

Ce n'était nullement une ruse ! Mais plutôt une impuissance totale de la part de Ferris. Pearson était consterné. Méconnaissable par rapport à ses « promenades de santé » de New York, Ferris n'était plus que l'ombre de lui-même, il se déplaçait avec une lenteur incroyable...

Pearson, qui se demandait par quel miracle il n'avait pas encore été touché, fut, comme tous les autres, totalement surpris par les détonations. Deux coups de feu à une seconde d'intervalle... Un cri... De nouveau une détonation... Puis plus rien... Cessant immédiatement de filmer, il s'était instinctivement accroupi derrière le cyprès nain. Sauf erreur de sa part les coups de feu avaient été tirés assez loin d'eux, quelque part du côté de la grande tour sur la gauche... D'ailleurs, un des types avait aboyé un ordre en chinois et deux des hommes s'étaient détachés du groupe pour s'élancer en courant dans la direction présumée des détonations.

Soigneusement caché derrière le feuillage du cyprès, Pearson commença à se redresser.

Les yeux de tout le monde étaient rivés sur les combattants. Il n'y avait aucune raison pour que soudain quelqu'un regarde dans sa direction. Plus que quatre mètres et il serait au bas du mur. Il aurait pu sauter, mais il préféra poursuivre silencieusement sa descente. Une tache sombre de plus dans l'obscurité, un pic noir totalement invisible dans la nuit.

Il avait fini par se convaincre qu'il lui faudrait agir indépendamment du Cavalier et du Fou qu'il avait réactivés dans l'espoir de les utiliser à leur insu... Trop heureux de se retrouver libres, Pearson et Gaines avaient visiblement déguerpi depuis longtemps des lieux. Il ne lui restait plus qu'une seule possibilité de diversion : l'adjoint de Fong... Il saurait en temps utile si son petit truc avait marché...

Les trois détonations avaient retenti alors qu'il ne les attendait plus... Pearson ou Gaines ? Peu importait... Toute confusion, même de courte durée, chez l'ennemi était la bienvenue... Fong Yi Ting avait envoyé deux de ses hommes en reconnaissance et le trio opposé à Ferris avait choisi de suspendre provisoirement le combat. Figés dans une stance défensive uniquement destinée à empêcher Ferris de s'enfuir, les trois hommes semblaient attendre un ordre formel de Fong avant de se ruer de nouveau à l'assaut... La diversion lui avait donné de précieuses secondes supplémentaires pour se préparer...

Il enleva la paire de *shuko*, les gantelets à pointes de fer qui lui avaient permis d'escalader la paroi vitrée, avant de redescendre le long du mur. Il était temps d'entrer en action. Il plongea la main gauche dans le sac pendu à son cou pour prendre une poignée de petites bombes fumigènes et vérifia que les *shuriken*, un à chacune des jointures de sa main droite, étaient bien équilibrés : la précision de ses lancers était capitale, aucun ne devait rater sa cible...

Il s'arc-bouta en écartant légèrement les genoux et silencieusement récita son mantra de guerre :

> *Dans la profondeur des bois*
> *Le pivert*
> *Et le bruit de la hache*

Immédiatement son rythme respiratoire se modifia. L'instant était venu de voir comment l'autre réagirait à l'ordre qu'il lui avait programmé en utilisant ses pouvoirs hypnotiques.

— *Ku-ku-ku-kuck, ku-ku-ku-kuck !*

Ce cri d'oiseau strident et aigu, rapide et percutant comme une rafale de mitraillette, produisit un effet extraordinaire. Tous sans exception sursautèrent et levèrent instinctivement la tête vers le ciel. Tous sauf Ning To... Le staccato eut sur lui le même effet que sur une personne jusque-là endormie à qui on aurait donné une violente gifle pour la réveiller... La première personne qu'il eut dans son champ de vision fut Fong. Ning To appuya sur la détente sans même s'en rendre compte...

Pearson faillit lâcher la poignée du caméscope. D'abord ce cri d'oiseau effrayant et puis un des chinetoques qui tirait sur un de ses compatriotes, sur le chef de sa bande! C'était à n'y rien comprendre...!

La première bombe fumigène explosa alors qu'il venait à peine de reprendre ses esprits. Suivie de nombreuses autres... Les déflagrations avaient semé un début de panique dans le groupe. Plusieurs des hommes étaient à terre. Pourtant, en dehors des explosions, Pearson n'avait entendu aucun coup de feu... Est-ce qu'il y avait un tireur planqué quelque part en train de faire un carton avec un fusil à lunette doté d'un silencieux? Les types couraient dans tous les sens pour aller se mettre à l'abri. C'était la confusion la plus totale...

Un instant il crut avoir reconnu la silhouette de Ferris. Mais il s'était trompé : c'était un type habillé tout en noir qui se déplaçait à une vitesse incroyable. Brandissant un sabre au-dessus de sa tête... Au même instant il entendit Lisbeth pousser un cri horrifié. « Un des types à la machette a dû atteindre Ferris... », songea-t-il aussitôt.

Ce fut la dernière pensée consciente de Pearson. Touché à la nuque par un projectile métallique, il s'effondra lourdement.

QUATRIÈME PARTIE

KYOKO
(Centre)

*Le saule
contemple à l'envers
l'image du héron*

32

Clemens grommela un juron. Ça faisait près de trois quarts d'heure qu'il poireautait dans la salle d'attente... Après ce qu'il avait visionné ce matin chez Video Electronics, il n'était vraiment pas d'humeur à perdre son temps.

Les ingénieurs de Video Electronics, une société londonienne spécialisée dans la coloration des vieux films en noir et blanc, s'étaient vraiment surpassés. En convertissant numériquement les impulsions vidéo ils avaient transformé une bouillie d'images sombres et floues en un enregistrement parfaitement clair et visible... La puissance des ordinateurs combinée à la magie de l'électronique... Les dernières innovations technologiques de la recherche spatiale au service de l'audiovisuel...

Pourquoi ne serait-il pas possible de numériser le contenu d'une cassette vidéo alors qu'on était capable de le faire pour des images en provenance de planètes aussi lointaines que Jupiter... ? C'était la seule façon d'améliorer la qualité du film. Malgré la haute sensibilité de la pellicule choisie par Pearson – on supposait que le caméscope lui appartenait car on n'y avait retrouvé aucune autre empreinte en dehors des siennes –, l'enregistrement était pratiquement inutilisable... En dehors peut-être des premières minutes, toute la suite ressemblait à l'écran d'un téléviseur en panne : images floues sautant et décrochant sans arrêt... On apercevait à peine des silhouettes, sombres et indistinctes, bouger rapidement... Après, lorsque les premières bombes fumigènes explosent, ça devient une purée de pois totale...

« Après tout... Pourquoi pas ? Si vous trouvez un moyen d'améliorer la qualité visuelle de ce truc... Essayez, Clemens... On n'a rien à perdre... Simplement je n'ai pas le temps de m'en occuper... De toute façon je ne serais jamais arrivé à convaincre mes supérieurs de débloquer les crédits nécessaires pour financer ce genre de manip... Je veux bien vous confier une copie... A vous de vous débrouiller... Entendu ? »

Curieusement l'inspecteur Deschamps, qui avait bien voulu qu'il visionne l'enregistrement avec lui, n'avait émis aucune objection à sa proposition. Peut-être avait-il donné son accord uniquement pour se débarrasser rapidement d'un emmerdeur...

« Deschamps est à cent lieues de se douter des résultats extraordinaires obtenus par les gars de Video Electronics... », se dit Clemens en repensant aux incroyables images qu'il avait vues après leur traitement numérique... Les types avaient pu également supprimer le souffle et récupérer une grande partie du son capté par le micro incorporé...!

« *Ku-ku-ku--kuck... Ku-ku-ku-kuck...* »

Le cri strident d'un pivert... Suivi d'un coup de feu. Puis les sifflements aigus des *shuriken* fendant l'air... Plusieurs *ki-aï*... En ralentissant le défilement ou en se servant de l'arrêt sur image, on se rendait compte que l'espèce de créature bondissante et sombre qui faisait des sauts incroyables au milieu des nuages de fumée était un homme, habillé tout en noir... Un *ninja* brandissant un sabre devant lui... Faisant des bonds prodigieux. C'était Lisbeth qui avait poussé un hurlement. Juste au moment où Calvin Ferris s'était effondré, touché par l'un des tueurs armés de machettes... Encore d'autres sifflements... Les *shuriken*... Un deuxième cri de Lisbeth... Au milieu de deux nouvelles explosions de bombes fumigènes... Le *ninja* avait profité de l'épais nuage de fumée pour disparaître... En laissant derrière lui une douzaine de cadavres...

— Monsieur Jenkins vous prie de patienter encore quelques minutes... Il vous recevra dans quelques instants... Désirez-vous encore un peu de thé?

— Pardon? fit Clemens en sursautant.

Absorbé dans ses pensées, il ne l'avait pas entendue pénétrer dans la pièce. La secrétaire, une vieille rombière binoclarde affublée d'un tailleur gris difforme, était aussi pâle et triste que la tasse fêlée qu'elle lui avait apportée.

— Merci... Ça ira comme ça... lui répondit Clemens sur un ton acide.

A peine avait-il esquissé le geste de regarder ostensiblement sa montre que l'autre chipie avait déjà tourné les talons pour réintégrer son bureau envahi de dossiers poussiéreux.

« J'aurais dû lui demander une tasse de café, rien que pour l'emmerder...! » jura Clemens en levant les yeux vers le plafond.

Celui-ci était lézardé en plusieurs endroits... C'était incroyable la façon dont « Morris & Jenkins Associated » continuait de perpétuer le conservatisme de bon aloi cultivé jusqu'au snobisme par les milieux d'affaires de la City... Peinture écaillée aux murs, vieux meubles mal cirés datant de Mathusalem, tapis complètement élimés, clochette de l'ère victorienne à l'entrée, plaque de cuivre patinée par le temps, vaisselle ébréchée pour le thé, vieilles assistantes fatiguées... Ici on brassait des sommes considérables, mais on mettait un point d'honneur à cacher l'opulence et la réussite sous un épais vernis de grisaille misérable et anonyme... Et c'était sûrement la même chose dans la plupart des autres études d'avoués florissantes de Gray's Inn Road...

Clemens n'avait jamais eu l'occasion de côtoyer un employé des pompes funèbres, mais avec ses *brogues* – souliers de cuir sombre à petits trous, son costume gris foncé trois pièces, son regard triste et sa mine compassée... Russell Jenkins collait exactement à l'image qu'il se faisait d'un croque-mort. Avec cependant deux particularités : un nez cassé qui suggérait qu'il avait dû pratiquer la boxe... Et une perruque dénotant la coquetterie de l'individu... Bien entendu son bureau était parfaitement dans le ton de la façade conservatrice offerte aux visiteurs : bondé de classeurs métalliques poussiéreux et meublé de façon froide et austère.

Sans préambule, après l'avoir invité à s'asseoir dans le fauteuil en face de lui, Jenkins lui demanda :

– Vous avez la clef dont vous m'avez parlé l'autre jour ?

Lorsque, après plusieurs tentatives, il avait enfin réussi à le joindre au téléphone, Jenkins s'était montré extrêmement évasif... Veillant soigneusement à ne lui fournir aucune indication – de nature positive ou négative – sur la nature de ses relations professionnelles avec Thomas Hannay. Jusqu'au moment où, saisi d'une inspiration subite, Clemens lui avait parlé de la clef...

« Vous savez bien, monsieur Clemens, que nous sommes tenus par le secret professionnel. Il est vrai que Thomas Hannay a fait appel à nos services, mais je ne peux rien vous dire de plus...

– Je comprends... Ah oui ! j'avais oublié... Je suis aussi en possession d'une clef. J'avais espéré que vous auriez pu m'aider à ce sujet.

– Quel genre de clef ?

– Sans doute celle d'un coffre. Elle porte une référence : A 2054.

– Pourquoi ne viendriez-vous pas à Londres ? Nous pourrions en discuter plus précisément. »

Jenkins tendit la main pour prendre la petite clef que Clemens venait de déposer sur le bureau, vérifia l'inscription gravée sur l'une des faces, et la rendit à Clemens sans un mot. Puis il gigota nerveusement sur sa chaise, en se grattant le menton.

– Avez-vous votre passeport sur vous, monsieur Clemens ?

La question de Jenkins le prit totalement au dépourvu.

– Bien sûr... Pourquoi ? aboya-t-il.

– Ne vous froissez pas, s'il vous plaît, fit Jenkins avec un petit sourire embarrassé. Thomas Hannay m'a laissé des instructions précises. La détention de la clef ne suffisait pas... Il y avait une autre condition : il fallait que ce soit un dénommé Mark Clemens, et personne d'autre, qui me l'amène.

– Alors finissons-en ! Voici mon passeport... Et si vous avez des doutes, parce que la photo est un peu vieille, je peux vous donner le téléphone de Scotland Yard... J'ai prévu de rentrer à Paris dès ce soir, je n'aimerais pas rater le dernier avion...

– Ce ne sera pas long... Ne vous inquiétez pas... Merci, monsieur Clemens, dit Jenkins en tendant la main pour s'emparer du document.

Après l'avoir feuilleté sommairement, il le lui rendit. Puis il se tourna pensivement en direction des classeurs métalliques adossés contre le mur et se leva pour aller ouvrir le deuxième à partir du haut. Le classeur était rempli de chemises cartonnées dans lesquelles il fourragea au moins cinq bonnes minutes avant de retourner s'asseoir derrière son bureau avec un dossier en main.

— Tenez, reprit Jenkins en lui tendant une enveloppe qu'il avait extraite de la chemise. Voici la procuration qui vous permettra d'accéder au coffre correspondant à la clef. Vous n'aurez qu'à vous présenter avec ce document à l'agence de la Midland dont je vais vous donner les coordonnées.

Jenkins griffonna rapidement une adresse sur un bout de papier qu'il remit à Clemens.

— C'est tout ? demanda celui-ci d'un ton ahuri en voyant l'avoué se lever pour lui signifier que l'entretien était fini.

— Pour le moment, en tout cas... Sir Thomas m'avait bien précisé que la décision de poursuivre ou non les versements vous appartiendrait... Une fois que vous auriez pu prendre connaissance du contenu du coffre... Je vous serais cependant reconnaissant de me faire savoir sans trop tarder ce que vous aurez arrêté...

— Ma décision ? Les versements... Quels versements ?

Clemens avait du mal à cacher sa stupéfaction. Comment Thomas Hannay avait-il eu le toupet de l'impliquer dans sa mystérieuse combine ?

Mais il n'était pas au bout de ses surprises. D'un ton légèrement ironique Jenkins lui précisa, comme si la réponse allait de soi :

— Eh bien... Les virements trimestriels effectués en faveur de Calvin Ferris... Vous êtes son plus proche parent, je crois... ?

Une coïncidence extraordinaire avait voulu qu'il se trouvât dans le même avion que Mark Clemens, le dernier vol de British Airways pour Paris. Mais il était sûr que celui-ci ne l'avait pas reconnu. Certes le soin avec lequel il s'était déguisé pour ce simple voyage y était sans doute pour beaucoup : avec sa tignasse en désordre dépassant de la casquette, son chewing-gum, ses Ray Ban et son allure décontractée, les autres passagers avaient dû le prendre pour un joueur de basket ou un professeur de gym. A vrai dire, quand il était passé à la hauteur de Clemens pour aller chercher un magazine, l'ancien policier, totalement absorbé dans sa lecture, une lettre manuscrite semble-t-il, n'avait même pas levé les yeux.

« Inutile de prendre des risques inutiles... », décida-t-il en fermant les yeux derrière ses lunettes fumées, et en se calant au fond de son fauteuil.

Ce matin il s'était arrêté un long moment sur Westminster Bridge. Il s'était contenté d'observer de loin le bâtiment en pensant à sa future victime : « C'est probablement là qu'il sera le plus vulnérable... de plus il y aura un monde fou... », s'était-il dit. Mais il n'avait pas voulu aller plus loin dans sa réflexion. Il disposait de presque un mois avant de passer à l'acte. Il avait toujours pris son temps pour ce genre de mission.

En regardant les eaux de la Tamise il s'était souvenu d'un *haïku* de Buson :

> *Lenteur du jour –*
> *un faisan*
> *s'installe sur le pont*

Serait-ce le poème qu'il graverait sur le morceau d'écorce ? Il hésitait encore... En tout cas s'il décidait de retenir le lieu aperçu de loin ce matin, il utiliserait les fameux vers de William Wordsworth... Le titre de la poésie lui était subitement revenu en mémoire au moment où Big Ben avait sonné 11 heures...

La célèbre horloge lui avait aussi donné une idée. Pour que celle-ci donnât toujours l'heure exacte, il fallait régler son mouvement en augmentant ou en diminuant le nombre de pièces de monnaie disposées en tas sur le plateau du balancier... Un système archaïque et farfelu à l'ère des horloges atomiques mais tellement *british*...!

Une seule pièce, minuscule et insignifiante, en plus ou en moins... Quelques grammes... Pour une différence décisive... Plus il y pensait, plus cette pointe supplémentaire dans son plan lui plaisait...

— J'attendrai de l'autre côté de la porte. Quand vous aurez fini, vous n'aurez qu'à appuyer sur ce bouton pour me prévenir.

Jenkins avait eu raison : les choses n'avaient pas traîné à la banque. Personne ne lui avait demandé quoi que ce soit. La procuration signée par Hannay ainsi que la clef avaient constitué le plus efficace des sésames. Un employé, d'une discrétion parfaite, l'avait accompagné jusqu'à la salle des coffres au sous-sol. Cinq minutes plus tard il ressortait de la banque avec deux lettres et une photographie en noir et blanc.

— Veuillez boucler votre ceinture, s'il vous plaît, monsieur, et relever votre tablette...

— Pardon ? Oh oui ! Bien sûr ! Excusez-moi...

L'hôtesse lui lançait un sourire compréhensif. Clemens posa la photo sur ses genoux et fit ce que la jeune femme lui avait demandé. L'avion avait entamé sa descente et il se sentait l'estomac noué... Mais ça n'avait rien à voir avec la rapide perte d'altitude ou une brutale décélération de l'appareil...

Il avait lu et relu les deux lettres tant de fois qu'il aurait presque pu les réciter par cœur.

Cher Thomas,

Votre amitié merveilleuse nous a été si précieuse que nous avons longuement hésité, Edward et moi, à faire une nouvelle fois appel à vous. Mais le Tout-Puissant n'a-t-il pas dit : « Aide-toi et le Ciel t'aidera... » ? Nous savons que vous avez toujours pensé que notre décision d'adopter un enfant avait été uniquement motivée par le remords, celui que nous aurions éprouvé à la suite du procès de Sung... Une façon expiatoire d'effacer une faute par un acte de générosité...

En réalité les choses ont été beaucoup plus complexes que ça... Et dès le début nous voulions vous mettre dans la confidence. Mais à l'époque, souvenez-vous, toutes sortes de responsabilités nouvelles écrasantes vous avaient été confiées au sein du Conseil exécutif... Nous nous disions : « Ce n'est pas le moment de l'embêter avec ce problème supplémentaire... Il sera toujours temps de le mettre au courant lorsqu'il sera moins préoccupé par les affaires de la Couronne... »

Les mois se sont écoulés. Devenant insensiblement des années... Plus le temps passait et plus grandissait en nous la conviction que, si certaines choses tombaient progressivement dans l'oubli, ce ne serait pas plus mal... Il y avait désormais Calvin... Nous ne voulions pas lui faire inutilement du mal...

Aujourd'hui c'est en pensant à lui que nous vous écrivons. Que le Tout-Puissant Miséricordieux nous pardonne, nous n'avons jamais eu le courage de lui révéler la vérité. Nous savons avec certitude que le Seigneur nous rappellera à lui très bientôt. Peut-être même avant que nous ayons eu le temps de le revoir et de lui parler... Si cela devait arriver – que la volonté de Dieu s'accomplisse –, il faut que quelqu'un sache la vérité... Une nouvelle fois vous êtes notre seul recours... La seule personne vers laquelle nous pouvons nous tourner en toute confiance, et qui, nous en sommes certains, prendra la bonne décision, quelle qu'elle soit...

Voici les circonstances précises dans lesquelles s'est déroulée son adoption... Environ un mois et demi après la fin du procès de Sung, Lucy nous a révélé qu'elle était enceinte. Le docteur Mosley l'avait découvert lorsqu'il l'avait examinée, mais Lucy avait réussi à le convaincre de n'en rien dire pour qu'elle puisse nous l'annoncer elle-même. Vous vous en souvenez peut-être : c'était juste à l'époque où l'épiscopat avait proposé à Edward de faire un voyage d'étude d'un an au Japon, afin d'y préparer l'installation d'une éventuelle mission... Nous avons sauté sur l'occasion : il nous semblait mieux pour tout le monde, pour Lucy comme pour nous deux, de nous exiler provisoirement dans un pays où personne ne nous connaissait...

Lucy n'avait pas renoncé à se battre pour obtenir la libération de Sung. Depuis l'arrestation de ce dernier pas un jour n'avait passé sans qu'elle nous parle de la « monstrueuse injustice » commise à l'encontre de Sung et l'atmosphère était terriblement pesante entre nous. Pourtant, elle a accepté de nous accompagner au Japon. Je suppose que, comme sa grossesse ne se passait pas très bien, elle avait fini par se convaincre qu'il valait mieux qu'elle reste avec nous.

Un soir en discutant avec Ted, j'ai découvert que sans que nous nous soyons donné le mot, lui et moi avions eu la même idée : adopter l'enfant qui naîtrait afin de sauver la réputation de Lucy et de lui éviter la honte d'être toute sa vie une fille mère... Mais aucun de nous deux n'avait osé formuler à haute voix une telle hypothèse devant Lucy.

Obligé d'entreprendre un voyage de quelques jours dans l'île de Kyushu. Ted était absent quand l'accouchement eut lieu. Peut-être que, s'il avait été là, les choses se seraient déroulées différemment... Le 19 juin 1954 restera un des jours les plus noirs de mon existence.

En me précipitant dans la chambre pour féliciter Lucy après la naissance, j'ai tout d'abord cru que j'étais l'objet d'une hallucination... Lucy ne tenait pas un bébé dans ses bras, mais deux! Un de chaque côté... Elle avait donné le jour à des jumeaux! Deux bébés magnifiques et adorables qui avaient commencé à téter voracement le lait de leur mère...

Je ne sais pas ce qui m'a pris. J'ai perdu la tête. J'ai immédiatement fait part à Lucy de ce que nous avions envisagé avec Ted, en l'assurant que le fait qu'il y ait non pas un mais deux enfants n'y changeait rien.

Lucy m'a regardée d'une façon terrible. Et, pour la première fois, j'ai vraiment lu de la haine et du mépris dans ses yeux. Elle s'est mise à hurler d'une manière hystérique : « Jamais! Jamais! Tu m'entends? Ma parole tu es complètement folle! C'est à cause de vous que l'homme que j'aime est injustement emprisonné... Comment as-tu pu imaginer une seule seconde que je pourrais abandonner mes enfants? Tu es un monstre, Joyce! Je te préviens, je te tuerai si tu touches à un seul de leurs cheveux...! Tu m'entends? Sors immédiatement de ma chambre! »

J'étais tellement bouleversée et révoltée par cette haine que j'ai voulu lui faire mal à mon tour. J'ai dit le premier mensonge qui m'est passé par la tête. Avant de sortir de la chambre, je me suis retournée pour lui lancer : « J'ai eu des nouvelles de Sung par Thomas Hannay. Il est mort dans sa cellule il y a deux jours, emporté par la fièvre typhoïde. Tu n'as plus que nous pour t'aider, souviens-t'en ma chère... »

Le soir même, profitant de mon absence temporaire, Lucy est partie.

Lorsque Edward est rentré, deux jours plus tard, j'étais complètement abattue... Il a eu un mal fou à me faire avouer ce qui s'était passé. Lucy avait disparu avec les deux jumeaux, et personne n'avait pu me donner le moindre indice sur sa fuite. Il ne restait que la police... Mais pour des raisons évidentes, nous hésitions à faire appel à elle... Morts d'inquiétude, nous nous sommes rassurés tant bien que mal, en nous persuadant que tôt ou tard nous la verrions revenir frapper à notre porte. Elle n'était plus à Hong Kong mais à Tokyo, une ville où presque personne ne parlait l'anglais. Elle ne pourrait prolonger indéfiniment sa fugue sans mettre en danger la vie des deux nourrissons...

Une nuit, ça faisait plus d'un mois que Lucy avait disparu, nous avons été réveillés en sursaut par les cris d'un bébé. Nous nous sommes précipités vers la porte d'entrée. Un des deux jumeaux était en train de brailler là dans un couffin, mais aucune trace de Lucy. Elle était revenue pour le déposer chez nous avant de disparaître dans la nuit... En laissant simplement un mot pour moi :

« La mort dans l'âme, je suis obligée de me séparer d'un des deux jumeaux. Je te le confie en espérant qu'au nom des liens de sang qui ont pu nous unir, tu t'en occuperas dans le même esprit d'amour que Ted et toi vous rabâchez sans cesse à ceux que vous essayez de convertir, mais qu'on cherche vainement dans vos actes quotidiens... Un jour je reviendrai le reprendre... Ne cherchez pas à savoir où je suis, je vous enverrai de mes nouvelles. Lucy. »

Environ tous les trois mois nous reçûmes une lettre d'elle. Mais elle ne nous précisait jamais où nous pourrions la joindre... Elle nous écrivait surtout pour nous faire ses recommandations concernant Calvin... Curieusement elle semblait parfaitement informée de ses progrès ou de ses maladies... Nous avons supposé, Ted et moi, qu'elle avait réussi à trouver quelqu'un de notre proche entourage pour l'informer, mais sans jamais réussir à découvrir qui. Dans une de ses premières lettres elle nous avait précisé qu'elle vivait avec un Japonais... Quant au frère de Calvin, Lucy était très laconique : il grandissait et se portait bien...

Voilà, cher Thomas, le terrible secret que nous ne voulons pas emporter dans la tombe : Calvin a un frère jumeau. Vit-il toujours ? Nous n'en savons rien. Voici la seule photographie que nous ayons de Lucy et des jumeaux. C'est moi-même qui l'ai prise le jour de leur naissance... Nous n'avons jamais eu le courage de révéler la vérité à Calvin, nous ne voulions pas lui faire inutilement du mal... Comment expliquer à un enfant que sa mère l'a abandonné au profit d'un frère jumeau ? Qu'il a un père qui croupit quelque part dans une prison de Hong Kong à cause de sa mère adoptive ?

Pardon de vous faire partager ce fardeau terrible... Mais c'est la seule façon de soulager un peu notre conscience... Vous savez tout... Nous nous en remettons entièrement à votre jugement... Que Dieu vous bénisse.

Joyce

L'autre lettre, un peu moins longue, lui était personnellement destinée. Cette fois Thomas Hannay faisait enfin tomber les masques. Sans détour, sans artifice.

Cher Mark,

En principe, je ne serai plus de ce monde lorsque vous me lirez. Si tout s'est passé comme je l'espère, vous êtes désormais en possession de tous les éléments du puzzle. Les modalités selon lesquelles j'ai envisagé de vous les transmettre vous sembleront certainement bien inutilement compliquées, voire dérisoires ou ridicules, mais il valait mieux que certains secrets ne tombent pas entre les mains de n'importe qui... Faut-il dire la vérité à Calvin Ferris ? Lui révéler qu'il a un frère jumeau qui vit quelque part au

Japon ? Je n'ai jamais trouvé la réponse à cette question, Mark... Et puisque vous êtes son parrain, son seul parent véritable peut-être, c'est sur vous que le fardeau retombe aujourd'hui...

Dans mon cas, j'avoue que ce sont des considérations bien égoïstes qui m'ont incité en réalité à garder le silence. J'ai eu tout simplement peur des conséquences d'une telle révélation. Ferris aurait voulu en savoir plus sur son père, il aurait cherché à le retrouver... Je savais que Sung avait réussi à s'échapper après deux ou trois ans d'emprisonnement mais j'ignorais ce qu'il était devenu. Le haut fonctionnaire influent que j'étais redoutait que toute cette histoire ne compromette sa carrière. Alors, lâchement, j'ai tenté d'acheter ma rédemption en veillant de loin sur Calvin Ferris et en m'arrangeant pour qu'il dispose d'au moins dix mille dollars tous les trois mois : un généreux donateur qui admirait son art mais tenait à garder l'anonymat... J'ai décidé de léguer à Calvin Ferris un million et demi de dollars. A vous de juger, Mark, selon les circonstances, s'il vaut mieux pour lui recevoir cette somme en une seule fois, ou s'il est préférable de poursuivre le système de la rente, en augmentant éventuellement le montant trimestriel... Quelle que soit la solution choisie, Russell Jenkins est déjà au courant. Il fera le nécessaire et se conformera à vos instructions.

Je n'ai pas réussi à retrouver la trace du frère de Calvin parce que curieusement je n'ai jamais pu convaincre un détective de faire des recherches pour moi. Selon un vieil ami qui a travaillé au SIS, ce serait en raison de la rumeur qui circulerait sur son père adoptif, Masashi. Il s'agirait d'un des yakuza les plus puissants du Japon...

Une dernière chose, Mark... Je suis persuadé que le policier qui sommeille en vous ne résistera pas à la tentation de faire sa propre enquête. Dans ce cas, vous serez peut-être amené un jour à rencontrer Sung. Posez-lui donc une question de ma part : demandez-lui pourquoi il a refusé de sortir de cette satanée prison quand je suis intervenu au bout de dix-huit mois, rongé par le remords, pour le faire libérer. C'est quelque chose qui m'a tourmenté toute ma vie...

A vous de jouer, Mark. Et pardon si le jeu ne vous amuse pas...

Fidèlement vôtre,
Thomas Hannay

Clemens replia la lettre avec un soupir. Il avait enfin la réponse à l'énigme sur laquelle il s'acharnait depuis des années. Grâce à Thomas Hannay, il connaissait enfin l'identité du Pivert ! Il regarda longuement le vieux cliché avant de le ranger soigneusement dans son portefeuille.

33

Était-ce uniquement la rencontre fortuite des jumeaux blonds de la plage qui avait poussé Calvin à chercher désespérément dans la nature l'équivalent de la gémellité humaine en collectionnant les porcelaines ? Ou bien cette quête obsessionnelle était-elle programmée dans ses gènes depuis sa naissance ? En se posant la question en ces termes, Lisbeth Delmont réalisa immédiatement combien l'horizon s'était maintenant éclairci pour lui. Beaucoup de choses allaient pouvoir se mettre en place dans sa tête... Il lui fallait sans hésiter abandonner son univers introverti au profit du monde extérieur... Pour retrouver la trace de son frère. Elle en était contente pour lui...

Par contre les choses étaient différentes en ce qui la concernait. Bien plus confuses qu'auparavant... En un sens la situation antérieure était préférable, plus confortable. Avant, même si certaines de ses questions restaient sans réponse, elle s'était bâti une explication dans laquelle elle gardait un certain contrôle sur les événements... Elle était relativement à l'abri... Maintenant il ne lui était plus possible de continuer à fermer les yeux. Ce n'était ni un fantasme de Calvin, ni un épisode de conte de fées ni un rêve. Il existait bel et bien un frère jumeau ! Qui lui avait rendu visite en pleine nuit à deux reprises, qui l'avait caressée et embrassée, qui lui avait griffonné ce poème glissé dans l'anthologie de poésie japonaise, qui lui avait offert le roman *Peter Ibbetson* de George Du Maurier, qui avait surgi au milieu des bombes fumigènes pour voler au secours de Calvin...

Premier moment de stupeur. La bande d'Asiatiques qui les avait encerclés, le rire sadique et cruel de leur chef, le pari complètement fou qu'il avait proposé à Calvin, seul contre trois types patibulaires armés de machettes...

Deuxième moment de stupeur. Un cri strident d'oiseau, un coup de feu, des explosions, plusieurs hommes qui s'affaissent, d'autres qui se mettent à courir dans tous les sens, une silhouette noire qui bondit au milieu de la fumée – avec une sorte de grand sabre. Elle voit une lame s'enfoncer dans la cuisse de Calvin et elle pousse un hurlement.

Troisième moment de stupéfaction. L'individu, tout près d'elle, est habillé de noir. Il a une sorte de cagoule sur le visage. Seuls les yeux sont visibles... Calvin! Elle a reconnu les grands yeux en amande de Calvin! C'est impossible! Calvin gît inanimé à trois mètres d'elle. L'inconnu la fixe silencieusement pendant une ou deux secondes. Il tend la main vers elle... Elle éprouve une si forte attirance pour lui que tous ses membres tremblent. Elle essaie de comprendre la nature de l'émotion qui s'empare de tout son être... Mais l'effort est trop violent, elle s'évanouit...

« C'est à cause de lui que tu t'es sentie irrésistiblement attirée vers Calvin... »

L'aveu silencieux venait de lui échapper machinalement. Elle venait enfin de formuler clairement son dilemme intérieur. Et pour le moment elle ne pouvait en partager le secret avec personne... Surtout pas avec Clemens qui était assis à côté d'elle sur le banc.

Clemens était de plus en plus déconcerté. Qu'était-il arrivé à Lisbeth Delmont? Il lui avait demandé de le retrouver dans les jardins de l'hôpital car il voulait lui demander conseil avant d'aller voir Calvin... Selon lui il fallait maintenant dire toute la vérité à Calvin... Mais comment réagirait-il? N'était-il pas préférable qu'elle fût présente quand il lui parlerait?

Les mésaventures de Lucy, sa rencontre avec Sung, la naissance des jumeaux, les circonstances dramatiques de l'adoption de Calvin... Sachant qu'il pourrait compter sur sa discrétion totale, Clemens lui avait tout raconté. Tout sauf bien entendu ses soupçons sur le Pivert... C'était un domaine qu'il n'était nullement nécessaire d'aborder avec elle. Du moins pour le moment...

Après les premiers moments de stupeur bien compréhensibles, il s'était attendu à un déluge de questions de la part de Lisbeth Delmont... Rien. Pas un geste d'étonnement. Pas une parole pour exprimer son indignation ou son incrédulité... Elle était assise sur le banc à côté de lui, mais elle aurait très bien pu se trouver à des milliers de kilomètres de là... Il cherchait en vain comment rompre ce silence.

Il regarda sa montre. Le professeur Astier, le chirurgien, lui avait accordé dix minutes seulement pour aller voir Calvin... C'était pourquoi il ne voulait pas être en retard. Ce serait la première fois qu'il pourrait enfin lui parler depuis l'ahurissant épisode où il avait failli mourir...

Cette nuit-là il avait eu comme un pressentiment que quelque chose de grave se passait pendant qu'il était en train de perdre son temps en Normandie. Il avait attendu en vain Sung pendant près de trois heures avec le sentiment qu'il avait eu tort de ne pas rentrer directement à Paris comme Gaines le souhaitait, en compagnie d'un Hughes méfiant et exaspérant au possible. Finalement las d'attendre, il avait repris l'autoroute pour Paris. Pour tomber en panne au bout de cent kilomètres un peu avant Mantes-la-Jolie...

« Sanglant règlement de comptes dans le Chinatown parisien...
L'incident s'est produit vers 4 heures du matin sur la dalle des Olympiades. C'est sans doute la première fois que ce genre d'incident se produit dans le quartier des tours du XIIIe arrondissement. Les circonstances à l'origine de cet épisode, à mettre sans doute sur le compte d'une guerre des gangs entre Triades rivales, sont pour le moment obscures. On dénombrerait une douzaine de victimes. »

Sa voiture avait failli heurter la barrière de séparation de l'autoroute quand il avait entendu la nouvelle à la radio. Il avait immédiatement su que Calvin était concerné.

Lisbeth le tira brutalement de ses pensées :

— Je ne m'attendais pas à une traversée du miroir aussi violente. Une véritable douche glacée.

Clemens la regarda d'un air effaré. De quoi parlait-elle ?

— Vous allez bien, Lisbeth ?

Elle haussa les épaules avec l'air de se ficher de ce qu'il pouvait penser. En le voyant consulter nerveusement sa montre, elle lui dit néanmoins :

— Allez le voir sans moi...

— Vous ne voulez pas m'accompagner ?

— Non. Demain peut-être, mais pas aujourd'hui. J'ai besoin de réfléchir sur tout ce que vous m'avez dit. Pour le moment, ne lui en parlez pas. C'est encore trop tôt pour lui...

— Comme vous voudrez..., dit doucement Clemens en lui serrant la main avant de s'éloigner.

L'inspecteur Deschamps aperçut Clemens avant qu'il ait, hélas, eu le temps de rebrousser chemin. Il se dirigea droit vers lui avec un air furieux. Il venait visiblement de s'accrocher avec une infirmière.

— Clemens... Ça tombe bien ! Justement j'avais deux mots à vous dire... Vous m'accompagnez quelques instants dehors ?

Clemens comprit au ton de Deschamps qu'il valait mieux ne pas discuter et lui emboîta le pas en haussant les épaules...

Dès qu'ils se retrouvèrent dans les jardins, Deschamps attaqua :

— Vous connaissez la musique, inutile de perdre du temps. J'ai pu interviewer longuement Gaines ainsi que Lisbeth Delmont, je connais donc leur version des faits. Il ne me manque que celle de Calvin Ferris mais on m'a interdit de le déranger... C'est votre filleul, je crois, et vous avez l'autorisation de le voir, alors je compte sur vous pour me rapporter tout ce que vous pourrez apprendre... Est-ce clair ?

Clemens soutint sans sourciller le regard hostile et menaçant de Deschamps. Tout en marchant aux côtés de celui-ci jusqu'à la sortie, il avait eu le temps de réfléchir : il n'y avait qu'un moyen de tenir Deschamps à distance, en lui donnant un os à ronger...

– Bien sûr... Justement j'étais venu pour lui poser quelques questions. A propos de ce mystérieux homme en noir qui est intervenu... Je sais maintenant qu'il s'agissait d'un *ninja*... Peut-être Calvin a-t-il une idée sur son identité...

– Un quoi ?

– Un *ninja*... répondit Clemens en réprimant un sourire.

Il avait remarqué la lueur subite d'excitation dans les yeux de Deschamps. Il le tenait...

– C'est un mot japonais, reprit-il après plusieurs secondes de silence pour ménager ses effets, qui désigne un adepte d'une technique très particulière d'arts martiaux qui remonte à l'ère médiévale nippone... Son but était de former des espions-assassins invincibles, capables d'escalader les murs, de marcher au plafond, et de tuer en silence... Plus meurtriers et efficaces que les meilleurs des samouraïs...

– Ah oui... Il me semble que j'ai dû lire quelque chose là-dessus... Quel rapport avec notre affaire ? Que vient faire un *ninja* dans une affaire de règlement de comptes entre Triades rivales ?

– Aucune idée, mon vieux... La seule certitude que j'ai provient des armes qu'il a utilisées : bombes fumigènes, *shuriken* empoisonnés, un arsenal bien caractéristique. D'ailleurs la cassette que vous m'avez prêtée le montre. L'accoutrement en noir, les bonds prodigieux, tout concorde...

– La cassette ? Vous avez réussi à en améliorer la qualité ?

– Pas moi, mais des techniciens anglais. Le résultat est extraordinaire. Justement je voulais vous téléphoner pour vous le dire.

– J'ai hâte de visionner cet enregistrement, lança distraitement Deschamps dont le comportement avait commencé à se modifier sensiblement.

Toute lueur d'agressivité avait disparu pour faire place à une intense réflexion intérieure... Clemens pouvait presque voir son cerveau de flic fonctionner furieusement...

– Pour quelle raison pensez-vous que Calvin Ferris pourrait nous aider à identifier le mystérieux inconnu ? lui demanda en effet Deschamps.

– Oh, rien de précis... répondit Clemens en baissant la tête et en se grattant le bout du nez, pour se donner le temps de choisir soigneusement ses mots. Ce type a surgi comme un diable de sa boîte pour voler à leur secours. Je me demandais tout bêtement si Calvin avait eu le temps de le dévisager. Pour en donner une description physique qu'on pourrait confier aux spécialistes d'Interpol...

En disant cela, Clemens savait pertinemment pour avoir visionné l'enregistrement numérisé au ralenti que Calvin n'avait pas eu le temps matériel de voir le *ninja*... Touché à la cuisse, il s'était effondré avant que l'inconnu s'approche de Lisbeth... Seule cette dernière avait pu éventuellement apercevoir la partie de son visage non cachée par la cagoule et apparemment elle n'avait fourni aucun élément à cet égard à Deschamps. L'essentiel était de gagner un peu de temps en aiguillant le policier sur le mystérieux *ninja*...

– Hum... C'est dans le domaine du possible... fit Deschamps d'un ton faussement nonchalant avant d'aboyer brusquement : Vous vous foutez de moi, Clemens? Je vous préviens, ne jouez pas à ce jeu-là! Si votre filleul sait des choses sur ce *ninja*, il a intérêt à m'en faire part... A propos, Gaines m'a dit qu'il surveillait Ferris à votre demande... Vous pouvez me dire pour quelle raison?

Clemens, qui savait que tôt ou tard Deschamps lui poserait cette question, avait préparé depuis longtemps sa réponse... Il soutint pendant plusieurs secondes le regard hostile du policier puis, la mine défaite, avoua en soupirant :

– Après tout, il vaut mieux que vous soyez au courant. Calvin est sujet à des crises de somnambulisme. C'est pour ça qu'il consultait Lisbeth Delmont. Par le passé, ça s'est traduit par quelques événements fâcheux. Je ne voulais pas que ça se reproduise à Paris pendant que j'étais en Normandie. C'est la raison pour laquelle j'ai demandé à Gaines de veiller sur lui... de loin. Vous pourrez le vérifier auprès de Lisbeth Delmont... Si bien sûr elle consent à rompre le secret professionnel...

– Somnambulisme, hein? Il faut que je file... Faites-moi porter d'urgence la cassette. On reprendra cette petite conversation quand j'aurai vu les images. Et n'oubliez pas ce que je vous ai dit, Clemens! Ne jouez jamais au plus fin avec moi...

L'infirmière, une matrone accorte et énergique, lui jeta un regard incendiaire dès qu'il pénétra dans la chambre. Clemens vit tout de suite à quel genre de personnage il avait affaire. Mais quand il aperçut Calvin il comprit immédiatement l'intransigeance du médecin. Son filleul était méconnaissable. Considérablement amaigri, le visage émacié, il faisait penser à quelqu'un qui aurait entamé son trentième jour de grève de la faim.

– Ne vous inquiétez pas, dit-il en s'adressant à la femme. Je ne reste qu'une minute. Je voulais juste passer lui dire bonjour...

Il avait trouvé les mots qu'il fallait. L'infirmière se détendit immédiatement. En souriant, elle lui désigna la chaise près du lit. Ferris lui fit un petit hochement de tête avant de détourner furtivement son regard du côté de la porte...

– Hello, Calvin... Je voulais venir avant, mais ton état de santé ne le permettait pas... Comment ça va?

– Mieux. C'est gentil Mark...

Il y avait une profonde expression de tristesse dans ses yeux, une immense déception, semblait-il... Pourquoi? Une chose en tout cas était évidente : ce n'était pas le moment de révéler à Calvin qu'il avait un frère jumeau... Même si celui-ci lui avait probablement sauvé la vie...

– Bon. Je vais te laisser te reposer, je reviendrai demain...

– OK, Mark... Merci d'être passé... Comment va Lisbeth?

— Bien. Je l'ai vue il y a environ une heure... Elle te rendra visite très bientôt... Demain, je crois...

Clemens nota la façon dont son filleul avait fermé les yeux en haussant imperceptiblement les épaules... Il croyait avoir deviné la raison pour laquelle Calvin avait regardé vers la porte et arborait cet air triste : c'était Lisbeth qu'il attendait désespérément... !

34

Posant le paquet et le bouquet de fleurs sur la table basse, Lisbeth alla se planter devant la glace près de la fenêtre. Une petite vérification avant la petite mise en scène destinée à la mégère... La fois précédente elle avait eu *tout faux*. Une visite éclair complètement ratée... Parce qu'elle avait voulu tenir tête à l'infirmière – un petit bout de bonne femme énergique et autoritaire. Le regard ironique et plutôt méprisant que celle-ci avait jeté sur son tailleur mauve et son corsage échancré en soie aurait dû l'inciter à la prudence. Mais elle avait vu rouge quand l'autre, les mains sur les hanches, s'était ruée devant elle pour l'empêcher de s'approcher du lit.

« Désolée, mais il dort. Il faut le laisser se reposer... »

Lisbeth s'approcha du miroir en écarquillant les yeux. Les pupilles étaient encore rougies, comme si elle venait de pleurer les plus chaudes larmes de sa vie. En fait juste avant de se rendre à l'hôpital, elle s'était appliquée à éplucher une vingtaine d'oignons. Aucun maquillage, les cheveux ébouriffés, un gros pull de laine déformé par le temps, un blue-jean usé, de vieilles chaussures à talon plat. L'infirmière – plutôt que d'aller directement à la chambre elle avait fait dire à la réception qu'elle souhaitait la voir un bref moment – n'allait pas tarder. Cette fois Lisbeth espérait qu'elle aurait *tout bon*... En entendant les pas dans le couloir, elle retourna vite s'asseoir et sortit un mouchoir pour s'essuyer les yeux.

– C'est vous qui m'avez demandée ? lança la virago en marchant droit sur elle.

Lisbeth se moucha bruyamment.

– Oui..., répondit-elle faiblement, en esquissant un petit sourire timide.

– Que me voulez-vous ? aboya l'autre chipie en l'observant de la tête aux pieds.

D'un mouvement volontairement gauche, Lisbeth s'empara des fleurs sur la table basse et les lui tendit.

– Tenez, c'est pour vous... Pour m'excuser pour la dernière fois...

L'infirmière marqua le coup.

– Pour moi ? Pour quoi faire ? demanda-t-elle sur un ton méfiant en écarquillant les yeux.

– Pour vous remercier de veiller avec tant de dévouement sur Calvin... Comment va-t-il ? Je n'ai pas dormi de la nuit... Ça m'a fait un tel choc de le voir dans cet état...

L'autre commençait à la regarder avec une expression moins méfiante. Sans lui laisser le temps de réfléchir, Lisbeth enchaîna en se levant d'un air décidé :

– Ne vous inquiétez pas... Je ne reste pas... Je voulais juste vous demander de lui remettre ce petit cadeau... Je reviendrai quand il ira mieux.

L'infirmière prit dans son autre main le paquet et, sentant la consistance dure à travers le papier kraft, devina la nature de l'objet :

– C'est un tableau ?

– Si on veut... C'est une encre sur papier... Effectuée par un artiste japonais du XVIIe siècle...

Lisbeth consulta machinalement sa montre, avant de reprendre aussitôt, en commençant à se diriger vers les escaliers :

– Je ne veux pas vous retenir trop longtemps. Il vaut mieux que vous retourniez auprès de lui...

– Attendez... Je crois que justement il est réveillé... Pourquoi ne viendriez-vous pas avec moi ? Vous lui remettriez vous-même votre présent...

– Vous êtes sûre que je peux ? demanda Lisbeth en baissant la tête pour cacher son sourire de triomphe.

Seul un observateur particulièrement attentif aurait pu relever le temps d'arrêt imperceptible qu'Arec marqua en contournant les tables pour passer dans la salle où se trouvaient les échiquiers numérotés – ceux où s'affrontaient les meilleurs joueurs mondiaux classés ELO [1]. En posant son regard sur la porte vitrée séparant les deux pièces il avait bien cru apercevoir l'image de son frère. Pourtant ce n'était que son propre reflet dans la porte ! Ça n'avait duré qu'une fraction de seconde, mais pendant un instant fugitif il s'était figé en croyant reconnaître Calvin Ferris... !

Pour avoir lu plusieurs ouvrages sur les jumeaux, Arec savait que chez ces derniers ce genre d'erreur était fréquent et plutôt irritant. On pouvait à la rigueur admettre que les étrangers vous confondent constamment. C'est une chose presque normale... Mais c'était horriblement agaçant de croire voir son frère jumeau alors que ce n'était que soi qu'on entrevoyait !

« Jamais je n'aurais pensé qu'une chose pareille pourrait m'arriver ! s'écria intérieurement Arec en réprimant un juron. Comment ai-je pu me

---

1. Classement officiel par points de la Fédération internationale des échecs. En janvier 1991, le champion du monde Kasparov avait atteint 2 800 points, tandis que le quatorzième joueur, le Yougoslave Ljubojevic, en avait 2 595.

tromper même une milliseconde, alors que je sais pertinemment que Calvin est toujours sur son lit d'hôpital ! »

Il s'arrêta à côté du premier échiquier où se déroulait un match entre deux joueurs d'origine russe : Alutsine qui était installé en France depuis une dizaine d'années et Kudrin qui vivait à New York. C'était la première fois qu'il voyait les deux champions et Arec fut frappé par le contraste entre les deux hommes. Tout les opposait, à commencer par leur apparence... Alutsine frisait la quarantaine. De taille moyenne, les cheveux et les yeux sombres, une fine moustache et l'allure discrète d'un professeur de lettres. Kudrin devait avoir vingt-huit ans maximum. Mince et très grand, les yeux bleus, un physique d'acteur ou d'athlète de compétition. Si Kudrin avait appris les échecs à l'âge de quatre ans avec sa grand-mère, Alutsine les avait découverts sur le tard vers trente-deux ans en écrivant la biographie du légendaire Bobby Fischer... Un journaliste sportif féru d'échecs les avait un jour très justement comparés à deux joueurs de tennis tchèques : Lendl et Mécir. D'un côté la force, la précision et une énorme pression physique exercée sur l'adversaire ; de l'autre une impression constante de nonchalance inventive et d'improvisation artistique... Ce qui donnait généralement lieu à des affrontements très spectaculaires. Du moins quand Alutsine était suffisamment inspiré pour échapper au rouleau compresseur de son adversaire...

Arec se pencha pour regarder les positions sur l'échiquier. Alutsine, avec les noirs, avait choisi une sicilienne. Les pions en *a*6, et *e*6, et la Dame en *c*7. Pion de la Dame prêt à aller en *d*5 lorsque les conditions seront favorables... Une disposition caractéristique de plusieurs variantes de cette défense qui donnait une bonne chance aux noirs d'annuler. D'habitude quelques minutes lui suffisaient pour évaluer le rapport des forces. Mais aujourd'hui l'impression de malaise persistait et il ne parvenait pas à se concentrer correctement. La position semblait égale pour le moment. Mais il était incapable de calculer plus avant...

Le Cavalier blanc en *c*3 et le Fou juste à côté en *d*3 le ramenèrent subitement à Pearson et Gaines et à cette fameuse nuit sur la dalle des Olympiades ! Soudain, alors qu'il se trouvait hors de portée des tueurs, il avait ressenti une douleur lancinante à la cuisse droite. Sans aucune raison. Aucun adversaire ne l'avait touché. Et pourtant la « blessure » avait été bien réelle : comme si une machette s'était enfoncée profondément dans la chair ! Précisément à l'instant où l'un des trois types avait réussi à entailler avec sa lame meurtrière la jambe de Calvin...

Il lui avait fallu faire appel à la magie pour faire disparaître la douleur et la sensation de paralysie complète de son membre. Il avait été à deux doigts de s'affaisser. *Rin, pyo, to, sho, kaï...* Heureusement le recours aux neuf signes avait suffi...

Arec essaya de se concentrer de nouveau sur l'échiquier. Il renonça au bout d'une minute. Ce n'était pas la peine d'insister. D'ailleurs il valait mieux qu'il consacre toute son énergie au but réel de sa visite. Très lentement il tourna la tête vers la gauche. L'homme qu'il était venu observer n'était plus à la table numéro sept, mais debout près des tréteaux où les organisateurs avaient fait installer les boissons chaudes et les jus de fruits... Délaissant son adversaire, un jeune homme bourré de tics faciaux qui avait les yeux rivés sur les pièces, le temps de sa fameuse « tisane » qu'il se préparait personnellement... Son indispensable potion magique dont il gardait jalousement le secret et qui lui avait valu, dans les milieux des échecs, le surnom de « vieil herboriste »...

Sa silhouette s'était encore légèrement tassée avec le poids des ans. Il était de plus en plus voûté.

Avant de s'approcher, Arec passa machinalement sa main sur sa moustache postiche ainsi que sur sa perruque. Pas mal d'années avaient passé depuis leur dernière rencontre à Londres... Mais il ne voulait prendre aucun risque. Le « vieux » avait une mémoire d'éléphant...

Lisbeth ne pouvait pas dire d'où lui était venue son intuition mais en pénétrant dans la pièce elle avait aussitôt senti, avant même de poser ses yeux sur lui, que Calvin n'était plus le même homme. Une atmosphère notablement différente était immédiatement perceptible dans la chambre et Ferris avait effectivement l'air complètement transformé. Pas au niveau physique : toujours très pâle, son visage considérablement amaigri portait encore les stigmates des souffrances et épreuves par lesquelles il était passé. C'était plutôt en profondeur qu'il fallait chercher. La façon nouvelle dont il la regardait en souriant. Elle avait beau scruter ses yeux et observer soigneusement les commissures de ses lèvres, elle ne retrouvait aucune des caractéristiques de l'extrême fragilité de sa personnalité habituelle, de sa timidité presque maladive... Grâce sans doute au *Zen* – l'influence de maître Taki avait certainement été largement bénéfique – Calvin Ferris était parvenu à intégrer tous les aspects négatifs de son caractère, et avait commencé à changer...

Il était totalement méconnaissable : une sérénité incroyable se dégageait de son regard... Elle ne pouvait trouver aucune explication raisonnable, mais elle sentait comme une grande force émaner de tout son être. Même son sourire était différent : spontané, calme et posé... Ne relayant inconsciemment aucune demande... Ne convoyant involontairement aucune crainte ou appréhension intérieure...

« On dirait qu'il lui suffit de regarder le tableau et d'y entrer pour participer à toute sa beauté intérieure... », pensa Lisbeth en enviant presque le bonheur tranquille que la simple contemplation de l'œuvre de Tchou Ta semblait procurer à Calvin.

Calvin, qui n'avait pas dit un mot depuis au moins cinq minutes, la tira de ses rêveries.

– Je vous remercie du fond du cœur, Bessie... Vous avez fait une folie... Ce n'était pas raisonnable et j'accepte ce cadeau somptueux, mais à une seule condition...

Lisbeth – surprise qu'il l'ait appelée ainsi, mais qui n'en montra rien – éclata de rire avant de demander :

– Laquelle, mon Dieu ?

– Que vous me laissiez participer à son achat... Vous avez dû vous ruiner pour l'acquérir...

– Pas vraiment... L'occasion s'est présentée à Drouot. Une de mes relations cherchait un tableau de Kupka. *L'Ame du lotus*, que j'avais chez moi, avait cessé de me plaire. Cet ami avait une œuvre chinoise du XVIIe siècle. Je voulais me faire pardonner de vous avoir entraîné dans cette mésaventure de Choisy. On a fait un échange. C'est aussi simple que ça.

– Vous connaissez un peu l'œuvre de Tchou Ta, Bessie ? demanda Ferris, après un petit moment de silence.

– Euh, pas vraiment... Le spécialiste de la peinture extrême-orientale, c'est plutôt vous, glissa Lisbeth qui commençait à se demander pourquoi Calvin avait décidé de l'appeler de cette façon.

Ferris fronça légèrement les sourcils, comme s'il faisait appel à sa mémoire, avant de poursuivre :

– On connaît assez mal sa vie, et les spécialistes ne sont pas toujours d'accord entre eux. On sait simplement que vers l'âge de vingt ans, lors de la chute des Ming, auxquels il était lié par sa famille, il est devenu moine bouddhiste, dans la tradition *Tch'han* qui au Japon a donné le *Zen*... A la suite d'un choc mental très violent, il aurait sombré dans la folie. Se donnant le surnom de Pa-ta-Chen-Jen, il aurait été sujet à de fréquentes crises d'excitation et de dépression. On raconte qu'un jour il a accroché sur sa porte une pancarte où il avait calligraphié un seul caractère, *ya*, ce qui veut dire muet, et qu'à partir de cet instant il n'a plus jamais adressé la parole à quiconque. On l'entendait rire aux éclats, ou pleurer. On le voyait gesticuler, peindre, écrire, et même boire jusqu'à l'ivresse. Mais sans qu'un mot sorte de sa bouche. Un de ses contemporains rapporte que, lorsque l'envie d'écrire ou de peindre le prenait, il se découvrait le bras et s'emparait de son pinceau en poussant de grands cris, comme un fou... Curieusement ce « fou » a produit des œuvres d'où se dégage une forte impression de rigueur... Quand on les étudie on est frappé par la force et la précision de ses traits. On a l'impression que le pinceau se déplace lentement mais sûrement sur la feuille, avec de temps en temps des mouvements extraordinaires de torsion, surtout lorsque le trait change de direction... Les spécialistes disent que Tchou Ta avait une technique particulière. Selon James Cahill, un grand expert en la matière, il encrait son pinceau irrégulièrement, de manière à pouvoir déposer, par endroits, des points d'encre si humides qu'ils se transformaient en taches imprécises, tout en utilisant parfois un trait sec qui écorchait quasiment le papier. Il est pratiquement impossible de confondre ses œuvres avec celles d'un autre peintre. Mais je vous ennuie peut-être avec tout ça...

– Pas du tout, Calvin. J'ignorais que vous étiez si calé sur cet artiste, ajouta-t-elle en s'avançant pour observer de plus près l'encre sur papier.

– Regardez... Je vais vous expliquer pourquoi cette œuvre est si belle. Vous voyez la façon dont il a peint ces deux oiseaux en équilibre instable sur une patte ? C'est un thème qu'on retrouve souvent dans ses tableaux. Et regardez bien les yeux des volatiles... La faune de Tchou Ta a fréquemment des yeux carrés ou en losange : est-ce une fantaisie personnelle de l'artiste ? En tout cas, je trouve que Tchou Ta semble ainsi faire bénéficier ses animaux de qualités humaines. Ses corbeaux, ses poissons ont l'air de veiller, ou de penser. Ces deux oiseaux paraissent particulièrement joyeux. On ne voit qu'eux, l'arrière-plan – une lointaine colline boisée – n'est qu'esquissé en taches sombres et claires...

Lisbeth sursauta en entendant l'infirmière tousser. Elle ne l'avait pas entendue pénétrer dans la pièce.

– Excusez-moi, mais il faut partir maintenant...

– Bien sûr..., fit Lisbeth qui regarda machinalement sa montre.

C'était incroyable. Elle était restée seule avec Calvin pendant près de vingt minutes !

Elle se pencha pour l'embrasser sur la joue.

– Au revoir, Calvin. A très bientôt. C'est formidable que je sois tombée sur cette œuvre de Tchou Ta. Je ne regrette pas du tout mon Kupka. Merci.

– C'est moi qui vous remercie...

Sur le pas de la porte, Lisbeth marqua un temps d'arrêt. Elle passa la main dans ses cheveux – un geste fréquent chez elle lorsqu'elle était indécise. Finalement elle se retourna :

– Au fait, j'allais oublier... Mark Clemens nous invite tous les deux à passer une ou deux semaines de vacances en Normandie. Il a une maison à Honfleur. J'avoue qu'un peu de repos ne me déplairait pas et l'air de la mer vous ferait du bien. J'aimerais que nous y allions tous les deux dès que vous pourrez sortir d'ici : ça vous dirait ? Vous continuerez de m'en apprendre un peu plus sur les peintres chinois...

– Pourquoi pas ? En échange, vous m'expliquerez la théorie jungienne de la synchronicité, répondit distraitement Ferris sans lever les yeux. Il était toujours plongé dans la contemplation des *Oiseaux*...

Au bas des marches Lisbeth éprouva le besoin de s'arrêter quelques instants pour reprendre ses esprits. Au moment de sortir de la chambre, elle s'était souvenue de sa conversation récente avec Clemens et s'était retournée avec l'intention de dire quelque chose dans le genre : « Il faudra qu'on se revoie tous les deux en présence de Mark Clemens, il a des choses très importantes à vous dire. » Au lieu de cela, elle ne savait pas du tout ce qui l'avait prise, elle avait sorti cette invitation en Normandie. Où avait-elle été chercher ça ? Il ne lui restait plus qu'à convaincre Clemens de les inviter à Honfleur... !

« Ce n'est pas une si mauvaise idée après tout, se dit-elle finalement, tout en se dirigeant vers la sortie. Pour encaisser ce genre de nouvelle, la campagne normande sera certainement un meilleur endroit que cet hôpital sinistre... »

35

Calvin Ferris posa le sous-verre sur ses genoux. Il ne se lassait pas de contempler les deux oiseaux peints par Tchou Ta. Il ne pensait pas que Lisbeth, qui venait de partir, avait fait attention à sa remarque sur la synchronicité. Il regrettait presque d'y avoir fait allusion. C'était un mystère qu'on vivait mais qu'on ne pouvait partager avec personne, sauf d'un point de vue intellectuel. Seul un poème *Zen* pouvait peut-être en donner une vague idée...

Juste après le départ précipité de Lisbeth chassée par l'infirmière, lors de sa première visite, en revivant le songe dans sa tête, il avait connu une sorte de *satori* [1] qui semblait avoir causé en lui une profonde transformation... Sa rencontre d'aujourd'hui avec Lisbeth avait été parfaitement révélatrice à cet égard. Il éprouvait toujours un très fort sentiment envers elle, mais le fait d'en avoir compris la nature profonde lui permettait d'envisager l'avenir avec détachement et sérénité... Il n'était plus du tout dans la même situation d'attente désespérée... Comme dans le début du rêve... Et comme il l'avait été toute son existence...

Il savait par les pittoresques histoires rapportées par Maître Taki, et aussi pour avoir lu maints ouvrages sur la question, que les événements les plus inattendus, parfois même les plus insignifiants, pouvaient provoquer le *satori* chez un disciple *Zen*. Une gifle retentissante du Maître... Ou son simple pouce dressé sous le nez du postulant... Le son d'un caillou qui roule jusqu'au ruisseau... Le choc d'un bâton de bambou contre un autre... Le fait de vider le contenu d'une tasse de thé par terre... Un vol d'oiseaux dans le ciel... Une note de musique jouée à la flûte... Paradoxe temporel de l'instantanéité de l'illumination *Zen*... Il n'avait jamais entendu parler d'un éveil suscité par un songe... Dans son cas, c'était pourtant ce qui s'était passé.

---

1. Éveil ou illumination intérieure (il y en a des degrés différents) du disciple *Zen*, qui pour être valable doit être authentifié par son Maître.

Le rêve d'ailleurs avait commencé comme un paysage *Zen*... Pour finir avec un *hosshin* donné par le *Roshi*... Illustrant dans un merveilleux raccourci digne des plus beaux *haïku* les quatre formes du *furyu* : *sabi, wabi, aware, yugen*...

Dans le scintillement de l'air frais, et la musique des feuilles de merisier, il s'était réveillé en frissonnant légèrement. Tout en ébouriffant ses plumes, il avait lentement pris conscience d'une présence humaine sous l'arbre. Une jeune fille riait et criait joyeusement. Ils étaient deux oiseaux posés sur la même branche. Lui et celui qui était devenu son compagnon inséparable. Un jour, l'autre était venu le rejoindre sur le sommet de l'if. Depuis ils ne se quittaient plus.

– Allez, venez... Venez picorer...

Les graines étaient dans la main de la jeune fille. Lui n'osait pas s'aventurer. C'était plus fort que lui, il était paralysé par la peur malgré la faim qui le tenaillait. Par contre son ami était plein de hardiesse et n'hésitait pas à aller les chercher. Faisant habilement des aller-retour entre la branche et les doigts de la jeune fille. Frôlant d'un furtif mouvement d'ailes sa main, ce qui provoquait des rires cristallins chez elle... A un moment celle-ci finissait par s'apercevoir qu'il n'avait pas quitté l'arbre une seule fois.

– Et toi ? dit-elle en se tournant vers lui, pourquoi ne viens-tu pas ? Allez... N'aie pas peur... Je ne te ferai aucun mal...

Et lui s'étonnait soudain de comprendre tout ce qu'elle lui disait. Et de reconnaître ses boucles blondes et ses yeux rieurs... Ce n'était que Jessica qui l'appelait. Mais que faisait-il sur l'arbre ?

Ça y est ! Il avait compris... Lui et Lac s'étaient déguisés en mésanges... Et Jessica avait organisé un concours d'adresse et de vivacité pour eux...

– Je viens, Jessica... J'arrive, ma chère Jessie... Ne donne pas toutes les graines à Lac... Gardes-en pour moi...

Mais dès qu'il avait formulé en langage humain sa pensée, le rêve avait basculé... Il était tombé lourdement du merisier pour se retrouver dans l'herbe humide en train de frotter sa cheville endolorie... Il n'y avait plus personne... Il était seul et pleurait en pensant à Jessica qu'il ne reverrait plus jamais...

Il avait dû s'assoupir ensuite... Ou alors le songe avait changé brutalement de perspective... Il avait d'abord cru reconnaître le bruit de la pluie dans l'eau... Mais il ne pleuvait pas. Le ciel au-dessus de lui était sans nuages... Il était toujours dans l'herbe sous le merisier, mais en se relevant il apercevait un petit chemin en pente qu'il n'avait jamais vu auparavant. En le longeant il parvenait à un petit ruisseau et découvrait l'origine du son qui l'avait réveillé. Un amas de branches mortes coincées dans un rocher avait créé une minuscule cascade d'où l'eau gouttait lentement dans la petite mare en dessous...

Deux choses extraordinaires s'étaient ensuite passées. Telle une apparition un vieil homme aux cheveux blancs était soudain entré dans son rêve.

Une seconde plus tôt il n'y avait qu'une bande d'herbe de l'autre côté du ruisseau... Il y avait maintenant un homme au faciès asiatique, avec un grand front dégarni et des cheveux blancs, en face de lui! Habillé comme un *Roshi* il était assis en posture de méditation! Il avait hoché la tête en le voyant et lui avait adressé un sourire avant de lui désigner d'un mouvement du menton la cascade, pour l'inviter à se joindre à lui dans sa contemplation... Ce qu'il avait fait en fixant les gouttes transparentes...

C'est alors qu'il avait entendu les notes cristallines de la guitare... S'égrenant au rythme de la cascade et s'enchaînant pour jouer le quatuor de Haydn en *ré* majeur pour violon, viole, violoncelle et guitare... La dernière pièce qu'elle et lui avaient interprétée ensemble... Jessica n'était plus de ce monde mais il lui suffisait de se concentrer sur les reflets argentés pour y apercevoir furtivement, dans les minuscules miroirs éclatés, son sourire... Ses yeux joyeux et brillants... La guitare de Jessica... S'unissant au viloncelle, au violon et à la viole... Comme le ruisseau se fondait avec la basse obstinée du vent, le murmure mélancolique des feuilles, les chants insouciants des oiseaux...

Soudain sans transition la musique avait cédé la place au silence... Un de ces silences palpables et solides qui s'élèvent à un certain stade de la méditation... Avant qu'il ait eu le temps de réaliser qu'il n'entendait plus la guitare de Jessica, le moine avait plongé ses yeux brillants dans les siens. Sans chercher à résister, il s'était laissé envahir par une inexplicable vague de bien-être...

Puis une nouvelle fois le rêve avait basculé. Le moine avait fait un bond au-dessus de l'eau pour venir l'empoigner violemment par le cou et l'obliger à regarder vers le merisier...

Ce n'était plus Jessica mais Lisbeth qui était sous l'arbre... Elle tendait des graines en direction de deux oiseaux posés sur une branche!

– Regardez, imbécile! cria d'une voix bourrue le moine. Comme dans la *Mandala Upanishad* deux oiseaux, compagnons inséparablement unis, résident sur un même arbre, l'un mange le fruit de l'arbre, l'autre regarde sans manger... Lequel détient la vérité? Ce sera votre *koan*... Cessez de dormir!

Il s'était réveillé en sursaut à cet instant pour voir Lisbeth se faire engueuler par l'infirmière. Et simultanément avait, en trouvant la réponse du *koan*, éprouvé son *satori*... Qui comme un caillou lancé dans une mare avait créé des cercles de plus en plus grands... Il lui avait suffi de se laisser emporter par eux pour élargir sa vision... Tant de choses obscures s'étaient soudain retrouvées sous une lumière nouvelle... Englobées dans la fameuse vision *furyu* du *Zen*... *sabi*... *wabi*... *aware*... *yugen*... Un quatuor indissociable... Comme celui de son rêve... Un sentiment de solitude... De quiétude tranquille... La simplicité... Éprouver en un instant intemporel qu'il n'est nécessaire d'aller nulle part... Au moment où l'on pleure avec tristesse et regret le caractère transitoire du monde ou la disparition d'un être cher, découvrir en un éclair la vraie nature des choses... A côté de la saveur

« ordinaire » de la vie, « sentir » la présence de quelque chose de mystérieux et d'étrange... Qui vous enveloppe dans sa plénitude.

« Jessie »... « Bessie »...

Lisbeth n'avait pas protesté...

Jessie, morte à dix-sept ans d'une leucémie... Qui était venue un beau jour au conservatoire de Bodmin avec sa guitare et ses transcriptions des quintettes de Luigi Boccherini... Qui avait tenu malgré son état de faiblesse à jouer pour le concert de fin d'année. Et qui s'était effondrée dans ses bras à la fin du quatuor en *ré* majeur de Haydn...

Une œuvre pour cordes à l'origine écrite en *mi* majeur, dont les cinq mouvements étaient à l'image de ce qu'avait été le parcours sur terre de Jessie... L'*allegro* joyeux comme une naissance... Le *minuetto* sensible et romantique comme l'enfance... L'*adagio* grave et triste : les premières épreuves de la vie et la mort qui montre le bout de son nez... Un *minuetto alternamento* pour exprimer le chant de la vie qui lutte et essaie de vaincre la mort... Le *presto* ultime pour évoquer ce que le poète avait appelé « la mélancolie bienheureuse » de la mort... La dernière danse avant le silence et l'immobilité...

Il était immédiatement tombé éperdument amoureux de la jeune guitariste... Avec ses grands yeux légèrement en amande... Douce et merveilleuse Jessica qu'il essayait inconsciemment de retrouver à travers Lisbeth... Toutes les deux avaient la même façon de rire en rejetant la tête en arrière... En secouant les cheveux en cascade... Une manière identique d'exprimer leur colère : en lançant un regard noir et en serrant les mâchoires, avant de tourner les talons en haussant les épaules...

Jessie-Bessie... Un jeu de mots involontaire mais significatif... Dévoilant la nature véritable de son attirance pour elle... Faisant tomber les masques... Inconsciemment il avait reporté son amour fou de Jessica sur Lisbeth... Imposant à cette dernière à son insu un rôle impossible... Elle ne serait jamais la merveilleuse adolescente qui avait été son premier amour...

Au moins les choses étaient claires désormais... Si une relation durable et profonde devait un jour s'établir entre lui et Lisbeth, elle ne pourrait se faire que sur des bases entièrement nouvelles... Pour le moment il ne savait pas du tout comment les choses allaient évoluer... Prendre conscience du mécanisme inconscient de projection l'avait en quelque sorte libéré... Avant l'épisode du rêve la perspective de passer des vacances en Normandie avec Lisbeth l'aurait certainement fait sauter de joie... Maintenant il éprouvait une curieuse sensation de sérénité et de détachement... Même si finalement il ne se passerait rien... « Il n'est nécessaire d'aller nulle part... »

« En tout cas, pensa-t-il en contemplant le tableau de Tchou Ta, même Lisbeth serait surprise par cette incroyable synchronicité... Les deux oiseaux de la *Mandala Upanishad*... Les deux volatiles ébouriffés de Pa-ta Chan-Jen, le « Fou » qui n'avait plus jamais adressé la parole aux hommes...

Arec alla à la fenêtre pour tirer soigneusement les doubles rideaux avant de revenir près du lit pour allumer dans la pièce. Il régnait un désordre indescriptible dans la chambre d'hôtel. Il y avait des échiquiers partout : sur le lit, par terre, sur la table, sur la commode. Chacun avec ses pièces différemment placées dans la position d'une partie ajournée...

Il y avait aussi, disséminés un peu partout, un nombre incroyable de livres... Des traités écrits par de grands théoriciens comme Euwe ou Pachmann... Des recueils de parties de championnats... Des analyses d'ouvertures ou de défenses... en russe, allemand, français, anglais...

Il y avait enfin des vêtements dans tous les coins : sous le lit, derrière les rideaux, sur les radiateurs, sur les chaises... Des chemises sales, des chaussettes trouées, des caleçons déchirés, des cravates élimées... Avec des traces de nourriture omniprésentes : miettes de pain, sucre et sel, taches de moutarde ou de sauce tomate... Les échecs étaient comme un monstre qui vous faisait tout oublier. Les soixante-quatre cases noires et blanches, c'était la seule chose importante...

Arec se retint d'aller ouvrir. L'odeur de sueur et de renfermé était insupportable... Mais il trouva immédiatement dans la salle de bains ce qu'il cherchait. Le contraste était saisissant entre le fouillis bordélique de la chambre et l'ordre méticuleux qui régnait sur la tablette blanche : les petits sachets étaient soigneusement rangés et étiquetés. Alignés à côté de la petite balance de précision avec leurs inscriptions tournées vers le devant pour être facilement et rapidement lisibles...

Le « vieil herboriste toqué » n'avait pas changé de ce côté-là... Arec se pencha pour étudier le contenu des petits sacs de toile. « Eupatoire d'Avicenne »... « Euphorbe panachée »... « Consoude »... « Adonis »... « Agripaume »...

Son cœur se mit à battre plus vite, il ne trouvait pas le sachet sur lequel il avait basé son plan... Zut! Il poursuivit sa lecture. « Ancolie »... « Ansérine »... Ah! Ça y est! Le mélange était dans un sachet gris. Juste entre la morelle douce-amère et la girarde...

Satisfait, Arec sortit de la salle de bains. Il éteignit avant de rouvrir les rideaux et sortit dans le couloir après s'être assuré que la voie était libre. Il lui restait à faire un choix définitif concernant le *haïku* et le poème. Quant à l'objet, il avait pris sa décision. Il enverrait un gant coupé...

Au bout du hall, ses yeux furent attirés par une tapisserie naïve accrochée au mur. Un paysage champêtre banal et fade... Des arbres aux feuilles pointues et pleins d'oiseaux de toutes les couleurs sur les branches.

« Deux oiseaux, compagnons inséparablement unis, résident sur un même arbre... »

Pour une raison mystérieuse la phrase s'était imprimée dans sa tête au moment où il avait jeté un regard distrait sur le cadre. Il n'avait aucune idée d'où elle pouvait venir... Ni de ce qu'elle signifiait... Était-ce le début d'un livre? Le fragment d'un poème? Il n'aimait pas ça... Il n'avait pas l'habitude que des choses de ce genre surviennent!

36

Clemens se leva pour éteindre le magnétoscope et aller tirer les rideaux. Il avait observé Lisbeth attentivement. Elle n'avait trahi aucune réaction particulière en regardant les images avec lui. Sauf peut-être une respiration plus rapide et une légère tension du cou lorsque le *ninja* était venu tout près d'elle... La fixant pendant un long moment avant de lui tendre la main... Comme s'ils se connaissaient intimement... Était-elle déjà au courant de l'existence du frère jumeau de Calvin ?

— Avec ou sans eau, votre whisky ? demanda-t-il en remplissant les verres.

— Justes des glaçons, merci...

Clemens calcula soigneusement son *timing*. En s'asseyant en face d'elle, il leva son verre « au prompt rétablissement de Calvin... ». Puis, juste au moment où elle commençait à boire, il lui lança à brûle-pourpoint :

— Saviez-vous qu'Arec est un assassin professionnel recherché par les polices du monde entier ?

Lisbeth s'étrangla en avalant. Sa stupéfaction était réelle. Il décida de pousser son avantage, mais en jouant cartes sur table. Sa seule chance de convaincre la psychanalyste de l'aider était d'éveiller sa curiosité... Il la laissa reprendre une gorgée d'alcool avant de poursuivre :

— Je ne sais pas si vous croyez personnellement aux phénomènes de nature télépathique entre frères jumeaux... Mais nous en avons une illustration sous les yeux... Je suis intimement persuadé que c'est dans cette direction qu'on peut trouver l'origine de tous les problèmes psychologiques qui ont contraint Calvin à renoncer à une brillante carrière musicale... Indirectement, le pauvre bougre a été obligé à son insu à « participer » à tous les crimes perpétrés par son frère... Vivant mentalement, émotionnellement — hélas pour lui le plus souvent au plus mauvais moment : au milieu d'un concerto de Dvorak ou d'une sonate de Bach — les horreurs commises à distance par le Pivert !...

— Le Pivert ?

– C'est le surnom que tous les gens à ses trousses ont fini par lui donner... expliqua Clemens – en notant la façon dont, passé les premiers moments de surprise, Lisbeth se penchait en avant, les yeux brillants, un signe indiscutable qu'il avait réussi à ferrer sa curiosité –, à cause des méthodes très particulières qu'il utilise, poursuivit-il après avoir pris une rasade de Glenfiddich, et de la signature très originale qu'il laisse toujours après son passage... Seuls vous et moi connaissons désormais l'identité de ce fascinant personnage...

Clemens marqua volontairement une pause en regardant pensivement le liquide brun dans son verre. Il lui suffisait de lever les yeux pour remarquer le trouble de Lisbeth. Sans lui laisser le temps de reprendre ses esprits. Clemens préféra lui assener le coup de grâce.

– Avec votre aide, je compte bien mettre fin aux agissements de cet individu sans scrupules. Car c'est le seul moyen d'innocenter définitivement Calvin...

Comme il s'y était attendu, elle lui lança aussitôt un regard soupçonneux.

– Mon aide ? Qu'est-ce que je viens faire là-dedans ? demanda-t-elle sèchement.

Fidèle à la tactique qu'il avait mise au point, Clemens évita de lui répondre directement. Sans lever les yeux, comme s'il cherchait au fond de son verre l'inspiration ou un quelconque courage, il glissa d'une voix à peine audible :

– S'il y a effectivement une liaison télépathique entre les deux frères, c'est le fil d'Ariane qui peut nous conduire jusqu'au Pivert... Vous êtes bien placée pour savoir combien ces « communications », si elles sont réelles, sont erratiques et labyrinthiques... Il faut les traquer là où on peut... dans les rêves, les fantasmes, les actes inconscients...

Clemens savait que la décision finale de Lisbeth se jouait à cet instant précis... Il était sur la corde raide et sa marge d'erreur était nulle. La plus minime erreur d'appréciation de sa part – une trop grande assurance dans le ton, un mot maladroit... – flanquerait tout par terre.

D'une voix lasse et résignée, et en la regardant avec des yeux de chien battu, comme s'il se rangeait par avance à son jugement de « spécialiste », il dit à Lisbeth :

– J'ai des raisons très sérieuses de croire que le Pivert est en train de préparer un autre forfait... Seul Calvin est en mesure d'empêcher ce nouveau meurtre en nous mettant sur la trace de son frère assassin... avec votre aide bien sûr... Car il aura besoin de vous pour faire le tri entre les nombreux signaux qu'il reçoit à son insu sans les comprendre...

A son grand soulagement, aucune réaction hostile ne se manifesta chez Lisbeth.

– Il faudrait une télépathie d'ordre prémonitoire... Et non pas seulement une « sympathie » au moment de l'acte de violence... Sinon nous arriverions trop tard...

252

— Exactement, ajouta doucement Clemens en buvant un peu de whisky.

— Il faut que je réfléchisse...

— C'est compréhensible... En tout cas, vous avez eu une excellente idée en me suggérant d'inviter Calvin à venir passer quelques jours dans ma maison de Honfleur. C'est l'endroit idéal pour le mettre au courant pour son frère jumeau. Et, si les choses se passent bien, nous pourrons même envisager une rencontre avec Sung. Bien sûr, vous êtes également conviée, vous prendrez votre décision là-bas. Ne tardez pas trop quand même, n'oubliez pas que l'inspecteur Deschamps est persuadé que c'est Calvin qui a tué Sir Thomas Hannay... Au fait, pour en revenir au Pivert, je vous ai préparé un petit dossier. Vous y trouverez les circonstances précises, les dates et lieux des différents forfaits qui lui sont attribués... Je crois aussi savoir par Calvin que vous enregistrez systématiquement toutes ses séances d'analyse... Peut-être pourrez-vous y retrouver des éléments montrant qu'une liaison télépathique prémonitoire a bien eu lieu...

Devant l'expression indignée qu'elle prit alors, il jugea préférable de prendre aussitôt les devants. Sans lui laisser le temps de protester, il posa les feuillets dactylographiés devant lui, et lui dit d'un ton rassurant et conciliant, non sans une certaine mauvaise foi :

— Il va de soi pour moi pour que si vous décidiez de faire une incursion rétrospective dans cette direction, vous le feriez dans le strict respect du secret professionnel... Je ne tiens pas du tout à ce que vous me fassiez partager les arcanes de la vie psychique de mon filleul... Loin de là... La seule chose qui m'intéresse est d'aider Calvin en démasquant le Pivert par tous les moyens... S'il a le pressentiment des actes que celui-ci va commettre, c'est un atout qu'il serait stupide de négliger...

« ... Il y a une foule considérable qui crie sa joie et qui se presse le long de la route. Je présume que la scène se passe quelque part en Inde car j'aperçois une multitude de saris colorés... Il fait une chaleur torride... Des milliers de mains se lèvent pour saluer le passage de la voiture décapotable... Le chauffeur est obligé de ralentir car le service d'ordre est incapable de refouler les gens qui se précipitent vers le personnage officiel. Quelques enfants lancent des fleurs vers lui. Les flashes des appareils photographiques crépitent. Soudain une détonation claque. Sur la chemise blanche de l'homme qui se tient debout dans le véhicule, juste au milieu de sa poitrine, j'aperçois une tache rouge comme une pivoine... La fleur s'ouvre et s'épanouit au milieu des hurlements hystériques de la foule... Je me réveille en sueur en hurlant... Je ressens une douleur atroce juste à droite du cœur, comme si j'avais reçu une blessure... Je reste longtemps ainsi incapable de bouger... »

« Pendant que nous répétions avec le nouveau chef d'orchestre, une vision s'est emparée de moi. J'avais beau me concentrer sur les notes, la scène s'imposait à moi, obsédante... Je déplaçais mes doigts machinalement mais mon esprit était inexplicablement ailleurs. J'étais dans une sorte de souk et je suivais du regard un individu au teint basané. L'homme est joyeux... Il se promène entre les différents étals en serrant des mains, en saluant des visages connus. Il lance une plaisanterie quelconque qui suscite l'hilarité des commerçants. Il parvient à une échoppe où sont exposés des appareils photographiques. Plutôt vétustes... un bric-à-brac pittoresque pour le collectionneur. Le personnage s'empare d'un modèle reflex 6 x 6 mono-objectif tout cabossé et demande en riant au marchand si l'appareil fonctionne toujours... Celui-ci éclate de rire et propose à l'homme de se faire photographier avec... Il fait signe à une petite fille qui a une fleur rouge dans les cheveux de s'approcher et de venir poser à côté de mon bon-homme.

« Le commerçant se recule pour prendre la photo puis se ravise. Il a une idée. Il pense que la fleur de la gamine serait mieux à la boutonnière de son modèle... Il lui demande de l'y accrocher.

« Je suis sorti en sursaut de ma " vision " par les cymbales du percussionniste... Je suis malgré moi saisi de tremblements... Un pressentiment funeste et morbide m'oppresse. J'ai du mal à respirer. Je ressens des élancements douloureux à la poitrine. Le chef préfère se passer de moi pour la suite de la répétition. Il me renvoie chez moi... »

D'une main tremblante Lisbeth appuya sur la touche arrêt du magnétophone. Elle avait retrouvé les passages sur des cassettes du début de l'année 1984... Elle les avait elle-même datées... 8 janvier 1984... 11 janvier 1984... Soit en gros un mois avant l'assassinat à Bombay de Mukerjee, le populaire ministre des Affaires étrangères... D'après le résumé de Clemens, c'était un malheureux journaliste qui en déclenchant son flash avait déclenché le diabolique mécanisme de l'appareil photographique, transformé en arme meurtrière à l'insu de son propriétaire... Une balle avait jailli de l'objectif... Atteignant Mukerjee en plein cœur...

Lisbeth se souvenait parfaitement de la cassette envoyée de New York par Calvin juste avant sa venue à Paris. L'assassinat de Don Preatoni dans sa piscine, celui de Sir Thomas Hannay dans le petit parc... il n'y avait aucun doute possible : Calvin avait eu le pressentiment des deux événements ! Avec un luxe de détails incroyable... La liaison télépathique dont Clemens lui avait parlé était réelle. Ce n'était sans doute même pas la peine qu'elle se penche sur les enregistrements plus anciens...

Lisbeth ferma les yeux et se laissa aller dans son fauteuil. Il faisait chaud dans la pièce et pourtant elle frissonnait et avait la chair de poule.

Pourquoi éprouvait-elle une fascination quasi amoureuse pour Arec, si vraiment celui-ci avait commis ces horreurs ?

37

Par couches nuageuses de plus en plus étendues, les stratus avaient fini par former un voile gris compact au-dessus de la mer et le soleil ne parvenait plus à percer. Lisbeth resserra machinalement les pans de son caban. Même si sa première réaction instinctive avait été de le traiter *in petto* de « Ponce Pilate », elle ne pouvait vraiment en vouloir à Clemens de s'être réfugié au café...

– J'ai pas chaud... A mon âge il faut que je fasse attention aux rhumatismes... Je vous attends là-haut...

Après avoir marché un long moment au bord de l'eau, Calvin s'était assis à l'écart sur un petit monticule de sable.

Finalement après en avoir discuté longuement ensemble, Clemens et elle avaient décidé qu'une approche « chirurgicale » – l'expression était de Clemens – était préférable pour dire la vérité à Calvin. Inutile de tergiverser en la lui distillant « homéopathiquement », à petites doses, pour atténuer le choc...

Aujourd'hui, après le déjeuner, Clemens avait proposé une promenade sur la plage de Deauville. Calvin avait récupéré à une vitesse stupéfiante... Longues balades le long des côtes normandes, sorties en mer avec des pêcheurs de Trouville, siestes sous les merisiers ombragés... Après seulement une semaine aux « Pommiers » il était déjà méconnaissable... Il semblait « physiquement » prêt pour l'épreuve....

Fidèle à ses habitudes, Clemens n'avait pas tourné autour du pot. Il s'était arrangé pour plonger Calvin au cœur même du problème.

– Sais-tu que le meurtrier de Thomas Hannay et le mystérieux type en noir qui vous a sauvé la vie, à toi et à Lisbeth, est une seule et même personne ? C'est un tueur professionnel redoutable surnommé le Pivert... Je voudrais que tu m'aides, Cal, à le retrouver – avant que la police ne le coince ou que l'inspecteur Deschamps te fasse inculper...

Lisbeth était restée sans voix devant le « résumé » de la situation par Clemens. Quant à Calvin, il s'était tourné vers lui avec une mine stupéfaite.

– Je ne comprends rien à ce que tu racontes... Qu'est-ce que j'ai à voir avec ton assassin ?

– Tiens..., avait simplement répondu Clemens en tendant à Calvin l'enveloppe contenant la lettre de Joyce et la photo des jumeaux. Lis ça et tu comprendras... Je suis désolé, petit... avait-il ajouté en soupirant.

Lisbeth et lui s'étaient écartés vers la digue pour permettre à Calvin de rester seul, près des vagues... De loin, ils avaient vu Calvin s'immobiliser au bord de l'eau pour lire longuement la lettre. Ils étaient trop loin pour noter ses réactions, mais il avait replié le feuillet et l'avait remis dans l'enveloppe avant de se mettre à marcher le long du rivage, la tête baissée... Puis il était revenu vers la grande plage de sable.

« Pense-t-il aux jumeaux blonds de la plage de Malaysia ? Il a trouvé enfin ses deux porcelaines isabelle identiques...! Mais à quel prix ? » s'était-elle demandé en le regardant dessiner des formes géométriques avec le bout de sa botte, au milieu des coques et des coquillages clairs.

Il avait ressorti la lettre pour la lire une seconde fois. Puis l'avait de nouveau soigneusement pliée avant de considérer silencieusement le vieux cliché photographique. Il était resté longtemps à contempler le tirage jauni. Puis il s'était assis en tailleur dans le sable, le dos droit, les mains sur les cuisses, les yeux mi-clos perdus au loin... Ça devait faire une heure qu'il était ainsi, parfaitement immobile dans sa posture de méditation. Seule sa poitrine se soulevait imperceptiblement. Au même rythme, lui avait-elle semblé, que celui des vagues retombant sur la grève... Comme s'il avait spontanément réglé sa respiration sur celui de la mer...

Par deux fois elle avait eu envie d'aller s'installer dans le sable près de lui... Et n'avait finalement pas osé s'approcher...

Elle sursauta violemment quand Calvin lui demanda soudain :

– Où est Mark, Lisbeth ?

Perdue dans ses pensées, elle ne l'avait pas entendu s'approcher.

– Il nous attend au café là-haut... Il commençait à avoir froid... parvint-elle à balbutier maladroitement, tout en le dévisageant à la dérobée pour tenter de deviner son état d'esprit...

Elle fut toute surprise de l'entendre rire gentiment :

– Vous aussi, j'ai l'impression... Vous m'avez l'air frigorifiée... Allons le rejoindre...

C'était incroyable ! Elle s'était attendue à ce qu'il trahisse du désarroi, de la colère, de l'amertume... C'eût été naturel et compréhensible... Et pourtant son visage n'exprimait qu'une grande sérénité !

« Comment lui qui était si sensible a-t-il pu changer à ce point en si peu de temps ? se demanda-t-elle en allongeant ses pas pour rester à la hauteur de Ferris. Je ne l'ai jamais connu avec cette assurance déterminée. Il émane de lui comme une force virile qui imprègne tout son être... Sa démarche... Son corps... Sa façon de vous regarder calmement...

Rarement j'ai ressenti une impression aussi forte : celle de me trouver en présence d'un athlète en pleine possession de ses moyens... »

Elle refoula soudain la pensée qui s'imposait à elle. Pendant un instant l'image d'Arec avait envahi si fortement son esprit qu'elle avait cru marcher à côté de lui.

– C'est bien pour moi. Remerciez le concierge de ma part.

Sur le moment il ne comprit pas pourquoi le type de l'hôtel restait planté comme un idiot devant lui au lieu de s'en aller. Puis en le voyant sourire d'un air béat, il réalisa que cet imbécile attendait un pourboire. En fourrageant dans ses poches il réussit à dénicher une pièce de cinq francs qu'il lui tendit d'un geste agacé.

Il était en train de contrôler – sans doute pour la dixième fois consécutive – le matériel de tous ses jeux portatifs, lorsqu'on avait frappé à la porte de sa chambre. Il avait compté soigneusement tous les pions, huit noirs, huit blancs, avant d'aller ouvrir.

– Un pli pour vous, monsieur..., lui avait dit un type bedonnant en uniforme en lui tendant l'enveloppe.

On avait dû se tromper. Il ne recevait jamais de message. Il ne communiquait jamais aux organisateurs le nom de son hôtel : c'était la meilleure façon de préserver sa tranquillité pendant un tournoi... Personne ne pouvait savoir où il était descendu !

Cet imbécile avait été incapable de lui dire comment le pli, qui ne portait aucune inscription, s'était retrouvé dans sa boîte à la réception...

En s'emparant de l'enveloppe blanche, d'un format courant, il avait cependant immédiatement su qu'elle lui était bien destinée. Il n'y avait aucune erreur possible. En la palpant entre ses doigts, il avait tout de suite deviné la nature de l'objet qui était à l'intérieur. Pendant un bref instant il s'était même réjoui : « Mon Fou..! La pièce manquante que je cherche depuis hier... Quelqu'un l'a retrouvée ! » Mais il avait commis une petite erreur...

Il malaxa machinalement la pièce en buis pendant un long moment avant d'aller finalement la poser sur le rebord supérieur de la cheminée. Loin des soixante-quatre cases... Il n'avait aucune idée de l'identité de celui qui lui avait fait parvenir ce Cavalier solitaire qui, posé sur la surface de marbre blanc, ressemblait vaguement de face à un chat noir ou à un minuscule sphinx. L'expéditeur y avait joint une petite feuille de papier ainsi qu'un gant de plastique transparent déchiré : le bout de plusieurs doigts manquait ou avait été coupé...

Sur la feuille de papier un poème en anglais était dactylographié. Il chaussa ses lunettes pour le lire.

> *This City now doth like a garment wear*
> *The beauty of the morning; silent, bare,*

Ships, towers, domes, theatres, and temples lie
Open unto the fields and to the sky [1]...

La poésie lui était vaguement familière, mais il était incapable d'en retrouver l'auteur... Par contre son intuition échiquéenne lui disait que ces trois choses (le Cavalier noir, le gant, les vers sur le papier) formaient un ensemble renfermant un ou plusieurs messages que l'expéditeur mystérieux voulait lui transmettre personnellement. Peut-être l'absence du Fou blanc, mystérieusement disparu de ses affaires personnelles, constituait-elle en elle-même un quatrième élément...

« Cavalier noir prend Fou blanc en *d6*... »

C'était une signification possible qu'il ne fallait pas négliger. Le sens du gant était a priori simple : c'était un défi que lui lançait un de ses adversaires... Pour une partie prochaine où la prise du Fou par le Cavalier serait décisive pour le gain ? Le poème devait aussi contenir des indications cachées. La Tour, aux échecs, se disait en anglais *Rook* ou *Castle*, et non pas Tower... a priori l'allusion dans la poésie aux « ... tours qui s'ouvrent... » était donc sans rapport avec le jeu... Mais c'était peut-être un barbarisme, destiné à l'égarer... Ou une sorte de gallicisme inconscient qui lui révélait la nationalité de l'auteur de l'envoi... Il y avait bien Gérard Guyenne, un joueur français qui avait toujours perdu jusqu'à présent contre lui... Non ! Il était dangereux de se lancer dans ce genre de supputations sans approfondir les données. C'était peut-être même le but de la manœuvre !

Pour une raison mystérieuse l'idée d'engager ainsi un combat sans merci contre un ennemi masqué lui sembla plutôt excitante. Avant même de se retrouver devant l'échiquier, l'autre avait déjà un avantage appréciable sur lui ! Il avait trouvé l'adresse de son hôtel... Lui n'avait aucune idée de son identité. C'était de bonne guerre... Aux échecs tous les coups psychologiques sont permis...

A lui de ne pas perdre son sang-froid... Et de résoudre calmement le problème... En évitant soigneusement tous les pièges que son adversaire avait dû lui réserver. Un Cavalier pour un Fou... L'explication semblait trop simple. Mais il ne pouvait l'écarter purement et simplement.

— Il faut que je sache si oui ou non ce Fou blanc a disparu... marmonna-t-il entre ses dents en allant s'asseoir devant la table.

Il s'était peut-être trompé en rangeant les boîtes. Il disposait de douze jeux en tout. Il se pouvait que dans un des coffrets il retrouve non pas un Fou blanc mais deux...

---

1. La ville maintenant, comme un manteau, porte
   La beauté du matin ; silencieux et nus
   Les vaisseaux, les tours et les temples s'ouvrent
   Vers les champs, et regardent le ciel... »
   (William Wordsworth, traduction de Catherine Cullen).

Il procéda méthodiquement mais cette ultime vérification ne donna rien. La pièce était introuvable! Il n'y avait plus qu'à regarder partout dans la chambre : sous le lit, derrière les rideaux, dans les tiroirs, dans les poches de ses vêtements... Il avait mis un temps fou à faire ses valises. En passant devant la glace il éprouva le besoin de lancer un juron tonitruant pour se défouler... La perspective de les vider puis de les refaire complètement ne l'amusait pas du tout! Heureusement qu'il avait fini hier de ranger tous ses sachets d'herbes!

38

Décidément il n'y avait rien à faire! Sur le côté droit... Sur le dos... Les chevilles croisées, la gauche par-dessus la droite, comme dans *Peter Ibettson*... Lisbeth avait éteint la lumière vers 23 h 30 : trois tours d'horloge plus tard, elle n'avait toujours pas réussi à trouver le sommeil.

« Je suppose qu'il dort comme un loir... », se dit-elle en pensant avec envie à Calvin qui se trouvait dans une des chambres du deuxième étage. Je commence sérieusement à me demander si ma présence ici change quoi que ce soit... Vu la façon dont il a encaissé les choses et accepté d'endosser le rôle que Clemens lui a assigné, je me sens complètement inutile... »

En fait elle devait reconnaître que seul son plus vilain défaut – la curiosité – la retenait encore en Normandie. Même si les événements la contraignaient pour le moment à se cantonner à un pur rôle d'observatrice, elle était impatiente de savoir comment la situation allait évoluer... C'était un véritable drame antique qui se jouait en ce moment sous ses yeux, dont elle brûlait de connaître le dénouement... Pour le moment, rien ne s'était passé comme Clemens et elle auraient pu s'y attendre. Quelque chose disait à Lisbeth que Calvin n'avait pas fini de les surprendre...

Quand ils avaient rejoint Clemens au café, celui-ci avait d'abord levé les yeux fébrilement vers elle, guettant désespérément un signe de sa part. N'importe quoi : un geste, un mouvement imperceptible des yeux, des lèvres... pour le mettre sur la piste, l'aider... Un regard qui déversait en silence toutes les questions qu'il lui était impossible de formuler à haute voix devant Calvin, et qui montrait en définitive toute l'affection qu'il lui portait...

Il avait été complètement interloqué quand, prenant les devants, Calvin avait lancé tout de go, en s'asseyant en face de lui :

– Le lien télépathique entre jumeaux, c'est ça ?

Clemens avait brutalement reposé sa tasse de thé. Il s'était vivement tourné vers elle avec un air interrogateur. Il s'étonnait que le sujet ait pu être abordé si rapidement alors qu'ils avaient prévu de laisser un peu de temps à Calvin pour s'adapter mentalement à la situation nouvelle... Elle avait imperceptiblement haussé les épaules en fronçant les sourcils. Recevant cinq sur cinq son message silencieux : « Je suis aussi surprise que vous... Ce n'est pas moi qui l'ai mis sur la piste, si c'est ce que vous pensez », Clemens s'était rapidement ressaisi.

Il avait regardé Calvin avec un grand sourire et une lueur pétillante dans les yeux. De soulagement, bien sûr, que son filleul ait pris les choses aussi bien... Mais déjà aussi d'impatience. Puisque Calvin avait abordé de lui-même le cœur du problème, ce n'était plus le moment de s'attarder sur des états d'âme... Il n'y avait pas un instant à perdre...

– C'est exactement ça, Cal... Tu as tout compris ! Si on veut retrouver ton frère avant que la police ne l'attrape, c'est le seul moyen, notre seul atout... Transes hypnotiques, somnambulisme, hallucinations psychotiques... foutaises tout ça !

Il s'était tourné vers elle pour quêter son approbation avant de poursuivre. Elle avait acquiescé d'un mouvement de tête.

– C'est ton frère jumeau qui depuis le début est la cause de tous ces phénomènes paranormaux qui ont empoisonné ton existence. Tu étais, selon le jargon des spécialistes, en « syntonie affective » avec ton assassin de frère... Le plus extraordinaire est le mode prémonitoire selon lequel cette sorte de « fenêtre » a fonctionné jusqu'ici dans ton cas... C'est précisément ce lien télépathique qui peut nous conduire jusqu'au Pivert...

Clemens avait marqué une pause et commandé une autre tasse de thé. Il s'attendait à ce que Calvin l'inonde de questions. Mais celui-ci n'en avait rien fait. Le regard posé tantôt sur elle, tantôt sur Clemens, il semblait plongé dans une intense réflexion intérieure.

Voyant cela, Clemens avait donc poursuivi...

– Je vais te raconter tout ce que je sais sur le Pivert... Ses méthodes, sa façon de procéder, comment il avertit ses futures victimes avant de s'occuper d'elles...

Pendant près de vingt minutes il avait dressé une sorte de portrait-robot d'Arec, en attirant l'attention de Calvin sur les points importants, les *patterns* sur lesquels il devait se concentrer, lorsqu'il essaierait de se « brancher » sur son frère. Quand il eut fini, Calvin l'avait regardé avec gravité pendant un long moment sans proférer un mot. Son silence avait paru durer une éternité... Elle avait eu très peur et s'était dit : « Cette fois ça y est... Il va craquer... »

Puis soudain il leur avait sorti cette phrase ahurissante :

– Tu parles au futur... Comme si je devais m'attendre à ce que cette *syntonie*, comme tu dis, se produise très bientôt... Dans quelques jours... Tu te trompes, Mark... Ça fait au moins une semaine que j'ai senti des *choses*...

Clemens avait littéralement bondi de sa chaise.

– Quoi ? Raconte-nous ! Vite !

– Non. Je ne suis pas tout à fait sûr... J'ai besoin de réfléchir un peu, de faire le tri dans ma tête... Donne-moi jusqu'à demain. Si on rentrait à Honfleur maintenant ? Je suis un peu fatigué.

Avant-hier soir après le dîner, alors qu'ils étaient tous les trois devant la cheminée, c'était lui qui avait repris la conversation :

— Ce qui me fait penser que je me trouve dans une de ces fameuses phases de syntonie, c'est que ça commence presque toujours de la même façon... Par un *haïku* qui vient s'*imprimer* soudain dans ma tête – sans raison précise. Je veux dire que c'est un poème que je découvre pour la première fois : je ne l'ai lu ou entendu nulle part, personne ne m'en a parlé... Subitement il me vient... Généralement sous une forme imagée d'abord : je vois des objets, des animaux... Ensuite, j'entends les vers... Au lieu de me procurer du plaisir ou de susciter en moi une joie admirative, comme chaque fois que je lis un de ces petits poèmes, le *haïku* déclenche en moi au contraire un profond état dépressif... Je suis saisi par la certitude qu'un événement terrible va bientôt se produire... Peu à peu, les contours de mon angoisse se précisent... D'autres images surgissent dans ma tête : des visages d'inconnus... Des fragments de scènes qui me font penser à des rêves conscients...

Calvin s'était interrompu pour aller déposer une bûche dans la cheminée puis, après être revenu à sa place, il était resté un long moment silencieux et pensif à contempler les flammes. Revoyant et revivant sans doute les horribles cauchemars éveillés qui avaient peuplé son univers intérieur... Mais sans trahir aucune émotion sur son visage, en dehors d'une certaine lassitude...

Sans se donner le mot, Clemens et elle avaient réagi de façon identique : enfoncés et figés dans leurs fauteuils respectifs, ils se retenaient pour ainsi dire de respirer et de bouger. Suspendus à ce qui allait se passer. Instinctivement, ils sentaient tout ce qui se jouait à ce moment-là pour Calvin.

Elle avait étouffé un soupir de soulagement quand il avait enfin repris la parole, d'une voix au début hésitante.

— Ce *haïku*, ça fait à peu près une semaine que je l'ai reçu. Je l'ai retrouvé dans l'anthologie de Blyth. Composé par un dénommé Saikaku :

Changement d'habits —
le corbeau est noir
le héron blanc

« Je l'ai d'abord « vu »... Un corbeau noir... Un héron blanc aux longues pattes... Et un inconnu qui se change...

Comme pour répondre à la question muette de Clemens qui le regardait en fronçant les sourcils, Calvin avait ajouté :

— Beaucoup de *haïku* commencent par ce vers : « Changement d'habits »... C'est une expression qui désigne le jour où on commence à prendre les habits d'été... Précisément le premier jour du quatrième mois selon le calendrier lunaire... Lorsque ces vers sont revenus avec insistance, accompagnés à chaque fois d'une impression funeste qui me plongeait dans une profonde angoisse, j'ai reconnu le signe avant-coureur que je redoute tant. Les visions ont suivi... Un vieil homme qui se tord de douleur en se tenant la poitrine... Qui suffoque et s'évanouit... Des mains qui s'emparent d'un gant de caoutchouc et qui, avec une paire de ciseaux, coupent plusieurs doigts du gant... Une autre main qui enfile le gant coupé : plusieurs doigts se retrouvent nus et sans protection...

Clemens s'était précipité pour prendre un bloc de papier et noter fébrilement les paroles de Calvin...

– Ah oui ! J'allais oublier... Il y a aussi un autre poème. Là encore ma « perspective » est dédoublée. Tantôt c'est quelqu'un qui est en train de le taper à la machine, je ne vois que le clavier et les doigts. Tantôt c'est quelqu'un qui le lit, la feuille à hauteur du visage. C'est un texte en anglais... que j'entends clairement, dans les deux cas, lu par ma propre voix...

> *This City now doth like a garment wear*
> *The beauty of the morning; silent, bare,*
> *Ships, towers, domes, theatres, and temples lie*
> *Open unto the fields and to the sky...*

– Attends ! Ne va pas si vite ! Laisse-moi le temps de noter...
Clemens avait du mal à cacher sa fébrilité.
– C'est tout ? Tu es sûr ?
Calvin s'était tu. Les yeux fermés, la tête en arrière, il réfléchissait.

– Il y a bien quelque chose d'autre. Mais je ne suis pas sûr que ça fasse partie de l'ensemble...
– Dis toujours !
– D'abord un bruit qui revient avec persistance : le tictac d'un grand nombre de pendules... Il y en a au moins une centaine, résonnant de façon obsédante...
– Quoi d'autre ?
– Une partie d'échecs... Je vois diverses pièces sur un échiquier... Elles bougent à toute allure... On dirait un film en accéléré... Comme dans un tournoi, lorsque deux adversaires reconstituent les positions successives des pièces durant une partie...

Trois coups ! La pendule tira Lisbeth de sa rêverie. Elle alluma pour vérifier l'heure : elle avait bien entendu... En allant à la fenêtre, elle fut surprise de voir le jardin presque aussi distinctement qu'en plein jour. Puis elle aperçut la pleine lune au-dessus des arbres et comprit la raison de son insomnie. Elle ouvrit la fenêtre et mit le nez dehors. La température était extraordinairement douce.

– Je vais descendre prendre l'air..., décida-t-elle en enfilant sa robe de chambre.

« nashi no ki ni...
... yotte wabishiki
tsukini kana »

Lisbeth se retourna en sursautant. Ce n'était que Calvin! En jean et pieds nus, il finissait d'enfiler un sweat-shirt tout en marchant vers elle. La voix grave aux intonations sèches et rauques – si caractéristiques de la langue japonaise – l'avait surprise au moment où, les yeux fermés et l'ouïe en alerte, elle essayait de localiser l'endroit précis où la hulotte s'était perchée. Son cri qui revenait régulièrement environ toutes les trente secondes semblait provenir des arbres près de l'entrée de la propriété...

– Vous m'avez fait peur..., dit-elle en se poussant au bout du banc pour lui permettre de s'asseoir à côté d'elle.

– Excusez-moi, ce n'était pas dans mes intentions... Qu'est-ce qu'il fait bon ici! Vous n'arriviez pas à dormir?

Lisbeth hocha la tête et montra du doigt la lune au-dessus de leurs têtes.

– Quand elle est pleine, j'ai toujours des problèmes... Même si mes amis se tuent à me dire que c'est purement psychologique... Et puis j'avais bien trop chaud dans ma chambre. J'ai bien essayé de couper le chauffage, mais je n'y suis pas arrivée... Il faudra que je demande à Mark comment faire. Je ne savais pas que vous parliez le japonais... Que récitez-vous?

– Un *haïku* de Buson... Moi non plus je n'arrivais pas à trouver le sommeil... Je vous ai entendue descendre dans le jardin et j'ai eu envie de venir vous tenir compagnie... En vous voyant au clair de lune, assise sur le banc, les yeux fermés et tendant l'oreille pour localiser la chouette, le poème m'est venu machinalement à l'esprit. Je crois qu'elle est dans le poirier, à gauche du portail...

– Et que dit-elle, cette poésie? demanda Lisbeth en scrutant l'arbre en question pour essayer d'apercevoir la hulotte.

Elle allait finir par croire qu'il était capable de lire la moindre de ses pensées...

– *Près d'un poirier*
je suis venu solitaire
contempler la lune...

– Est-ce de moi ou de la chouette qu'il s'agit?

Un autre ululement se fit entendre et Calvin dit en souriant:

– L'insomnie ne nous transforme-t-elle pas en oiseau de nuit? Au fait, reprit-il aussitôt en faisant un signe de tête en direction de la pelouse où la voiture de Clemens aurait dû se trouver, Mark n'est pas encore rentré?

– Non. J'ai l'impression qu'il a été optimiste en nous annonçant son retour avant minuit... J'espère au moins qu'il a pu rencontrer cet ami journaliste dont il nous a parlé...

Clemens qui, à en juger par les valises sous ses yeux, n'avait pas dû beaucoup dormir, leur avait annoncé ce matin au petit déjeuner son intention de les abandonner pour la journée.

— J'ai bien réfléchi et je crois que j'y vois un peu plus clair. J'ai eu un nez inouï en appelant mon copain au saut du lit. Cinq minutes plus tard et je le loupais. A l'heure qu'il est, il fonce dans sa voiture sur l'autoroute du Nord. Je vais essayer de le voir avant qu'il prenne le ferry à Calais... C'est un journaliste qui assure régulièrement la chronique échiquéenne dans un grand quotidien... et devinez ce qu'il m'a dit quand je lui ai demandé : « Sais-tu si à Londres doit se dérouler prochainement un grand tournoi d'échecs ? »

Ne voyant même pas à quoi il faisait allusion, ils avaient évidemment donné leur langue au chat.

— Le poème ! s'était-il écrié en se tournant vers Calvin, et en réprimant un mouvement agacé. J'en ai enfin compris le sens ! En me souvenant de son auteur... Comment as-tu pu l'oublier ? Tu as dû l'apprendre par cœur à l'école...! *Upon Westminster Bridge*, de William Wordsworth ! Conçu un beau matin d'été de l'année 1802, alors qu'il traversait le pont de Westminster, en route pour le continent... C'est à Londres qu'aura lieu le prochain forfait du Pivert ! Une fois compris cette partie du message, j'ai repensé aux autres pièces de ton puzzle. Je ne voyais qu'une seule chose qui en intègre tous les éléments : un grand tournoi d'échecs ! Dans lequel on entendrait des centaines de pendules fonctionner simultanément... J'ai failli avoir une crise cardiaque quand mon copain m'a rétorqué : « C'est une blague ou quoi ? Justement je dois me rendre à Londres pour assister au Grand Tournoi biennal de la Midland Bank qui démarre dans trois jours... La plupart des grands maîtres internationaux y seront... »

— Même si Clemens a vu juste, intervint Calvin en prenant un ton un peu désabusé, je ne vois pas en quoi son ami va pouvoir l'aider à trouver l'identité de la future victime. Ça pourrait être n'importe qui : un des personnages officiels qui honoreront de leur présence la manifestation, un des organisateurs du tournoi, un des journalistes, un des spectateurs... Autant chercher une aiguille dans une botte de foin... Tout ce que je sais, c'est que ce sera un vieil homme... Bien sûr ça limite un peu les possibilités...

Ferris ne poursuivit pas. Il jaillit littéralement du banc pour courir vers le portail.

— Qu'y a-t-il ? s'écria-t-elle d'une voix effrayée.

« Ku-ku-ku-kuck...! »

Le bruit strident la fit violemment sursauter. Elle se leva d'un bond. Au cri d'oiseau succéda rapidement le chuintement plaintif de la hulotte. Puis un tonitruant bruit d'ailes... Ça venait du poirier. Que s'était-il produit ? Calvin s'était arrêté de courir. Lui aussi avait été surpris par l'inattendu crépitement. S'immobilisant net au milieu de la pelouse, il fit volte-face pour étudier le sommet des arbres, puis revint maintenant vers elle.

— Même la nuit ! Quelle bagarre, la vie ! maugréa-t-il en se laissant tomber sur le banc.

— Que s'est-il passé ? demanda-t-elle en l'imitant.

— J'ai remarqué quelque chose bouger et j'ai cru pendant une fraction de seconde que c'était un homme qui venait de sauter par-dessus la haie, près de l'if... Mais mon imagination a dû me jouer des tours, il n'y avait personne... Je n'ai pas aperçu le pivert, mais j'ai reconnu son cri : ça paraît incroyable, mais c'est lui qui a eu le dessus sur la chouette... Elle est partie sans demander son reste...

La pensée donna froid dans le dos à Lisbeth. Une nouvelle fois, Calvin fit preuve d'une perspicacité incroyable : il se tourna vers elle et lui prit la main.

— Qu'y a-t-il, Lisbeth ? Ce n'étaient que deux volatiles se bagarrant... Je suis là, à côté de vous, vous n'avez rien à craindre... Ne pensez plus à lui...

Elle ferma les yeux et prit une grande inspiration. Il avait immédiate-ment compris la situation. Cette fois, la possibilité que le rôdeur que Cal-vin avait cru apercevoir dans le jardin fût précisément Arec... Surgissant dans la nuit, tel cet incroyable pivert qui avait chassé la hulotte de la branche du poirier... Curieusement, elle ne parvenait pas à se débarrasser de cette idée, si absurde fût-elle. Alors qu'elle l'avait fait assez facilement la fois précédente sur la plage...

« En fait, se dit-elle, en levant les yeux vers le ciel, il n'y a rien d'éton-nant à ce que je pense à lui. Toutes les conditions sont réunies pour une nouvelle visite. Nous sommes à mi-chemin entre minuit et l'aube... Les dormeurs sont dans une sorte de torpeur hiémale et même les insom-niaques commencent à tomber de fatigue et ne pensent plus clairement... Leurs yeux commencent à les trahir... Ils croient voir des choses... Ce n'est sûrement pas un hasard si Arec se montre toujours au milieu de la nuit... Il doit avoir une prédilection particulière pour ces moments-là...

La lune projetait une lumière irréelle sur le jardin. Elle savait que l'arbrisseau sombre au bout de la terrasse était un seringa, parce que par-fois le parfum sucré de ses fleurs – proche de celui du chèvrefeuille ou du jasmin – parvenait à ses narines mais il suffisait d'un peu d'imagination pour le confondre avec la silhouette d'un homme accroupi... N'était-ce pas d'ailleurs ce qui était arrivé à Calvin quand il avait cru voir quelque chose bouger ?

39

Il lui sembla vaguement entendre sonner 4 heures à la vieille pendule du rez-de-chaussée. Telles des bulles de savon, des phrases entières de la conversation qu'elle venait d'avoir avec Calvin dans le jardin continuaient de tourner dans sa tête. Il lui avait longuement livré les sentiments contradictoires qu'il éprouvait avec ce frère dont il avait par moments l'impression de n'être que le reflet et avec qui en même temps il n'avait rien de commun.

Une agréable torpeur commençait progressivement à l'envahir. Elle n'allait pas tarder à sombrer dans le sommeil.

« Calvin n'a rien à envier à son frère côté mystère ou magnétisme personnel..., pensait-elle confusément. Je suis à la fois intriguée et fascinée par toutes les facettes inconnues que je découvre en lui... Quand se décidera-t-il à me faire l'amour ? »

L'idée d'avoir à départager deux jumeaux homozygotes la fit sourire mentalement.

« Je ferais mieux de roupiller au lieu d'entretenir ces fantasmes de vierge folle ! » se dit-elle en se remettant sur le dos.

— Vous ne dormez pas encore ? J'avais envie de vous tenir compagnie...

Lisbeth mit une seconde avant de réaliser que ce n'était pas l'une de ces phrases souvent sans queue ni tête qui flottent encore à la surface juste avant le sommeil. On venait de lui parler ! Il y avait un homme dans sa chambre ! Elle ne l'avait pas entendu pénétrer dans la pièce. Le cœur battant à tout rompre, elle réussit au prix d'un violent effort à surmonter la peur panique qui s'empara d'elle. Au lieu de se mettre à hurler, elle s'efforça de rester immobile tout en redressant imperceptiblement la tête. Faire croire à l'intrus qu'elle dormait... Et au moment propice jaillir du lit pour se précipiter dans le couloir... Pour le moment il était près de la fenêtre... Il écarta légèrement les doubles rideaux pour faire entrer un peu de lumière par la fenêtre.

Il s'accroupit.

– Voyons voir ce radiateur... C'est vrai qu'il fait chaud ici... Pourquoi n'ouvrez-vous pas la fenêtre en grand ? Pas étonnant que vous ne parveniez pas à dormir... Voilà, je crois qu'il est coupé maintenant...

Quel imbécile ! Il lui avait fait peur ! Il était simplement venu régler l'appareil de chauffage !

Le temps de réaliser que ce n'était que Calvin Ferris, ce dernier était déjà près d'elle... Mais que faisait-il ? Il l'avait rejointe dans le lit, torse nu... Avant qu'elle ait eu le temps de dire quoi que ce soit, il était déjà contre elle. Le simple contact de ses mains sur ses épaules la fit frissonner. Elle ferma les yeux... Anticipant son plaisir... Dix danseurs au sommet de leur art entamant un ballet silencieux avec la précision rituelle d'un *mudra* tantrique... Il fit glisser sa chemise de nuit et elle se colla contre sa poitrine. Elle ouvrit ses lèvres pour répondre aux sollicitations expertes de sa langue... Elle gémit doucement quand elle sentit ses doigts descendre le long de sa colonne vertébrale, caresser ses hanches, le haut de ses cuisses, s'attardant avec une douceur infinie sur chaque recoin de sa chair... Puis il glissa plus bas, pour explorer avec sa bouche d'autres parties de son corps... Son cou, ses seins, son ventre... Pendant que ses lèvres couraient partout, il avait une façon divine d'alterner les baisers, les petites morsures et les caresses de la langue. Elle commença à défaire fébrilement la fermeture Éclair de son jean, il se souleva pour l'aider. Une fois nu, il recommença à l'embrasser, couvrant ses joues, ses paupières closes de petits baisers légers... Elle l'enlaça fiévreusement et ils roulèrent plusieurs fois sur eux-mêmes... Elle était maintenant sous lui, les jambes écartées... Elle posa ses mains contre ses cuisses. Elles étaient incroyablement dures... Elle s'arc-bouta en arrière quand il la pénétra. Elle l'agrippa par les hanches pour qu'il entre plus profondément en elle. Elle fit ballotter ses seins de gauche à droite pour les frotter contre son torse, accentuant l'excitation de ses mamelons. Il s'enfonça en elle avec des mouvements de plus en plus rapides... Elle ne put s'empêcher de crier plusieurs fois son nom quand la jouissance la submergea en vagues successives...

– Oh... Calvin ! Calvin...! Calvin...

Ce fut le bruit de la voiture de Mark Clemens qui la réveilla. Elle se souvenait de s'être endormie assez vite dans les bras de Calvin et de s'être déjà éveillée une fois, alors qu'il faisait presque jour... Elle avait tendu machinalement le bras pour le caresser, il était parti. L'idée l'avait effleurée une seconde d'aller le rejoindre dans sa chambre au deuxième étage, il avait été si merveilleux... Mais la simple perspective d'avoir à se lever, de faire les dix mètres dans le couloir, de monter les marches de l'escalier, lui avait paru au-dessus de ses forces... Elle s'était finalement rendormie.

Elle s'appuya sur son coude pour regarder vers la table de chevet où elle avait posé sa montre-bracelet. Presque 11 heures! C'est alors qu'elle remarqua une petite feuille de papier coincée en dessous. En la dépliant elle reconnut immédiatement les courbes et les déliés de l'écriture de Calvin. Un mot doux? Elle aurait pourtant juré que ce n'était pas son genre...

Que les choses soient claires une fois pour toutes pour vous : Calvin ne sera jamais que le pâle reflet. C'est moi votre partenaire tantrika...
                                                                    A.

Elle se sentit pétrifiée. Le contenu du message ne laissait aucun doute sur l'identité de celui qui l'avait rédigé. Un simple *A.* comme signature... A comme Arec!

Mais alors... ce n'était pas avec Calvin mais avec Arec qu'elle avait fait l'amour...! *Calvin ne sera jamais que le pâle reflet. C'est moi votre partenaire* tantrika...! Arec l'avait élue comme *sa* partenaire *tantrika!* Pour les accouplements rituels du *Tantra*... C'était ce qu'il était venu lui rappeler! Surgissant au milieu de la nuit pour la posséder...

Non! Ce n'était pas possible! Elle était en train de divaguer... Il devait y avoir une autre explication. Arec était venu dans sa chambre après que Calvin était remonté dans la sienne, alors qu'elle était profondément endormie... Il devait rôder autour de la maison... c'était lui que Calvin avait vu sauter du mur! Tapi quelque part dans l'ombre il avait surpris toute leur conversation sur le banc. Peut-être même était-il de l'autre côté de la porte pendant leurs ébats... Le message pouvait tout simplement avoir été motivé par la jalousie...

Cependant plus elle s'accrochait à cette idée, plus grandissait en elle une étrange sensation de malaise. Elle avait l'impression désagréable d'avoir oublié un détail extrêmement important... Quelque chose qui s'était passé pendant leur étreinte. Elle ferma les yeux pour mieux se concentrer.

– Mon Dieu!

Elle se souvenait. Elle avait la main posée sur sa cuisse... C'était un tel plaisir de faire courir ses doigts sur cette chair si ferme et musclée... c'était comme s'attarder voluptueusement sur les courbes parfaites d'une statue... C'était ça qui ne collait pas! Cette peau parfaitement lisse qu'elle avait trouvée sous sa paume quand elle avait caressé la cuisse droite de Calvin! Précisément celle où il avait été blessé et opéré... Elle n'avait senti aucune cicatrice!

Ce n'était pas la peine de se voiler la face ou d'inventer quelque histoire abracadabrante... Un autre détail lui revenait. Le goût amer et acide de sa langue et de ses lèvres, celui que donne une longue habitude de chiquer le bétel. Elle n'avait jamais vu Calvin s'adonner à cette pratique. Par contre, les deux fois précédentes, quand Arec l'avait embrassée après s'être glissé au milieu de la nuit chez elle, sa bouche avait incontestablement cette saveur si particulière! Comment avait-elle été assez aveugle pour ne pas le voir!

Elle entendait Ferris parler avec Clemens dans le jardin. Ils s'étaient mis sur la terrasse pour prendre le petit déjeuner. Calvin... Arec... Elle se sentait devenir folle avec ces deux jumeaux! Quelle étrange ironie du destin la condamnait à incarner le rôle du miroir, la seule surface réfléchissante où les deux frères, séparés depuis leur naissance, se trouvaient enfin face à face?

Il était exclu de révéler à Calvin ne serait-ce qu'une parcelle de la vérité. Elle était condamnée à garder secret l'épisode de la nuit dernière. Mais elle ne se faisait aucune illusion... Calvin ne tarderait pas à se douter très vite de quelque chose. Il lisait en elle comme dans un livre...

— Oh, zut! Je ne sais plus où j'en suis..., jura Lisbeth entre ses lèvres, en commençant à s'habiller.

Clemens avait sa mine des meilleurs jours. Le regard pétillant de malice et le sourire dévastateur. Par contre Calvin lui causa une petite frayeur. Perdu dans quelque sombre pensée, il touillait distraitement son bol de café en contemplant la surface du liquide brûlant. « Il sait tout... Il est déjà au courant... », pensa-t-elle affolée en s'asseyant. Elle commençait à se demander quelle attitude elle allait adopter quand, à sa grande surprise, Calvin lui lança en plaisantant :

— Tiens, voilà notre paresseuse... Mark voulait monter vous réveiller. C'est moi qui vous ai obtenu un sursis jusqu'à midi... Moi ce sont les moineaux qui m'ont réveillé vers 7 heures en faisant un boucan invraisemblable... Heureusement qu'après notre petit aparté au clair de lune j'ai dormi comme une masse... Du coup je suis allé faire un jogging matinal...

Elle le fixa de ses yeux verts sans chercher à masquer son soulagement. Du tac au tac elle répondit en riant :

— Vous auriez dû me réveiller... Ça m'aurait peut-être amusée de courir avec Mercure...

— Je n'aimerais pas avoir l'air de vous interrompre dans vos badineries, intervint Clemens en se levant, mais si on veut vraiment essayer d'attraper un avion pour Londres, il vaudrait mieux ne pas trop traîner...

— Londres? demanda Lisbeth.

Clemens s'éloignait déjà en direction de la maison.

— Calvin va vous expliquer... Moi je vais prendre une douche... Pendant que vous faites un sort aux croissants que je vous ai rapportés... Comme ça, on pourra sauter le déjeuner pour gagner du temps...

— Merci, Mark, de vous être souvenu de mon péché mignon..., lui cria-t-elle en se servant du café, alors qu'il avait déjà disparu à l'intérieur. Qu'est-ce qui se passe ? reprit-elle en se tournant vers Calvin. Pourquoi n'est-il rentré que ce matin ?

— Une panne vers minuit en rase campagne... il a dormi dans la voiture.

— Il a pu voir son copain journaliste à Calais ?

— Longuement... C'est pourquoi il veut qu'on aille à Londres. Il croit savoir qui sera la prochaine victime d'Arec...

Il y eut comme un silence. Pas vraiment long. Mais éloquent. Calvin avait repris sa mine soucieuse. Il saisit l'enveloppe blanche qui se trouvait sous le pot de marmelade et la posa devant elle.

— Mark est persuadé que c'est lui, dit-il simplement quand elle découvrit ce qu'il y avait à l'intérieur.

Un vieux cliché noir et blanc, considérablement jauni par le temps, représentant un jeune homme aux allures romantiques... Un étudiant doué et bien elévé : cravate, veste sobre et sombre. Un visage mince et allongé. En plein réflexion devant un échiquier...

— C'est Mikhaïl Tahl, un joueur d'échecs extraordinairement brillant. Mark pense que c'est lui qu'Arec veut assassiner...

— Mais pourquoi ?

— A cause du gant...

— Le gant ?

— Souvenez-vous... Celui aux doigts coupés...

— Je ne comprends toujours pas...

— D'après l'ami de Mark, Tahl est remarquable à plusieurs titres... Outre que c'est un joueur au style romantique, audacieux et génial pour les combinaisons, il ne lui reste qu'un rein et un poumon, des problèmes de santé largement dus à son penchant pour l'alcool... Mais surtout il lui manque plusieurs doigts à la main droite et au pied gauche... Une particularité congénitale...

— Je croyais que vous pensiez plutôt à un vieil homme...

— Tahl répond sans difficulté à ce critère... La photo a été prise en 1960, année où il est devenu champion du monde. Il avait vingt-quatre ans, ce qui lui donne aujourd'hui cinquante-deux ans... Mais on lui en donnerait facilement dix ou quinze de plus : il paraît que son vœu le plus cher est de finir sa vie dans une joyeuse ivresse éthylique...

S'emparant d'un morceau de mie de pain il avait commencé à le prétrir machinalement entre ses doigts. Un geste qui dénotait, remarqua Lisbeth, une intense réflexion intérieure ou un profond embarras... Ou tout simplement une soudaine anxiété qu'il cherchait à dissimuler. Elle était fascinée par ses mains... Fines, nerveuses... Jumelles de celles qui l'avaient rendue cette nuit folle de désir... Une pensée fascinante qui lui donnait malgré elle une sensation de vertige. Elle éprouvait un plaisir trouble en contemplant ses doigts... Une espèce de frisson la gagnait qui était loin d'être désagréable... Même si le moment était plutôt mal choisi...

A son soulagement, au moment où le silence commençait à devenir pesant, Calvin reprit d'une voix hésitante :

— Je ne sais pas comment formuler ça... Mais plusieurs raisons m'incitent à ne pas partager l'optimisme de Mark... Un grand tournoi d'échecs organisé au Banquetting Hall de Londres, bâtiment qu'on aperçoit distinctement quand on se trouve sur le pont de Westminster... Le déplacement rapide des pièces sur les cases blanches et noires... Le corbeau noir peut suggérer un Cavalier... Le héron blanc faire penser à une Tour... Le tictac obsédant des pendules sur les tables... Autant d'éléments qui semblent provenir du même puzzle... Dans ce contexte il est logique de parier sur Tahl. Surtout à cause du gant. Mais il y a quand même un hic de taille. Dans chacune des affaires précédentes du Pivert, on peut aisément établir le mobile : supprimer un témoin qui en sait trop, se débarrasser d'un rival gênant... Et deviner dans quelle direction il faut chercher les commanditaires : mafia, pègre, financiers sans scrupules, responsables politiques véreux... J'ai beau faire appel à mon imagination je ne vois pas qui aurait intérêt à supprimer ce *has been* des échecs qui n'a jamais constitué une réelle menace pour Karpov ou Kasparov, les deux ténors qui s'affrontent pour le titre depuis des années. On pourrait concevoir à la rigueur qu'un cerveau détraqué du KGB cherche à supprimer Kasparov pour permettre à son poulain Karpov de gagner, ou vice versa. Mais à l'époque de la *perestroïka*, seul un auteur de romans d'espionnage pourrait imaginer un scénario aussi tordu. Donc, *exit* Tahl...

— Vous avez fait part de vos doutes à Mark ?

— Évidemment. Je suis d'accord avec moi. Mais, comme il dit, c'est notre seule piste... Et, malheureusement, il a raison ! Du moins tant que ne me viennent pas d'autres « intuitions » plus précises...

— Rien de nouveau de ce côté ?

— Non. Ou plutôt si... mais pas dans le sens escompté.

— C'est-à-dire ?

— Depuis que je me suis réveillé, je suis pour ainsi dire « submergé » par des visions érotiques... Un phénomène curieux. Mais j'aimerais mieux ne pas en parler pour le moment...

Lisbeth qui avait un morceau de croissant dans la bouche faillit s'étrangler. Elle se précipita sur sa tasse pour avaler rapidement un peu de café. Tout en évitant soigneusement de regarder Calvin, qui semblait n'avoir rien remarqué.

— Mark parie depuis le début sur la liaison télépathique entre Arec et moi, sur cette fameuse « syntonie affective ». Mais il a négligé un détail essentiel : ça marche dans les deux sens...

— Je ne comprends pas...

— Si je peux *lire* Arec, lui aussi peut me *recevoir*... Dans ce cas, il est sûrement déjà au courant de nos intentions...

— Que voulez-vous dire ?

– Qu'il sait que nous voulons le coincer... Que Mark se sert de moi... Il doit forcément *sentir* quelque chose quand je me concentre sur la photo de Tahl. Ou que j'essaie de m'imaginer au milieu de joueurs rassemblés à Banquetting Hall.

– Doux Jésus, balbutia Lisbeth dont le teint avait subitement pâli. Vous pensez vraiment que...

Elle n'avait pas fini sa phrase car elle connaissait déjà la réponse. Il n'était même pas nécessaire de s'interroger sur la possibilité d'une communication télépathique entre les deux frères... Elle se souvenait très bien de leur petit aparté au clair de lune. A un moment Calvin avait fait une brève allusion au plan de Clemens... Arec, tapi dans l'ombre quelque part dans le jardin, avait donc tout entendu! Mais elle était coincée et ne pouvait rien dire... Sans mettre au courant Calvin de sa visite nocturne...

– J'en ai l'intime conviction en tout cas, grommela Calvin en prenant un air songeur. J'ai dit que c'étaient les moineaux qui m'avaient réveillé de bonne heure ce matin. C'est faux. C'est plutôt un rêve curieux qui m'a laissé une impression bizarre. J'aimerais bien d'ailleurs savoir ce que vous en pensez...

– Dites toujours..., lâcha Lisbeth, non sans une certaine appréhension.

– Je me promène avec vous dans une ville inconnue. Ça doit être dimanche car les rues sont vides, les boutiques fermées. Vous êtes attirée par un reflet brillant de l'autre côté du trottoir et nous traversons. Nous nous retrouvons devant la devanture d'un magasin vendant des équipements pour salles de bains. Il y a dans la vitrine des robinets, des lavabos, des bidets, des petites armoires à pharmacie... Vous me montrez du doigt un miroir fait en trois parties, à la façon d'un triptyque. Trois rectangles dans lesquels on peut s'apercevoir de face, et, si l'on oriente d'une certaine façon les volets latéraux, chacun de ses profils... Votre image est ainsi reproduite en trois exemplaires et vous me faites rire aux éclats en faisant des grimaces. Vous vous écartez pour me laisser approcher et je veux reproduire vos mimiques... Surprise! Du coin de l'œil j'entrevois mes deux profils déformés et grimaçants, mais sur le miroir du milieu ce n'est pas mon reflet que j'aperçois mais le vôtre! Ma surprise se transforme en stupeur quand, en me retournant, je constate que vous n'êtes plus là en chair et en os à mes côtés... Je suis tout seul sur le trottoir! Par contre, comme si votre reflet avait été emprisonné par le miroir, je vois votre visage se dédoubler... Il bouge et passe d'un volet à l'autre, pour se mélanger tantôt avec mon profil gauche, tantôt avec le droit... A un moment je réalise que votre bouche s'anime. Je n'entends rien mais devine, à la façon dont les mal-entendants lisent en observant les mouvements des lèvres, que vous répétez sans arrêt comme une litanie : « Arec... Calvin... Arec... Calvin... Arec... Calvin... » Je ne sais pas pour quelle raison mais je pense alors dans mon songe : « C'est curieux, on dirait une sorte d'incantation érotique... » C'est alors que je me réveille en sursaut... Curieux rêve, non?

— Peu banal en effet..., réussit-elle à articuler les yeux baissés.

Quelle intuition extraordinaire! Comment allait-elle faire pour se tirer de ce guêpier?

— Alors Qu'est-ce que vous fabriquez? Vous semblez oublier que nous avons un avion à prendre...

Lisbeth faillit se précipiter vers Clemens pour l'embrasser, tant elle fut soulagée. Une petite valise au bout de la main droite il marchait vers la voiture.

— Il a raison, lança Calvin en se levant. On reparlera de tout ça une autre fois... Je vais me préparer. Je vous conseille de vous dépêcher aussi, Mark est d'une humeur exécrable quand on le fait attendre...

Quand il passa devant elle, elle remarqua qu'il était en short et son regard fut attiré par la longue cicatrice rose qui sillonnait sa cuisse droite...

40

Arec remit la lame dans son fourreau et commença à ralentir sa respiration. Il savait qu'il lui faudrait une bonne heure pour sa séance de maquillage et qu'il risquait d'être en retard pour la réunion de presse de 16 heures. Mais pour rien au monde il ne modifierait le long rituel qu'il s'était juré de respecter scrupuleusement à chaque anniversaire du fameux jour où Masashi lui avait fait don de l'illustre *katana*... A la fin des *kata* du *iaï-jutsu*, l'enchaînement des exercices pratiqués en solo avec un vrai sabre, Masashi restait toujours un long moment en méditation.

Jour mémorable à plusieurs titres... L'unique fois où il avait vu Masashi répandre une larme... Pleurant non pas la mort d'un être aimé, mais avouant sa détresse devant son incapacité à lui composer en guise d'adieu un poème... Sa honte de devoir recourir aux mots d'un autre...

> *Un oiseau chanta*
> *et se tut —*
> *neige dans le crépuscule*

Sur le moment, il s'en souvenait clairement, il avait levé les yeux vers Masashi en s'apprêtant à lui demander : « Quel rapport entre l'oiseau et ma pauvre maman qui se trouve maintenant sous la terre ? » Et finalement était resté ébahi... saisi subitement d'une sorte d'exultation muette... Prenant soudain conscience de l'inanité et de l'infirmité des mots... Expérimentant sans le savoir un petit *satori* en s'immergeant spontanément dans le fameux état d'esprit *furyu* – deux notions qui lui étaient alors inconnues, ce sentiment de la tranquillité sereine et mélancolique qui imprègne la vie des dix mille êtres et vous fait *un* avec l'instant, l'éternel présent... Et découvrant intuitivement le secret magique du *haïku*... Le silence ponctué par trois vers tout à fait ordinaires... Les mots les plus simples... Les plus humbles... Une interruption légère, aussi dépouillée qu'un chant d'oiseau ou une trace de pas dans le sable mouillé... C'est quand le silence retourne au silence qu'on découvre en un instant intemporel qu'il n'est nécessaire d'aller nulle part.... Qu'on perçoit soudain la vraie nature des choses... Qu'on éprouve la joie sereine du recueillement ou d'une certaine mélancolie bienheureuse... Parce qu'on n'entend plus l'oiseau, et que la neige tombe sans bruit, on prend soudain conscience du silence... Qui, telle la nuit qui s'installe doucement, va tout recouvrir... Y compris le chagrin des hommes... Une paraphrase imparfaite pour pointer vers une réalité invisible...

Arô avait dû composer son poème un soir d'hiver, dans des circonstances bien différentes. Sans doute par une banale nuit de solitude n'ayant rien à voir avec un enterrement... Parmi les centaines de *haïku* qu'il connaissait, c'était celui-là que Masashi avait jugé le plus approprié, lorsqu'ils étaient revenus à pied du cimetière en marchant sous la neige... Rétrospectivement Arec ne pouvait que se féliciter de ce choix. Il était même possible – il n'avait jamais osé lui poser directement la question – que Masashi, qui agissait rarement sous le coup d'une impulsion, eût sélectionné ce poème à la façon dont les maîtres *Zen* utilisent des *haïku* en guise de *koans*, pour le tester... Avait-il dans son âme profonde le germe qui ferait de lui un samouraï ? Ce jour-là Masashi avait pris la décision pour lui, en le faisant venir dans son bureau pour lui offrir le magnifique *katana*...

« Le sabre est l'âme du samouraï..., lui avait-il dit en lui présentant la lame enveloppée dans la soie. Viens avec moi... Nous allons aller ensemble au dojo... Je te montrerai comment un guerrier s'exerce avec un vrai sabre quand il est seul... »

Le *iaï-jutsu*... Il avait assisté dans une totale fascination à un rituel compliqué dont il ignorait totalement à l'époque la signification profonde. Un enchaînement complexe de déplacements du sabre... De brèves séquences de mouvements vifs comme l'éclair... Séparées par des longues attentes parfaitement immobiles...

A la fin des *kata*, Masashi s'était contenté en guise d'explication d'une citation laconique de Sun Tzu : « Si d'un coup le faucon brise le corps de sa proie, c'est qu'il frappe exactement au moment voulu. » Quelques années plus tard il avait appris que, réduit à l'essentiel, le *iaï-jutsu* était l'art de donner un seul coup de sabre parfait, au moment voulu. Si Masashi vivait encore, il serait fier de lui. En constatant combien il avait fait complètement sien l'enseignement de Sun Tzu...

« Ce qu'on appelle " information préalable " ne peut pas être tiré des esprits, ni des divinités, ni de l'analogie avec des événements passés, ni de calculs. Il faut l'obtenir d'hommes qui connaissent la situation de l'ennemi. »

Ses « visions » et ses rêves l'avaient mis sur la voie. Son corps projetant une ombre, même dans l'obscurité la plus complète... Cette impossibilité de rentrer dans ses chaussures, parce qu'il ne trouvait que des pieds droits ou gauches... Chacun de ses pas sur le parquet craquant de façon dédoublée...

276

Il avait voulu être absolument sûr. D'où son petit déplacement en Normandie, qui lui avait permis de connaître la situation exacte de l'ennemi. En un sens il était ravi de cette soudaine opposition. Clemens était un adversaire de valeur. Ce serait amusant et stimulant de le vaincre.

« Lorsque l'ennemi est uni, divisez-le... » Empêcher Calvin de se concentrer en le submergeant de pensées érotiques... Semer le trouble chez Lisbeth... Quant à Clemens, il lui avait réservé une petite surprise...

De toute façon, n'avait-il pas près de deux mois d'avance sur Clemens ? « Celui qui occupe le terrain le premier et attend l'ennemi est en position de force ; celui qui arrive sur les lieux plus tard et se précipite au combat est déjà affaibli... »

Arec ouvrit les yeux et se mit debout. Il posa son sabre sur le lit et alla tirer les doubles rideaux. Il était temps qu'il se prépare, un maquillage long et minutieux l'attendait. Heureusement, la réunion de presse serait sûrement retardée : « Un fâcheux contretemps indépendant de notre volonté... », dirait avec un sourire navré l'attachée de presse. Sans préciser les raisons pour lesquelles les organisateurs du tournoi avaient dû envisager, à la demande des services officiels, de nouvelles mesures de sécurité... Que lui connaissait, puisqu'il était l'auteur des coups de fil donnés de trois cabines publiques aux environs de midi... Un zeste de Clemens et beaucoup de Su Tzu : « Sur un terrain clos, l'ingéniosité est requise... Tout l'art de la guerre est basé sur la duperie... C'est pourquoi, lorsque vous êtes capable, feignez l'incapacité ; actif, la passivité. Proche, faites croire que vous êtes loin, et loin, que vous êtes proche... Irritez le général ennemi et égarez-le... »

Clemens avait déjà plus d'une demi-heure de retard, ce qui n'était guère dans ses habitudes. Ils allaient rater la cérémonie d'ouverture du tournoi. Plutôt que de les retrouver directement à Banquetting Hall après son rendez-vous à New Scotland Yard, il avait insisté pour qu'ils l'attendent au bar de l'hôtel Savoy car il préférait qu'ils s'y rendent ensemble.

— Arrêtez de tourner comme un ours en cage, Calvin... Il ne va sûrement pas tarder. Prenez donc un autre verre, ça vous détendra...

— Je vais aller prévenir la réception que nous sommes ici s'il cherche à nous joindre, lui répondit Ferris en se dirigeant vers la porte.

Juste au moment où il finissait de parler à l'employé il sentit une main se poser sur son épaule.

— Tu venais aux nouvelles ? entendit-il Clemens lui dire d'une voix essoufflée.

A peine s'était-il retourné que celui-ci était déjà en route vers le bar. Ferris haussa les épaules en laissant échapper un soupir et lui emboîta le pas.

Lisbeth se leva en les apercevant, mais Clemens lui fit signe de se rasseoir. Lui-même s'effondra dans l'un des deux fauteuils inoccupés. Non sans avoir fait auparavant un signe de la main en direction du serveur.

– Désolé de vous avoir fait attendre... De toute façon, ne vous inquiétez pas, rien ne presse. Je vais tout vous expliquer... mais pas avant que j'aie pu me désaltérer... Merci, James... Glenfiddich *on the rocks*, comme je l'aime..., dit-il en s'emparant du verre de whisky que le garçon lui présentait.

Il but une longue rasade.

– J'en avais drôlement besoin, dit-il en prenant une nouvelle gorgée. *Take courage*, comme on peut lire à l'entrée des pubs. Vous devriez faire comme moi...

Sans s'être concertés, ils réagirent de façon identique. En secouant la tête et en le gratifiant d'un regard qui en disait long sur leur impatience. Tous deux commençaient à bien le connaître.

Il ne tournait jamais autour du pot. Sauf quand il se sentait mal à l'aise... Ou qu'il y avait un os de taille...

– On est dans la merde jusqu'au cou les enfants..., reprit-il enfin après avoir fait tinter une nouvelle fois les glaçons dans son verre, sans plus cacher cette fois son air préoccupé. Commençons par l'unique bonne nouvelle : finalement le superintendant Swinburne, mon éminent ex-confrère de Scotland Yard, a décidé de prendre au sérieux le coup de fil anonyme que j'ai donné de Heathrow. A l'heure qu'il est, une équipe de spécialistes est en train de passer au peigne fin chaque centimètre carré de Banquetting Hall pour détecter toute présence éventuelle d'explosifs. C'est pourquoi la cérémonie d'ouverture a été reportée à 21 heures... En dépit de leurs protestations, il a également obligé les organisateurs à repousser à demain matin le début officiel des parties, ce qui donnera aux artificiers une nuit entière pour démonter et contrôler la centaine de pendules d'échecs mobilisées pour les matches. La cachette idéale pour une petite bombe miniature... Je suis quand même un peu surpris que Swinburne y ait pensé : il s'améliore en vieillissant... Il a même pensé à exiger un badge de couleur différente par jour pour faciliter les contrôles et limiter les risques de contrefaçon. Voici les vôtres... Ils ne seront valables que ce soir... Pour demain les services de Swinburne, qui sont les seuls à pouvoir les délivrer, nous en fournirons d'autres...

– Tu devrais être content, dit en s'étonnant Ferris. D'après ce que tu nous as dit dans l'avion, ce sont exactement les mesures que tu aurais prises si tu avais été en charge de cette affaire... Recherche systématique d'une bombe et contrôle renforcé des accréditations... Pourquoi dans ces conditions as-tu l'air si préoccupé ?

– Ça, c'était la bonne nouvelle... Maintenant, passons aux mauvaises. Curieusement, j'ai fait des émules. Mon coup de fil anonyme a fait des petits à une vitesse incroyable. Il paraît que c'est la pagaille à Downing Street, à Whitehall, à la direction de la Met, à la Special Branch. Menaces terroristes... Relents d'espionnage de la guerre froide... Psychose des mouvements du Moyen-Orient... A croire que tous les assassins du monde entier se sont donné rendez-vous à Banqueting Hall! Un gradé du KGB profiterait du tournoi pour passer à l'Ouest... Septembre Noir a juré d'assassiner tous les joueurs d'origine juive... Sans oublier l'IRA que j'ai mise dans le coup! Autant de rumeurs incontrôlables qui commenceraient déjà à circuler parmi les journalistes... Et comme c'est la duchesse de Kent qui doit inaugurer l'événement, vous imaginez que tous les services de sécurité vont se précipiter là-bas! Section antiterroriste de Scotland Yard, gradés de la Met, inspecteurs de la Special Branch, guetteurs du MI 5... vous pouvez imaginer les conséquences désastreuses de ce nouvel épisode inévitable de la «guerre des polices» qui fait rage ici comme partout... J'éprouve presque de la sympathie pour le pauvre Swinburne! Il y aura tellement d'ordres, de contrordres, d'instructions qui vont se neutraliser mutuellement... Le Pivert va se régaler! Je le soupçonne d'ailleurs d'avoir suscité ce merdier... Enfin, *last but not least,* j'ai appris incidemment que Tahl avait au dernier moment déclaré forfait... Cloué au lit par une sale grippe... Ce qui m'arrange en un certain sens : ta théorie concernant l'absence de mobile avait commencé à m'ébranler sérieusement. Mais nous voilà ramenés à la case départ. Qui sera la victime du Pivert? Je suppose que tu nous en aurais fait part si tu avais eu du nouveau de ce côté-là...

Ferris secoua silencieusement la tête... Il imaginait aisément la tête de ses deux compagnons s'il leur avait confié : «Je baise... Il n'y a pas d'autres mots. Je baise Lisbeth Delmont de toutes les façons imaginables... Ma tête est submergée de visions érotiques digne du *Kama-sutra*... Il me suffit de regarder Lisbeth... »

— Qu'allons-nous faire? demanda cette dernière qui jusqu'ici avait écouté Clemens sans broncher.

— Improviser en espérant que la chance sera de notre côté... Ou brûler un cierge et s'en remettre à la Providence... Quel dommage que nous ayons tous ces champions à portée de main, ces brillants cerveaux et qu'aucun ne puisse nous aider! L'un d'entre eux, je crois que c'est Tartakover, a dit un jour : « La tactique consiste à savoir quoi faire quand il y a quelque chose à faire et la stratégie à savoir quoi faire quand il n'y a rien à faire. »

— Jolie formule..., commenta Lisbeth. Si je comprends bien, la partie se présente plutôt mal...

— Sauf qu'on a quand même un atout non négligeable... toi, fit Clemens en se tournant soudain vers Ferris.

Tartakover venait involontairement de lui donner une idée...

— Moi? Je suis dans le plus complet brouillard. Je ne vois pas comment je pourrais vous être d'une utilité quelconque...

— Peut-être parce qu'on a pris le problème à l'envers...

— Que veux-tu dire?

— Jusqu'à présent on a basé toute notre tactique sur le fait que tu pourrais « deviner » l'identité de la victime en misant sur ton intuition « psychique » de ce qu'allait faire ton frère... en pariant sur la télépathie gémellaire... Comme s'il te suffisait de décrocher ton téléphone intérieur pour obtenir la ligne. Supposons que le problème ne soit pas d'ordre tactique, mais stratégique. Tu n'aurais rien à faire : seulement te montrer au tournoi et te promener entre les tables...

— Je ne comprends toujours pas où tu veux en venir...

— Le mobile, Cal! C'est toi qui as mis le doigt dessus... Tu te souviens, je t'ai dit que je croyais jusqu'à une date récente que le Pivert avait pris sa retraite. J'avais raison et tort à la fois. Il ne sévit plus en tant qu'assassin professionnel, téléguidé par de richissimes commanditaires occultes, pour arrondir son compte bancaire en Suisse... Il n'y a qu'à étudier les circonstances de ses deux dernières interventions : Don Preatoni, Thomas Hannay... Une étude approfondie de leurs biographies respectives m'incite à parier que ton frère avait des raisons personnelles de les supprimer... Vengeance, règlement de comptes, dette d'honneur... peu importe... Arec a dû travailler occasionnellement pour Preatoni... Peut-être même pour Hannay pendant ses années en Extrême-Orient... Avec le truc qui se trame à Banquetting Hall, j'ai tendance à penser qu'on se trouve dans un cas de figure similaire. La future victime connaît son meurtrier. Si mon hypothèse est correcte, nous sommes à la recherche d'un individu qui connaît ou a fréquenté dans le temps ton frère. Et qui, ignorant ton existence, te prendra automatiquement pour lui quand tu apparaîtras au tournoi...

— Me faire passer pour Arec... Miser sur la parfaite ressemblance physique... Se servir de la victime pour attraper le coupable...

— Exactement! Être lui et non son ombre... C'est notre seule chance. Et on va mettre tous les atouts de notre côté! J'ai une idée... Pendant que Lisbeth va tranquillement nous attendre ici, on va essayer de trouver un fabricant de tee-shirts encore ouvert... Merde! J'aurais dû y penser bien plus tôt!

— Un fabricant de tee-shirts? Pour quoi faire? s'écria Lisbeth, en se demandant la raison de son exubérance retrouvée.

— Pour imprimer les deux modèles que vous allez porter, vous et Calvin, à partir de demain, répondit Clemens avec un sourire malicieux. Je vous aurais bien imités, mais je suis un peu vieux pour ce genre de choses... Ne vous inquiétez pas, je vous expliquerai plus tard... Pour le moment, le temps presse. Les magasins vont fermer. Il faut aussi qu'on achète plusieurs paires de gants...

« ... Nous vous prions de bien vouloir nous excuser par avance pour tous les désagréments qui résulteront pour vous des dispositions prises à la demande expresse des autorités... La Midland Bank est fière de parrainer ce grand tournoi... »

Arec étouffa un bâillement. Après le petit mot plein d'humour de la duchesse de Kent qui, passant outre à l'avis des services de sécurité, était venue comme prévu inaugurer la manifestation, le blabla interminable du rond de cuir de la banque était vraiment insupportable... Il faisait très chaud et la blouse était plutôt inconfortable. Par ailleurs, c'était vraiment pénible de maintenir continuellement cette position voûtée et courbée... Mais les femmes très grandes attirent automatiquement l'attention sur elles, même si elles ont l'air plutôt revêches et racornis. Le plus dur était de ne pas se gratter alors que la perruque et l'épaisse couche de maquillage provoquaient des démangeaisons continuelles... Comble de malchance, Ben, l'ambulancier, était un véritable obsédé sexuel. Il lui avait déjà pincé les fesses à trois ou quatre reprises! C'était la dernière fois qu'il se déguisait en femme! Au moment de quitter l'hôtel, il avait failli oublier le foulard autour du cou : la pomme d'Adam proéminente, le genre de détail qui trahit instantanément un travesti. Avec Ben et Peggy, l'autre infirmière, une brave jeune fille boutonneuse, ils étaient trois en tout pour s'occuper des « invités » de la duchesse...

Tout se passait comme il l'avait prévu. Comme il était facile de berner les responsables de la sécurité, pour peu qu'on fasse preuve d'imagination créative et d'astuce! Dix minutes auparavant, la duchesse avait insisté pour pousser personnellement le fauteuil roulant de Dustin, un vieil hémiplégique à la tête perpétuellement penchée sur le côté droit, pour l'aider à gagner le coin réservé aux *Broken Wings*, l'une des nombreuses associations caritatives présidées par elle...

Arec était désormais derrière le fauteuil du jeune adolescent poliomyélitique. Ben avait hérité de la vieille femme parkinsonienne. Peggy du vétéran de la dernière guerre à la poitrine bardée de médailles qui avait perdu ses deux jambes quelque part dans la Somme. Les invités personnels de la duchesse, tirés au sort parmi les pensionnaires à vie de Kingsley House pour assister à un grand tournoi d'échecs, comme d'autres seraient conviés cet été sur l'herbe de Wimbledon... Peggy avait remis les fiches des quatre « malades » ainsi que celles des trois employés qui leur étaient affectés pour la durée du tournoi au chef du protocole de la duchesse... Qui les avait photocopiées pour un des adjoints de Swinburne... Personne ne s'était aperçu qu'à l'origine Sarah, l'employée administrative de Kingsley, n'avait prévu que deux personnes pour s'occuper des handicapés... Et, pour cause, Charlotte Dawson, comme le précisait le badge rouge épinglé sur sa veste, n'avait jamais figuré sur les listes de l'établissement... Après un quart d'heure passé avec un grand jeune brun venu recueillir des renseignements sur la fondation, Sarah avait tapé elle-même la fiche la concernant sans même s'en rendre compte. Un épisode dont plus tard elle ne garderait aucun souvenir... Miss Charlotte Dawson... Dix ans d'ancienneté à Kingsley... Une des infirmières les mieux notées... Au physique tellement austère que seul un type vicieux comme Ben pouvait avoir envie de la peloter furtivement comme il le faisait en ce moment!

« Je vais les lui écrabouiller! » jura silencieusement Arec, en s'écartant pour se mettre hors de portée des mains baladeuses de l'ambulancier. Dustin émit un bruit incompréhensible. « Charlotte » fit un pas vers lui pour faire semblant de s'occuper de lui.

Et se figea sur place.

Du coin de l'œil, il venait d'apercevoir Clemens, Calvin et Lisbeth. Ils étaient à moins de cinq mètres de lui et semblaient vouloir s'approcher de la petite estrade ! Clemens parlait avec un des adjoints de Swinburne tout en jetant des coups d'œil dans sa direction... Avait-il été repéré ? Arec banda instinctivement les muscles de ses jambes en se mettant sur la pointe des pieds, pour être prêt à jaillir instantanément... La duchesse était à quelques mètres sur sa gauche, il pourrait la prendre en otage si nécessaire en la menaçant avec le stylet caché sur lui...

Édifié en 1622 et situé juste en face des Horse Guards, Banqueting Hall est un bâtiment qui ne paie pas de mine vu de l'extérieur car il est presque entièrement noyé sous la masse imposante du ministère de la Défense. Mais, seul vestige de l'ancienne résidence royale, il représente l'une des plus belles réussites du dessinateur et architecte Inigo Jones, pionnier du style dit palladien. Majestueuse salle des festins constituée d'un vaste et unique hall de trente-quatre mètres de long sur dix-sept mètres de large et dix-sept mètres de haut, avec une galerie en encorbellement qui court le long du mur et un plafond à caissons orné de magnifiques peintures de Rubens. L'infortuné roi Charles Ier, qui avait commandé précisément à l'artiste flamand *L'Apothéose du roi Jacques Ier* du panneau central ovale, y fut décapité en 1649...

— Les architectes d'antan savaient construire... corinthien sur ionique... Ça a quand même de la gueule, vous ne trouvez pas ? demanda Clemens à Lisbeth en lui montrant du doigt les hautes fenêtres, les demi-colonnes et les pilastres. Admirez ce qui passe à juste titre pour la plus belle peinture de plafond d'Angleterre... continua-t-il en l'invitant à lever la tête. Voyez comme tout le mouvement du dessin central semble jaillir des profonds et somptueux caissons. Le souverain sur son trône, mais s'élevant vers le ciel au milieu de figures allégoriques tourbillonnantes... N'oubliez pas le panneau nord : c'est l'union de l'Angleterre et de l'Écosse qui y est figurée...

« Ça doit faire vingt-cinq en tout si j'ai bien compté... », pensa-t-il. Jouer négligemment au guide avec Lisbeth qui n'était encore jamais venue à Banqueting Hall lui avait permis de faire un inventaire des forces de sécurité présentes. « Huit postés au-dessus dans la galerie en encorbellement. Quatre à chacune des deux entrées. Cinq autour de l'estrade. Le reste disséminé dans la salle. Au moins, pour une fois, la Vertu est représentée en force... »

— Tiens... Tiens... Ne serait-ce pas notre ami Clemens ? Comment allez-vous ? Un bail qu'on ne vous a plus vu... Vous me présentez à vos amis ?

Avant même de se retourner, Clemens avait reconnu Vic Brown. A cause de sa voix chuintante et nasillarde d'asthmatique. Un fouineur de première et une sangsue qui ne lâchait jamais sa proie. Le bras droit de Swinburne. Aucun doute que ce dernier l'avait envoyé en éclaireur. Swinburne n'en avait rien laissé paraître, mais il ne l'avait pas cru une seconde quand il lui avait dit : « J'ai une amie psychanalyste qui écrit un bouquin sur des joueurs d'échecs... Sachant que je te connaissais bien elle m'a demandé si tu pourrais l'accréditer pour le tournoi de la Midland... » Ils étaient mal barrés si Swinburne avait collé Brown à leurs basques...

— Oh, ravi de vous voir, Vic..., fit hypocritement Clemens. Je vous présente Lisbeth Delmont, une amie à moi... Elle est psychanalyste et vient du Continent... Et voici Calvin, mon filleul... Un grand admirateur de Kasparov...

— Si j'avais su que les psychanalystes françaises étaient aussi belles que vous, il y a longtemps que j'aurais traversé la Manche pour me coucher sur le divan, dit Brown avec un rire nerveux, visiblement très fier de son humour et de son français.

En ignorant ostensiblement Ferris, il s'avança vers Lisbeth. Elle n'avait jamais rencontré un individu aussi répugnant. Les épaulettes de sa veste étaient jonchées de pellicules. Ses dents étaient noircies de nicotine. Elle allait avoir droit au baisemain !

— Enchanté... laissa-t-elle échapper à contrecœur avant de retirer vivement sa main, en jetant un regard désespéré en direction de Clemens.

— Vous pensez que vous pourrez jouer de votre autorité pour nous aider à approcher du buffet, Vic ? intervint Clemens en retenant un fou rire.

— Bien sûr, suivez-moi..., répondit-il d'un air ravi, en offrant son bras à une Lisbeth horrifiée.

Clemens, en s'écartant pour les laisser passer devant lui, ne put s'empêcher de lancer un clin d'œil malicieux à Calvin, qui n'avait rien dit mais semblait également très amusé par la situation. Il y avait une foule considérable et tous les buffets étaient pris d'assaut. Sauf celui près de l'estrade qui avait été réservé à la duchesse de Kent et à ses invités, et où seuls quelques privilégiés pouvaient accéder. Brown les y conduisit fièrement.

La vue des fauteuils roulants eut l'effet d'une gifle sur Clemens. Pourquoi n'y avait-il pas pensé plus tôt ? Il prit Ferris par l'épaule et l'entraîna un peu à l'écart.

— Calvin, dit-il, en parlant suffisamment bas pour que Brown ne l'entende pas, concentre-toi sur les handicapés là-bas à notre droite... C'est peut-être ça, le sens de ton gant... Dis-moi si le visage de l'un des infirmes te dit quelque chose. Tu as vu le type aux cheveux blancs, celui bardé de médailles ? C'est peut-être lui qui est visé...

Sans attendre sa réaction, Clemens fit volte-face pour aller parler à Brown.

Ferris tourna la tête pour regarder l'homme en question. Un colonel des Indes comme on les imagine dans les films. Une moustache fournie, un grand front, un nez aquilin et des cheveux blancs en désordre... Le pauvre était cul-de-jatte... Une infirmière aux cheveux gris – une grande bringue avec des grosses lunettes de myope – s'approchait de lui avec une serviette blanche à la main. Le vieux avait dû renverser du champagne sur lui : il y avait une grande tache sombre sur le haut de sa veste.

« Le visage de ce type ne me dit rien... », conclut Ferris en reportant son attention sur ses compagnons d'infortune. Un adolescent poliomyélitique... Une vieille femme saisie de tremblements parkinsoniens... Un hémiplégique à l'œil hagard... Les infirmiers qui s'occupaient d'eux n'étaient guère plus réjouissants : le grand sac d'os aux cheveux poivre et sel, le gros malabar aux yeux de veau, la rousse boutonneuse...

Brown le tira brutalement de ses pensées en s'exclamant :

– Elle est bien bonne, ha ha!

L'imbécile était en train de rire aux larmes en se tenant les côtes. Visiblement il avait bu un coup de trop. En venant se planter devant lui, il réussit à lui glisser entre deux crises d'hilarité :

– Vous savez ce que votre parrain m'a suggéré? Que se déguiser en handicapé physique ou mental était la meilleure couverture pour un tueur professionnel! Ha... ha... ha!

– Je peux te dire un mot en privé, Calvin? demanda Clemens en s'approchant d'eux. Alors? s'enquit-il en dissimulant mal son impatience quand ils se furent écartés un peu.

– Je ne sens strictement rien, Mark. Je crois qu'ils n'ont rien à voir avec notre affaire...

– Ah? Ce sale con de Brown a raison en un sens. Je ne vois pas pour quelle raison le Pivert s'en prendrait aux pensionnaires de Kingsley House. D'une certaine façon ils sont déjà morts : pourquoi les tuerait-il une seconde fois? Viens, on va essayer plutôt d'aller fouiner chez les joueurs d'échecs... J'aperçois mon copain journaliste dans le fond, il va nous piloter...

En tendant l'oreille, Arec avait réussi à entendre les dernières paroles de Clemens. Ç'avait été juste... Il avait vraiment cru qu'il avait été démasqué quand Calvin l'avait longuement observé en train d'essuyer la veste du cul-de-jatte. Il se détendit. Il aimait mieux ça... Il aurait été désolé de s'en prendre à la duchesse pour assurer sa fuite. Il ne s'était jamais attaqué aux femmes.

41

Les joueurs d'échecs qui pratiquent la haute compétition en écumant les grands tournois finissent par tous se connaître et généralement ils s'affublent mutuellement de surnoms amicaux ou ironiques selon la nature de leurs relations. Pendant longtemps Ulf Andersson a été « Je-veux-me-coucher » à cause de sa femme cubaine : c'était la seule phrase que la malheureuse était capable de prononcer correctement en anglais ! Larsen était Tuborg ou Heineken en raison de sa consommation pantagruélique de bière... Le Yougoslave Vujovic était devenu Michko-trois-francs-s'il-vous-plaît depuis qu'un jour on l'avait surpris en train de proposer une partie blitz à une petite fille de huit ans pour trois francs suisses...

Alev Yalçin, lui, ne gagnerait probablement jamais le titre mondial mais, maigre consolation, c'était certainement le joueur qui pouvait se vanter de collectionner le plus grand nombre de sobriquets originaux décernés par les GMI d'échecs... Personnage peu commun parlant une dizaine de langues dont le russe, l'allemand, le français, le chinois, le polonais, en se fiant à son apparence physique – un petit bonhomme fluet, tout ratatiné et tout ridé –, on pouvait aussi bien le prendre pour un Asiatique au visage fripé que pour un Caucasien d'Europe centrale... Au début, c'était son origine ethnique qui intriguait le plus les gens – la seule chose à peu près sûre qu'on savait sur lui était qu'il avait été adopté par un marchand de tapis turc – et on l'appelait indifféremment le Chinois, le Turc, le Tzigane, l'Arménien, le Kurde... Puis peu à peu c'étaient ses manies de « vieil herboriste toqué » qui avaient fini par l'emporter dans l'imagination des joueurs. Il ne participait à aucun tournoi sans se trimbaler avec sa petite bouilloire cabossée et sa petite dosette pour les herbes... Se préparant des tisanes à partir de plantes aux noms exotiques dont lui seul connaissait les vertus cachées...

Un seul GMI, poussé vraisemblablement par la curiosité, Piotr Alutsine, avait consenti un jour à boire une de ses concoctions. En plaisantant, il lui avait dit : « Si vous vous dopez pour gagner, moi aussi je veux essayer votre truc... » Il avait été malade comme un chien et avait perdu sa partie! Après cet incident, plus aucun joueur n'avait voulu prendre ce genre de risques... Et naturellement Yalçin était devenu d'une certaine façon la « tête de Turc » des joueurs chevronnés... Leur plaisanterie favorite consistant à lui coller dans les pattes les nouveaux arrivés sur les circuits. Ceux qui n'avaient jamais entendu parler de Consoude, d'Agripaume ou d'Eupatoire d'Avicenne, autres surnoms imagés de Yalçin. Au cas où l'un d'eux serait suffisamment imprudent ou naïf pour goûter à l'une de ses mystérieuses préparations...

Fou noir en *g*7, Yalçin qui avait avancé son propre Fou en *g*2 nota distraitement le coup sur sa feuille de match avant de contempler de nouveau l'échiquier. S'il mettait ensuite son Cavalier en *e*2, il était probable que son adversaire mettrait le sien en *e*7. Ils entreraient alors dans une variante fermée de la sicilienne... Exactement les sept premiers coups de la partie de Lugano entre Spasski et Mermet qui s'était finie par un nul en 1982...

Ironie du tirage au sort, il était tombé au premier tour sur Alutsine. Il n'avait pas tenu de comptabilité précise de leurs affrontements, mais ils étaient de force à peu près égale. Alutsine qui devait avoir cinq points ELO de plus lui semblait aujourd'hui moins agressif que d'habitude. Yalçin avait l'impression qu'il se contenterait de partager les points... Ce qui confirmerait ce qu'il commençait à soupçonner : ce n'était pas Alutsine qui l'avait défié en lui envoyant la fameuse lettre anonyme. Sinon il aurait réagi d'une façon ou d'une autre à ses petites « provocations »...

« Cavalier noir prend Fou en *d*6... » « *Ships, towers, domes, theatres, and temples lie/Open unto the fields and to the sky...* »

Alutsine n'avait même pas bronché quand il avait marmonné ces deux phrases entre ses dents, en le fixant droit dans les yeux. Il avait poussé le pion en *d*5 avant d'appuyer calmement sur la pendule. Il ne semblait même pas avoir remarqué la présence du gant blanc qu'il avait posé ostensiblement à côté de sa feuille de match... En tout cas le salopard qui lui avait envoyé le Cavalier dans l'enveloppe avait réussi son coup, sa concentration était sérieusement compromise. Tant qu'il ne trouverait pas son identité, il ne pourrait pas réfléchir dans des conditions normales...

« Un match nul sera effectivement une façon de limiter les risques avec Alutsine... », se dit-il en roquant avant de se masser machinalement la poitrine. Les palpitations recommençaient. Son cœur lui jouait de nouveau des tours... Ça tombait vraiment mal! Il fallait peut-être qu'il aille se préparer une tasse...

« Demain, je dois affronter Kortchnoi... Il faut absolument que d'ici là je résolve ma petite énigme... », pensa-t-il en se levant de sa chaise, après avoir jeté un coup d'œil à sa pendule. Il disposait d'au moins huit minutes... Le temps supplémentaire que son adversaire avait pris pour jouer le même nombre de coups que lui... Alutsine, qui venait juste de roquer à son tour, devait être dans un mauvais jour... D'habitude il jouait plutôt rapidement...

Les deux violents coups de pied que Ben avait reçus hier soir au tibia y avaient sans doute été pour beaucoup. Aujourd'hui il avait décidé de jeter son dévolu sur Peggy. Lui tripotant les fesses à toutes les occasions...

« Ma parole ça a l'air de lui plaire... C'est tout juste si on ne l'entend pas glousser... Pourvu que ça dure... », pensa Arec, ravi de ne plus avoir Ben sur son dos. A deux reprises il s'était contenu de justesse pour ne pas lui flanquer une correction magistrale. Clemens avait bénéficié sans le savoir d'une aide inespérée... A cause d'un stupide obsédé sexuel aux manies de vieillard impuissant, il avait failli compromettre l'astucieux plan qu'il avait minutieusement mis au point ! Sun Tzu mis en déroute par un ambulancier débile...

Ce matin, juste après l'ouverture officielle du tournoi, il avait eu un choc en voyant arriver Calvin et Lisbeth en compagnie de Clemens. La veste repliée négligemment sur son bras, Calvin arborait un magnifique tee-shirt blanc sur lequel avaient été imprimés sur le devant le *haïku* de Chora : « *Changing clothes / a black crow / a white heron* » et dans le dos le poème de Wordsworth... ! Quant à Lisbeth elle avait le même tee-shirt à une seule différence près, les trois vers de Chora étaient en français : « Changements d'habits / le corbeau est noir / le héron blanc »... Et chacun d'eux tenait un gant de caoutchouc à la main, avec plusieurs doigts coupés...

Il s'était lourdement trompé en pensant, compte tenu de ce qu'il avait appris en Normandie, que Clemens n'avait pas beaucoup progressé... Comment diable ce dernier avait-il fait pour parvenir aussi près du but ? Arec ne se posa pas longtemps la question...

« Tout simplement en interrogeant mon frère ! » conclut-il après un instant de réflexion. Cette fichue syntonie affective, qui jusqu'à présent avait plutôt joué en sa faveur, était devenue une arme à double tranchant.

Cependant il conservait un avantage appréciable par rapport à Clemens, Swinburne et compagnie... « Le fin du fin, lorsqu'on dispose ses troupes, c'est de ne pas présenter une forme susceptible d'être définie clairement. Dans ce cas, vous échapperez aux indiscrétions des espions les plus perspicaces et les esprits les plus sagaces ne pourront établir de plan contre vous. » Il était seul, et à ce titre disposait de mille possibilités pour se conformer aux préceptes de Sun Tzu en ne présentant pas de forme clairement définissable. Par ailleurs, Swinburne avait mis en place un dispositif tellement compliqué et sophistiqué pour contrôler les entrées que personne n'envisagerait sérieusement la possibilité que le Pivert pût raisonnablement passer à travers les mailles... A fortiori qu'il fût déjà dans la place !

Toutefois, Clemens était plein de ressources et il ne devait surtout pas commettre l'erreur de sous-estimer l'intelligence de ce vieux singe ! Il n'était pas exclu qu'il lui faille envisager sérieusement de battre en retraite... Surtout si Yalçin mordait à l'hameçon. Pour le moment il avait l'air d'être complètement absorbé par sa partie contre Alutsine. Depuis que leur match avait démarré, Arec ne l'avait pas vu une seule fois lever la tête de l'échiquier. Contrairement aux autres joueurs, il avait l'air totalement indifférent aux allées et venues des nombreux journalistes et invités qui circulaient entre les tables.

— *Euh... Ahh... plea... co...*

C'était Winnie, la parkinsonienne, qui avait besoin de quelque chose. La pauvre ne pouvait s'exprimer que par onomatopées et en postillonnant comme une bouteille d'eau gazeuse. Dominant sa répulsion, il se pencha en avant pour que l'autre puisse lui parler à l'oreille. Tout en continuant à surveiller du coin de l'œil la table où Yalçin jouait contre Alutsine.

— *Cup... tea... plea...*

La chance était avec lui! Winnie réclamait une tasse de thé... Et justement Yalçin venait de se lever... Il se dirigeait vers le coin « détente » réservé aux joueurs! Avec le vieux sac de sport au bout du bras... Celui où il gardait précieusement sa petite bouilloire et ses sachets d'herbes séchées... C'était le moment ou jamais...

— Bien sûr, Winnie... On va y aller tous les deux... On va se faire une bonne tasse de thé..., dit-il avec un grand sourire, en se mettant derrière elle et en commençant à faire bouger le fauteuil roulant.

C'était une expérience fascinante pour Lisbeth d'observer d'aussi près les champions. Il lui était déjà arrivé fréquemment à l'occasion de promenades au Luxembourg ou au Jardin des Plantes de s'arrêter un moment pour regarder les joueurs d'échecs, mais ça n'avait rien de comparable avec un grand tournoi officiel comme celui-ci. Il régnait à Banquetting Hall un silence comparable à celui des salles d'examen de sa jeunesse, que le tictac obsédant et quasi hypnotique des multiples pendules ne faisait qu'accentuer. Si on devait parler, on chuchotait ou on murmurait... Mais ce qui la surprenait le plus, c'était cette espèce de violence sourde qu'elle percevait à presque toutes les tables... Chaque partie était comme un affrontement entre une mangouste et un cobra. Fixer les yeux de son adversaire ou lui jeter des coups d'œil vifs et furtifs semblait presque plus important qu'étudier la position des pièces sur l'échiquier! Pour s'intimider ou se paralyser mutuellement, l'équivalent du fameux *kiaï* des arts martiaux, le coup d'œil qui tue... Ou pour ouvrir le crâne du joueur adverse et accéder à son raisonnement, deviner ses intentions secrètes, déceler la feinte dans la feinte... Tout en lui cachant soigneusement ses propres pensées ainsi que ses doutes et inquiétudes éventuels...

Bronstein avança son pion pour attaquer le Fou de Van der Wiel. « Sûrement un coup qui cache bien plus que la menace d'une pièce noire... », se dit Lisbeth, en notant l'œillade meurtrière que le vieux Soviétique lança au Hollandais, un jeune homme fluet. Elle se déplaça légèrement de côté pour observer la réaction de Van der Wiel, qui effectivement ne se fit pas attendre. Elle crut apercevoir des éclairs dans le regard qu'il lança à Bronstein. Une férocité qui contredisait totalement son air d'étudiant doux et gentil.

Calvin en face d'elle avait l'œil rivé sur les soixante-quatre cases... Pris par l'intensité de l'affrontement se déroulant sous ses yeux, il semblait avoir oublié les consignes de Clemens : « Dans un premier temps, choisissez les tables où il y a un joueur assez âgé et placez-vous à tour de rôle derrière les deux joueurs... Comme ça vous pourrez les observer alternativement de face... Guettez la moindre réaction d'étonnement ou de surprise de leur part quand ils découvriront votre tee-shirt... Surtout ne vous laissez pas distraire par ce qui se passe sur l'échiquier... Pendant ce temps, je vais me coltiner Brown : c'est la seule façon de détourner son attention... »

Lisbeth consulta sa montre. Ils étaient à la table de Bronstein et de Van der Wiel depuis près d'un quart d'heure... Dix minutes derrière le Soviétique, puis elle avait alterné avec Calvin pour se placer derrière le Hollandais... Rien ne se passerait d'ici cinq minutes : Van der Wiel l'avait regardée trois fois, sans même la voir... Il avait posé un regard distrait sur le tee-shirt, sans plus. Quant à Bronstein, il s'était attardé un peu plus longtemps. Mais plus pour admirer sa poitrine que pour déchiffrer les mots imprimés sur le tissu... Auparavant ça avait été à peu près le même scénario à la table où Lazlo Portisch affrontait Sigurjonsson...

« Pour le moment on ne peut pas dire que nous fassions sensation avec nos poétiques oripeaux... », pensa Lisbeth en se raclant la gorge. Ce fut à cet instant qu'elle aperçut Clemens. « Alors ? » lut-elle dans ses yeux. Elle secoua doucement la tête. Calvin fit de même.

Yalçin notait scrupuleusement sur un petit carnet tout ce qu'il mettait à l'intérieur de la petite boule. C'était le seul moyen d'éviter un éventuel surdosage. C'était bien de recourir aux plantes pour se soigner, mais il fallait être extrêmement rigoureux et précis dans ses automédications, surtout lorsqu'on utilisait, comme il le faisait, certaines plantes dites toxiques... C'est pourquoi il se servait toujours d'une balance de précision pour peser ses poudres. Il savait parfaitement qu'un mécompte, même d'un petit gramme, pouvait se révéler très grave... Alors qu'un surpoids d'une ou plusieurs pièces de monnaie sur le plateau du balancier de l'horloge de Big Ben n'entraînerait qu'un retard ou une avance de quelques dixièmes de seconde, une erreur de sa part pouvait être mortelle.

Il entendait la bouilloire qui commençait à siffler, mais il préféra attendre encore un peu avant de débrancher la prise. Il valait mieux que l'eau soit très chaude. Pendant ce temps-là, il pourrait vérifier une nouvelle fois le poids...

1,949 gramme... Parfait. Il en avait déjà pris ce matin et donc ne devait pas dépasser deux grammes. Instinctivement il avait sorti du petit sac la dose exacte. A cinquante milligrammes près. Il remplit la boule et la referma soigneusement avant de la déposer au fond de sa tasse. Il débrancha la bouilloire et commença à verser l'eau fumante.

Son attention fut attirée par une petite vieille dans un fauteuil roulant plus loin au bout de la table. Le haut de son corps était secoué en permanence de petits mouvements de tremblement. Ce n'était pas une mince affaire pour l'infirmière s'occupant d'elle que de lui faire boire son thé à la cuiller... « Sans doute maladie de Parkinson... Si un jour je deviens comme elle, je prends immédiatement une dose massive de *Conium maculatum*... », pensa Yalçin en admirant malgré lui la patience et le dévouement dont la nurse faisait preuve. « Moi à sa place il y a longtemps que j'aurais mis un peu de ciguë dans son breuvage... »

Comme si elle avait senti qu'il était en train de l'observer, l'infirmière regarda dans sa direction. Avec ses grosses lunettes de myope, ses cheveux gris coiffés en chignon, sa grande silhouette décharnée et osseuse, elle collait tout à fait à l'image un peu surannée de l'infirmière vieille fille d'autrefois... Le genre qui n'hésite pas à tout abandonner pour rejoindre quelque docteur Schweitzer au fin fond de la brousse... Yalçin éprouva une impression étrange quand elle lui sourit. Il y avait quelque chose de glacial et de profondément triste dans sa façon de bouger à peine le bas du visage... Même les yeux semblaient immobiles... Cette expression dure et figée qui mettait les gens mal à l'aise, elle lui était vaguement familière. Il avait connu autrefois quelqu'un qui vous fixait de cette façon bizarre... Mais il ne parvenait pas à se rappeler exactement qui... Chaque année sa mémoire était un peu moins bonne...

« Au fait, il faut que je prenne quelque chose pour ma constipation... Mes maux de tête, ma lourdeur proviennent peut-être de là... De l'herbe de sainte Cunégonde me fera le plus grand bien... »

Cette pensée lui était venue juste avant qu'il finisse par détourner les yeux de l'infirmière. Le regard de cette dernière avait quelque chose de terriblement morbide...

Yalçin sortit le petit flacon de son sac de sport et commença à verser l'équivalent de trois cuillerées à café dans sa tasse. Contrairement à des plantes toxiques comme la digitale pourprée, l'eupatoire d'Avicenne, appelée communément chanvre d'eau, pouvait être utilisée à fortes doses sans inconvénient. Depuis le début du XIe siècle, l'« herbe de sainte Cunégonde » était réputée pour ses nombreuses vertus : antihelminthique, diurétique, purgative, excellente stimulante vésiculaire... Personnellement Yalçin y avait recours pour lutter contre la constipation. Avec une préparation qu'il confectionnait lui-même, en faisant infuser dans un litre de bière, pendant trois jours, vingt à trente grammes de racines et de feuilles fraîches...

— Allons, Winnie, encore un petit effort... Ouvrez un peu plus la bouche s'il vous plaît...

Yalçin entendait l'infirmière mais il ne la voyait plus, car il s'était retourné pour jeter un coup d'œil vers son échiquier. La chaise d'Alutsine était vide. Il avait dû aller aux toilettes. Yalçin regarda sa montre. Il disposait encore de plus de deux heures pour jouer les trente prochains coups... Il pouvait s'accorder encore une ou deux minutes... Le temps de terminer tranquillement sa tasse de tisane... Il se sentait déjà mieux... Et les palpitations semblaient avoir considérablement diminué... Un résultat un peu trop rapide qui ne pouvait s'expliquer que par un effet placebo... Le breuvage avait un arrière-goût bizarre d'amertume. Ça arrivait quand la concoction d'eupatoire était trop vieille.

« Il faudra que je pense à regarder sur mon agenda quand je l'ai fabriquée... », pensa Yalçin en notant machinalement qu'Alutsine avait regagné sa place. Il valait mieux retourner là-bas...

Tout en finissant sa tasse, il tourna légèrement la tête pour observer les gens qui s'étaient installés à environ deux mètres de lui sur la gauche. L'un d'eux ressemblait étonnamment à l'acteur Sean Connery. Il y avait aussi une jolie femme brune avec des yeux verts et un grand type à l'allure sportive...

Leur tee-shirt! Chacun d'eux arborait le poème dans le dos! « *This City now doth like a garment...* » Et n'était-ce pas un gant coupé que le jeune homme brun tenait négligemment dans la main gauche?

Il n'y comprenait plus rien... Ni la femme ni son compagnon n'étaient des joueurs d'échecs! Yalçin reposa brutalement sa tasse et chercha dans sa poche le Cavalier et la feuille sur laquelle la poésie avait été tapée... Il se leva et s'approcha du couple.

– C'est vous qui m'avez envoyé ça? demanda-t-il sur un ton fébrile et excité en se plantant devant Calvin Ferris.

Il fallut une bonne seconde à ce dernier pour réaliser que c'était à lui qu'on venait de parler. Il regarda avec un air ahuri le bonhomme fluet aux cheveux blancs, cherchant à comprendre pourquoi l'autre lui brandissait une pièce d'échecs sous le nez. La bouche grande ouverte, une expression de stupeur sur le visage, le drôle de bougre le fixait comme quelqu'un qui aurait soudain vu un fantôme surgir devant lui...

– Vous!

Ce fut le dernier mot que prononça Yalçin. Juste après avoir porté la main à son cœur en grimaçant de douleur, Agripaume s'écroula aux pieds de Calvin.

CINQUIÈME PARTIE

RYU
(Chute)

Parmi tant de fleurs
Le pivert en quête
d'un arbre mort

Jôsô

42

Hugues se dégagea à grand-peine. Ses bottes s'étaient enfoncées jusqu'à mi-mollet dans la vase. Il se retourna pour lancer un poing rageur en direction du sous-bois. Maudit pic!

« Ku-ku-ku-kuck! »

Le cri l'avait surpris au moment le plus délicat de la traversée du cours d'eau. Là où l'érable mort faisant office de pont avait perdu toute son écorce. Son pied droit avait dérapé sur le tronc lisse et humide et il n'avait évité la chute qu'en s'élançant désespérément vers l'autre rive. Sans élan, son saut avait été un peu court et il avait atterri lourdement dans la boue.

Il avait vraiment horreur de cet oiseau qu'on ne parvenait jamais à voir et qui vous prenait souvent par surprise avec son cri déplaisant. Une plainte aiguë qui vous glaçait le sang... Il ne comprenait pas par quelle aberration, dans certaines versions du mythe antique de la fondation de Rome, ce n'était pas une louve mais un pic qui aurait élevé Remus et Romulus... Malgré sa vénération pour lui, c'était la seule chose sur laquelle il serait toujours en désaccord avec Maître Sung. Loin d'être « magnifique, noble et courageux », comme celui-ci l'affirmait, le pivert n'était au contraire qu'un oiseau de mauvais augure!

« Ku-ku-ku-kuck! »

Comme s'il avait réussi à capter ses pensées, le maudit volatile le défiait ouvertement! Il devait être quelque part dans le bois de peupliers en aval du ruisseau. Hughes essaya vainement de le repérer. Sauf erreur de sa part, il l'avait déjà entendu à cinq reprises en moins de dix minutes... Une telle fréquence était inhabituelle. Surtout de si bonne heure...

« Ça doit être une simple coïncidence... », se dit-il en cherchant à se rassurer. Néanmoins il accéléra son allure en gravissant la colline. Quand Maître Sung avait affronté le mystérieux *ninja* dans le champ enneigé, le pivert s'était manifesté de la même façon avec une curieuse insistance... Et également dix-huit mois plus tard, la fois où ils avaient retrouvé le corps d'un inconnu derrière la haie... Deux incidents terrifiants qu'il n'avait jamais réussi à chasser tout à fait de sa mémoire.

« Comment avez-vous fait pour deviner la menace avant même qu'elle se concrétise ? »

Éludant ses pressantes questions d'un geste désinvolte, Sung avait éclaté de rire.

« C'est mon ami, le pic... Nous entretenons lui et moi une relation très particulière... C'est le meilleur système d'alarme que je connaisse. »

Le souvenir de ces deux événements revenait souvent perturber son sommeil... Les cauchemars commençaient presque toujours de la même façon... Un réveil en sursaut... Le cri du pic... L'intuition d'un danger pesant sur Maître Sung... Affolement irraisonné de sa part car *Senseï* reste introuvable, alors que tout indique qu'il ne doit pas être bien loin : son *gi* déplié sur le banc du dojo, les draps encore tièdes de son lit, la tasse de thé fumante dans la cuisine... Sa panique atteint son paroxysme quand il s'aperçoit que le cri du pic revient de façon obsédante...

Ce matin, après avoir été réveillé une heure avant l'aube par le maudit volatile, il s'était rendu comme tous les matins au dojo pour la séance quotidienne de *t'ai-chi* avec *Senseï*... Personne... Au bout d'une demi-heure, surpris par ce retard plutôt inhabituel de la part de Sung, il était parti à sa recherche. En vain. Il avait disparu...

« Ku-ku-ku-kuck ! »

Hughes s'efforça d'ignorer l'oiseau. Il avait besoin de réfléchir. Il récapitula mentalement la liste de tous les endroits qu'il avait explorés... Il restait un seul coin où il n'était pas encore allé : l'abri à bois de l'autre côté de la colline. C'était très calme avec une vue superbe sur le champ de colza mais c'était exposé au nord, donc assez humide et froid surtout par vent d'ouest comme aujourd'hui. L'emplacement ne devenait vraiment agréable que vers les 11 heures quand le soleil était déjà haut dans le ciel... A cause de ses rhumatismes Sung ne s'y aventurait généralement qu'après le déjeuner. Hier encore il y était resté presque tout l'après-midi pour méditer...

Après le cours d'eau qu'il venait de traverser, il y avait une grande colline à gravir. Il avait parcouru environ la moitié de la distance. D'où il se trouvait il pouvait déjà apercevoir la forme familière de l'abri à bois, mais l'emplacement était encore plongé dans l'ombre... Vers l'est, le soleil avait à peine atteint les grosses branches basses du vieil if. Hughes s'arrêta un moment pour reprendre sa respiration. Il ne voulait pas arriver complètement essoufflé, si jamais Sung était là-haut.

« Rester maître du souffle en n'importe quelle circonstance... Ne pas se laisser mener par le bout du nez... Le langage populaire recèle bien souvent au second degré une sagesse cachée, Hughes... »

Il se mit à avancer mais cette fois en *kin-hin*. Lorsqu'il fut satisfait des intervalles séparant ses inspirations ainsi que de son rythme cardiaque, il reprit une marche normale. En levant les yeux, il remarqua alors le petit halo de lumière : il poussa malgré lui un grand soupir de soulagement, il s'était inquiété pour rien.

Il était désormais partagé entre plusieurs attitudes possibles : rebrousser chemin sans faire de bruit pour ne pas interrompre la méditation de Sung : se précipiter vers lui pour s'assurer qu'il ne risquait pas de prendre froid ; rester et l'observer de loin... Il ne se lassait jamais d'admirer la posture parfaite de *Senseï*... Ce dernier lui tournait le dos et ne pouvait donc pas le voir... Peut-être pourrait-il s'adosser un instant à cet arbre sur la droite...

Rien ne lui échappait à perte de vue. C'était comme si sa conscience était devenue une sorte de miroir placé au sommet d'une montagne. Sauf qu'un miroir, reflet parfait de l'instant, n'a aucune mémoire...

Le faucon avait repéré la petite musaraigne près du trou de taupe mais il attendait l'instant idéal pour plonger... Le rongeur était déjà mort, mais en ce moment il ne pensait qu'au petit ver de terre qui rampait sous la motte de terre. En bas du coteau le ruisseau chantait, impatient déjà de rencontrer la mer. Le paysan dans le champ voisin avait fait démarrer le moteur de son tracteur. Hughes, adossé contre le tronc du merisier, était en train de l'observer, persuadé qu'il ne l'avait pas « entendu » approcher... Voir sans voir... Entendre sans entendre... Penser sans penser...

Il y avait des jours comme aujourd'hui où c'était plus difficile. Il y avait inévitablement un moment où au cours de la méditation s'élevait la *pensée* de « la pensée sans pensée... » : les idées personnelles et individuelles n'avaient plus qu'à s'engouffrer dans la brèche...

Jusqu'où pouvait-il se fier à ses intuitions, à ses *visions* ?

Pour la première fois depuis longtemps il était assailli par de nombreux doutes. Même son sommeil d'habitude si calme et tranquille était troublé par d'étranges songes. Peuplés par des êtres appartenant à un passé révolu... Comme cette femme si belle... Tant d'années avaient passé depuis l'Himalaya... Elizabeth, sa jeune partenaire *tantrika*... La seule Européenne du petit groupe... Qui avait échoué à l'épreuve des attouchements du *Maithuna*... Pourquoi rêvait-il à elle avec une telle intensité ? Y avait-il une possibilité, même infime, qu'elle se retrouvât également dans le « cercle rouge » ?

La venue prochaine d'Arec était comparable à un cataclysme qui n'épargnerait personne... Lui s'y était préparé depuis longtemps. Mais les autres ? Qu'adviendrait-il de Calvin ? Sans parler de Mark Clemens, dont il savait par avance qu'il se comporterait de façon tout à fait imprévisible, il y avait aussi le problème de Hughes à considérer... Comment réagirait-il ? Qu'aurait fait *Senseï* Yang dans la même situation ?

« J'aurais tant voulu qu'il fût à mes côtés, en ces moments difficiles... » Sung fut surpris par la clarté avec laquelle il avait mentalement formulé la phrase. Il y avait donc là une ligne de forte pente où ses pensées voulaient l'emporter... Sans hésiter il se laissa entraîner par le courant...

L'infâme prison de Hong Kong où il s'était retrouvé après la mascarade de procès concoctée par Thomas Hannay. Une minuscule cellule où ils étaient une quinzaine à s'entasser les uns sur les autres, les plus forts prêts à écraser les faibles pour un grain de riz, pour un peu d'eau, pour dix centimètres d'espace vital. Le plus facile avait été pour lui de se faire respecter, grâce à sa connaissance des arts martiaux. Le plus difficile, ne pas perdre son intégrité mentale une fois acquise la certitude, après un nombre incalculable de tentatives, qu'il n'y avait aucun moyen de s'évader de sa geôle... Malgré tout, continuer de lutter... Même en sachant qu'il ne reverrait jamais Lucy... Pour survivre, il ne lui suffisait pas d'être robuste physiquement. Ceux qui n'étaient pas animés par une volonté farouche de vivre rejoignaient la fosse commune au bout de quelques semaines, quelques mois, un an maximum...

C'était là qu'il avait fait la connaissance de Yang... Un vieil homme chétif et ratatiné qui gardait toujours les yeux fermés... et qui avait suscité une intense curiosité de sa part. Parce qu'il était continuellement assis en lotus... Un luxe étonnant dans leur boîte à sardines! Pourquoi les deux ou trois caïds du lieu toléraient-ils ce genre de privilège? Il n'avait pas tardé à le comprendre : jouant sur l'aspect maladif et souffreteux du type – il suffisait de le regarder pour se dire que sa mort n'était qu'une question de jours, voire d'heures – les durs de la cellule avaient mis au point entre eux un système invraisemblable de paris! L'enjeu était d'obtenir son emplacement, c'est-à-dire la garantie de pouvoir rester en lotus, et donc d'avoir un peu plus d'espace vital! Pour cela il fallait accumuler d'ici le jour de sa mort le plus grand nombre possible de points en pariant sur des questions aussi stupides que : « Y aura-t-il un nouveau prisonnier aujourd'hui? », « Combien de morts dans la cellule d'ici une semaine? », « Pleuvra-t-il demain? ». En l'absence d'argent, c'était évidemment la nourriture qui servait de monnaie d'échange, l'unité de base étant la contenance en riz d'un dé à coudre... Une martingale diabolique qui permettait aux organisateurs – qui se contentaient de prélever une confortable commission – de ne jamais manquer de riz...

« Que peut-il bien penser? Pendant que tous ces vauriens autour de lui spéculent sur sa santé? Comment peut-il rester indifférent à tout ce cirque? »

Jouant sur le don qu'il avait de lire dans la pensée des autres, il avait essayé en vain de se mettre en phase avec son esprit... Cherchant à se faire aussi transparent qu'un miroir pour capter des reflets, des images... Rien... Il n'avait trouvé qu'un autre miroir vide, un immense espace de silence. Aucun mot ne s'était formé, même tout bas. Il avait contemplé une surface limpide parfaitement immobile... Le « Vieux » était-il déjà mort à l'intérieur?

Ne pouvant même pas faire ses *kata* – ils pouvaient à peine bouger un doigt dans ce trou à rats – il s'était alors tourné vers la méditation...

La plupart des maîtres approchés lors de ses pérégrinations n'avaient pas manqué d'aborder cet aspect essentiel de leur enseignement, chacun à sa manière et dans le cadre de la discipline enseignée... Mais jusqu'à présent, sauf peut-être avec Fu Xing, il n'avait senti chez aucun d'eux la capacité de faire atteindre à leurs disciples le stade auquel Sekito, un maître *Zen*, avait un jour fait allusion : « Même si le lieu de méditation est exigu, il renferme l'univers. Même si notre esprit est petit, il contient l'illimité... »

« Tu n'as pas le choix... Tu es en prison... Oublie le coin calme et silencieux dans le dojo de Maître Fu Xing... Oublie le mur blanc, la bonne odeur de l'encens et le *zafu* sous tes fesses... En te tenant péniblement debout ou en t'asseyant tant bien que mal sur tes talons... Les muscles et les membres complètement endoloris... Dans la puanteur, les odeurs d'excréments et d'urine... En sentant sur ton cou le souffle nauséabond du type à côté de toi... Avec son coude qui s'enfonce dans tes côtes... En écoutant les hurlements hystériques des parieurs, les gémissements des malades... Voilà la seule réalité... Ou tu parviens à méditer dans ces conditions... Ou il vaut mieux reconnaître tout de suite ta défaite... »

C'est ainsi qu'en définitive, en se servant de la phrase de Sekito comme d'un mantra, il avait essayé de méditer... Cinq minutes... Dix... Quinze... Puis une demi-heure par jour... Au bout de trois mois, il était capable de méditer dans n'importe quelle position, dans n'importe quelle circonstance... Pendant parfois plusieurs heures...

« Finalement... Vous avez réussi... Vous voyez bien que ce n'était pas impossible, comme vous le pensiez... Je suis sincèrement heureux pour vous... Mon nom est Yang... »

Le « Vieux » !

Il avait été tellement surpris par l'intrusion *psychique* qu'il avait presque fait un bond sur place... Le vieillard fragile, qui n'ouvrait jamais les yeux et ne discutait avec personne, lui avait *parlé*! Un regard fixe comme celui d'un serpent, mais dépourvu de toutes ces caractéristiques négatives qu'on attribue généralement à un reptile : froid, menaçant, quasi hypnotique... Brillant au contraire d'une lueur intérieure chaude, amicale et rassurante... Les lèvres du bonhomme étaient restées parfaitement immobiles, et pourtant il avait continué de l'*entendre* distinctement. A vrai dire *entendre* n'était pas le terme exact... C'était comme si soudain une bandelette invisible avait parcouru l'air et la distance les séparant pour dérouler un message et l'imprimer contre la paroi de ses oreilles, avec la force et la fraîcheur d'un courant d'air... Une communication d'être à être... De silence à silence... De miroir à miroir...

Le *Maître* qu'il avait cherché depuis toujours, il venait enfin de le trouver... dans une ignoble prison de Hong Kong !

Ce fut la présence envahissante de Hughes qui le fit revenir au présent. Son jeune disciple commençait à s'impatienter. Mais pouvait-il lui en vouloir ? Avant de rencontrer *Sensei* Yang, lui-même n'avait-il pas fait preuve de la même fébrilité ? Sans parler du bruit que Hughes faisait en se grattant le cou, les pensées les plus confuses étaient en train de se succéder dans sa tête : une véritable logorrhée qu'il lui était impossible de ne pas *entendre*... Et toujours cette question qui revenait comme une litanie : mais lui-même ne l'avait-il pas posée cent fois à Yang ?

Sung ouvrit lentement les yeux. En voyant la larve de papillon accrochée au brin d'herbe, il se rappela soudain un magnifique *haïku* de Buson :

> *Quelle courte nuit !*
> *Sur le dos de la chenille*
> *perles de rosée* [1]

— Hughes ! cria-t-il d'une voix grave et bourrue, sans se retourner. Combien de fois vous poserez-vous cette stupide question ? Je vous ai déjà dit mille fois que la réponse des Maîtres *Zen* convenait très bien : « *Avant... Les montagnes sont des montagnes... Pendant... Elles ne sont plus des montagnes... Après... Elles sont de nouveau des montagnes tout en étant différentes...* » Peut-être que si vous vous intéressiez un peu plus au *haïku*, vous commenceriez à vous approcher de la vérité ! Heureusement que les premiers stagiaires n'arrivent que dans deux jours... Qu'auraient-ils pensé de leur professeur de *t'ai-chi* s'ils l'avaient vu tomber dans la boue tout à l'heure ?

Rouge de confusion, Hughes resta sans voix. Dans une ou deux secondes, lorsqu'il aurait repris ses esprits, le temps de réaliser pleinement le sens de ces paroles, il allait balbutier en s'étranglant : « Leur professeur... ? Mais les stagiaires... Ce n'est pas moi... C'est vous qui avez toujours... Vous n'allez pas m'abandonner... »

Hughes ouvrit la bouche pour protester. Exactement comme il l'avait « pré-vu »... Mot pour mot, et avec cette intonation hésitante et ce débit haletant qu'il avait anticipés...

Sung réprima un soupir. Connaître à l'avance les moindres réactions de quelqu'un... ce n'était même plus amusant, à force... Il se mit debout et lui demanda, cette fois sur un ton beaucoup plus sérieux :

— Nous aurons bien sept stagiaires, n'est-ce pas ?

— Oui, Maître...

— Je pense qu'il va falloir prévoir d'accueillir trois ou quatre personnes de plus... Nous allons probablement avoir des visiteurs imprévus... Dans ce cas, il vaut mieux préparer les chambres du grenier. Il est temps de rentrer maintenant... Je vais vous expliquer pourquoi je préfère que vous preniez la direction du stage... Mais devant une bonne tasse de thé bien chaude...

---

1. Traduction du japonais par Joan Titus-Carmel in *Haïkus* de Yosa Buson, Éditions Orphée/la Différence.

43

Arec remit lentement le *katana* dans son fourreau. Celui-là même que Masashi lui avait offert lorsqu'ils étaient revenus du cimetière. Une lame exceptionnelle, forgée au XIVe siècle par le légendaire Muramasa. Elle était son âme de guerrier, mais aussi son lien indestructible avec Masashi... C'est pourquoi ce serait avec elle qu'il affronterait Sung... Une façon solennelle de rendre un ultime hommage à son père adoptif...

Cette fois il lancerait un défi formel à Sung, en se conformant strictement aux lois et règles du *Bushido*, le code d'honneur des samouraïs... Affronter le vieux à visage découvert était sans doute le seul moyen de le contraindre à se mesurer contre lui dans un combat sans merci... Le moment était également venu de faire tomber tous les masques... Vis-à-vis de Calvin, de Lisbeth, de Clemens...

Arec respira profondément avant de s'incliner trois fois. Puis il se redressa en ouvrant les yeux. Après les *kata* du *iaï-jutsu*, le moment était venu pour lui de passer au second test. Avant l'arrivée de Yuan, le Chinois qu'il avait réussi à dénicher dans le dojo de Belleville...

Les trois tiges de bambou plantées dans le chandelier avait l'air aussi solides que trois *tonfa*, ces bâtons de chêne servant à écorcer le riz devenus un jour une arme redoutable entre les mains des moines d'Okinawa... Il les avait choisies pour leur épaisseur et leur rigidité. Elles devaient faire au moins cinq à six centimètres de circonférence.

Avec son *katana*, il n'aurait eu aucun problème pour les couper, en plusieurs endroits, d'une façon tellement parfaite que chaque bambou serait resté debout, dressé sur toute sa hauteur originelle, comme s'il eut été encore d'un seul tenant. Un simple exercice de *tameshi-giri*, l'art de couper avec le sabre, ne présentant depuis longtemps aucune difficulté particulière pour lui...

Aujourd'hui, il devait parvenir au même résultat, mais sans que la lame du sabre touche le bois. En se servant donc uniquement de son *ki*. Avant son face à face avec Sung il lui était nécessaire d'évaluer exactement les progrès qu'il avait faits en ce domaine... Pour ne pas connaître la défaite humiliante de leur dernière rencontre quand il avait affronté le vieil homme dans la neige.

Lorsqu'il avait su Sung adopter une position ouverte, les bras ballants de chaque côté, il l'avait pris pour un fou. Cependant à chaque fois qu'il s'était élancé avec son sabre pour une attaque décisive, il s'était retrouvé par terre, projeté au sol par une force incompréhensible... Sung s'était pourtant contenté de rester dans la même attitude décontractée, une étrange lueur irréelle dans les yeux... Littéralement épuisé au bout d'une demi-heure d'assauts répétés mais totalement infructueux, il avait fini par s'avouer vaincu...

Sung avait réussi à le ridiculiser, sans combattre. En se servant uniquement de son *ki*, une force qu'il avait jusque-là plutôt négligée au détriment de la technique... Il ne commettrait pas deux fois la même erreur. Son prochain combat contre le vieux serait l'affrontement entre deux *ki*, le sien contre celui de Sung. « Notre invincibilité dépend de nous, la vulnérabilité de l'ennemi de lui... » Sun Tzu avait parfaitement raison. Il n'avait qu'à se rendre invincible à son tour... En développant un *ki* plus fort que celui de Sung.

Il dégaina son sabre et s'approcha lentement du grand chandelier. La lame... Son bras... Il n'y avait aucune différence entre eux. Il fallait vider complètement son esprit de toute pensée. Pour ne perdre aucune parcelle d'énergie, si minime fût-elle. Pour la concentrer en un point unique, d'où le *ki* pourrait jaillir de lui... Matérialisé en un *kiaï* foudroyant. Tout en conservant un contrôle total de son bras, pour retenir la lame quelques centimètres avant... Le *ki* poursuivrait sa course...

Jusqu'à présent, lors des exercices précédents, il avait arrêté le *katana* quelques millimètres seulement avant le bambou. Il n'y avait eu aucun contact entre le bois et la lame, mais le bambou s'était cassé quand même. Aujourd'hui il avait décidé de stopper le sabre cinq centimètres avant. Jamais il n'avait fixé la barre si haut, mais il ne pouvait faire autrement... Surtout avec un adversaire comme Sung...

Arec ferma les yeux et se concentra sur sa respiration. Il ne sut combien de temps il resta ainsi dans une immobilité complète. Soudain le *katana* jaillit au bout de son bras avant même qu'il s'en rende compte. Des mouvements latéraux d'une incroyable rapidité. A gauche et à droite. Il avait prévu de couper chaque bambou à différentes hauteurs. Le premier au tiers supérieur, le second au milieu, le dernier au tiers inférieur... A chaque fois la lame s'arrêta net cinq centimètres avant la tige de bambou. Les *kiaï* avaient surgi spontanément du plus profond de son être...

Arec remit le sabre dans le fourreau et recula de quelques pas. Il avait échoué : les tiges de bambou se dressaient, telles trois grandes bougies bien droites, le bois intact sur toute la longueur de la surface... Arec réprima un soupir de déception. L'exercice l'avait littéralement épuisé. Il essuya du revers de la main les gouttes de sueur qui coulaient sur son front. La sonnette retentit à cet instant.

Arec se retourna pour regarder l'horloge murale. Yuan était pile à l'heure! Il l'avait déniché dans un dojo de Belleville. Un karatéka aux muscles d'acier, qui envoyait tous ses partenaires à l'infirmerie... Le type idéal pour tester son *ki*...

Arec alla ouvrir avec la ferme intention de renvoyer le jeune Chinois chez lui. S'il avait échoué avec les tiges de bambou, c'était inutile de passer à la phase suivante...

Yuan lui sourit. Soixante-cinq kilos sur des ressorts. Un visage taillé à la serpe, avec des petits yeux qui bougeaient sans arrêt. En lui montrant le gros sac en plastique qu'il avait sous le bras, Yuan lui dit :

— Bonjour, j'ai apporté les cinq coussins comme tu me l'as demandé. J'ai failli ne pas venir... une ravissante serveuse de Choisy que j'ai draguée ce midi... Mais ma curiosité l'a emporté sur mon envie de la sauter. Quand tu m'as parlé des coussins, j'ai immédiatement compris à quoi tu voulais jouer. Personnellement, c'est un truc qui m'a toujours laissé sceptique, mais je n'ai jamais pu vérifier par moi-même si ça marche. Alors, pour une fois que j'en ai l'occasion... On y va? Tiens... Les bambous... Toi aussi, tu t'exerces au *tameshi-giri*?

Il n'avait pas sous-estimé Yuan. Vif et sûr de lui... Le regard intelligent. Un coup d'œil rapide lui avait suffi pour jauger l'endroit où Arec lui avait donné rendez-vous. Un entrepôt désaffecté transformé en salle d'entraînement. Il avait immédiatement compris l'utilité du chandelier et des tiges de bambou...

« Après tout, pourquoi pas? Puisque je l'ai sous la main... », pensa Arec en allant chercher la ficelle avec laquelle Yuan pourrait faire tenir les cinq coussins sur son ventre.

Yuan installa les coussins sur son estomac. Quand il eut fini de les attacher, il lui fit face en adoptant la posture classique de défense du karatéka. Dans ses yeux il y avait une petite lueur amusée... Il semblait terriblement sûr de lui.

Son assurance eut pour effet de provoquer la fureur d'Arec. Sans réfléchir, il bondit en avant et lança violemment le tranchant de sa main vers Yuan. Arec avait atteint une telle maîtrise de ses coups qu'il était capable de varier leur force en fonction des dommages et blessures qu'il souhaitait infliger à ses adversaires. En une infime fraction de seconde, il réalisa instinctivement que sa manchette serait mortelle s'il la laissait finir sa course... Il n'avait aucune intention de tuer Yuan... Il arrêta sa main quelques centimètres avant le premier coussin.

L'attaque avait surpris Yuan par sa soudaineté. Arec s'était rué sur lui au moment où il commençait à bander ses muscles pectoraux. Le Chinois laissa échapper un petit cri de surprise. Il était certain que la main n'avait pas touché les coussins : alors, pourquoi avait-il soudain le souffle coupé, comme si son plexus avait été touché? Et pourquoi était-il entraîné en arrière par une sorte de force invisible?

Juste avant de tomber, Yuan frôla l'une des tiges de bambou derrière lui. Il ne fit que l'effleurer légèrement avec le petit doigt de sa main droite. Mais ce simple contact suffit... Le bambou s'effondra et tomba sur le sol. Cassé en deux... Coupé net au tiers inférieur... A hauteur de l'endroit où le *katana* d'Arec s'était arrêté, cinq centimètres avant...

L'atmosphère anonyme et aseptisée des aérogares modernes déprimait toujours Clemens. Roissy lui faisait penser à un immense appareil digestif dont l'unique fonction était d'avaler et d'expulser le maximum de voyageurs par jour, après les avoir « numérisés », estampillés... Il suffisait d'une grève du zèle comme aujourd'hui pour provoquer une pagaille monstrueuse. Le bar était archibondé et les gens étaient prêts à se battre pour un bout de place assise.

— Tu ne changeras pas d'avis ? demanda-t-il à Calvin, tout en écoutant d'une oreille distraite une annonce au haut-parleur.

L'hôtesse annonçait l'embarquement du vol pour Bali comme elle aurait lu le bulletin de la Bourse... Clemens regretta immédiatement sa question. Il ne savait même pas pourquoi il l'avait posée. Sans doute pour rompre le silence embarrassé qui s'était installée... Il fallait reconnaître que Lisbeth ne l'aidait guère... Les yeux plongés dans son citron pressé, elle n'avait pas ouvert la bouche depuis au moins dix minutes. En plus, c'était elle qui avait insisté pour rester lorsqu'ils avaient su que l'avion pour New York aurait au minimum deux heures de retard...! Quant à Calvin, il avait l'air tout à fait à son aise, malgré l'ambiance surchauffée régnant dans la salle... Indifférent à la fumée de cigarettes qui vous prenait à la gorge, à la chaleur étouffante, aux hurlements incessants du bébé deux tables plus loin... Il trompait son impatience en étudiant les gens autour de lui !

— Je suppose que tu fais allusion à Sung...

Clemens cacha difficilement sa surprise. Lui qui pensait que Calvin ne l'avait même pas entendu...

— Oui. Mais oublions ça... Tout est de ma faute... J'aurais dû te parler de Sung pendant que nous étions aux Pommiers... C'était d'ailleurs mon intention initiale, Lisbeth pourra te le confirmer... Et puis, je me suis dit qu'il ne fallait pas trop t'en demander, tu avais suffisamment de problèmes avec Arec...

Lisbeth sentit le rouge lui monter aux joues. Heureusement pour elle, aucun des deux ne la regardait.

— Je ne t'en veux pas, Mark... Les choses sont mieux ainsi... Surtout après ce qui s'est passé à Londres... Tu sais à quoi je pensais en observant ce gosse là-bas ?

Clemens secoua la tête en suivant la direction du regard de Calvin. L'enfant devait avoir dix-douze ans... Des cheveux blonds bouclés un peu longs, un visage adorable avec des traits d'une grande beauté, des yeux bleus, intelligents et rieurs... Il avait l'air d'être seul. Il s'était assis sur un étui de guitare et s'amusait avec un petit jeu électronique. Les doigts de ses mains étaient déjà extraordinairement longs...

— Imagine, reprit Calvin, que ce gamin ait été abandonné dès sa naissance par ses parents... Qu'il aille en Espagne parce qu'un éminent professeur de guitare, après l'avoir entendu jouer, a décidé d'en faire son élève... Maintenant, suppose que tu apprennes soudain que le vieux monsieur, tiens par exemple ce type moustachu et bedonnant là-bas qui est en train de manger une choucroute, est son père... Que ferais-tu ? Ne vaut-il pas mieux d'après toi le laisser aller vers son avenir, plutôt que de le tirailler en arrière sous prétexte de lui restituer son passé ? Certains bagages sont inutiles et bien encombrants pour voyager...

— Tu n'arranges pas un peu la réalité à ta convenance ? ironisa Clemens.

— Bien sûr, volontairement. Pour vous suggérer mon état d'esprit... Quand vous m'avez appris l'existence d'Arec, j'ai vraiment eu envie de le rencontrer, de le connaître... Malgré tout ce qu'il avait pu faire, j'étais prêt à lui pardonner. A l'aimer, l'aider... C'est pourquoi je me suis si facilement prêté à ton petit jeu télépathique... Puis l'incident de Londres m'a ouvert les yeux... Toute cette mascarade meurtrière m'a donné la nausée... Je n'ai finalement rien de commun avec lui, frère jumeau ou pas... Au fait, comment s'y est-il pris pour tuer ce pauvre Yalçin ? Et pourquoi ?

— La police n'a aucune idée du mobile..., répondit Clemens. Par contre l'autopsie a permis de découvrir comment il a procédé... En utilisant de la digitaline : un tonicardiaque qui, à doses normales, ralentit, renforce et régularise les contractions du cœur. Mais qui devient un poison mortel à dose massive... Yalçin était persuadé d'avoir allongé son thé avec un soluté d'eupatoire... Alors que le flacon contenait un fort concentré de digitaline... Tu te souviens du gant coupé de tes visions ? On en a retrouvé un dans la chambre de Yalçin. Arec le lui avait envoyé pour l'avertir qu'il le tuerait avec de la digitaline... La touche sadique et raffinée du Pivert...

— Je ne vois pas...

— La digitaline est extraite de la digitale pourprée, fleur des champs aussi appelée « queue de loup » ou « gant de Notre-Dame »...

— Ce type est vraiment cinglé ! Tu es sûr que l'infirmière revêche, c'était lui ?

Clemens hocha la tête.

— Dans ce cas, reprit Calvin, nous nous sommes regardés pendant au moins plusieurs secondes à Banquetting Hall... Contrairement à tout ce qu'on raconte sur la fameuse « loi du sang », je n'ai absolument rien ressenti, aucune émotion... Il ne s'est rien passé... Exactement comme lorsque des millions de personnes se croisent dans la rue, pour une seule et unique fois... Tout simplement parce que des années-lumière séparent leurs vies respectives... Il faut être au moins deux pour se re-voir, se re-connaître, se re-joindre... Pourquoi irai-je au-devant d'un être qui semble se ficher éperdument d'avoir un frère ? Le film se termine là, Mark... Par le mot « Fin »... Et pour le moment je n'ai aucun désir d'entrer dans un autre scénario avec un acteur dénommé Sung... Je veux rentrer à New York, pour retrouver un univers que je n'aurais jamais dû quitter... Pour continuer de donner des leçons de violoncelle à Ken, un petit garçon très gentil et très attachant... Et pratiquer de nouveau *Zazen* avec Taki... Je sais très bien ce que Lisbeth en pense : « Il veut devenir pour Ken une sorte de père ou de grand frère de substitution... Quant à Taki, c'est le père qu'il n'a pas eu... » Dieu merci, en partie grâce à vous, j'ai appris à ne plus dépendre de ces annotations en marge du script pour trouver moi-même mes répliques et interpréter en connaissance de cause mon rôle... Ken a besoin de moi, et j'ai besoin de Taki... Je suis fidèle à moi-même en retournant vers eux... C'est un scénario qui me ressemble, qui ne m'éloigne pas de ce que je crois être mon *dharma*. Alors qu'avec Sung ce serait une tout autre histoire... J'ai toujours détesté les flash-back. Le film qui nous réunirait en serait plein... Plus rien ne me retient en France, il vaut mieux que je rentre à New York...

En observant la façon dont Lisbeth s'était recroquevillée dans sa chaise, Clemens se demanda soudain si elle n'était pas amoureuse de Calvin... Comment expliquer sinon cette expression triste et désemparée qu'elle avait eue au moment où Calvin avait dit qu'il n'avait plus aucun motif sérieux pour rester en France ? « Et moi ? Et moi, Calvin... ? » avait été la question qu'il aurait juré avoir lue dans son regard... Clemens sentit intuitivement qu'il devait les laisser seuls un instant. Ces deux-là avaient peut-être des choses à se dire...

– Il faut que j'aille aux toilettes..., fit-il en se levant.

Le départ de Clemens ne diminua en rien le malaise qui s'était en effet installé entre Calvin et Lisbeth. Ils restèrent un long moment sans se parler, chacun évitant tacitement de regarder l'autre. Ce fut finalement Lisbeth qui rompit le silence. Elle avait pris une longue et profonde inspiration avant de se décider.

– Excusez-moi, Calvin, pour tout à l'heure... J'ai été stupide... Bien sûr que vous avez raison de repartir à New York... Tous ces événements m'ont fait perdre la boule... Oubliez les conneries de la psy... D'autant que je suis vraiment la dernière personne qui devrait vous donner des leçons.. Surtout après ce qui s'est passé avec Arec...

– Mais vous n'y êtes pour rien... Vous n'avez rien à vous reprocher...

– Vous ne comprenez pas... J'aurais dû vous prévenir pour Arec, pendant qu'il était encore temps... A Honfleur...

– Me prévenir ? Mais de quoi ? protesta Calvin en ouvrant des grands yeux.

Lisbeth fourragea dans son sac et en sortit une enveloppe qu'elle tendit à Calvin.

– Je n'ai pas eu le courage de vous le dire... Alors je vous ai écrit une lettre... Mais vous ne devez la lire qu'une fois que l'avion aura décollé... Il faut que vous me le promettiez... Je peux compter sur vous ?

Calvin ne répondit pas. Il prit l'enveloppe et la fourra machinalement dans sa poche. Pendant quelques secondes son cœur avait battu plus vite. Mais elle avait parlé d'Arec...

306

A l'instant où Clemens refaisait son apparition, son nom résonna dans le haut-parleur :

« Monsieur Calvin Ferris est prié de se présenter au comptoir de la compagnie Japan Airlines, pour un message urgent... Urgent message for Mister Calvin Ferris... »

« Les passagers du vol AF 079 pour New York sont priés de se présenter à la porte 44 pour un embarquement immédiat... Passengers... »

Les deux annonces s'étaient succédé.

Calvin fut le premier à réagir.

— Allez m'attendre devant la porte d'embarquement. Prévenez les hôtesses que j'arrive... Je vais chercher le message...

« Dernier appel... Les passagers du vol AF 079 pour New York doivent se présenter d'urgence à la porte 44... Embarquement immédiat... »

— Mais qu'est-ce qu'il fout ? aboya Clemens.

— Il est là-bas ! s'écria Lisbeth en l'apercevant au bout du hall.

Clemens se retourna. Calvin faisait les cent pas au niveau de l'escalier mécanique, tête baissée. Pourquoi ne venait-il pas les rejoindre ?

— Attendez-moi ici, je vais voir ce qui se passe...

Clemens n'eut pas à s'interroger très longtemps. En voyant l'état de rage dans lequel était Calvin, il comprit immédiatement ce qui avait dû se passer. Ses yeux lançaient des éclairs et sa respiration était rapide et saccadée... Une seule personne pouvait déclencher une telle fureur.

— C'est Arec, n'est-ce pas ?

Calvin se contenta de lui tendre la feuille.

Cher petit frère,

Tous les masques vont enfin tomber... Il est temps que chacun se montre sous son vrai jour, pour recevoir sa récompense ou son châtiment. J'ai lancé un défi à Sung et je vais l'affronter selon les règles du Bushido. J'ai jugé normal de t'en informer. Pour toi aussi, l'heure de vérité a sonné... Convie également Lisbeth... Elle sera heureuse, je pense, de me revoir après Honfleur...

J'ai hâte que nous soyons ensemble.

La lettre n'était pas signée. Ce n'était pas nécessaire. Clemens la rendit à Calvin.

44

En entendant frapper, Sung leva les yeux instinctivement vers la pendule murale. Minuit pile! Hughes avait toujours été un monstre d'exactitude. Il attendait sûrement de l'autre côté de la porte depuis un bon moment mais n'avait pas osé se manifester, malgré son impatience de poursuivre la conversation qu'ils avaient eue l'autre jour.

« ... C'est vous qui dirigerez le stage, je sais que vous vous en sortirez très bien... Mais nous aurons d'autres problèmes plus importants et plus urgents à évoquer ensemble. J'attends notamment un visiteur imprévu... Peut-être même plusieurs... Il est trop tôt : je vous en reparlerai le moment venu... »

Le moment était venu de lui parler du défi d'Arec...

— Entrez..., dit Sung en reposant son pinceau.

Il avait terminé la calligraphie. Il n'avait plus qu'à y apposer son sceau personnel...

— Bonsoir, Maître... J'ai pensé qu'un peu de thé vous ferait plaisir...

— Très bonne idée... Installez-vous en face de moi, j'en ai pour une seconde, dit Sung en commençant à chauffer un baton de cire rouge.

Hughes posa le plateau par terre et s'assit sur un des *zafu* de velours noir. Il promena son regard autour de la pièce. Il ne se lassait pas d'admirer les peintures et calligraphies accrochées sur les murs, même si la plupart n'étaient que des copies. Son œuvre préférée était une encre sur papier intitulée *Deux patriarches en train de mettre leur esprit en harmonie*, effectuée à partir d'un original attribué à Che K'o, un artiste chinois du Xᵉ siècle. Un vieux sage, la tête enfoncée entre les épaules, est couché sur l'échine d'un tigre allongé par terre. Tous deux sont au repos, dans une attitude de total relâchement. Mais on devine aisément combien cette nonchalance est trompeuse, et combien est formidable la puissance qui peut se réveiller chez chacun des deux sujets à tout moment... C'était une œuvre qui n'était pas sans avoir un lien étroit avec l'essence du *t'ai-chi*... Cette essence qu'il aurait bien du mal à faire comprendre aux nouveaux stagiaires : aucun des sept n'avait entendu parler des « arts internes »... Était-ce à leur propos que Sung désirait le voir ?

– Non, ce n'est pas pour vous parler du stage que je vous ai fait venir, vous vous en sortez très bien, dit Sung en l'interrompant dans ses pensées.

Hughes était tellement habitué que Sung lise régulièrement dans ses pensées qu'il ne réagit même pas.

– Le temps presse, reprit Sung. Nous n'aurons peut-être pas avant longtemps la possibilité de nous parler ainsi en tête à tête... J'ai des choses importantes à évoquer avec vous... D'abord, je tenais à vous remettre ceci... C'est pour vous...

Sung lui offrait la calligraphie qu'il venait de terminer ! Un magnifique idéogramme dessiné à l'encre... Hughes marqua une légère hésitation. Un inexplicable sentiment de malaise s'était soudain emparé de lui... Sung ne lui avait jamais parlé avec cette gravité... C'était bien une espèce de lassitude, une sorte de résignation, qu'il avait surprise dans ses yeux... Hughes ressentait une immense joie en recevant ce cadeau de Maître Sung mais en même temps un sombre pressentiment ternissait son bonheur... Même si les contours en étaient encore vagues...

– Reconnaissez-vous le caractère que j'ai reproduit, Hughes ? lui demanda Sung qui dut deviner son trouble mais n'en laissa rien paraître.

Hughes secoua la tête. Au grand désespoir de Sung, il n'avait jamais montré une réelle disposition pour les *haïku* ni pour la calligraphie... Sa mémoire l'avait toujours trahi et il y avait tellement de caractères à retenir... Il avait tendance à les confondre tous... Ainsi il n'avait jamais su faire vraiment la différence entre les *Kanji* et les *Kana*... Il croyait seulement se souvenir que *Kanji* désignait la transcription japonaise d'origine des idéogrammes chinois et *Kana* leur transcription simplifiée.

– J'ai reproduit l'idéogramme que les Chinois lisent *Tao*, et les Japonais *dô* ou *michi*... Mais je ne l'ai pas fait dans sa version actuelle... Comme par exemple dans *shinto*...

Sung se leva pour aller prendre un livre dans sa bibliothèque. Après l'avoir feuilleté rapidement, il montra une page à Hughes.

– Voici une calligraphie du mot *shinto*. Écrit en caractères chinois, le nom de cette religion signifie la « voie de Dieu » ou la « voie des dieux ». Le caractère chinois, qui veut dire « voie » ou « chemin » s'écrit en deux parties. Celle de droite représente le cou ou la tête ; celle de gauche signifie « courir ». L'ensemble suggère donc l'idée de prendre sa tête dans ses mains pour courir quelque part... Vers Dieu ou les dieux, ce qui est le sens du caractère qui figure au-dessus... Incidemment, d'ailleurs, si on avait calligraphié au-dessus les deux caractères qui désignent le *bushi* ou « guerrier », le mot serait devenu *bushido* au lieu de *shinto*... Mais revenons à mon idéogramme.

Sung referma le livre et fit signe à Hughes d'étudier désormais la feuille de papier.

– Le mien est légèrement différent en ce qu'il s'inspire de ce que fut, semble-t-il, l'idéogramme d'origine de *Tao*, une image graphique résumant trois idées : la tête d'un Maître, une route, les pieds d'un autre homme. Ce qui suggère un disciple qui suit le Maître sur la Voie...

Hughes leva un regard admiratif et reconnaissant vers Sung. Tout devenait lumineux avec lui... Même les choses qui pouvaient sembler les plus ardues, surtout pour un esprit occidental...

Hughes contempla en silence la calligraphie. Il en émanait une beauté extraordinaire. Quelques traits à l'encre noire sur une feuille de papier blanche. Et pourtant s'en dégageaient une force et une sérénité qu'il était bien incapable d'expliquer... Où avait-il lu récemment que le « trait spontané du pinceau rappelle le jaillissement libre et immédiat du sabre, ou la liberté de la flèche tirée sans effort » ? C'était la première fois qu'il comprenait enfin, du moins intuitivement, pourquoi la calligraphie était considérée par les maîtres d'arts martiaux comme le septième art martial !

Démontrant une nouvelle fois sa perspicacité, Sung lui dit en souriant :

– Vous êtes enfin sur la bonne voie, Hughes... C'est précisément l'une des raisons de ce présent. En ce qui concerne le *t'ai-chi*, je n'ai plus rien à vous apprendre... Je vous ai amené aussi loin que possible... Maintenant il vous appartient de pénétrer encore plus profond au cœur des arts internes, en pratiquant précisément ce septième art martial. « Faire surgir le trait spontané, permettre la libre circulation du pinceau sur une mince feuille de papier, n'est-ce pas aussi une lutte supérieure au plus haut degré ? » Voilà ce que Michel Random, un grand connaisseur des arts martiaux du Japon, a écrit... Bien qu'occidental il a parfaitement saisi le secret de la calligraphie... Il n'y a aucune raison pour que vous ne suiviez pas son exemple... Vous commencerez par cet idéogramme que j'ai fait. Vous le dessinerez cent fois, mille fois, si nécessaire. Répétant ce signe jusqu'à parvenir à « une totale spontanéité du mouvement, libre de toute pensée »... Il faut travailler de haut en bas et de gauche à droite, toujours dans le même sens. Chaque élément de l'idéogramme exige une tension différente... C'est le travail qui vous attend désormais pour progresser sur la voie... Pour le disciple il arrive un moment où il ne s'agit plus de suivre le Maître. Ce présent est aussi l'objet qui symbolise officiellement la transmission de mon enseignement entre vos mains, Hughes. La seule chose que m'a léguée mon Maître avant de mourir a été son merveilleux sourire... Malheureusement je ne peux pas vous le transmettre... Alors vous devrez vous contenter de cet idéogramme... Si *Senseï* Yang vivait encore, je suis sûr qu'il m'approuverait...

Hughes avait la gorge nouée. Il dut se faire violence pour cacher son émotion. Son pressentiment ne l'avait pas trompé : « Je ne le verrai plus, il va me quitter... » Il existe beaucoup d'arts martiaux, mais l'authenticité d'un enseignement se reconnaît à la façon dont il se transmet : toujours de

Maître à disciple, après de longues années d'étude et de pratique, et seulement lorsque le premier trouve un élève digne de lui succéder, de perpétuer la science qui lui a été léguée par son propre *Senseï*... après avoir eu la possibilité de le tester, de l'éprouver durant de longues années. Généralement le Maître retardera l'instant de son choix le plus possible, pour être certain de ne pas se tromper... Mais parfois il arrive qu'il se retrouve soudain dans l'obligation de choisir très vite son successeur... Grave maladie ou mort prochaine... Départ soudain vers une contrée lointaine... Dans ce cas la transmission précède de peu une douloureuse séparation. Sans vraiment oser se l'avouer, Hughes pensait avoir trouvé l'explication de la gravité inhabituelle de Sung, de son comportement bizarre de ces derniers jours... Cette espèce de lassitude, de résignation, qu'il avait lue dans ses yeux... son Maître allait-il lui annoncer qu'il allait mourir ?

L'éclat de rire tonitruant le prit totalement au dépourvu. Mais le soulagement d'entendre Sung réagir ainsi à ses pensées l'emporta sur son exaspération...

– Pas encore, Hughes. Je compte bien finir centenaire. Mais un guerrier doit se préparer à toutes les éventualités : tenez, voilà le message qui m'est parvenu il y a quelques jours.

Sung lui tendit une feuille de papier pliée en quatre qu'il venait d'extirper des plis de son kimono. Hughes la déplia et fronça aussitôt les sourcils. Elle était rédigée en japonais... Au pinceau et à l'encre de Chine...

– Ne vous inquiétez pas, je vais vous la traduire. Je voulais simplement que vous puissiez la voir, pour que vous admiriez la beauté des caractères... Croyez-moi sur parole si je vous affirme que cette missive a été rédigée par un très grand Maître du septième art martial. La perfection des traits, l'espace entre les caractères, l'équilibre et l'harmonie de l'ensemble, il y a des signes qui ne trompent pas. Cet homme ne doit pas être très loin d'avoir atteint le sommet de ses possibilités... Sans doute un combattant et un adversaire redoutable... Et qui souhaite m'affronter en duel singulier... Dans l'esprit du *Bushido* d'antan, auquel il se réfère expressément...

– Quoi ? Vous n'allez pas accepter ! protesta Hughes en se levant d'un bond.

– Veuillez vous rasseoir, s'il vous plaît, lança sèchement Sung. Et laissez-moi finir de vous expliquer la situation... Pour justifier le défi qu'il me lance, l'auteur de la lettre invoque plusieurs notions qui vous sont peu familières, mais que je vais essayer de vous résumer brièvement. Il me propose d'abord un *hatashi-ai*, c'est-à-dire un duel à la loyale, tel qu'il se pratiquait autrefois dans le Japon féodal. Du temps des samouraïs il était courant de se lancer ce genre de défi pour prouver la supériorité de telle ou telle école d'arts martiaux... Vous savez parfaitement que même encore aujourd'hui, les rivalités irréductibles entre tel ou tel *ryu* se résolvent parfois par des combats singuliers entre leurs champions respectifs. Mon correspondant invoque également son droit au *katachi uchi*, qu'on pourrait traduire par « devoir sacré de la vengeance »... Selon lui, j'aurais commis une offense grave à l'honneur de son père et son sens du devoir, ou *giri*, exige qu'il puisse la laver. Faute d'autant plus impardonnable de ma part que son père était également son *Senseï*... Et aussi *chûgi*, c'est-à-dire le devoir de fidélité et de loyauté envers son Maître... Ces valeurs sont l'essence même du *Bushido*... Légué par les samouraïs, ce code d'honneur continue d'imprégner profondément l'esprit de toutes les écoles japonaises d'arts martiaux... L'oublier serait une grave erreur... Dans cette perspective, cette demande qui paraît a priori totalement anachronique devient parfaitement respectable et digne de considération...

— Mais qui est ce fou qui veut vous défier ? Je suis prêt à l'affronter..., fulmina Hughes.

— C'est une chose totalement exclue... C'est justement la raison pour laquelle je vous ai demandé de venir ce soir. Pour que vous me promettiez solennellement que, quoi qu'il puisse arriver, vous resterez entièrement en dehors de cette histoire... Cette affaire concerne uniquement mon fils et moi...

— Votre fils ? cria Hughes qui croyait avoir mal entendu.

— Je n'en ai pas la certitude... Mais il y a de fortes chances pour que je sois le père d'Arec... C'est son nom...

Hughes resta interdit... Était-ce lui ou Sung qui était devenu fou ? Il n'y comprenait plus rien : n'était-ce pas pour venger son père que ce type voulait défier Sung ?

La sonnerie stridente le fit sursauter. Réaction de surprise immédiatement remplacée par une grande colère. Qui osait téléphoner à son Maître après minuit ? Il voulut se précipiter vers l'appareil mais Sung avait déjà décroché.

— Allô ?

Avant même qu'il ait parlé, Sung savait déjà que ce serait Mark Clemens à l'autre bout du fil.

— Sung ? Clemens à l'appareil. Pardonnez-moi de vous déranger à cette heure indue, mais c'était important. Il est urgent que nous puissions parler avec vous, très vite...

— D'où m'appelez-vous ? De Paris ?

— Non. Nous sommes tous les trois à Honfleur.

— Tous les trois ?

— Moi, Calvin Ferris, mon filleul, et Lisbeth Delmont, une psychanalyste... Je vous expliquerai quand nous serons chez vous...

— Bien. Dans ce cas, disons 10 heures demain...

— Entendu.

Clemens raccrocha et dit à l'adresse de Lisbeth :

— Il nous attend demain.

312

Calvin était monté se coucher depuis une heure. Dès leur arrivée en Normandie, il avait tenu à leur préciser sa règle du jeu : « Ne comptez plus sur moi pour jouer au télépathe ou bien au patient miroir... Je suis venu uniquement pour me confronter avec mon enfant de salaud de frère... »

Lisbeth, vautrée dans le fauteuil, regardait pensivement les flammes dans le feu. Clemens s'assit en face d'elle et lui dit doucement :

– Ce matin, vous m'avez dit que vous vouliez discuter de quelque chose avec moi, mais quand Calvin serait absent. C'est le moment, non ?

Elle haussa les épaules, l'air un peu embarrassée.

– Je ne sais pas très bien si ça en vaut la peine.

– Dites toujours...

– OK, fit-elle avec un soupir, en se redressant. C'est une idée qui m'est venue en relisant un ouvrage de René Zazzo sur les jumeaux [1]. Il cite le cas d'un malade mental dont « tout le délire s'organise autour de l'idée d'être un jumeau. Tous les actes délictueux qu'on lui reproche, tous ses malheurs proviennent, selon lui, du fait qu'on l'a frustré, dès la naissance, de son frère jumeau. S'il retrouvait son frère qu'il imagine comme un homme honnête et bien équilibré, tout rentrerait dans l'ordre ». Selon Zazzo, sans aboutir forcément à cette pathologie extrême, la « rêverie » d'« avoir » ou d'« être » un jumeau serait beaucoup plus fréquente qu'on ne pense...

– Comme celle d'avoir un sosie... C'est vrai. Enfant, je m'imaginais souvent qu'un double parfait de moi existait quelque part dans le monde et qu'un jour nous nous retrouverions face à face. Mais où voulez-vous en venir ? Même si on s'amusait à chercher dans cette direction les motivations d'Arec, à quoi ça rimerait ? Le délire d'Arec ne tourne pas autour de l'idée d'être un jumeau puisqu'il connaît depuis très longtemps, semble-t-il, l'existence de son frère. Il ne tenait qu'à lui de contacter Calvin.

– Vous ne comprenez pas... Pour une fois, la psy ne s'intéresse pas au passé mais au futur... Celui-ci peut nous réserver des surprises. Souvenez-vous du message d'Arec. Il contient au moins trois phrases importantes : « Tous les masques vont enfin tomber », « Il est temps que chacun se montre sous son vrai visage » et « J'ai hâte que nous soyons ensemble »... Il se peut que la clef soit là. On retrouve indéniablement un processus identique à celui décrit par Zazzo, c'est-à-dire l'idée implicite que les choses rentreront dans l'ordre lorsqu'ils seront enfin ensemble... Au début j'ai pensé que le « J'ai hâte que nous soyons ensemble » me concernait... je me suis trompée. Arec fait allusion à son frère jumeau.

– Calvin vous fait-il toujours la gueule pour vos rencontres avec son frère ?

– Vous vous foutez de moi ? Vous n'avez pas remarqué que je n'ose

---

1. René Zazzo : *Les Jumeaux : le couple et la personne*, Éditions Quadrige/Presses Universitaires de France.

même plus le regarder en face? C'est vrai que vous, les hommes, vous n'êtes pas très portés sur ce genre de subtilités... Extérieurement, son discours officiel c'est : « De quel droit vous ferais-je un reproche quelconque? Il ne s'est rien passé entre nous, nous sommes juste deux amis... » Mais intérieurement je sais qu'il est profondément blessé. Alors, il se tient à distance. En élevant un véritable mur entre nous dès que nous sommes ensemble...

– Mais si perfidie il y a, elle vient d'Arec, vous n'êtes qu'une victime...

– Et alors? Le mal était fait, non? Il ne faut pas trop lui en demander. Pour le moment il a choisi d'afficher une indifférence complète. J'ai l'impression que je suis devenue du jour au lendemain une étrangère pour lui, ou bien une sorte de pestiférée parce qu'Arec m'a touchée, souillée si vous préférez. N'oubliez pas l'éducation puritaine qu'il a reçue de ses parents adoptifs. Il m'avait déjà mise sur un piédestal. Circonstance aggravante, Arec ne m'a nullement violentée. Et il y a une chose qui ne manque jamais d'agacer prodigieusement un jumeau, c'est qu'on le prenne pour son frère! Surtout s'il sait que tout les différencie en réalité... Toute méprise équivaut à nier son existence même!... Que je couche avec Arec, je crois que même quelqu'un comme Calvin peut finir par l'accepter disons psychologiquement. Mais ce qu'il ne me pardonnera jamais, c'est d'avoir pu, ne serait-ce que l'ombre d'une seconde, le confondre avec son frère, de surcroît au plan le plus intime qui soit...

– Je ne serai pas aussi catégorique que vous. Tellement de choses lui ont dégringolé dessus depuis trois mois... Je suis même surpris qu'il n'ait pas encore craqué. Je pense qu'il faut simplement lui laisser un peu de temps... Mais revenons à notre conversation initiale... Vous disiez il y a un moment, en citant les mots d'Arec, que l'avenir pouvait nous réserver des surprises... Qu'entendiez-vous par là?

– Qu'il y a une infime possibilité qu'Arec se contente, pour que « les choses rentrent dans l'ordre », que les masques tombent, c'est-à-dire que chacun se montre sous son vrai visage et que les deux frères soient réunis. Il se peut que personne ne soit tué, en fin de compte... L'essentiel est que tout le monde aura été convié à un ultime jeu de la vérité, organisé par lui.

– Je ne suis pas sûr d'avoir compris... Vous pensez qu'il aurait organisé cette mise en scène spectaculaire uniquement en vue de provoquer une sorte de psychodrame collectif?

– C'est une éventualité à ne pas écarter. Il se peut d'ailleurs qu'il l'ignore lui-même. Dans ce cas, satisfaire ce désir inconscient peut suffire à résoudre la crise. Vous êtes bien placé pour savoir que la plupart des preneurs d'otages, je ne parle pas bien sûr des terroristes professionnels mais des détraqués, craquent lorsqu'on leur a donné l'occasion de prendre à témoin le monde entier, par l'intermédiaire de la radio ou de la télévision, de leur haine ou leur désespoir. Parfois une seule personne,

pourvu que celle-ci l'ait vraiment écouté, suffit à raisonner un fou dangereux qui menace de tuer une famille entière. Peut-être parviendrons-
nous, tous ensemble, à le faire changer d'avis.

— Comme j'aimerais que vous ayez raison, Lisbeth! Mais j'ai peur
que vous vous fassiez des illusions... Je commence à bien connaître le
Pivert, ce n'est ni un fou ni un illuminé qu'on peut essayer de ramener à
la raison... Malheureusement, jusqu'ici il a toujours fait ce qu'il a dit...
Parce qu'il est le plus fort...

45

« Sung ! Viens ici ! Je ne sais pas comment tu t'y es pris, mais le chef a décidé de te libérer. Discrètement. Alors grouille-toi. Je vais t'emmener avec moi sous prétexte de t'interroger. Arrivé là-haut, tu m'assommeras et tu pourras te sauver...

— Moi ? Mais pourquoi... ? Je peux emmener le vieux avec moi ? De toute façon il va bientôt mourir...

— Tu veux dire Yang ? T'es pas fou, non ? J'ai pas envie de me faire étriper par Tong Fu...

— Une fois dehors je m'arrangerai pour te payer trois taëls d'or, parole d'honneur...

— Parole de criminel, oui ! Tu te décides ?

— Si Yang reste, je reste...

— Comme tu voudras... Mais je te préviens : il n'y aura pas une deuxième fois... »

Il moisissait dans le trou infâme depuis bientôt sept mois quand il avait reçu cette incroyable proposition. Yang était devenu son *Senseï* depuis une trentaine de jours. Malgré son désir de retrouver Lucy, il n'avait pas eu le cœur d'abandonner le vieil homme à son sort... Était-ce Thomas Hannay, pris par un remords tardif, qui avait voulu favoriser sa fuite ? Ou un des types qu'il avait corrigés qui avait voulu se venger en organisant une fausse évasion au cours de laquelle il aurait été abattu ? Il n'avait jamais réussi à le savoir.

Contrairement à ce que le gardien lui avait prédit, une seconde chance s'était présentée six mois plus tard. Une dispute entre un groupe de détenus avait dégénéré en bagarre généralisée et, quand les gardiens étaient intervenus, deux ou trois malins avaient réussi à se glisser dans le couloir sans se faire remarquer... Ils lui avaient fait signe de se joindre à eux... Mais Yang, qui vivait toujours mais dont la santé déclinait de plus en plus, avait obstinément refusé de l'accompagner. Alors il était resté... Par fidélité et loyauté envers son maître, *chûgi*...

Aujourd'hui le passé lui revenait par vagues irrégulières... Entre deux phases de silence, une écume bouillonnante de mots et d'images déferlait sur lui, charriant avec elle toutes sortes de souvenirs qu'une mer capricieuse aurait soudain décidé de faire remonter à la surface.

« Pas si vite, mon chéri, tu vas tomber... Ah! voilà Masashi qui vient admirer tes progrès. Allez, montre à ton père comme tu marches bien... »

L'enfant ne devait pas avoir plus de dix-huit mois. Il était robuste sur ses petites jambes. Les yeux en amande, mais la peau claire... Lucy avait maigri, mais elle avait l'air en forme. Elle avait davantage de taches de rousseur sur le visage et ses cheveux avaient perdu leur aspect sauvage. L'homme, sensiblement plus âgé que Lucy, était assis sur une grosse pierre au bord de l'eau. Il regardait avec des yeux pleins d'amour et de fierté son fils...

Il était arrivé trop tard! Après avoir finalement réussi, dans des conditions particulièrement périlleuses, à s'échapper de sa prison après la mort de Yang, il lui avait fallu plus de quatre mois pour retrouver enfin la trace de Lucy... Mais hélas, pour découvrir qu'elle vivait avec un Japonais! Qui lui avait fait un magnifique enfant... Il avait observé toute la scène, caché dans les branches hautes d'un érable situé juste en face de leur maison. Il était resté juché dans son arbre pendant des heures... Se maudissant de ne pas avoir saisi l'occasion quand le geôlier lui avait offert sa chance...

« Pourquoi êtes-vous venu jusqu'ici Sung?

– Pour connaître enfin les lieux où mon Maître bien-aimé a vécu pendant de longues années...

– Ce n'est pas la véritable raison, n'est-ce pas?

– Non, *Rimpoché*... J'ai fui pour oublier quelqu'un...

– Alors, repartez après la cérémonie... Car la *Maithuna* n'est pas une voie pour vous... La femme blanche, votre partenaire de ce soir, est dans une situation similaire... Elle aussi s'est trompée en venant ici... »

Le vieux sage tibétain avait immédiatement deviné ses motivations profondes : partir le plus loin possible pour ne plus penser à Lucy. Les montagnes de l'Himalaya lui avaient paru une bonne idée... Un pèlerinage au monastère où Yang avait connu l'illumination... La beauté de la jeune Européenne l'avait ébloui... Comme le maître tibétain l'avait prédit, elle avait fini par craquer au moment du rituel des attouchements... Il avait préféré repartir sans elle... Quand il avait compris qu'il n'oublierait jamais Lucy...

« Comment ma mère a-t-elle pu l'aimer à ce point? Un type qui n'hésite pas à abandonner une femme enceinte n'est pas digne de vivre... Il est juste que je tue le père indigne avec le *katana* que Masashi, mon père adoptif, m'a donné... »

Le seul moment où le *ninja* avait laissé son for intérieur prendre le

317

dessus! Jusque-là il avait réussi à vider complètement son esprit afin qu'aucune pensée parasite ne vienne distraire sa concentration. Des attaques d'une vitesse prodigieuse... Des coups de sabre terribles qu'il n'avait réussi à parer ou dévier qu'en faisant appel au *ki*... C'était la première fois qu'il avait en face de lui un adversaire aussi redoutable. Qui était donc ce tigre habillé de noir et masqué qui se battait avec la férocité d'un samouraï? Il faisait un pari dangereux en ne ripostant pas, mais il ne voulait pas le tuer avant d'en savoir plus sur lui. Jusqu'alors il avait été remarquablement fluide dans ses mouvements, vif comme l'éclair dans ses esquives. « Comment ma mère a-t-elle pu l'aimer à ce point ? » Surprendre soudain cette pensée intime de son ennemi aurait pu se révéler fatal pour lui. Tout avait failli basculer à cet instant précis. Le petit bébé de dix-huit mois... Il avait vécu pendant toutes ces années sans se douter que cet enfant était son propre fils! Quand on l'avait jeté en prison, Lucy était déjà enceinte... Il était le père du *ninja* qui voulait le tuer! Cette réalisation fut pour lui comme un coup de tonnerre. Ouvrant soudain une brèche béante dans sa défense et sa concentration. Ce fut un miracle s'il ne fut pas mortellement atteint à ce moment-là. Heureusement pour lui, il se ressaisit juste à temps.

Sung se mit en demi-lotus pour soulager son genou droit. Dès qu'il ne forçait plus sur l'inspiration et revenait à une respiration naturelle, les pensées et les images resurgissaient. Curieusement on aurait dit qu'un projectionniste était passé par là pour mettre un peu d'ordre dans les bobines... Il ne sélectionnait que les séquences les plus importantes, en respectant scrupuleusement un ordre chronologique... Les gens racontent que juste avant de mourir on revoit le film accéléré de sa vie passée... Était-ce Thanatos qui lui offrait une projection en avant-première?

Après l'épisode du *ninja* il avait décidé, pour en avoir le cœur net, de faire sa petite enquête. Après deux mois d'intenses recherches il avait retrouvé dans un bordel de Tokyo un des anciens gardes du corps de Masashi. Il revoyait encore le visage vérolé du type, ses yeux caves et ses fausses dents en or sur le devant... Après une dizaine de verres de whisky, l'autre avait commencé à parler. Masashi était mort depuis plusieurs années et le type n'avait aucune raison de mentir. C'était par lui qu'il avait appris qu'Arec avait un frère jumeau : Masashi, persuadé qu'une malédiction était liée aux jumeaux depuis que sa grand-mère était morte en en mettant au monde et qu'un membre de sa famille avait été atrocement assassiné par un jumeau, avait forcé Lucy à l'abandonner et refusait qu'on en parle devant lui. Un an plus tard il en acquit la certitude, par le plus grand des hasards...

« Mesdames et messieurs, des raisons d'ordre technique ont contraint les organisateurs à annuler au dernier moment la représentation d'*Aïda*, que nous avions prévu de vous retransmettre en direct de Louxor... Elle sera remplacée par l'enregistrement d'un concert donné à Bruxelles par le London Philharmonic sous la direction de Sir Colin Davis... Nous vous proposons tout d'abord le concerto pour violoncelle en *ré* majeur de Joseph Haydn... »

Il avait pris un livre en laissant la télévision allumée car Haydn était l'un de ses compositeurs préférés. Absorbé par sa lecture, il ne jetait que quelques coups d'œil distraits sur l'écran. Ce qui ne l'avait pas empêché d'apprécier la virtuosité du violoncelliste. Mais le livre lui était tombé des mains quand le réalisateur avait fait un gros plan sur le soliste au moment des applaudissements. Les mêmes yeux en amande, le corps d'athlète, grand et élancé, une décontraction du corps presque féline... C'était le *ninja* en noir qui l'avait attaqué !

« Les spectateurs de la salle font un triomphe à Calvin Ferris, l'une des étoiles montantes du moment... »

Il n'avait compris qu'en entendant le commentateur. Ainsi Lucy avait confié l'autre jumeau à sa sœur et à son mari, le pasteur Edward Ferris ! Son premier enfant élevé par un *yakuza*... L'autre adopté par ceux qui l'avaient fait jeter en prison ! Le sort s'était acharné sur lui !

Autant il lui avait été impossible de savoir ce qu'était devenu Arec, autant il avait retrouvé assez facilement la trace de Calvin qui vivait désormais à New York... Mais il avait sans doute pris la bonne décision en choisissant en définitive de faire le mort. Il ne se voyait pas débarquer de l'autre côté de l'Atlantique, la bouche en cœur : « Je suis ton vrai père... J'étais dans une prison de Hong Kong quand tu es né. »

De toute façon il n'était plus temps de se demander s'il valait mieux, comme quelqu'un l'avait dit, « avoir des remords que des regrets »... Demain, après-demain au plus tard, il se retrouverait en face de ses deux enfants, à l'intérieur du cercle rouge... Comme Arec l'avait écrit dans sa lettre, les masques allaient enfin tomber et chacun se montrerait sous son vrai visage.

J'étais si heureuse que vous soyez venu dans ma chambre. Après notre conversation au clair de lune, je trouvais ça presque normal. C'est pourquoi vous devez me croire si je vous dis que c'est avec vous que j'ai fait l'amour. Ce qui compte, c'est ce qui s'est passé dans ma tête, même si mon corps s'est donné à quelqu'un d'autre. J'étais tellement persuadée que c'était vous que j'en étais arrivée à complètement oublier votre cicatrice... C'est seulement bien après que ce détail m'a troublée... Après tout c'est un peu votre faute si je ne vous connais pas mieux intimement... Ce n'est pas forcément aux femmes de faire toujours le premier pas !

Calvin posa la lettre sur la table. Il avait dû la lire et la relire cent fois... En particulier les deux dernières phrases qui clignotaient sans arrêt dans sa tête. *Après tout c'est un peu votre faute si je ne vous connais pas mieux intimement... Ce n'est pas forcément aux femmes de faire toujours le premier pas !*

Ça devait faire cinq minutes que Lisbeth était dans sa chambre. Sa porte avait grincé quand elle était montée. Il n'avait jamais été très doué pour faire le premier pas avec les femmes, mais peut-être y avait-il un début à tout. L'idée lui en était venue pendant le dîner... Il n'avait aucune idée de ce que donnerait la confrontation avec son frère : celui-ci aurait sûrement le dessus. Cependant il pouvait au moins tenter de remettre les pendules à l'heure vis-à-vis de lui sur ce point.

« Mais à condition d'agir maintenant... », se dit-il en se décidant finalement à sortir de sa chambre. Arrivé devant la porte de Lisbeth il faillit changer d'avis et rebrousser chemin.

Lisbeth venait juste de se mettre au lit quand elle entendit frapper. Elle alla ouvrir en chemise de nuit.

— Désolé. Je ne pensais pas que vous dormiez déjà, réussit à balbutier Calvin en la voyant cligner les yeux à cause de la lumière.

— Entrez. Ne restez pas là, vous allez attraper froid, répondit machinalement Lisbeth en remarquant qu'il était torse nu et en caleçon.

Calvin fit un pas puis s'immobilisa. Ils étaient pour ainsi dire nus et une distance d'à peine dix centimètres séparait leurs corps. Ayant baissé instinctivement la tête pour fuir son regard, il voyait ses seins qui se soulevaient doucement au rythme de sa respiration. Rien ne se passait comme il l'avait espéré. Elle l'observait en silence avec un air interrogateur, attendant patiemment qu'il lui explique la raison de sa présence. Il avait prévu de la surprendre avec une phrase du genre : « J'avais envie de savoir ce qui se passe quand un homme fait le premier pas... » Mais il restait bouche bée et comme pétrifié !

Lisbeth le fixa d'une étrange façon pendant plusieurs secondes, et ce fut elle qui prit l'initiative. Elle lui saisit la main et l'entraîna nonchalamment vers le lit.

Ils s'étreignirent furieusement, sauvagement. Une union essentiellement physique presque sans préambules. Après s'être reposés dans les bras l'un de l'autre quelque temps, ils recommencèrent. En prenant leur temps cette fois. S'explorant l'un l'autre. Se caressant à tour de rôle ou en même temps. Se regardant ou se souriant en silence... Sans s'être concertés, ils avaient choisi l'un comme l'autre de renoncer aux mots.

A un moment cependant Calvin crut entendre Lisbeth lui dire en riant : « Tu sais, maintenant, je suis sûre que je préfère une cuisse avec une longue cicatrice... c'est bien plus excitant ! » Mais au réveil, quand la phrase lui revint en mémoire, il se dit qu'il avait dû rêver.

46

« Si quelqu'un peut arrêter Arec, c'est lui... C'est vraiment l'homme le plus étonnant que j'aie rencontré, à tous points de vue. Avec lui tout est simple et terriblement complexe à la fois. Vous comprendrez quand vous le connaîtrez... »

Même si Clemens les avait ainsi prévenus, juste avant de s'engager sur la petite route menant vers Heubec, Calvin et Lisbeth gardèrent l'un et l'autre un vif souvenir de leur rencontre avec Sung. Mais le plus étonnant est que lorsqu'ils en reparlèrent juste après, confrontant leurs impressions, les trois relations étaient entièrement différentes comme s'ils ne faisaient pas allusion à la même journée!

Calvin, qui appréhendait terriblement la rencontre avec son père, avait la veille téléphoné à New York pour demander conseil à Maître Taki. Évidemment celui-ci l'avait renvoyé à lui-même, avec sa brusquerie coutumière, en lui sortant un verset du *Zenrin Kushu* :

> *Les oies sauvages ne cherchent pas à se mirer;*
> *L'eau ne pense pas à réfléchir leur image!*

Sans oublier de lui jeter à la figure un de ses *koan* coutumiers avant de raccrocher!

« Vous entendez le tintement de la cloche au-dessus de mon entrée ? Alors arrêtez-le! »

— Il s'est passé une chose curieuse, raconta par la suite Calvin, quand je suis sorti de la voiture derrière Lisbeth. On avait le soleil dans les yeux et, à contre-jour, je ne voyais pas très bien les traits de l'homme qui nous attendait au bout de la terrasse. Je me suis arrêté net quand j'ai commencé à apercevoir distinctement son visage. Taki! Mon Maître *Zen* me regardait en souriant! J'étais abasourdi de le voir là. Il y avait comme une aura lumineuse autour de sa tête et le centre de ses pupilles brillait de façon extraordinaire. Très vite j'ai arrêté de me poser des questions : il me suffisait de plonger mes yeux dans les siens pour sentir monter en moi une grande vague de bonheur et de plénitude. Je ne sais pas combien de temps dura mon illusion, mais après un certain temps ses traits commencèrent à changer. Ce fut alors un défilé étonnant de visages, très différents les uns des autres – européens, orientaux, asiatiques, jeunes, vieux, contemplatifs, énergiques... – avec cependant semble-t-il un point commun : en les voyant on pensait irrésistiblement à un Maître spirituel ou à un sage. Vous pouvez imaginer ma stupeur quand l'image s'est finalement figée sur le visage de Sung! Venais-je d'avoir une hallucination? Était-ce une sorte d'auto-suggestion favorisée par le fait que je n'avais pas cessé de penser à mon *Sensei* pendant le trajet? Était-ce le soleil qui m'avait joué des tours? Pendant plusieurs secondes je me suis demandé ce qui m'arrivait. Qui était ce petit bonhomme barbichu, au grand front dégarni et aux tempes grisonnantes? Comment avais-je pu le prendre pour Taki? Les deux hommes étaient à peu près de la même taille et ils avaient une corpulence assez semblable. Mais de là à les confondre! Comme cela arrive souvent dans ce genre d'état, ce fut un son qui me « réveilla » tout à fait. Je reconnus le cri d'un coucou dans la campagne. Sung s'est écrié en me regardant, vous vous en souvenez sûrement : « Tiens, le coucou! L'oiseau qui dépose ses œufs dans le nid des autres. Votre Maître aurait apprécié la coïncidence! Je suis sûr que vous connaissez ce *haïku* de Buson : *Chante le coucou / qui n'a ni parents / ni enfants!* Ensuite Sung m'a vraiment estomaqué en me sortant un *koan* en rapport direct avec celui que Taki m'avait donné : *Stoppez le chant de ce coucou caché au fond du bois!* Arrêter le tintement d'une clochette éloignée, interrompre le cri d'un oiseau invisible... Taki et lui se connaissaient-ils ou n'était-ce qu'une incroyable coïncidence? Cette question m'a tellement obsédé que j'en ai oublié toutes mes appréhensions ainsi que mes réticences.

– C'est vraiment bizarre, avait été la réaction de Lisbeth en écoutant Calvin. Tu es sûr de ne pas te tromper? Comment se fait-il que mes souvenirs soient tellement différents des tiens? Quand j'ai aperçu Sung j'ai d'abord eu un choc. Je l'avais déjà rencontré! Treize ans auparavant dans l'Himalaya. Nous nous étions retrouvés par hasard à pratiquer le même rite tantrique. Ne connaissant pas son nom, je l'avais surnommé « le chiqueur de bétel » à cause de son habitude de mâcher la noix d'aréquier avec une feuille de bétel. J'ai su immédiatement que c'était lui. A cause de sa façon de sourire et de mettre à nu les gens d'un seul coup d'œil malicieux et ironique... Nous nous sommes longuement dévisagés en silence. D'ailleurs Mark et toi, vous avez dû vous demander pourquoi je n'arrivais pas à me faire à l'idée que mon ami des montagnes n'était autre que ton père... C'est alors que le coucou a chanté, et Sung a dit, je suis d'accord avec toi : « Tiens, le coucou! L'oiseau qui dépose ses œufs dans le nid des autres. » Mais ensuite il a ajouté d'une voix un peu triste, en me regardant droit dans les yeux : « Et moi qui pensais que c'était Lucy. Mais non! C'est vous la femme de la légende, celle qui se tient entre les deux frères. Ce n'est pas un rôle facile. »

322

– Je n'y comprends rien! s'était écrié Clemens. Les choses ne se sont pas du tout passées comme ça! Quand le coucou a chanté Sung a parlé du *Renga*. « C'est peut-être vous qui aviez raison, m'a-t-il dit en souriant. Il arrive que le *Renga* prenne l'allure d'une partie de dés interminable. Avec un enjeu important qui s'est avéré être Lucy. Vous, moi, puis Hannay... Nous avons joué et perdu, au profit d'un outsider inattendu : Masashi. Lucy est morte, mais le jeu continue. Parce que, tel un coucou, elle a déposé ses œufs dans deux nids différents. C'est à mon tour de revenir dans la partie, pour qu'elle puisse enfin s'achever. Je suis heureux que vous soyez venu. »

– Je croyais qu'il avait des choses importantes à nous dire. Ça va faire près de vingt minutes..., fit soudain remarquer Calvin avec un soupçon d'irritation dans la voix.

Jusqu'ici aucun des trois n'avait osé ou voulu interrompre le silence qui s'était installé dans la pièce.

Clemens regarda instinctivement sa montre. Perdu dans sa rêverie il n'avait pas réalisé que Sung était parti depuis si longtemps : « Pardonnez-moi, mais il faut que je vous abandonne un instant. Je vais voir si tout se passe bien au stage de *t'ai-chi*. J'en ai pour cinq minutes à peine. J'ai remis de l'eau chaude dans la théière pour que vous puissiez vous resservir. » Juste après les avoir installés dans la salle de séjour, Sung s'était éclipsé par la porte-fenêtre donnant sur la terrasse.

Clemens suivit du regard Calvin qui s'était levé pour aller étudier de plus près le *kakemono* suspendu au-dessus du buffet. Lui-même l'avait remarqué lors de sa dernière visite. Un grand arc bandé avec sa flèche pointée en direction d'une autre flèche. Sung lui avait expliqué que l'œuvre avait été réalisée par Taisen Deshimaru, un Maître *Zen* qui avait longtemps vécu à Paris.

« Cette magnifique calligraphie s'appelle *Les deux flèches se heurtent en plein vol*. Une allusion au verset 29 du *Hokyo Zan Mai*, un texte sacré de la tradition *Zen*. Et l'évocation d'une histoire connue de tous les pratiquants de *kyu-do*, la voie de l'arc. Hiei, qui était un très grand Maître du tir à l'arc, avait un disciple, dénommé Kisho, un peu prétentieux qui ne rêvait que d'une chose : vaincre son Maître ou lui succéder. Or Hiei était en excellente santé et personne ne pouvait le battre. Alors, impatient d'attendre, Kisho décida de le tuer. Un jour, alors qu'il s'exerçait au tir, Maître Hiei traversa le champ d'entraînement. Le disciple saisit l'opportunité et, décochant une flèche, il visa son Maître. Mais Hiei, anticipant son geste, avait également tiré. Les deux flèches se rencontrèrent en plein vol et retombèrent au sol. On raconte que Kisho tira neuf fois. Mais chaque fois la flèche de Hiei stoppa net celle de son disciple. Kisho avait dix flèches alors que son Maître n'en avait que neuf. L'élève impétueux tira donc la dixième flèche, la dernière. Mais Hiei l'intercepta en utilisant sa lance.

Selon la légende Kisho et Hiei tombèrent alors dans les bras l'un de l'autre en s'écriant respectivement : " Oh! Grand Maître! " et " Oh! Grand Disciple! " »

— Je suppose que tu connais l'histoire des deux flèches qui se heurtent en plein vol.

Calvin ne répondit pas tout de suite. Il essayait justement de se rappeler le verset du *Hokyo Zan Mai* quand Clemens lui avait parlé : *si flèche et lance se heurtent en plein vol, la plus haute technique perd alors toute son efficacité...*

Il se retourna... et se figea sur place. En se voyant dans l'encadrement de la porte-fenêtre juste à côté de Sung!

« C'est moi, et pourtant ça ne se peut pas puisque je suis ici... »

Il voulut crier, mais aucun son n'était sorti de sa bouche. C'était sûrement un cauchemar. Il allait se réveiller...

> *Viens jouer avec moi*
> *moineau*
> *orphelin*

Calvin sursauta en reconnaissant le *haïku*. Simultanément, il réalisa que c'était Arec qui venait de pénétrer dans la pièce avec Sung. Son frère jumeau! L'autre moitié indissociable de son être! Lisbeth l'avait vaguement prévenu mais rien ne l'avait vraiment préparé à vivre un tel moment. En un éclair il prit conscience de l'intimité profonde qui l'unissait à son frère. Du coup tout ce qu'il avait pu vivre jusque-là lui parut dérisoire par rapport à cette certitude nouvelle : tout en étant deux ils avaient toujours été un, car ils n'avaient jamais été vraiment séparés. Malgré les distances, les années, un lien avait subsisté entre eux. Un fil ténu et invisible. Aussi épuré et dépouillé qu'un *haïku* ou un trait de plus sur une page blanche. Il leur avait suffi de croiser leurs regards une fraction de seconde. Avait-il « entendu » le poème d'Issa parce qu'Arec y avait pensé? Ou bien était-ce le contraire? Ou les deux à la fois? Peu importait. De toute façon ils avaient vécu « à l'unisson » cette poésie et cela seul comptait. Les mots étaient infirmes. Il y avait longtemps que les artistes *Zen* le savaient. Jamais il n'avait éprouvé une telle joie, un tel sentiment de plénitude en partageant quelque chose avec un autre être. « Lac » était enfin là devant lui. Un vrai frère en chair et en os. Un double parfait de lui-même. Une ombre inséparable. Le confident idéal et l'ami fidèle qui serait toujours là...

« Nous sommes enfin réunis... Comme nous l'étions dans le ventre de notre mère... Je ne serai plus jamais seul... Comme notre séparation m'a paru longue... »

— Je crois qu'il est inutile que je fasse les présentations, dit Sung en le tirant de ses pensées. D'une façon ou d'une autre, vous avez tous eu l'occasion de faire la connaissance d'Arec... Certains le surnomment paraît-il le Pivert...

47

Il était impossible de les différencier l'un de l'autre ! Une ressemblance fascinante ! Se rappelant l'aveu qu'elle lui avait fait avant-hier, Clemens regarda Lisbeth en coin : « Savez-vous, Mark, que je n'ai jamais eu l'occasion de me trouver en présence de jumeaux monozygotes ? Bien sûr comme tout le monde il m'est arrivé d'en voir à la télévision, ou bien dans ces films où un seul acteur joue les deux rôles. Mais ce n'est pas du tout la même chose que de les avoir simultanément en chair et en os en face de soi, sans savoir qui est qui. Je suppose que ça doit faire un drôle d'effet, la première fois. »

Elle semblait littéralement médusée, le regard passant sans cesse de l'un à l'autre. Sans doute cherchait-elle, comme lui, le détail qui pourrait permettre de les différencier. Tout en se demandant si elle n'était pas sujette à un mirage.

La similitude était si parfaite qu'il n'aurait pu reconnaître Calvin s'ils n'avaient pas été habillés différemment : un pantalon de velours marron, une chemise de coton tilleul et un cardigan gris pour Calvin ; un pull à col roulé beige sous un gilet de laine bleu marine, et des jeans pour Arec. La même moue ironique et ombragée accentuée par les plis de la bouche et la subtile nuance de tristesse dans les yeux... Clemens avait du mal à réaliser que ce jeune homme à l'air doux et romantique qui ressemblait tellement à son filleul était le Pivert, l'assassin impitoyable qu'il poursuivait en vain depuis des années... Par quelle aberration était-il devenu ce monstre recherché par les polices du monde entier ?

« Ku-ku-ku-kuck...! Ku-ku-ku-kuck...! »

La plainte aiguë et tranchante comme une rafale de fusil-mitrailleur vint brutalement interrompre la stupeur muette dans laquelle l'arrivée inopinée d'Arec les avait tous plongés.

Un pic ! Perché dans un des arbres de la colline d'en face, mais entretenant des rapports tellement intimes avec Arec qu'il n'avait fait peut-être que répondre à un signal invisible de celui-ci !

A cet instant, Calvin eut une brève vision et il dut cligner les yeux plusieurs fois avant que l'illusion se dissipe. Pendant quelques secondes, ce n'était pas son frère qu'il avait vu devant lui, mais le pic de son rêve. Celui qui avait surgi dans le parc pour chasser les pigeons et les moineaux. Avec son bec long et puissant, ses griffes impressionnantes... Arborant une belle tache rouge sang sur son front. Et qui lui avait proposé de venir jouer avec lui... « Ne touche pas à cette aumône! Ne te conduis pas comme tous ces moineaux domestiques qu'on réduit à l'esclavage avec quelques graines ou miettes de pain rassis...! Retrouve ta nature véritable... Viens avec moi, moineau orphelin... Je t'apprendrai à retrouver ta liberté. »

Clemens, lui, observait l'effet du cri d'oiseau sur Arec : il jubilait, les yeux brillants et un large sourire découvrant ses dents.
Les dents!
Il savait maintenant comment reconnaître sans risque d'erreur les deux frères! Le détail était tellement évident qu'il avait failli passer complètement à côté. Comme son frère, Arec avait une dentition parfaite, des dents saines et régulières. Mais les siennes étaient incontestablement colorées de cette teinte qu'on ne retrouve que dans une catégorie bien précise de personnes : celles qui s'adonnent à la chique de bétel!

— Excusez-moi, *Senseï*... Les stagiaires...
Le pauvre Hughes ne pouvait pas plus mal tomber. Passant par la terrasse il avait fait un pas dans la pièce et s'était arrêté net. Il ne finit pas sa phrase. La façon dont il dévisagea tour à tour Arec et Calvin ne laissa aucun doute à Clemens. En mettant son disciple au courant du duel à venir, Sung n'avait pas dû tout lui dire...
Passé les premiers instants de fascination, les vrais jumeaux suscitent presque toujours un sentiment ambivalent, mélange de curiosité et de méfiance instinctive. Même si on refuse de se l'avouer, on pense immédiatement à la supercherie qui peut découler de cette ressemblance parfaite et on ne peut s'empêcher de fantasmer à loisir, en leur enviant les nombreuses expériences de « substitution » qu'ils ont dû faire à l'école, au lycée, avec les filles... Tout en se disant qu'on détesterait être berné par eux...
Sung le tira de ses pensées.
— Hughes, vous connaissez déjà Mark Clemens. Je vous présente Lisbeth Delmont ainsi que mes deux fils jumeaux, Calvin et Arec...
— *Senseï* Sung commet une grossière erreur : je suis Arec Katori, fils de Masashi Katori, samouraï du clan Daishi...
En faisant un pas en avant, et en s'inclinant devant Sung, Arec s'était strictement conformé à l'étiquette requise mais pour dénier son lien de

filiation avec Sung, il avait utilisé un ton d'une telle insolence que Hughes vit rouge et sans réfléchir se précipita sur lui.

Malgré la rapidité et la précision de son assaut, le pauvre bougre se retrouva par terre sans même s'en rendre compte. A cause de la courte distance le séparant d'Arec, il avait instinctivement tenté un *mae-geri,* une percussion frontale avec la jambe gauche tendue. Une milliseconde plus tard il s'était effondré en gémissant de douleur et en se tenant le pied. Celui avec lequel il aurait dû atteindre Arec au bas ventre...

C'était incroyable! Clemens qui n'avait pu voir que la fin du *mae-geri* de Hughes – ce dernier avait jailli comme un tigre pour effectuer son mouvement – n'arrivait pas à comprendre pourquoi l'attaque avait échoué. Ça lui avait peut-être échappé – tout s'était passé si vite – mais il était certain qu'Arec n'avait même pas bougé. Comment avait-il fait pour contrer Hughes?

– Hughes, je vous rappelle qu'Arec Katori est notre hôte et je ne voudrais pas vous voir enfreindre les lois les plus élémentaires de l'hospitalité. Pouvez-vous me dire maintenant si nous pouvons passer à table?

– Oui, *Senseï,* répondit Hughes en se relevant péniblement et en baissant les yeux. Je voulais vous rappeler qu'une des stagiaires doit rester avec nous.

– Pas de problème...

Le repas était toujours aussi frugal : une carafe d'eau, une corbeille de pain de campagne, une salade verte, une assiette de fromages de chèvre, une corbeille de fruits, un panier de noix. Le tout au milieu de la table pour que chacun puisse se servir.

Sans enthousiasme Clemens attaqua avec sa fourchette les dernières feuilles de salade. Sung l'avait fait asseoir entre Arec et Hughes. Calvin et Lisbeth étaient en face...

Trois personnes mangeaient avec une désespérante lenteur : Sung, Arec et Hughes... Mais si les deux premiers semblaient parfaitement à l'aise – économie de gestes, attitude détendue et détachée, il n'en était pas de même pour Hughes! Même s'il arborait tant bien que mal un visage impassible, il avait du mal à cacher sa nervosité.

Sans se donner le mot, Calvin et Lisbeth s'étaient tous deux accrochés à leur assiette comme à une bouée, la remplissant dès qu'elle était vide. Un moyen bien commode pour occuper ses mains et ne pas lever les yeux de la nourriture.

« C'est le dernier supplice chinois à la mode! pensa Clemens *in petto* quand son assiette fut vide. Réunissez autour d'un repas plusieurs personnes qui ont des tas de vérités à se lancer à la figure. Ou qui ont tout simplement des questions urgentes à se poser aux uns et aux autres... Dites-leur qu'il faut manger en silence. Et pour augmenter encore plus la tension, conviez une personne totalement étrangère qui n'a rien à y faire... Il faut être très fort pour ne pas craquer... »

L'idée lui traversa subitement l'esprit quand ses yeux se posèrent sur Janine, la stagiaire, la seule qui mangeait de bon appétit parce qu'elle n'avait aucune arrière-pensée...

Sacré Sung! Il avait sous-estimé ce vieux singe!

Il s'était servi de Janine pour faire diversion! Tout le repas n'était qu'une occasion formidable pour lui de « lire » dans les pensées de chacun... Il avait besoin de connaître les intentions profondes d'Arec. De savoir comment Calvin se situait par rapport à son père et à son frère. De déterminer de quel côté le cœur de Lisbeth balançait...

Clemens se tourna vers Sung. La façon dont celui-ci lui sourit imperceptiblement lui confirma qu'il avait vu juste.

« J'ai l'impression que maintenant il sait à quoi s'en tenir... », se dit-il en s'emparant d'une poignée de noix. Il venait soudain de retrouver son appétit.

48

La boîte était magnifique. Ronde, d'une circonférence équivalente à celle d'un disque 33 tours, elle était laquée de rouge, et décorée sur le pourtour des petits motifs géométriques de nacre incrustés. Calvin souleva le couvercle pour étudier le plateau mobile. Cinq compartiments de bois laqué finement ciselé, délimités par les branches d'une étoile stylisée. Offrant tout ce qui était nécessaire à la chique de bétel : noix fraîches d'aréquier découpées en quartiers, noix sèches dorées aux bords joliment recourbés vers leur cœur de graine brune, feuilles de bétel enroulées avec soin en cylindres, racine rose émincée en lamelles. Dans la dernière case à côté de l'étui à chaux il y avait une petite curette en argent avec de minuscules idéogrammes chinois gravés. Sous le plateau, dans le ventre de la boîte, il y avait un autre compartiment pour ranger des feuilles de bétel en réserve ou des noix encore intactes avec leur écorce verte. C'était de là que Sung avait sorti un couteau coupant comme un rasoir et la serviette pour essuyer la lame. Lan avait possédé un coffret semblable. Pauvre Lan ! Un jour en jouant avec il l'avait fait tomber par terre. Le couvercle s'était ébréché et tout le contenu du plateau – les ingrédients qu'elle avait si soigneusement rangés dans les différents compartiments – s'était répandu sur le sol... S'attendant à être sérieusement réprimandé, il avait éclaté en sanglots. Mais Lan l'avait pris dans ses bras et lui avait chanté une vieille berceuse pour lui montrer qu'elle ne lui en voulait pas du tout.

Sung l'interrompit dans ses pensées.

– Essayez donc, Calvin ! Vous ne pouvez pas savoir comme c'est agréable... Ça fortifie les gencives et en plus ça calme...

Calvin se contenta de secouer la tête, tout en notant du coin de l'œil la façon experte dont Arec finissait de préparer sa chique. Finalement c'était le seul qui avait bien voulu se joindre à Sung.

Les gestes précis et minutieux d'Arec lui rappelaient ceux de Lan. Elle faisait de la chique de bétel tout un cérémonial. Un enseignement que sa mère avait dû lui léguer. Comment enlever soigneusement la tête de la noix d'arec ainsi que l'écorce... Comment la trancher en quartiers bien nets et réguliers, en la tenant fortement mais délicatement dans le creux formé par l'extrémité des doigts de la main... Lan était gauchère, donc elle calait la noix dans sa main droite avant de l'entailler. Après avoir beurré avec une petite pincée bien dosée de chaux l'intérieur d'une feuille de bétel, elle en coupait les deux côtés, avant de l'enrouler en commençant par la pointe. Ensuite elle pouvait la fermer avec son propre pétiole taillé en biseau et piqué en son milieu...

C'était fascinant d'observer son frère.

– J'ai envie de vous raconter une histoire, Janine. Je suis sûr qu'après vous aurez envie d'essayer la chique de bétel... Il s'agit d'un conte ancien... Qui n'est pas d'ailleurs sans avoir un lien avec ce que j'avais envie de vous dire sur le *Renga*... Dans le cas présent, je suis même persuadé qu'on ne saurait trouver de meilleure entrée en matière, un point de vue que vous partagerez peut-être d'ailleurs, quand j'aurai fini...

Sung avait marqué une pause pour jeter un rapide regard circulaire autour de lui, avant de poursuivre :

– C'est sans doute l'une des plus anciennes légendes d'Asie. Il en existe maintes versions plus ou moins différentes. Toutes les vieilles familles vietnamiennes en ont entendu parler. L'histoire, telle que je l'ai entendue de ma mère [1], se passe sous le règne du roi Hung Vuong. Un mandarin avait deux fils, Tân et Lang, qui, sans être des jumeaux, se ressemblaient tellement que même leur propre mère les confondait.

Toujours inséparables ils étaient la joie et la fierté de leurs parents. Un jour ceux-ci périrent dans l'incendie de la maison familiale alors que les enfants étaient en train de jouer dans la campagne. Se retrouvant orphelins et totalement démunis, Tân et Lang partirent ensemble chercher du travail et une nouvelle maison où ils pourraient habiter. Le hasard les conduisit chez un mandarin du nom de Luu qui avait bien connu leur père autrefois. Luu les accueillit à bras ouverts en leur proposant de rester chez lui. N'ayant pas de fils, mais seulement une fille, il s'attacha vite à eux. Les années passèrent et une profonde affection grandit entre les deux frères et la jeune fille, qui était très belle. Vint un jour où le père, jugeant qu'elle était en âge de se marier, lui conseilla de choisir l'un des frères pour époux. Elle n'arrivait pas à se décider car elle les aimait sincèrement tous les deux. Les garçons étaient également fortement épris d'elle, mais aucun n'avait voulu se déclarer. Sans se concerter, chacun, par amour pour son frère, était prêt à se retirer et à se sacrifier. C'était une situation insoluble et Luu dut recourir à un subterfuge. Il dit à sa fille de préparer un repas auquel les frères furent conviés. A la demande du père, la jeune fille posa sur la table deux bols de bouillie de riz mais une seule paire de baguettes. Sans

---

1. Il circule en effet à travers toute l'Asie du Sud-Est de nombreuses variantes de cette légende. Pour notre part, nous nous sommes largement référé à la version rapportée par M. Pham Duy Khiêm dans son livre *Légendes des terres sereines* paru aux Éditions Mercure de France (réédition 1989).

hésiter Lang, qui était le cadet, s'en empara et, conformément à l'usage, les offrit à son frère aîné. Luu désigna donc Tân comme futur gendre.

Sung reprit une gorgée de thé avant de poursuivre.

– Bien entendu, Lang cacha soigneusement tout le chagrin qu'il éprouvait de ne pas avoir pu épouser celle qu'il aimait en secret depuis longtemps. Au début ce ne fut pas trop difficile pour lui car il savait que son sacrifice était juste. Il ne faisait que son devoir et seul comptait le bonheur de son frère. Mais au fil des mois sa peine devint insupportable car Tân, tout à sa nouvelle vie conjugale, commença à le délaisser. Lang, qui avait toujours nourri des sentiments très forts et purs pour son frère et pour celle qui était devenue sa belle-sœur, se retrouvait seul la plupart du temps. Un jour, ne pouvant surmonter sa souffrance, il préféra abandonner la maison commune. Le cœur meurtri, il se mit en route, marchant droit devant lui sans savoir où il allait. Il erra ainsi pendant des heures, complètement indifférent à la fatigue et à son sort, jusqu'à ce qu'il parvienne à un grand fleuve tumultueux. N'ayant aucun moyen de le traverser il s'assit sur la rive, et, s'abandonnant à son malheur, mourut de chagrin. La légende dit qu'il se transforma en une pierre. En réalisant que son frère avait disparu, Tân devina immédiatement la raison de sa fuite et fut aussitôt rongé par le remords. Il voulut essayer de le retrouver, afin de lui demander pardon pour son égoïsme. Après plusieurs jours d'errance, il arriva au bord du même cours d'eau. Mort de fatigue, il se laissa tomber à terre. Sur le sol il y avait une pierre contre laquelle il s'adossa. Selon la légende, il fut métamorphosé en un arbre au tronc droit terminé par une touffe de feuilles. La femme, inquiète de l'absence de son mari, était partie entre-temps, elle aussi, à sa recherche. Son périple fut pénible mais elle parvint enfin au même endroit. Épuisée par plusieurs jours de marche, elle n'avait plus la force d'aller plus loin. Elle se traîna jusqu'à l'arbre et s'appuyant contre son tronc elle commença à pleurer en pensant à son mari. En mourant elle se transforma en une plante grimpante qui s'enroula le long de l'arbre. Prévenus en songe, les habitants de la région décidèrent d'élever un temple à leur mémoire. Quelque temps plus tard il y eut une année de sécheresse exceptionnelle et faute d'eau toute la végétation commença à mourir. Mais, chose extraordinaire, alors qu'à travers le royaume tous les arbres et les plantes dépérissaient, l'arbre et la liane demeuraient étonnamment verts et vigoureux. La nouvelle se répandit et de nombreux pèlerins se rendirent au temple pour constater le prodige. Le roi lui-même fit le déplacement et à cette occasion apprit de la bouche des habitants la belle histoire de la triple métamorphose. Y voyant une intervention divine, il voulut en pénétrer le sens et consulta ses conseillers qui ne surent pas lui répondre. Un vieux sage suggéra au roi de faire écraser ensemble des feuilles de la liane, un fruit de l'arbre et un morceau de la pierre. C'est ce qu'on fit et on finit par obtenir un mélange d'une magnifique couleur sang. Le roi ordonna alors de développer la culture des deux plantes et c'est ainsi que l'union de l'*aréquier* et du *bétel* est devenue le symbole de l'amour fraternel et de l'amour conjugal. Et que s'est répandu l'usage de faire mâcher par les jeunes mariés ou par les frères et sœurs les feuilles et les noix, avec une pincée de chaux... Même si la tradition tend à se perdre, la chique de bétel est l'offrande par excellence, le symbole d'un gage de sincérité... Un rite lié aux circonstances importantes de la vie : naissance, déclaration d'amour, fiançailles, mariage, retrouvailles après une longue séparation, deuil...

Il y eut un court silence pendant lequel Sung laissa errer son regard sur la boîte, tout en effleurant machinalement du bout des doigts les feuilles de bétel, dont la couleur allait du vert foncé à un vert clair tirant vers le jaune. Puis en relevant la tête il dit à l'adresse de tous :

– Après ce joli conte, une chique de bétel me semblerait tout à fait appropriée avant d'aborder le *Renga*... Qu'en pensez-vous ?

Lisbeth ne put s'empêcher d'admirer au passage l'habileté de Sung. Il était évident qu'il avait réussi à marquer un point psychologique important par rapport à Arec, le seul dans la pièce qui avait consenti à chiquer avec lui... Une décision instinctive que celui-ci avait sûrement regrettée quand Sung avait mis l'accent sur la signification profonde de l'offre d'une chique de bétel. En l'acceptant, Arec s'était plus ou moins inconsciemment engagé vis-à-vis de Sung. Il y avait désormais un lien subtil et ténu entre lui et Sung, qui n'existait pas entre ce dernier et Calvin... Une situation paradoxale pour quelqu'un qui venait de rejeter formellement son père...

– *Renga*, puisque j'ai promis de vous l'expliquer, est assez proche de *Zenga*, reprit Sung sans quitter Janine des yeux, ce terme utilisé par les experts pour caractériser un certain style bien particulier de peinture, dans lequel on retrouve fortement l'influence du *Zen*... Idéogrammes chinois, cercles, branches de bambou, oiseaux ou silhouettes humaines, les tracés sont faits avec un grand dépouillement et une grande spontanéité. Le secret de ce style réside dans l'art de savoir équilibrer la forme avec le vide, en utilisant le minimum de moyens. Ainsi il suffit à un artiste de ne peindre que dans un coin pour donner vie à toute la surface. Avec cette technique il faut « peindre sans peindre » ou selon une expression empruntée au *Zen* « jouer sur un luth sans corde »... Le plus grand Maître japonais de ce style a sans doute été Sesshu, un moine qui a vécu au XVᵉ siècle. Quand il dessine un cercle solitaire, l'un des thèmes les plus fréquents du *Zenga*, celui-ci n'est pas seulement excentrique et assymétrique, mais la texture même du trait est irrégulière, avec des éclaboussures et des encrages inégaux... Du coup le cercle en devient vivant, concret... Quant au *Renga* proprement dit, le mot désigne une forme poétique très ancienne fondée sur une chaîne de poèmes liés, improvisés par plusieurs auteurs à partir d'un court poème initial de trois vers de 5, 7, 5 syllabes, lui-même appelé *haïku*... Un chaînon du *Renga* constitue avec celui qui le précède un poème, et celui-ci est lui-même différent de celui qu'il forme avec le chaînon suivant. Le tout forme un texte continu... Dans cet ordre d'idées, un *Renga* composé dans l'esprit du *Zen*, c'est-à-dire ici et maintenant...

devient un *Zenga*... Pour bien marquer la différence avec d'autres poésies *Renga* plus proches à mon avis du badinage poétique ordinaire... A certaines conditions le *Renga-Do*, la voie du *Zenga* au sens où je l'entends, peut devenir un véritable chemin spirituel...

— Excusez-moi de vous interrompre, Maître Sung. Mais je vous avoue que je suis un peu perdue... Comment la poésie pourrait-elle conduire quelqu'un à l'illumination ?

— Chère Janine, c'est un art « sur le vif »... Ce n'est pas quelque chose qu'on « démontre ». Nous pourrions tout juste vous donner un exemple d'un *Renga*...

— Ah oui ? Et ça donnerait quoi ?

Elle s'était dressée et, les mains sur les hanches, elle toisait Sung du regard. En l'observant, Lisbeth ne put s'empêcher d'éprouver une certaine sympathie pour ce bout de bonne femme énergique.

— Nous sommes au moins trois ici à être familiers avec la poésie japonaise... Nous pourrions effectivement essayer...

Tout en parlant Sung avait machinalement regardé ses deux fils.

— Je suppose que c'est à moi de commencer, poursuivit-il en fermant les yeux. Souvent éveil rime avec sommeil... Voyons... Pourquoi ne pas reprendre le thème de la légende du bétel que je viens de vous raconter ? Que diriez-vous d'improviser sur celui-ci :

> *A deux frères jumeaux*
> *J'ai proposé du bétel*
> *Un seul a dit oui*

Arec, qui manifestait depuis quelque temps son impatience en tambourinant avec ses doigts sur le rebord de sa tasse, ne dit rien mais lui lança une œillade meurtrière. Ce qui eut pour effet de provoquer une réaction immédiate de Hughes qui bondit sur ses pieds. Mais cette fois Sung intervint sur-le-champ.

— Hughes ! Ne recommencez pas ! Si vous n'avez pas un poème à proposer, rasseyez-vous... Peut-être Calvin veut-il enchaîner ?

A la grande surprise de Lisbeth, celui-ci ne marqua aucune hésitation. En fixant Arec dans les yeux, il commença à réciter :

> *Il est déjà moi*
> *L'ami qui me ressemble*
> *Je ne suis pas encore lui*

— Ah... Pas mal... Et vous Arec ?

— Tout ça est ridicule ! lança abruptement celui-ci en marchant vers la porte-fenêtre où il resta planté plusieurs secondes. Vous me rappelez les moines d'Eiheji, reprit-il sur un ton méprisant. Arec avait parlé sans se retourner mais tout le monde comprit qu'il s'adressait à Sung. Parfaitement respectables et estimables tant qu'ils se cantonnent à leurs jeux futiles de *koan* et *mondo Zen...* Mais dès qu'ils s'aventurent au-delà de ce périmètre, ils deviennent risibles à pleurer... Je suis parti du monastère dès que j'ai compris qu'aucun de leurs *koan* ne résistait à ma sagacité...

Sung l'interrompit en laissant échapper un soupir.

— Hum... Comme je le disais tout à l'heure, souvent éveil rime avec sommeil... Dites-moi, je serais curieux de connaître la réponse que vous avez donnée à un certain *koan* qu'on n'a pas dû manquer de vous proposer...

— Lequel? aboya Arec en se retournant brutalement.

— Eh bien celui qu'on a attribué à Hui-neng, le sixième patriarche du *Zen.* Hui-neng était depuis quelque temps cuisinier au monastère de Wang-mei lorsque Hung-jan, le cinquième patriarche qui y enseignait, annonça qu'il cherchait un successeur pour lui transmettre sa charge avec sa robe et son écuelle de mendiant, insignes de sa dignité. Cet honneur reviendrait à celui qui pour exprimer sa compréhension du bouddhisme composerait le meilleur poème.

— Je connais l'histoire des deux poèmes, coupa sèchement Arec. Celui écrit par Shan-hsiu, le moine chef de la communauté et à ce titre le mieux placé pour succéder à Hung-jan, et celui rédigé par Hui-neng, individu illettré préposé aux cuisines mais qui fut l'auteur d'un texte qui le désigna comme le plus digne de succéder au cinquième patriarche. Afin d'éviter les jalousies celui-ci le fit venir secrètement dans sa chambre, la nuit, pour lui conférer le Patriarcat, en lui donnant sa robe et son écuelle, mais en lui conseillant de s'enfuir dans la montagne pour donner le temps aux autres moines d'oublier leur rancœur.

— Ce que fit Hui-neng, enchaîna Sung sans paraître se formaliser de l'interruption, qui eut la surprise de se voir poursuivi par un des moines. Parce que celui-ci, qui avait été le seul, en dehors de Hung-jan, à soupçonner la valeur de Hui-neng, voulait le convaincre de le prendre comme disciple. Ce qui donna l'occasion à Hui-neng de lui soumettre son fameux *koan* : « Quel est ton visage originel? Celui que tu avais, avant que ton père et ta mère ne te mettent au monde? » Qu'avez-vous répondu à votre *Roshi*, quand il vous a posé la question, Arec?

Celui-ci garda le silence pendant un long moment.

Clemens l'observa attentivement. Jusqu'ici il avait été un peu dépassé par la tournure des événements. Tout en soupçonnant vaguement Sung de se servir de Janine pour gagner du temps, il n'était pas parvenu à se convaincre de l'utilité d'une telle tactique. Et au fur et à mesure son inquiétude avait grandi, surtout à partir du moment où il devenait évident que Sung tournait en rond. La légende du bétel avait été une bonne idée, mais malheureusement elle avait laissé Arec totalement froid et indifférent.

En interceptant le regard cinglant qu'il lança à Sung. Clemens y lut bien sûr une énorme colère sourde, mais aussi autre chose qui le surprit et le fit réfléchir. C'était la première fois, il en était sûr, que les yeux d'Arec avaient exprimé comme une sorte d'indécision ou d'hésitation. Intuitivement il en devina immédiatement la cause. Et comprit du même coup la tactique de Sung. Si Arec avait l'air de réfléchir intensément, ce n'était sûrement pas pour trouver la réponse au *koan*, il s'en fichait probablement éperdument... Par contre il était fou furieux que Sung, sans avoir l'air d'y toucher, continue de mener à sa guise la danse, et il cherchait donc désespérément un moyen de reprendre l'initiative. La pauvre Janine – à supposer qu'elle fût en mesure de soupçonner quoi que ce soit – était loin de se douter que la confrontation entre Sung et Arec avait déjà commencé! Pour le moment Sung était en train de tester son adversaire... En l'attirant volontairement sur son propre terrain... Sung n'avait pas hésité à défier le *Pivert* en l'invitant à composer un *haïku*, sa forme de poème préférée! leur *hatashi* avait débuté... Sous la forme d'un *Renga*!

« C'est ce qu'il vient de comprendre... », pensa Clemens en voyant une lueur de stupeur muette traverser furtivement le regard d'Arec. Il s'aperçoit qu'il a été manipulé à son insu...! »

« *Ku-ku-ku-kuck!* »

En se tournant pour désigner d'un mouvement de tête la colline d'en face d'où était venu le cri, Arec dit d'une voix triomphante :

– Voilà ma réponse au *koan* de Hui-neng!

Sung fixa Arec pendant plusieurs secondes sans rien dire. Puis il pivota sur lui-même pour poser ses yeux sur Clemens.

– Normalement c'est à votre tour... Mais si vous n'y voyez pas d'inconvénient, j'aimerais entrer de nouveau dans le *Renga*. Vous voulez bien ?

– Bien sûr..., répondit-il en cachant difficilement sa surprise.

Ce n'était pas la question de Sung qui l'avait déconcerté mais la profonde tristesse qu'il avait décelée dans sa voix.

– A vrai dire le *haïku* n'est pas de moi, mais de Jôsô. Il est tout à fait indiqué dans la situation présente. Voici ce qu'il dit :

> *Parmi tant de fleurs*
> *Le pivert en quête*
> *d'un arbre mort*

49

Lisbeth était bien placée pour savoir qu'en dehors de la longue cicatrice sur la cuisse de Calvin, les deux frères étaient physiquement la copie conforme l'un de l'autre. Jumeaux monozygotes, ils étaient génétiquement identiques. Ce qui signifiait – d'après Clemens, c'était le cas de Calvin et d'Arec – qu'ils pouvaient exceptionnellement partager des choses en principe uniques chez chaque invidivu : empreintes digitales, vocales... C'était une situation profondément troublante.

Heureusement il y avait la psyché et l'analyste en elle était à la fois fascinée et horrifiée par les subtiles différences qu'elle commençait à percevoir entre Calvin et Arec. Chacun étant le reflet de l'autre, l'effet de miroir était parfait tant que rien ne s'interposait entre eux. Mais dès qu'un élément extérieur s'intercalait, une imperceptible distorsion en résultait immédiatement. C'était exactement comme dans le rêve que Calvin lui avait raconté, celui où il se retrouvait devant une triple glace d'armoire à pharmacie. Elle n'était apparue qu'une fugitive seconde dans le miroir central, mais cela avait suffi pour transformer les deux images latérales et les rendre en quelque sorte indépendantes l'une de l'autre. C'était précisément ce qui était en train de se produire, tantôt à cause d'elle, tantôt à cause de Sung! Elle ignorait comment diable Arec avait réussi à deviner ce qui s'était passé, mais il était évident qu'il savait qu'elle et Calvin étaient devenus amants la nuit dernière! Elle ne pouvait en douter aux regards qu'il lui avait jetés. De même elle était sans doute la seule à l'avoir remarqué, tant la nuance était impalpable, autant Sung ne semblait susciter qu'une sorte de curiosité étonnée chez Calvin, autant chacune de ses interventions ne manquait jamais de provoquer chez Arec, même s'il restait quasiment impassible, une espèce de fureur sourde. A sa connaissance elle n'avait encore jamais vu quelqu'un se dominer de cette façon pour contenir ses sentiments, que ceux-ci expriment une jalousie trouble ou un mépris haineux. Et puis il y avait aussi le pivert... Si le cri de l'oiseau avait semblé « galvaniser » Arec, en faisant ressortir son côté agressif – on pensait irrésistiblement à un fauve prêt à bondir sur sa proie –, il avait produit un effet inverse sur son frère. Voûté et comme recroquevillé sur lui-même, Calvin était alors apparu dans toute sa fragilité et sa vulnérabilité... Elle avait surpris une lueur blessée dans son regard quand il avait entendu le poème de Jôsô.

Sung la tira brutalement de ses pensées.

– Eh bien, puisque nous voilà réunis comme vous le souhaitiez, dit-il d'un ton grave en s'adressant à Arec, nous vous écoutons... C'est le moment de nous expliquer ce que vous entendez par « faire tomber les masques ». Inutile d'attendre le retour de Hughes puisque de toute façon cette affaire ne le concerne en rien.

Hughes était parti raccompagner Janine.

– Vous acceptez donc ma demande de *hatashi*? s'écria Arec, sa voix trahissant une certaine excitation.

– Comment pourrait-il en être autrement? répliqua Sung avec un soupir. C'est sans doute le seul moyen de mettre fin à ce *Renga* stupide et morbide qui se poursuit depuis trop longtemps à votre initiative, sous prétexte d'exercer votre droit au *katachi uchi*... Ce pseudo-devoir sacré de la vengeance que vous clamez, pouvez-vous seulement le justifier? Je trouve grotesque et comique que vous invoquiez l'honneur de Masashi alors que ce serait plutôt à moi de lui demander réparation de ce qu'il m'a fait : m'obliger à renoncer à jamais à la femme que j'aimais ainsi qu'aux deux fils qu'elle m'avait donnés! Contraindre une mère à se séparer d'un des deux enfants, c'est la chose la plus ignoble qui soit!

– Mon père ne l'a jamais forcée à prendre une telle décision. Il lui a laissé le choix : rester avec lui, mais avec un seul des jumeaux, ou partir avec eux... Vous êtes le dernier à pouvoir donner des leçons! Vous ne l'avez jamais aimée! Sinon vous ne l'auriez pas abandonnée après l'avoir engrossée...

– Vous savez bien qu'on m'avait injustement enfermé dans une infâme prison de Hong Kong... Dès que j'ai pu m'en évader, je suis parti à sa recherche... Mais, hélas, je suis arrivé trop tard... Elle vivait déjà avec Masashi et j'étais persuadé que ce dernier était votre père...

– Vous mentez! A deux reprises, je le sais, vous avez eu la possibilité de vous évader de la prison, mais vous avez préféré rester pour un vieux fou dénommé Yang...

– C'est vrai, à un moment j'ai dû faire un choix crucial : Yang ou Lucy... Lucy m'avait promis qu'elle m'attendrait, j'ai pris le risque de rester auprès de Yang. Inutile de vous dire pour quelle raison, vous ne comprendriez pas... Quand j'ai fini par retrouver Lucy, j'ai compris que beaucoup de choses s'étaient passées pendant ma longue absence. Elle avait l'air heureuse avec Masashi. Je n'avais plus qu'à m'effacer et à assumer les conséquences de mes actes, sans chercher à la revoir. Ce que j'ai fait, en m'arrangeant pour que ni Lucy ni Masashi n'apprennent que je m'étais évadé et que j'avais retrouvé leurs traces... Je ne vois vraiment pas en quoi Masashi a pu être offensé par une telle attitude...

– C'est là que vous vous trompez... C'est lui qui, par deux fois, a essayé en secret de vous faire évader grâce aux bonnes relations qu'il entretenait avec la pègre de Hong Kong. Mais vous avez préféré croupir dans votre trou à rats!

– Masashi? Mais pourquoi aurait-il fait une chose pareille? rétorqua Sung en haussant les épaules.

Puis en faisant un signe de tête en direction de Clemens, il ajouta:

– C'est Thomas Hannay qui, rongé par le remords, a voulu se racheter...

– J'ignore ce que ce vieux fou a fait! aboya Arec furieux, sans laisser le temps à Clemens d'intervenir. Hannay a reçu le châtiment qui sied aux parjures. Quand il m'a engagé pour vous éliminer, il m'a juré qu'il ne ferait appel à personne d'autre que moi et m'accorderait tout le temps que je jugerais nécessaire... Après une tentative infructueuse de ma part, il vous a envoyé un autre tueur. Le type que vous avez retrouvé derrière la haie de houx, c'est moi qui l'ai envoyé en enfer... Mais revenons à mon père: il a tenté de vous faire sortir parce qu'il avait le sens de l'honneur! Avant de proposer à Lucy de vivre définitivement avec lui, il voulait s'assurer de la sincérité totale de ses sentiments. Une enquête minutieuse lui avait permis d'apprendre que vous n'étiez pas mort, comme elle le pensait, mais que vous étiez toujours emprisonné à Hong Kong. Dans ces conditions il fallait qu'il en ait le cœur net: quelle serait l'attitude de Lucy si vous réapparaissiez soudain devant elle? Parce qu'il l'avait aidée et recueillie chez lui, mon père voulait avoir la certitude qu'elle éprouvait pour lui autre chose que de la reconnaissance ou de la gratitude. Quand il apprit votre évasion, alors qu'il commençait à croire que vous ne sortiriez jamais de cette prison, il s'est arrangé pour que vous retrouviez Lucy sans trop de mal... Vous connaissez la suite... Il n'a jamais compris pourquoi, au lieu de vous montrer, vous êtes resté caché toute la journée dans le grand érable...

– Il savait que j'étais là?

L'expression d'incrédulité de Sung ne fit qu'augmenter la colère d'Arec.

– Évidemment! Mon père était un vrai samouraï. Il était prêt à toutes les éventualités. Se défendre si vous aviez l'intention de le tuer... Laisser le choix à Lucy, si vous étiez venu la rechercher...

– Comment pouvez-vous savoir tout ça? demanda Sung dont le visage exprimait une sincère surprise. Vous étiez tout jeune à l'époque...

– Masashi s'est confié à moi deux jours avant de mourir..., répondit Arec d'une voix lasse et résignée, avant d'aller se planter devant la porte-fenêtre.

Il y eut un long silence pendant lequel Sung, tout en plissant le front, laissa errer son regard d'une façon absente sur les murs. Il était facile d'imaginer ce qui était en train de se passer dans la tête du vieil homme: revivant dans sa tête le fameux jour en question il confrontait ses propres souvenirs avec ce qu'Arec venait de lui dire à propos de Masashi.

— Au fond, pourquoi Masashi ne se serait-il pas conduit comme vous le dites ? Admettons que je vous croie..., dit-il finalement en caressant machinalement entre ses doigts une noix fraîche qu'il venait de prendre dans la boîte de bétel.

Sung se tut, le temps de ranger soigneusement le fruit dans son compartiment.

— Mais dans ce cas il y a une chose que je ne comprends pas, poursuivit-il, en levant la tête pour regarder en direction de la porte-fenêtre. Il me semble que Masashi, qui n'y était nullement obligé, s'est conduit avec une grande noblesse de cœur. Et qu'il a amplement satisfait à toutes les règles de l'honneur en me donnant la possibilité de revoir Lucy. Tant pis pour moi si je n'ai pas profité de sa générosité... Mais, dans ce cas, en quoi ma conduite a-t-elle pu l'offenser ? Le *hatashi* que vous exigez en son nom est sans objet...

Arec se retourna lentement et ne répondit pas tout de suite. Il fixa un long moment Sung sans rien dire. Il y avait une telle lueur de mépris et de haine dans son regard que Clemens crut une seconde qu'il allait se jeter sur Sung.

— Il est évident que vous n'avez aucune idée de ce qu'a pu être, dans sa version d'origine, le *Bushido*, le code d'honneur des samouraïs. Sinon vous ne m'auriez pas posé une telle question. Puisque cela semble vous poser un problème, laissons de côté Masashi et disons que ce *hatashi* est présenté en mon nom propre. Acceptez-vous oui ou non de vous mesurer en combat singulier avec Arec Katori ? Si oui, fixez-en les termes et finissons-en !

— Je n'ai jamais entendu une chose aussi insensée !

C'était Clemens qui n'avait pas pu s'empêcher de manifester à haute voix son indignation. Arec se contenta de lui lancer un regard méprisant, avant de reporter son attention sur Sung. Les bras croisés, dans une attitude arrogante, il attendait sa réponse.

Sung soutint son regard pendant un moment qui parut s'éterniser. Puis, sans se départir de son calme, en se tournant ostensiblement vers Clemens il lui dit sur un ton qui se voulait apaisant :

— Il faut être un Oriental pour comprendre un autre Oriental... Je crois enfin avoir deviné la raison pour laquelle Masashi a gardé une haine féroce envers moi jusqu'à sa mort... En m'enfuyant au lieu de l'affronter, je lui ai refusé la seule victoire qui comptait vraiment pour lui : non content d'avoir semble-t-il gagné le cœur de Lucy, il voulait prouver, à lui-même et à Lucy, qu'il m'était supérieur à tous points de vue. En me faisant évader, il ne souhaitait au plus profond de son cœur que cela : une occasion de me vaincre devant Lucy et de lui prouver que son amour pour moi n'avait été qu'un aveuglement passager. La confrontation qu'il voulait provoquer était pleinement conforme à l'idée qu'il se faisait de son honneur.

— Mais c'est insensé, absurde !

C'était au tour de Calvin d'exploser. Jusqu'ici il avait jugé préférable de ne pas intervenir pour ne pas envenimer la discussion entre Sung et Arec, mais vu la tournure complètement surréaliste que celle-ci était en train de prendre il ne pouvait se contenir plus longtemps.

– Détrompez-vous, mon cher Calvin. C'est au contraire d'une logique implacable. Il suffit de se replacer dans le contexte pour retrouver dans l'acte de n'importe quel *bushi*, ou samouraï si vous préférez, une parfaite cohérence. Voici une anecdote rapportée par un auteur dont j'ai oublié le nom, mais qui n'a fait que relater, j'en suis sûr, une histoire parfaitement véridique. Deux samouraïs qui se rendent au palais du *shôgun* se croisent dans l'escalier. Le premier ne salue pas l'autre car il l'estime d'un rang inférieur au sien. Ce dernier, s'estimant déshonoré, commet le *seppuku*, le suicide rituel, en laissant le mot suivant : « Mon courage rend mon sang supérieur au sien. » Lorsqu'on raconte l'incident au premier samouraï, celui-ci s'écrie : « C'est faux ! Mon sang n'est pas inférieur au sien ! », et aussitôt il s'ouvre le ventre avec son sabre court. Voilà le genre d'actes qu'on peut commettre au nom du *Bushido*... Absurdes ou tout à fait justifiables... Tout dépend du point de vue où l'on se place... Yamamoto Joche, un prêtre du XVIIe siècle, a écrit un ouvrage intitulé *Hagakure* qui est sans doute le livre le plus célèbre sur l'esprit du *Bushido*. Le problème est que le *Hagakure*, auquel les samouraïs modernes ont malheureusement trop tendance à se référer, est rédigé de telle façon qu'il est très facile de mal interpréter de nombreux passages, et, si on le prend à la lettre, on en conclut que suivre la voie du *bushi* cela revient à chercher à tout prix la mort... Mais le sens véritable du *Bushido* n'est pas là. Ce qu'il exige du *bushi*, c'est de faire preuve d'honneur et de courage toute sa vie, et, une fois qu'il a fait quelque chose de valable, dont il peut être fier, dans son existence, d'être capable le moment venu d'affronter sans hésiter la mort. Il n'a jamais été question de lui demander d'aller au-devant de la mort... Si quelqu'un tente de réaliser quelque chose, qu'il n'y arrive pas, et s'écrie : « J'ai échoué, il faut que je me tue », il interprète mal le *Bushido*. Ce dernier lui intime au contraire de continuer à vivre, même dans la honte, pour pouvoir réparer le tort qu'il a pu causer, ou modifier la situation qu'il a occasionnée. Le véritable *Bushido* fait appel à l'esprit de sacrifice, en vertu duquel il faut s'efforcer d'aider les autres ou faire le bien autour de soi. Certes le guerrier doit apprivoiser la mort et ne pas la redouter. Parce qu'il doit être prêt à sacrifier sa vie pour autrui. Toute voie véritable peut aboutir à ce sacrifice ultime. C'est ça le message réel du *Bushido*.

– Seriez-vous capable de vivre le *Bushido* aussi bien que vous semblez en parler ? Ne pensez-vous qu'il serait temps de passer aux actes, monsieur Sung ?

– Vous l'aurez, votre duel, Arec ! Demain, à l'aube, si ça vous convient... Si je me souviens bien, la dernière fois que vous avez essayé de m'affronter, votre *Muramasa* ne vous a pas été d'un grand secours... J'aurais aimé vous affronter avec un vrai *katana* : pour bien faire il aurait fallu que je dispose d'une *Masamune*. Mais je n'ai jamais éprouvé le désir d'en acquérir une. Je n'ai qu'un vieux *Bokken*. Vous devrez vous en contenter.

– Très bien. Dans ce cas moi aussi je me servirai de mon sabre en bois. Maintenant si vous permettez, puisque tout est au point, je vais me retirer dans la chambre que vous avez mise à ma disposition...

Clemens ne réalisa qu'il n'était plus dans la pièce que quand il vit Calvin se lever et courir derrière son frère en criant : « Attends ! Reviens, Arec ! Attends-moi ! » Il ne savait plus quoi penser. Un sabre de bois était une arme meurtrière entre les mains d'un expert comme Arec. Malgré toute sa science, Sung, spécialiste du combat à mains nues, pouvait-il affronter un *ninja* ? Puisse le grand Masamune, auquel il avait fait allusion, voler à son secours ! Clemens se souvenait de l'histoire de Masamune et Muramasa, deux grands armuriers qui avaient vécu au XVe siècle et qui avaient forgé des lames légendaires. Tout opposait les deux hommes. Muramasa était un être violent, taciturne et dangereux. Il avait la funeste réputation de forger des sabres redoutables qui incitaient leurs propriétaires à se lancer malgré eux dans des combats sanglants. Ses armes, si assoiffées de sang qu'elles blessaient parfois même leurs utilisateurs, acquirent rapidement une réputation maléfique. Au contraire, Masamune était un forgeron très pacifique et serein. Avant de fabriquer ses lames, il méditait plusieurs jours et se livrait toujours à un long rituel de purification. Certains le considèrent encore aujourd'hui comme le meilleur armurier qu'il y ait jamais eu. La légende raconte qu'un jour un samouraï voulut tester la différence entre les deux modes de fabrication des deux armuriers. Il plongea d'abord une *Muramasa* dans une rivière. Chaque feuille qui dérivait à la surface de l'eau et entrait en contact avec la lame était coupée en deux. Par contre, quand l'homme plaça la *Masamune* dans l'eau, les feuilles vinrent l'effleurer mais aucune ne fut blessée car elles glissaient toutes, intactes, le long du tranchant de la lame. Le samouraï s'écria alors : « La *Muramasa* est terrible, la *Masamune* est humaine. »

La voix de Sung le tira de ses pensées.

– Vous n'avez pas envie d'une petite marche dans la campagne, Clemens ? Je suis sûr que vous serez d'accord pour un peu d'exercice. Allez, venez... Comme ça je pourrai vous expliquer le petit service que je vais vous demander...

Clemens leva les yeux et regarda Sung avec un air soupçonneux. Ce fut alors qu'il s'aperçut que Lisbeth avait aussi disparu. Il ne l'avait pas vue sortir. Était-elle aussi partie à la recherche d'Arec ?

50

Ce n'était pas à vraiment parler un jardin *Zen*, mais l'endroit dégageait une telle sérénité que Lisbeth fut contente de s'y réfugier. Un petit étang avec des poissons rouges, un saule pleureur, un parterre irrégulier de fleurs vivaces, un banc de pierre à l'ombre du frêne. Une sorte de carré délimité sur trois côtés par des jeunes ifs ou des massifs bas de buis. Un rouge-gorge voletait gaiement en se faufilant entre les branches basses du vieux poirier en face d'elle.

Une légère brise s'était levée et parfois les feuilles du saule venaient lui caresser la joue. Elle n'arrivait toujours pas à s'expliquer pour quelle raison elle s'était stupidement précipitée derrière Calvin quand il avait couru derrière son frère. Les deux frères s'étaient retournés vers elle quasiment au même moment pour lui dire avec un ensemble parfait : « Laissez-nous, s'il vous plaît... » Elle s'était enfuie en courant du côté du colombier.

En errant dans la grande propriété, elle avait fini par trouver ce coin près de la haie du sud.

« Et moi qui pensais que c'était Lucy. Mais non ! C'est vous la femme de la légende, celle qui se tient entre les deux frères... »

Sur le moment, elle avait été tellement abasourdie en reconnaissant en Sung « le montagnard » qu'elle n'avait pas vraiment prêté attention à ses paroles. Maintenant celles-ci lui revenaient, chargées de sens... Elle était la femme du conte, celle qui n'avait pas pu choisir entre Tân et Lang, et qui avait laissé le destin décider pour elle... Comme Lucy qui avait dû errer de nid en nid... Cinq minutes auparavant, elle avait entendu un coucou crier quelque part sur la colline opposée. « Le coucou... L'oiseau qui dépose ses œufs dans le nid des autres... » Sung avait raison. Il n'y avait aucune échappatoire possible pour elle : elle était entrée malgré elle dans le *Renga*... Un sombre pressentiment lui disait que tout cela allait finir aussi tragiquement que dans la légende du bétel.

— J'ai bien peur qu'il n'y ait plus rien à faire... Sung avait vu juste en pensant au *haïku* de Jôsô : *Parmi tant de fleurs / le pivert en quête / d'un arbre mort...*

Lisbeth fit littéralement un bond sur place. Perdue dans ses pensées, elle ne l'avait pas entendu approcher.

— Excuse-moi. Je ne voulais pas te faire peur...

Dieu merci, c'était Calvin et non pas son frère ! Sauf s'ils s'étaient amusés à intervertir entre-temps leurs vêtements. Elle n'était pas prête à se retrouver seule avec Arec.

— Ce n'est rien, fit Lisbeth avec un sourire gêné, en se poussant afin qu'il puisse s'asseoir à côté d'elle.

La tête dans les épaules, le regard absent et lointain, l'air malheureux, il se laissa tomber sur le banc.

— Qu'y a-t-il ? lui demanda-t-elle d'une voix inquiète en posant la main sur son épaule.

Il resta muet un instant, prit une longue inspiration avant de dire d'un ton de voix dégagé qui parut totalement artificiel à Lisbeth :

— Lac n'a jamais existé que dans mon imagination... Je ne sais pas pourquoi je m'étais imaginé qu'Arec lui ressemblerait...

Il s'exprimait lentement, d'une façon presque monocorde, sans doute pour masquer son désarroi. Mais elle n'était pas dupe. Cette lueur désemparée dans son regard, cette façon de regarder obstinément par terre... Il était profondément meurtri.

— Que t'a-t-il dit, Calvin ?

Elle crut un instant qu'il n'allait jamais lui répondre. Il se leva, s'avança jusqu'au bord du bassin et resta plusieurs minutes à regarder dans l'eau, avant de venir reprendre sa place sur le banc.

— Toutes sortes de choses qui m'ont confirmé que j'aurais dû suivre mon intuition première en rentrant à New York..., dit-il doucement après s'être éclairci la gorge. Et moi qui me disais que mon frère avait eu plus de chance que moi... Maintenant je me rends compte que c'est lui qui a été le plus malheureux de nous deux. Depuis le début... Toute cette haine qu'il éprouve pour moi depuis tant d'années... Ça doit être terrible pour quelqu'un de détester une autre personne jusqu'à vouloir la tuer, tout étant obligé de la protéger...

— Que veux-tu dire ? demanda Lisbeth en notant qu'il semblait moins tendu.

Sa voix était redevenue normale, ainsi que sa respiration qui était beaucoup plus régulière. Était-ce la contemplation silencieuse des poissons rouges qui lui avait permis de se reprendre, de se recentrer dans son fameux *Zazen* ?

— Contrairement à ce que j'ai pensé, Arec n'a appris mon existence que relativement tard. Quelques jours je crois avant son vingt et unième anniversaire... De la bouche même de Lucy qui était gravement malade et qui ne voulait pas mourir sans lui avoir confié auparavant son terrible secret... Elle lui a arraché la promesse qu'il ferait tout pour me retrouver et veiller sur moi... *Giri*... Un devoir et un serment sacré qui le plongeaient dans un dilemme cornélien... Respecter la volonté de sa mère équivalait à trahir Masashi qu'il vénérait plus que tout... J'étais le maudit intrus qui venait rompre l'harmonie parfaite qui avait régné jusque-là. Du coup il m'a voué une haine obsessionnelle.

— Tu ne crois pas que tu te trompes ? Après tout il t'a sauvé la vie à Choisy...

— C'est lui-même qui me l'a dit ! « Tu m'as volé son amour... Quand elle me regardait c'était donc uniquement toi qu'elle voyait »... Voilà ce qu'il m'a jeté à la figure quand j'ai commencé à lui poser des questions. Au début je croyais qu'il me parlait de toi. Et puis, j'ai réalisé qu'il s'agissait de Lucy. Le seul fait d'apprendre que j'existais semait soudain une sorte de doute rétroactif dans sa tête ! Quand il revivait dans sa mémoire les moments heureux passés avec elle, il ne pouvait s'empêcher de se torturer l'esprit avec des pensées telles que : « Elle me disait qu'elle m'aimait, mais en réalité elle pensait continuellement à mon frère. » Avec le temps, Arec a fini par se persuader que tout l'amour et l'affection qu'elle lui a portés m'étaient en réalité destinés... En un sens ma situation d'orphelin était bien plus enviable... Je crois qu'en réalité Arec a tout simplement transféré sur Sung sa haine pour moi. Ayant juré à Lucy de veiller sur moi, il ne lui restait qu'un moyen d'assouvir sa vengeance : s'en prendre au père, au concepteur des jumeaux... Et comme en plus il peut l'affronter sur le terrain des arts martiaux, cela lui permet, lui qui ne jure que par le *Bushido*, de n'enfreindre en rien le code de l'honneur en lui lançant un défi à la loyale... Arec ne croyait pas si bien dire en écrivant que les « masques tomberaient »... Qu'en penses-tu, Lisbeth ?

— Tu as sûrement raison... En tout cas ça collerait avec la façon un peu alambiquée dont il invoque l'honneur de Masashi pour justifier son attitude...

— Quel gâchis ! Quand je lui ai rappelé que Sung était quand même son père de sang, il m'a rétorqué : « Si Sung est mon père, toi tu n'es pas mon frère mais seulement l'arrière-faix ! » Comme je lui ai demandé ce qu'il entendait par là, il m'a répondu qu'on aurait dû m'enfermer dans un pot hermétique et me jeter à la mer, comme on continue de le faire dans certaines tribus primitives de Java... et que je n'avais qu'à te demander de m'expliquer pourquoi. Qu'a-t-il voulu dire, Lisbeth ?

Elle eut du mal à cacher sa colère. Vu la façon donc Arec s'y était pris pour l'impliquer, la conclusion s'imposait d'elle-même. Le choix du terme « arrière-faix » prouvait qu'Arec avait sérieusement potassé la question, car c'était un mot qu'on ne trouvait guère que dans certains ouvrages psychanalytiques, notamment pour expliciter une dissociation symbolique entre deux jumeaux...

Sentant le rouge lui monter aux joues, Lisbeth parvint à articuler sur le ton le plus neutre possible :

— L'arrière-faix... Il y avait longtemps que je n'avais pas entendu quelqu'un utiliser cette expression... Ce n'est pas une notion facile à expliquer...

Puis elle se leva et s'avança vers le bassin. Il fallait absolument qu'elle réfléchisse et remette de l'ordre dans ses pensées. Elle ferma les yeux et se concentra pour récapituler mentalement tout ce qu'elle savait sur le sujet. Les Indiens de la Prairie d'Amérique du Nord vénéraient une figure légendaire qu'ils appelaient le « garçon arrière-faix »; chez les peuples primitifs du Sud-Est asiatique on désignait sous ce nom le cordon ombilical et le placenta, comme le *frère* ou la *sœur* de l'enfant qui venait de naître... La superstition liée à l'arrière-faix allait si loin chez eux qu'ils attachaient la plus grande importance à la conservation de ces parties qui avaient appartenu au moi... Il fallait les préserver soigneusement, sous peine d'attirer le malheur sur soi si on les négligeait. Certaines tribus d'Afrique croyaient que chaque homme naissait avec un sosie qu'ils identifiaient avec l'arrière-faix, considéré donc comme un véritable deuxième enfant : le cordon ombilical ou « jumeau » du roi était enveloppé dans un habit d'enfant, orné de perles, et traité comme un être humain à part entière... A la mort du souverain, son « jumeau » était enterré avec lui en grande pompe...

« Si Arec a traité Calvin d'arrière-faix, ça veut dire qu'il se considère comme le frère aîné..., conclut Lisbeth. Comme dans la légende du bétel! C'est ça le message qu'il a voulu me faire passer! C'est sa façon de faire valoir ses droits sur moi. »

Elle revint s'asseoir... et prit une longue et profonde inspiration avant de parler.

– Le mot arrière-faix qui désigne tout simplement le placenta recouvre une notion assez complexe liée au mythe des jumeaux et qu'on retrouve dans la plupart des peuples primitifs. En gros, le thème de base, qui comporte de multiples variations selon les pays, est que le second des jumeaux tire son origine de l'« arrière-faix » du premier qu'on a jeté... Toutes sortes de superstitions, favorables ou défavorables, en découlent naturellement. Le sort de l'arrière-faix dépend étroitement de la relation intime qu'on établit entre l'homme et cette partie de lui-même. Si on considère ce lien comme bénéfique, on le traite comme un véritable être humain... Si au contraire on lui attribue une influence néfaste, malfaisante ou même démoniaque, on l'enferme dans un pot pour l'enterrer au fin fond de la forêt ou pour le jeter à la mer...

– C'est le sort qu'Arec aurait préféré que je subisse à ma naissance...

– Oui, c'est à peu près ça qu'il a voulu dire, glissa Lisbeth en dissimulant un soupir de soulagement.

Mais elle s'était réjouie trop tôt. Car Calvin ajouta aussitôt :

– J'ai autre chose à te dire... Je suis aussi chargé de te transmettre un message.

– Un message? balbutia-t-elle d'une voix presque inaudible.

– Il m'a dit textuellement : « Dis à Lisbeth qu'elle est ma partenaire *tantrika* et qu'il ne faut pas qu'elle l'oublie... Dis-lui que c'est très rare dans une vie de tomber sur le compagnon *tantrika* idéal et qu'il ne faut surtout pas qu'elle laisse passer cette chance unique... Je l'attendrai... C'est à son tour de venir jusqu'à moi... »

— Elle est encore plus ancienne que celle que je vous ai montrée du doigt quand nous nous sommes arrêtés tout à l'heure, au lieu dit la Croix d'Heubec. Celle-ci date du xive siècle. Moi, je la trouve assez belle...

Octogonale, elle était en pierre sculptée et avait perdu ses deux bras horizontaux. Clemens s'approcha et étudia les extrémités des croisillons, du moins ce qu'il en restait, qui se terminaient en rosaces à six pétales. La croix se dressait juste à l'entrée du petit cimetière auquel la petite église d'Heubec était adossée. Calme et retiré, l'endroit dégageait un charme indéfinissable qui n'était pas sans lui rappeler celui des cimetières romans du Devon ou de la Cornouaille. Le genre de lieu qui incitait au recueillement mais où l'on n'avait pas le sentiment de commettre un sacrilège quand on s'y promenait en compagnie de sa fiancée ou quand on y restait des heures allongé sur l'herbe à parler de tout et rien à son meilleur copain... Clemens supposait que c'était la raison pour laquelle Sung l'y avait entraîné. Pour lui expliquer enfin ce qu'il attendait de lui, car depuis qu'ils étaient ensemble Sung ne s'était guère montré bavard. Incapable de savoir si son compagnon était resté silencieux tout au long de la promenade parce qu'il la préférait *Zen* ou bien parce qu'il avait simplement éprouvé le besoin de réfléchir et de mettre un peu d'ordre dans ses idées, Clemens lui avait emboîté patiemment le pas pour une marche à bonne allure qui avait duré près de vingt minutes. Ils avaient emprunté pendant presque tout le temps un chemin creux en sous-bois bordé de coudriers, de hêtres centenaires et d'érables champêtres, avant de déboucher sur une route nationale, qu'ils avaient ensuite longée jusqu'à un carrefour avec une espèce de café-tabac à l'angle.

— C'est ma tournée, prenez ce que vous voulez... Je reviens tout de suite. Il faut que j'aille voir quelqu'un...

Sung l'avait planté au comptoir et s'était éclipsé dans l'arrière-salle. Pour revenir cinq minutes plus tard au moment où il dégustait son deuxième trou normand. Avec un paquet marron sous le bras qu'il avait rangé dans la poche intérieure de son blouson. Le même qu'il finissait de déballer sous ses yeux...

Un pistolet automatique beretta!

Clemens s'était assis sur un petit monticule d'herbe en face de Sung qui avait préféré rester debout, adossé contre une pierre tombale. Il eut du mal à cacher sa stupéfaction, ce qui fit éclater de rire Sung.

— Ne me dites pas que vous n'avez jamais vu une arme à feu, je ne vous croirais pas! lança-t-il en s'esclaffant avant de la poser sur le gravier entre eux deux.

— Êtes-vous ce qu'on appelle un tireur d'élite? reprit-il sur un ton plus sérieux.

346

— Pourquoi ? Vous voulez savoir comment je me débrouille avec un pistolet, c'est ça ?

— Oui. Plus précisément seriez-vous capable de faire ce qu'on voit parfois dans les westerns, à savoir loger une balle à coup sûr dans le bras ou la jambe de quelqu'un ? Juste pour l'immobiliser et sans lui infliger une blessure mortelle ?

Clemens ne répondit pas tout de suite. Il regarda pensivement le Beretta pendant un moment, avant de fixer Sung droit dans les yeux.

— Si vous me disiez exactement ce que vous attendez de moi... On gagnerait du temps, vous ne croyez pas ?

— Vous avez raison. Contrairement à ce que vous pourriez croire, ce n'est pas à Arec que je pense. Mais à Hughes... Savez-vous comment Arec l'a neutralisé ?

— J'ai une vague idée, mais les choses se sont passées tellement vite que je peux me tromper... Il a dû se servir de son *kï*...

— C'est exact... Et si Arec l'avait voulu, Hughes serait déjà mort à l'heure qu'il est. Ce n'est pas la première fois qu'Arec veut me battre. Il y a deux ans, contrairement à moi, il ne possédait pas encore de *kï*. Demain la situation sera complètement différente. Hughes le sait et il tentera à n'importe quel prix de me protéger, même si je lui ai donné l'ordre formel de rester en dehors de cette histoire... Soit il voudra se mêler à la bataille, soit il voudra me venger si jamais Arec remporte la victoire... Dans les deux cas, croyez-moi sur parole, Arec n'en fera qu'une bouchée. Vous n'avez eu qu'un léger aperçu de ses talents... C'est ici que je vous demande d'entrer en scène. Pour empêcher Hughes d'intervenir quoi qu'il puisse arriver... Pour le protéger en quelque sorte contre lui-même... Comme il est plus fort que vous au point de vue art martial, ce pistolet vous sera nécessaire... Mais bien entendu vous devrez vous contenter de le blesser, de l'immobiliser... Est-ce le genre de chose que vous pourriez faire pour moi ?

Clemens prit l'automatique dans sa main. C'était une bonne arme, précise à moyenne distance. Bien équilibrée... Il fit coulisser le chargeur. Quinze cartouches 9 mm parabellum. Il savait que deux ou trois balles au maximum lui seraient nécessaires...

— Il y aurait une solution encore plus simple... Ce serait que je m'en serve contre Arec...

— Il n'en est pas question ! hurla Sung d'une voix indignée. Pour qui me prenez-vous ?

— En tout cas, on ne pourra pas me reprocher d'avoir essayé..., dit-il en soupirant.

Puis tout en repoussant d'un coup sec le chargeur dans son compartiment, il ajouta :

— C'est d'accord. Je ferai ça pour vous... En souvenir de Lucy...

51

Les yeux!

Hughes se redressa dans son lit. Bien sûr, ça pouvait marcher! Pourquoi n'y avait-il pas pensé plus tôt? Et tant pis pour la vilenie du geste! L'idée que son *Senseï* pouvait perdre la vie lui était insupportable.

D'ailleurs son intention n'était pas de rendre Arec définitivement aveugle, mais seulement de réduire momentanément sa capacité de vision. Juste de quoi donner un léger avantage à Sung dans un combat manifestement inégal.

Hughes repoussa la couverture et s'assit sur le bord du lit. Il avait bien fait de s'être couché tout habillé. Une fois ses chaussures enfilées, il serait prêt à passer à l'action. Tout en commençant à les chercher à tâtons dans le noir – il ne voulait surtout pas allumer la lumière –, il commença à réfléchir. Arec ne le laisserait jamais approcher suffisamment près de lui. Il fallait donc qu'il trouve un moyen d'agir à une certaine distance. Il lui serait également nécessaire d'être plus silencieux qu'un chat dans la nuit. Le plus facile serait de parvenir jusqu'à la chambre d'Arec sans se faire repérer. Après...

Quel silence! Le seul bruit qu'il pouvait détecter était celui de sa propre respiration. Et pourtant son souffle était à peine perceptible. Calvin n'avait jamais connu un tel calme. C'était la première fois qu'il se rendait vraiment compte qu'il pouvait exister au-dehors l'équivalent de ce qu'il vivait au-dedans lorsqu'en *Zazen* il réussissait à atteindre ce stade où le silence devient en quelque sorte palpable, solide... Sung avait choisi un coin de Normandie tellement isolé du monde que le moindre bruit dans la nuit – l'ululement de la chouette, le mugissement d'une vache lointaine – ne faisait qu'en accentuer l'extraordinaire quiétude. On était au mois de mai, et pourtant on pouvait sans exagérer parler d'un sommeil hiémal de tous les bruits, comme il y en avait un pour les bêtes et les êtres... Un silence absolu, de mort... Semblable à celui où il serait retourné si on l'avait enfermé dans un pot et jeté au fond de la mer...

« Tu n'es que l'arrière-faix ! »

Le destin avait voulu qu'il vive. Mais Arec avait au moins raison sur un point : il n'avait aucune place dans son univers, et ne souhaitait pas que ça change... Il se sentait à mille années-lumière de son frère. Le *moineau orphelin* n'avait rien de commun avec un pivert en quête permanente d'un arbre mort...

Calvin approcha son poignet de ses yeux. 3 heures passées... Il s'assit sur le bord du lit et commença à s'habiller.

Giri... Senseï Taki lui avait enseigné un autre sens du devoir que celui dont son frère s'était gargarisé... Il pouvait pas faire comme Ponce Pilate et se laver les mains du sort de Sung, qui était quand même son père de sang... N'était-ce pas à cause de lui que le vieil homme était obligé de se battre contre Arec ? Parce que ce dernier avait juré de veiller sur le frère honni et haï... ?

Le seul moyen peut-être de le faire changer d'avis concernant Sung, c'était de lui donner enfin le moyen de se débarrasser définitivement de l'arrière-faix... D'assouvir sa vengeance contre celui qui lui avait volé dès la naissance l'amour de sa mère. Calvin était persuadé que Taki aurait approuvé son geste. Il l'entendait presque. Dans son anglais haché et approximatif... « *Hai. Ferris-san... Yes. Giri... ultimate Zazen... No difference between death and life. Here, now and everywhere... Hai. Like in koan I told you... Dead or alive ? No difference. Only Mu.* »

Il fallait provoquer Arec et s'arranger pour le sortir de ses gonds. Calvin se mit à plat ventre et tira vers lui la canne qu'il avait cachée sous le lit. Il la soupesa un instant dans sa main et une fois qu'il l'eut bien en main, il commença à faire des moulinets avec. Il n'avait pas l'ombre d'une chance, il le savait... Mais justement : Arec serait fou de rage en le voyant avec cette arme ridicule ! Il prendrait ça comme une véritable insulte !

Calvin posa la canne sur le lit et tendit l'oreille. Il lui avait semblé entendre un bruit dans la chambre juste à côté de la sienne. Celle de Lisbeth...

Il avait dû se tromper. Car il n'entendait plus rien.

« ... elle est ma partenaire *tantrika*... il ne faut pas qu'elle l'oublie... Je l'attendrai... C'est à son tour de venir jusqu'à moi... »

Ça devait faire la centième fois que Lisbeth se repassait dans sa tête les mots qu'Arec avait employés. Comme quelqu'un qui réembobine sans arrêt son magnétophone pour réécouter le passage d'une bande, pour y chercher désespérément un détail crucial. Même si elle n'était pas encore parvenue à mettre le doigt dessus, elle sentait que la solution était proche. Ce n'était pas la première fois qu'Arec lui laissait des messages de ce style, mais il lui semblait par rapport aux occasions précédentes qu'il s'y était pris de façon différente cette fois-ci, notamment en se servant de Calvin comme intermédiaire...

« Je crois que j'y suis ! » s'écria-t-elle en tendant la main pour allumer. Le mot devait être quelque part au fond de son sac. Celui qu'Arec lui avait laissé sur sa table de chevet, la nuit où il était venu la voir aux « Pommiers » à Honfleur...

Ça y est. Elle l'avait retrouvé.

Une fois pour toutes que les choses soient claires pour vous : Calvin ne sera jamais que le pâle reflet. C'est moi votre partenaire tantrika... *Je vous apprendrai à vous maîtriser pour le* nyasa, *car je suis sûr que vous êtes qualifiée pour le Maithuna...*

Et dire qu'elle avait failli passer à côté de quelque chose d'aussi important. Bien sûr que le comportement d'Arec s'était modifié ! Un changement tout à fait intéressant et révélateur « ...elle est ma partenaire *tantrika*... il ne faut pas qu'elle l'oublie... Je l'attendrai... c'est à son tour de venir jusqu'à moi. » La preuve était là : il avait perdu son assurance arrogante. Il y a un mois il n'avait pas *attendu*, il était venu ! Aujourd'hui il n'était plus si sûr de lui. Parce que contre toute attente la situation s'était inversée en faveur de Calvin, devenu entre-temps son amant... Ce qui voulait dire qu'inconsciemment Arec s'était persuadé qu'elle avait choisi son frère...

Dans ce cas, elle pouvait tenter encore quelque chose pour sauver la vie de Sung. En concluant un marché avec Arec...

« Oui. Ça peut marcher... », se dit-elle en commençant à s'habiller.

En ouvrant les yeux, Sung constata que la petite bougie s'était consumée. Sa méditation avait duré plus longtemps qu'il n'avait pensé. Il avait laissé sa fenêtre ouverte et l'humidité de la nuit le fit frissonner. C'était une lune noire et l'obscurité était totale dans sa chambre. Sauf quand parfois une petite braise rougeoyait faiblement dans la cheminée... Était-ce par un soir semblable que le poète avait composé son joli *haïku* ?

> *Un feu qui meurt —*
> *nuit profonde*
> *on frappe à la porte*

Sung comprit soudain avec stupeur que ce n'était pas par hasard qu'il s'était souvenu du poème de Kyoroku. Quelqu'un se préparait à franchir en silence une porte... Il venait d'en avoir une « vision » fugitive. Pourvu qu'il ne soit pas trop tard ! En un bond il jaillit sur ses pieds et sortit en courant de sa chambre.

Voilà, il était au pied de l'escalier menant au deuxième étage. Il avait fait le plus facile. Aller à la cuisine, remplir un seau avec le contenu de deux bouteilles en plastique d'eau de Javel, puis atteindre le premier étage sans faire le moindre bruit...

Hughes posa le seau par terre et se força à respirer plus lentement. Son cœur battait trop vite. Il fallait absolument qu'il réfléchisse au meilleur moyen de déverser l'eau de Javel à coup sûr sur Arec. En pleine figure et sans lui laisser le temps de fermer les yeux. Toute erreur, hésitation ou maladresse de sa part serait fatale et réduirait à néant son seul avantage : l'effet de surprise. La porte de la chambre d'Arec serait sûrement verrouillée... Il frapperait et, dès qu'Arec ouvrirait, il lui balancerait le liquide corrosif dans les yeux. Ça pouvait marcher. A condition d'être vif comme l'éclair.

Hughes s'accroupit et enleva ses chaussures. Puis, le seau dans sa main droite, il commença à gravir les premières marches de l'escalier en tendant l'oreille.

Un bruit le fit sursauter. Un craquement! Hughes se figea sur place. Une lame de parquet avait gémi. Il y avait quelqu'un à moins de trois ou quatre mètres derrière lui! Dans le couloir longeant les chambres du premier étage. Quelqu'un qui vraisemblablement avait détecté sa présence et cherchait à son tour à atteindre sans bruit l'escalier menant à l'étage supérieur. Pour le surprendre... Arec! Il lui avait tendu un piège.

Tout en pivotant rapidement sur lui-même, Hughes empoigna le seau à deux mains. Il fallait qu'il attende le tout dernier moment. Pour être sûr de ne pas rater son coup... Un autre craquement! L'autre était à peine à deux mètres de lui...

Au moment où elle avait atteint la porte de sa chambre, Lisbeth avait entendu du bruit dans le couloir. En collant son oreille contre le battant, elle avait réussi à l'identifier. C'était Calvin qui venait de sortir de sa chambre. Un instant elle avait cru qu'il venait la voir. Puis elle n'avait pas tardé à comprendre quand les bruits de pas s'étaient éloignés vers la droite, vers l'escalier du deuxième étage... Calvin avait dû avoir la même idée qu'elle...

Elle avait donc ouvert sa porte sans bruit et s'était glissée dans le couloir.

Une porte qui claque. Des bruits de pas précipités. Un cri... Tout à coup le palier du premier étage se retrouva illuminé. Ébloui par cette grande lumière, Hughes ferma instinctivement les yeux. La première chose qu'il aperçut tant bien que mal en les rouvrant fut la silhouette d'Arec. A moins d'un mètre de lui! Il avançait sur lui en brandissant une canne au bout de son bras... Hughes réagit instantanément. Il balança le contenu de son seau en visant le visage.

La suite fut totalement incompréhensible pour lui. A la dernière fraction de seconde Arec avait réussi par on ne sait quel miracle à se jeter sur le côté en baissant la tête! Maître Sung hurlait devant lui en se tenant les yeux... C'était lui qui avait reçu toute l'eau de Javel!

Ce fut la dernière pensée consciente de Hughes.

52

Réveillé en sursaut par le bruit, Clemens s'était précipité dans le couloir pour assister à une scène stupéfiante : Sung gémissait en se tenant l'œil droit, Hughes, ahuri et ébahi, s'agrippait à son seau, Calvin se relevait péniblement en se frottant le haut du crâne, Lisbeth paraissait proche de la catatonie... La forte odeur d'eau de Javel, la canne par terre... Deux secondes lui avaient suffi pour comprendre ce qui s'était passé. De rage il s'était jeté sur Hughes et lui avait assené un violent coup sur le crâne. Puis il avait hurlé à Lisbeth de s'occuper de Sung : « Passez-lui la tête sous l'eau. Vite ! » Il avait dû répéter son ordre trois fois avant qu'elle comprenne et s'exécute ! Ensuite après s'être assuré qu'Arec était toujours dans sa chambre, il avait traîné Hughes jusque dans la salle de séjour pour le ligoter solidement contre une chaise. Calvin, complètement hébété, l'y avait suivi comme un automate et, après avoir longuement hésité, il avait jugé préférable de l'attacher aussi. Un procédé un peu brutal mais il n'avait pas le choix.

Malgré ses multiples tentatives pour le convaincre de reporter le combat, au moins jusqu'à ce qu'on ait pu soigner convenablement son œil, Sung n'avait rien voulu savoir.

– Cette situation a assez duré ! Si je n'étais pas intervenu, Hughes et Calvin se seraient probablement entre-tués. Heureusement que j'ai « vu » ce qui allait se passer... Persuadé d'avoir en face de lui Arec, Hughes n'aurait pas hésité une seule seconde à tuer froidement Calvin ! Il est temps d'arrêter ce gâchis ! Vous savez bien que je suis le seul en mesure de le faire, même si cela doit se traduire par ma mort ! Si Arec veut absolument faire couler le sang, d'accord ! Mais ce sera le mien ou le sien, et celui de personne d'autre !

Après tant d'années à le traquer en vain, Sung se trouvait enfin en face du Pivert, et que faisait-il ? Rien ! Il s'était complètement laissé endormir par leur *hatashi* et avait abandonné à un quasi-borgne – malgré la demi-heure passée sous le robinet d'eau, Sung avait récupéré à peine un dixième de sa vision à l'œil droit – le soin de faire son boulot à sa place!

Mais les derniers événements lui avaient rendu sa lucidité. Arec n'était pas dans sa chambre mais son compte était bon... Il n'avait encore jamais vu quelqu'un courir plus vite qu'une 9 mm parabellum... Les deux combattants ayant décidé d'un commun accord de garder secret le lieu de leur affrontement, il n'avait aucune idée de l'endroit où ça se passerait. Mais de toute façon il n'avait qu'une seule chose à faire : attendre calmement le retour d'Arec en s'armant de patience...

Tout en touchant machinalement le beretta à travers la poche de sa veste, il consulta sa montre. Ça faisait dix minutes que Sung était parti avec son sabre de bois et son œil bandé... Un vieux pirate borgne qui n'avait peur de rien et qui allait se faire étriper par un *ninja*...

« Orgueilleux et têtu comme vingt mules... Mais un drôle de bonhomme quand même! Je le regretterai... », pensa-t-il avec une certaine tristesse en se levant pour aller jusqu'à la porte-fenêtre. Il y resta planté un long moment, collé contre la vitre à regarder songeusement les formes sombres des collines en face. Puis n'y tenant plus, il ouvrit et sortit sur la terrasse. L'aube n'allait pas tarder, mais le soleil était encore en dessous de l'horizon. Tout était dans une sorte de pénombre diffuse mais ce n'était plus tout à fait l'obscurité nocturne. Depuis toujours Clemens aimait ces minutes où le temps musarde, comme s'il ne parvenait pas à se décider à franchir la ligne de démarcation qui sépare la nuit du jour. Puis soudain tout bascule : le paysage perd son opacité et renaît, passant par toutes les nuances subtiles de l'aube : gris perle, jaune, rose...

« Quand le soleil se lève, c'est vers l'ouest qu'il faut regarder, et vers l'est quand il se couche... C'est un secret que mon père m'a appris un jour. C'est alors qu'on s'aperçoit que la frontière entre la vie et la mort n'est qu'une ligne imaginaire qu'on dessine dans sa tête... »

Il n'avait jamais connu le père de Lucy, mais il était sûr d'une chose. Tout ça ce n'étaient que des paroles! Dans quelques instants, dès qu'il ferait suffisamment jour, Arec se ferait une joie de faire franchir à Sung cette fameuse ligne! Pour le moment la campagne était encore silencieuse. Seule une mésange matinale chantait de temps en temps.

Le cri perçant du pic retentit dans la campagne à l'instant précis où les premiers rayons de soleil apparurent à l'horizon.

Comme un piège était toujours possible, Arec avait exigé de faire une inspection des lieux avant de commencer leur combat. Sung avait haussé les épaules et sans un mot était allé s'adosser contre un chêne à la lisière est de la clairière. Une précaution élémentaire consistait à examiner minutieusement les alentours afin de s'assurer que personne d'autre ne s'était posté à son insu au sommet d'un arbre avec un arc par exemple... Puis à passer au peigne fin chaque centimètre carré de la clairière au cas où le vieux singe aurait caché une arme quelconque dans un fourré ou au creux d'une souche morte.

Il devait reconnaître que Sung avait sélectionné l'endroit parfait. Le dojo idéal au sens étymologique... Le lieu où l'on étudie la Voie... Ils avaient assez vite quitté la petite route pour se frayer un passage à travers une forêt surélevée, en empruntant un ancien sentier abandonné depuis longtemps par les promeneurs et envahi de ronces et de broussailles. Sung avait ouvert le chemin en marchant à vive allure à deux ou trois mètres devant lui, sans s'arrêter ni se retourner une seule fois. Malgré la quasi-pénombre qui les avait enveloppés pendant presque tout le trajet, ainsi que les difficultés du terrain en pente, il n'avait eu aucun problème pour le suivre. Avait-il rêvé ? A un moment donné, en plus de l'odeur de la rosée, il lui avait semblé reconnaître le parfum sucré de la glycine. Les grappes tombantes des fleurs des vignes de glycine... Lavande, blanches ou rose pâle... C'était un spectacle presque aussi beau que celui des cerisiers... Il n'avait pas pensé à regarder sa montre mais il estimait qu'il leur avait fallu environ vingt minutes pour atteindre cette clairière sauvage nichée au fond du sous-bois. Bordée sur les quatre côtés d'arbres serrés et touffus, elle était complètement à l'abri des regards indiscrets.

Arec était satisfait. Tout semblait normal et régulier.

– C'est bon, nous allons pouvoir commencer ! lança-t-il en revenant lentement vers la clairière.

Sung n'avait pas bougé de son arbre. Le dos négligemment appuyé contre le tronc, il avait coincé son sabre de bois sous son aisselle gauche pour se préparer une chique de bétel.

Arec sortit le *hachimaki* de sa poche et commença à le nouer soigneusement autour de son front. Un vrai samouraï se devait d'arborer ce bandeau rituel avant tout grand combat spirituel ou physique. Celui-ci avait appartenu à Masashi... En pure soie blanche... Comme le bout d'étoffe qu'il avait attaché autour de la poignée de son *Bokken*... Le blanc était la couleur de la pureté et de la mort. Arec toucha quatre fois la garde de son arme, comme Masashi le lui avait appris. *Shi*... Le même mot pour quatre et pour mort... Il était prêt. Modifiant sa respiration, il entama les exercices qui l'amèneraient rapidement à s'installer dans le *ki*...

Il sentit une imperceptible secousse au niveau de son plexus et sut instinctivement que Sung avait commencé à faire de même... Arec se demanda pendant une infime fraction de seconde si sa décision de renoncer au *kuji-kiri* n'avait pas été une erreur... Il avait lu quelque part dans un vieux traité ésotérique que recourir à la fois au *ki*, la force vitale, et au *kuji-kiri*, les neuf signes magiques qui conféraient au *ninja* une puissance quasi surhumaine, était une chose suicidaire, car les deux forces pouvaient se retourner contre celui qui les avait invoquées...

« Fixe ses yeux. Ce sont eux qui trahiront ton adversaire à son insu, qui te dévoileront ses intentions secrètes. Te donnant l'infime avantage qui fera toute la différence. Sachant avec une milliseconde d'avance où se portera son attaque, tu pourras le contrer et lui porter un coup mortel... Fie-toi aux yeux... Tout en soignant ta rapidité de déplacement, pour frapper avec la vitesse et la soudaineté d'un faucon ! »

Ça faisait la troisième ou la quatrième fois que comme par miracle Sung réussissait de justesse à esquiver ses coups. Là où le tranchant de son *Bokken* aurait dû fracasser un os ou une articulation, il n'avait trouvé que le vide... Au début, se souvenant des conseils de Masashi, il s'était essentiellement concentré sur les yeux de Sung, ou plutôt sur son œil gauche, puisque l'autre était caché sous l'épais bandeau noir... Ce qu'il avait pris au début pour un *hachimaki* mal noué n'était qu'un vulgaire bout d'étoffe ! Une ruse grossière de Sung pour le distraire ! Et qui avait réussi... Car malgré tous ses efforts pour faire le vide dans son esprit, il ne pouvait s'empêcher de fixer ce morceau sombre de velours déchiré que Sung avait enroulé par-dessus son œil droit ! Son adversaire cherchait délibérément à le faire enrager. C'était de plus en plus flagrant. En combattant avec un seul œil... En adoptant presque tout le temps la stance *Gedan*, une garde basse, ouverte, vulnérable... En n'esquissant pour le moment aucune contre-attaque réellement dangereuse...

Il fallait en finir rapidement. Il ne fallait pas surtout commettre de nouveau l'erreur qu'il avait commise il y avait deux ans, c'est-à-dire perdre progressivement toute son énergie en se lançant dans une série d'attaques vaines et infructueuses.

Arec recula d'un pas. Rapprochant la garde de son *Bokken* de son abdomen, il dirigea la pointe vers le cou de Sung. Il remplit ses poumons d'air et expira lentement. Il avait pris la décision de ne plus se concentrer sur le regard borgne de Sung, mais uniquement sur sa respiration et sur la sensation de vide qui devait l'envahir progressivement. Il ne vaincrait que s'il parvenait au stade du *Munen Mushin*, à l'état sans idée et sans pensée... Quand il serait prêt, ses coudes se lèveraient d'eux-mêmes et le sabre, prolongement de son corps, s'élèverait au-dessus de la tête... Il passerait à l'attaque avant même que la pensée consciente correspondante parvienne à son cerveau...

Sung sembla deviner son changement de tactique car du coin de l'œil il le vit baisser son *Bokken* avant de le pointer au niveau de ses yeux... Instinctivement Arec fit instantanément un pas de côté et adopta la même stance défensive au niveau des yeux.

Chacun attendait dans une parfaite immobilité que l'autre attaque. Arec ne put s'empêcher de fixer de nouveau le bandeau noir de Sung. Sans qu'il puisse rien faire pour la chasser de son esprit, une pensée s'insinua lentement en lui : « Je ne vais quand même pas me laisser vaincre par un vieux borgne ! Je suis le *Dryocopus martius* ! »

356

« *Ku-ku-ku-kuck !* »

Arec réagit instantanément au signal du pic. En un mouvement d'une fluidité et d'une vitesse incroyables, il leva son sabre au-dessus de la tête et se rua sur Sung. En poussant un *kiaï* terrible...

– *Kiaaaï!*

53

— Vous ne pouvez pas le laisser comme ça, Mark! dit d'une voix sup-
pliante Lisbeth.

Elle avait raison. Depuis un moment, Calvin, toujours attaché,
paraissait être entré dans une sorte de transe hypnotique : il était en syntonie affective avec son frère! Le combat avait commencé et il en « vivait » les
péripéties!

Était-ce ce que Sung avait voulu lui dire dans le cimetière?

« Il faudra que vous fassiez attention à Calvin... Il faut s'attendre à
des réactions imprévisibles de sa part... Des interférences qui risqueront de
me gêner considérablement quand je serai avec son frère... »

En l'espace d'une minute à peine son visage avait exprimé successivement toutes sortes d'émotions : la surprise, le mépris, la rage, la peur...,
tandis qu'il s'agitait désespérément pour échapper à ses liens. C'était un
spectacle fascinant à observer et il leur avait fallu plusieurs minutes avant
de se rendre compte de ce qu'ils étaient en train de faire subir à Calvin.

« Le meilleur service que je pourrais lui rendre serait de lui assener
un bon coup sur la tête! » pensa Clemens en allant se placer derrière la
chaise.

Mais il commença à défaire les nœuds.

— Et moi? Pourquoi ne me libérez-vous pas?

C'était Hughes. Clemens se retourna et le regarda avec un air hésitant. Finalement il préféra ne pas lui répondre. Car il venait d'avoir une
idée. Si Calvin était réellement en syntonie complète avec son frère, il pouvait l'aider à les retrouver. Il ne lui resterait plus alors qu'à aller se poster
à un endroit d'où il pourrait le neutraliser avec son beretta... Une balle bien
placée dans chacune des jambes... Ce serait un jeu d'enfant pour lui... Mais
d'abord il fallait rétablir la communication avec Calvin et celui-ci, depuis
qu'il était détaché, avait toujours son regard halluciné, mais semblait de
nouveau gagné par l'apathie de tout à l'heure : il semblait indifférent à
tout, ne répondait à aucune sollicitation verbale.

Clemens l'aida à se lever et à s'installer sur le canapé où il se laissa tomber.

— Lisbeth, faites-nous du thé s'il vous plaît, dit-il en s'asseyant à côté de lui.

— Cal, c'est moi..., commença-t-il doucement en se tournant de façon que Calvin voit bien son visage. Tu m'en...

Il n'eut pas le temps de finir sa phrase.

— Ahhh...

En gémissant de douleur, Calvin s'était dressé d'un bond en se tenant la hanche droite puis s'était effondré lourdement par terre. Clemens se précipita pour l'aider à se relever, mais dès qu'il le toucha, il se débattit avec vigueur.

— Laissez-le! lui ordonna Lisbeth qui était accourue de la cuisine. Il est dans un état quasi somnambulique... Vous ne feriez qu'aggraver les choses!

— Sung est mort, n'est-ce pas?

— Oh, fermez-la! aboya Clemens à l'adresse de Hughes, tout en tapant violemment du poing sur la table basse, ce qui eut pour effet de faire valdinguer le plateau de la boîte de bétel, dont tout le contenu se répandit par terre.

Il regretta aussitôt la violence de sa réaction et se mit à genoux pour récupérer les noix éparpillées. Pendant un moment il avait cru que Sung avait gagné. Quand Calvin, après s'être lourdement affaissé, était resté silencieux et immobile pendant près de dix minutes... Il s'était aussitôt dit : « Sung a dû réussir à toucher gravement Arec à la hanche. » Mais maintenant il ne savait plus quoi penser. Calvin avait recommencé à bouger. A ramper en s'aidant de ses bras... Et Clemens avait senti son sang se glacer quand Calvin avait redressé la tête pour lancer rageusement : « Tu as perdu, Sung! C'est moi le vrai vainqueur! », tout en abaissant violemment à plusieurs reprises son poing serré vers le sol. La signification de son mouvement n'avait pas échappé à Hughes : c'était le geste de quelqu'un qui s'acharnait sur un corps allongé par terre en le poignardant sans pitié.

C'était fini...

Il suffisait d'observer Calvin pour voir que le combat était terminé. La crise était passée. Il semblait de nouveau complètement lui-même. Il s'était relevé et était allé s'asseoir sur le canapé. Quelques larmes coulaient sur ses joues. Il fallait bien que quelqu'un pleure la mort de Sung...

— Vite, venez avec moi! Il faut aller le chercher là-bas et l'emmener à l'hôpital...

Clemens mit plusieurs secondes avant de réaliser qu'il n'était pas l'objet d'une hallucinaton. Là, dans l'encadrement de la porte-fenêtre, c'était...

— *Senseï!*

– Sung!

Les cris de Hughes et de Calvin convainquirent Clemens qu'il n'était pas en train de rêver.

– Que s'est-il passé? parvint-il à balbutier en se précipitant vers lui.

– Plus tard... Pas le temps... Je n'avais plus assez de forces pour le porter... Il a la hanche fracassée... Mais je crains une hémorragie interne... Vite, allez chercher la voiture.

– Aaahhh... Aaaahh...

Calvin hurlait de nouveau en se tenant le bas-ventre à deux mains.

Clemens et Lisbeth voulurent se porter à son secours, mais Sung leur criait déjà, tout en fonçant en direction de l'escalier :

– Ne vous inquiétez pas pour lui! Je vais chercher le *katana*... Vite! il n'y a pas une seconde à perdre!

Sung avait insisté pour conduire et c'était un vrai miracle qu'ils ne se fussent pas retrouvés dans le fossé, ou sous le camion qui avait surgi dans la courbe... S'ils s'en sortaient il s'arrangerait pour lui faire retirer son permis! Au volant ce type était un vrai danger!

Clemens se retourna pour regarder Calvin. Les dents serrées, les traits déformés par la douleur – il se tenait toujours le ventre à deux mains –, il avait fermé les yeux, sans doute pour mieux dominer la douleur qui le tenaillait. Il avait absolument tenu à venir avec eux.

Sung donna un si violent coup de frein qu'il serait passé à travers le pare-brise s'il n'avait pas attaché sa ceinture.

– Hé! Où allez-vous? Attendez-nous!

Sung, qui avait arrêté la voiture sur le bas-côté, était sorti sans même prendre le temps de couper le contact. Il courait en direction du sous-bois que Clemens apercevait à environ cinq cents mètres sur la gauche. Le *katana* au bout de son bras...

– Merde! J'ai bien peur qu'on l'ait perdu, jura Clemens en s'arrêtant un moment pour respirer.

Ils étaient dans un petit bois qui semblait avoir été laissé à l'état sauvage, car il ne distinguait aucune espèce de sentier ou de chemin de terre... Des hêtres, des châtaigniers, des chênes, des frênes, des érables...

Calvin le dépassa en courant vers la droite.

« Bien sûr! pensa-t-il, en s'élançant derrière lui. Il sait, lui, où son frère jumeau se trouve... »

Effectivement, il les avait retrouvés! On entendait des éclats de voix, tout près. Calvin courait de plus en plus vite, et Clemens dut allonger sa foulée pour rester derrière lui.

– Quel est ton visage originel?

C'était la voix de Sung...

— Ku-ku-ku-kuck!

— Non! Ce n'est pas la bonne réponse! Quel est ton visage originel?

Ils étaient au centre d'une sorte de clairière. Sung était debout en face d'Arec qui s'étais assis sur ses talons.

Mais que faisait donc Sung? Était-il devenu fou? Il venait de flanquer une gifle retentissante à Arec qui s'était affaissé face contre terre. Et Sung qui lui redressait le buste en l'empoignant par les cheveux.

— Que est ton visage originel? Celui que tu avais, avant que ton père et ta mère ne te mettent au monde? Réponds, Arec!

Il allait le tuer... Il ne pouvait pas le laisser faire!

Il s'avança et s'arrêta net. Révulsé par la vision d'horreur qui s'offrit à lui.

Arec s'agrippait désespérément au sabre de bois enfoncé dans son ventre. Il y avait une grande flaque de sang à ses pieds... Il avait voulu se suicider en s'ouvrant le ventre avec la pointe de son sabre en bois! En entaillant ses entrailles, d'abord de gauche à droite, puis de bas en haut... Un *seppuku* rituel avec une lame en bois! Ils étaient arrivés trop tard.

Sung lui donna une autre gifle.

— Réponds, Arec! Réponds-moi! Quel est ton visage originel?

Cette fois, Arec eut l'air de l'avoir entendu. Il parvint à rester droit malgré le coup. Il fixa Sung un long moment et un éclair de compréhension parut soudain traverser ses yeux. Clemens le vit soudain lâcher le *Bokken*, puis joindre ses deux mains ensanglantées et les placer sur le haut de sa poitrine.

Par la suite Clemens crut se souvenir d'avoir vu Arec esquisser un sourire vers Sung, tout en inclinant légèrement son buste en avant. Mais il s'était peut-être trompé car tout se passa très vite.

La lame du *katana* s'abattit sur la nuque d'Arec à la seconde même où sa poitrine commençait à basculer en avant.

54

— Aujourd'hui, on va essayer une suite de Bach... Tiens, commence par déchiffrer les notes, pendant que je lis ma lettre..., dit Calvin en posant la partition sur le pupitre. Après la leçon, on ira faire un tour ensemble dans Central Park, d'accord ?

Ken se contenta de hocher vigoureusement la tête mais son visage s'illumina d'un sourire radieux. L'enfant avait changé. Avant, il se serait levé pour lui sauter au cou... Il semblait mieux maîtriser ses joies. Calvin nota avec satisfaction la façon précautionneuse dont il coucha son violoncelle dans l'étui, avant de reporter son attention sur les feuilles disposées sur le lutrin. Il observa un long moment avec attendrissement la façon sérieuse et concentrée dont Ken, les sourcils froncés, s'attaquait à la lecture des mesures. Il n'y a pas si longtemps, la simple perspective d'une promenade l'aurait poussé à « expédier » la leçon.

« Mon élève se serait-il enfin décidé à travailler sérieusement ? » se demanda-t-il en allant s'asseoir sur la terrasse. Il sortit l'enveloppe de sa poche et commença à lire la lettre de Lisbeth.

Cher Calvin,
Juste un petit mot pour te donner quelques nouvelles de nos amis « normands » que j'ai vus ce week-end. Mark et Sung sont devenus des compères inséparables. Pendant que Hughes s'occupe des stagiaires, Mark emmène Sung à la pêche... Sung, qui lui donne de temps en temps quelques cours de t'ai-chi, est même parvenu à convaincre Mark de s'adonner à la chique de bétel... Il paraît que c'est excellent pour lutter contre sa goutte chronique. Samedi soir, après un concert magnifique donné au grenier à sel, j'ai réussi à les traîner au casino. Sung n'a pas voulu jouer, mais tu devines aisément le pied que nous avons pris, Mark et moi, quand parfois nous arrivions à le convaincre de nous faire partager ses fameuses « intuitions » ! Nous n'avons pas fait sauter la banque pour autant : Sung y a veillé personnellement en se plantant plusieurs fois... Il prétend qu'il n'est pas infaillible, mais je le

soupçonne plutôt d'avoir un très grand sens moral... Dommage car moi aussi j'aurais bien envie de prendre ma retraite... J'ai pas mal de travail en ce moment et je ne sais pas encore ce que je ferai cet été... Je te laisse car il faut absolument que je termine mon manuscrit. Mon éditeur m'a accordé un délai, mais il commence à s'impatienter sérieusement. Je t'embrasse très fort.

— Calvin, j'ai fini le déchiffrage...
— Hein? Ah, oui, j'arrive, Ken..., dit Calvin qui rêvait distraitement devant la lettre.

Quel trio pour un casino! Une flambeuse psy entre un goutteux *english* et un Asiatique borgne... Il imaginait aisément le tableau!
— Pourquoi riais-tu?
— Oh pour rien, c'est une amie à moi qui m'écrivait et qui me racontait une anecdote amusante, répondit-il en rangeant la lettre dans sa poche... Je t'expliquerai une autre fois, quand on aura un peu plus de temps... Aujourd'hui, on va travailler sérieusement. Après, on ira prendre l'air... Je vais te la jouer une fois. Suis attentivement la partition. Concentre-toi en particulier sur les mesures 26, 27 et 28... Ce passage comporte une appoggiature assez intéressante, qu'on obtient par une variation dans le travail du coup d'archet. Écoute bien, car les premières notes de chaque mesure, *si, la, sol*, il faut les jouer détachées... Ce qui fait que ces trois basses finissent par former entre elles une mélodie conjointe... Toute la difficulté réside là. Par contre le *fa* dièse de passage sur le troisième temps, il faut l'articuler et le lier au *sol* suivant... Le mieux est que tu écoutes et que tu essaies de comprendre la nuance... Tu es prêt?

— Tu fais ce que tu veux, mais moi je m'allonge un instant dans l'herbe. Je suis fourbu. Et si jamais je m'endors, tu me réveilles pas avant au moins une heure, d'accord?
— Promis, si tu m'offres une glace...
— Marché conclu! Tiens, prends mon porte-monnaie et va la chercher. Tu peux aussi t'acheter une BD si tu veux, pour lire pendant que je fais la sieste...
— Youppee!
Ken était parti comme un boulet de canon. Calvin le suivit des yeux pendant quelques secondes, puis il se laissa tomber en arrière sur le gazon les bras en croix. Par moments, une brise agréable lui caressait le visage. L'herbe sous ses doigts était douce comme de la moquette. Quelle belle journée!

Assis paisiblement, sans rien faire,
Le printemps vient, et l'herbe croît d'elle-même.

Le poème du *Zenrin* lui était revenu spontanément. Était-ce lui qui y avait pensé? Ou Arec? Maintenant qu'il savait qu'Arec vivait en lui, il ne se posait plus de questions inutiles... Ça n'avait aucune espèce d'importance. Il n'en avait parlé à personne, non pas parce qu'il s'agissait d'un secret entre lui et son frère, mais parce qu'il n'éprouvait nullement le besoin d'en parler à quelqu'un. Il le vivait. Ça suffisait. Il y avait un magnifique proverbe japonais à ce sujet : « Les mots qu'on n'a pas prononcés sont les fleurs du silence... » C'était comme le *satori* qu'il avait partagé avec Arec, quand celui-ci avait été poussé dans ses derniers retranchements par Sung.

« Quel est ton visage originel, celui que tu avais avant que ton père et ta mère ne te mettent au monde? Réponds! »

Parce que lui-même l'avait vécu, il savait avec certitude ce que son frère avait ressenti au moment de la compréhension. Il y avait plein d'arbres délimitant la petite clairière. Soudain, à la seconde même où la réponse au *koan* lui était apparue, ils avaient disparu. L'espace tout entier était devenu une partie intime de lui-même... La musique du vent dans les branches avait submergé peu à peu tout son être... Tout désir était tombé de lui-même. Celui de gagner, de vaincre... Ou celui de vivre ou de mourir...

« Quel est ton visage originel? »

Maître Taki, à qui il avait rapporté l'incident quand il l'avait revu la semaine dernière, n'avait fait que lui confirmer, dans son anglais inimitable, ce qu'il savait déjà : seul un véritable Maître dans l'art du *Renga* pouvait offrir à son fils, au seuil de sa mort, ce *koan* ultime, pour lui donner une dernière chance de s'éveiller à la réalité cosmique.

« *Hai. Ferris-San... Sung proved Renga true and ultimate Zen... You lucky. Find master and father... Now your turn find your son...* [1] »

Il ne savait pas si Taki avait raison à propos du fait qu'il avait trouvé « un père »... Il était sans doute encore trop tôt. Mais Sung suscitait en lui une admiration aussi réelle et profonde que celle qu'il éprouvait pour son *Senseï*.

Il n'était sans doute pas faux de penser que c'était quelque chose de cet ordre qui avait finalement fait la différence entre Sung et Arec...

« Maintenant c'est à vous de trouver votre fils. »

Mais qu'avait voulu dire Taki avec ça? Était-il temps qu'il se marie et fasse des enfants?

— Ça fait une heure que tu dors...

— Hein? Que dis-tu?

Perdu dans ses pensées, il n'avait pas entendu Ken revenir. L'enfant était allongé juste à côté de lui et feuilletait distraitement les pages d'une BD.

— Déjà? Tu es sûr? lui demanda Calvin sur un ton moqueur en se redressant.

---

1. « Sung a prouvé que l'art du *Renga* était du vrai *Zen*. Vous avez eu de la chance. Vous avez trouvé un maître et un père. Maintenant c'est à vous de trouver votre fils. »

Il lui semblait qu'un quart d'heure à peine s'était écoulé depuis que Ken était parti chercher sa glace.

— Non. Mais comme tu n'as pas de montre et moi non plus, il faut bien quelqu'un pour remplacer le temps...

Calvin rit en haussant les épaules. Lisbeth venait de lui donner une idée.

« J'ai pas mal de travail en ce moment et je ne sais pas encore ce que je ferai cet été... »

A vrai dire c'était une éventualité qui lui trottait dans la tête depuis un certain temps. Plus il y réfléchissait, plus elle lui plaisait.

Se tournant vers Ken, il lui demanda :

— Tu crois que ton père te laisserait m'accompagner en France pendant les vacances d'été ?

TABLE DES MATIÈRES

Achevé   Imprimerie
d'imprimer Gagné Ltée
au Canada Louiseville

*Du même auteur
dans la même collection*

SPY CHANNEL

*Les espions aussi regardent la télévision.
Mais ce qu'ils y voient a peu de rapport
avec ce que perçoit le commun des mortels :
derrière le documentaire le plus anodin peut se cacher
un message aux répercussions terribles...
Quand vous aurez refermé ce livre,
vous ne regarderez plus la télévision
de la même façon.*

Depuis plusieurs mois, un taux de mortalité étrangement élevé a été remarqué dans les milieux de l'audiovisuel : de hauts responsables meurent de crise cardiaque ou lors d'accidents aux causes inexplicables. Personne ne prend au sérieux Peter Greenside, un agent antiterroriste de l'OTAN, lorsqu'il entreprend son enquête. Épaulé par un homme du MI 5 britannique et un ex-agent de la «Piscine», il va pourtant découvrir un formidable complot aux ramifications planétaires. Paris, Monte-Carlo, Milan, Londres, Amsterdam : les cases de la partie d'échecs qui s'engage sont nombreuses. Et les risques, terrifiants... *Spy Channel* : un grand roman d'espionnage à l'heure de la révolution audiovisuelle et des satellites.

*Un des meilleurs romans d'espionnage
de l'ère médiatique.*
Pierre Assouline / Lire